Acta Universitatis Upsaliensis
Studia Biblica Upsaliensia 1

Magnus Ottosson

Josuaboken

En programskrift för davidisk restauration

UPPSALA 1991

Tryckt med bidrag från Humanistisk-samhällsvetenskapliga forskningsrådet

Abstract

Ottosson, M. 1991. Josuaboken — en programskrift för davidisk restauration (The Book of Joshua — A Program of Davidic Restoration). Acta Universitatis Upsaliensis, *Studia Biblica Upsaliensia* 1. 300 pp. Uppsala. ISBN 91-554-2782-0.

The description in the Book of Joshua of a pan-Israelite conquest of Cisjordan followed by the allocation of land to the tribes is not historical in the modern sense of the word, and on archaeological grounds it cannot be attributed to the time of transition between Late Bronze Age and Iron Age. A special chapter (''The Conquest and the Archaeology'') treats the problem. The geography of the Book of Joshua, especially the cities, is viewed and compared with city lists of other traditions both inside and outside the Old Testament. Using the concordance an analysis of the text is done and the Book of Joshua is judged a deuteronomistic composition. The redactor (Dtr) has used and reworked old local traditions, named P, in order to make a program of davidic restoration. He lived in the time of the Josianic Reformation. Joshua is described as the perfect Israelite king, obedient to the Law of Moses. This guarantees holding the Land of Promise. Starting with the description of this area, Jos 1,4 (cf. Gen 15,18 ff.), the Book of Joshua outlines the Kingdom of David with Judah as the leading tribe. Shechem, where Abraham first received the promise of the Land, (Gen 12,6 f.), is then the pivot point of the Book of Joshua, (Chapter 24).

Magnus Ottosson, Faculty of Theology, Department of Old Testament Studies, Uppsala University, Box 1604, S-751 46 Uppsala, Sweden.

ISBN 91-554-2782-0
ISSN 1101-878X

Printed in Sweden
Textgruppen i Uppsala AB, 1991

Innehåll

Förord 9

Inledning 11
Landkonceptioner i Josuaboken 15
Kanaans land 17
Det ideala rikets ursprung 20
Mose — Josua 21
Israels kungar — Josua 23
Josuabokens litterära situation 24
Josuaboken och Numeri 29
Josuaboken och Deuteronomium 31
Den prästerlige samlaren 32
Josuabokens avfattningstid 36

Kap. I. Introduktionen av Josua 38

Kap. II. Spejarna och Rahab 43
Fördraget 45
De konditionala satserna 47
Rahab 49

Kap. III. Seger — nederlag — seger. Altarbygge 54
A. Jordan — Gilgal — Jeriko 54
Gilgal 57
Jerikos tillspillogivning 59
Gilgal-*ḥeraem* 61
B. Akanepisoden, Jos. 7 66
Deuteronomistisk *ḥeraem*-uppfattning 70
Jos 8–Dom 20 74
C. Altaret på Ebal 8,30–35 76

Kap. IV. Gibeoniternas list 81

Kap. V. Erövringskrig i söder och norr Sydlig koalition 86
Sydlig koalition 86
Nordlig koalition 89
Hasors brandskattning 90
Jos. 11,15 91

Kap. VI. Erövringens geografi ... 93
Benjamin och Juda ... 96

Kap. VII. De besegrade kungarna öster och väster om floden Jordan ... 100

Kap. VIII. Kapitel 13 ... 105
13,1–5 ... 106
13,6 ... 107
13,7 ... 108
Fördelningsterminologi ... 109
13,15–33 ... 112

Kap. IX. Fördelningen av Kanaan ... 115
14,1–19,51 ... 115
Kap. 14 ... 116
Kommissionen ... 116
14,6–15. Kalebs arvedel ... 117
Kap. 15. Juda stams arvedel ... 119
Vv. 1–12 ... 119
Kaleb-traditionen ... 121
Kap. 16–17 ... 122
17,1–6 ... 124
17,14–18 ... 125
Jos. 18 ... 127
18,1–10 ... 128
18,11 - 19,48 ... 130
19,49–50 ... 131
Fördelningens avslutning ... 131

Kap. X. Jos. 20 och 21 ... 133
A. Asylstäder ... 133
Översteprästens död ... 135
B. Leviternas ställning ... 138
Leviterstäderna ... 139

Kap. XI. Fördrag ... 143
A. Kap. 22 ... 143
B. Kap. 23 ... 146
C. Kap. 24 ... 147
Vv. 14–24 ... 151
Vv. 25–28 ... 153
Vittnesstenen ... 155
Sikem ... 155

Kap. XII. Fördelningens geografi 160
A. Städer som är hapax legomena i Josuaboken 162
B. Städer som är hapax legomena utanför Josuaboken 165
C. Städer i Josuaboken, vilka återfinnes i övriga delar av och utanför GT 168
Domarboken, kap. 1 168
1 Samuelsboken 171
1 Sam 30,25–31 171
De salomoniska distriktsstäderna, 1 Kon 4,7–14 172
2 Krön 11,5–10 174
Mika 1,10–16 175
Jes 10,28 ff. 177
Sanheribs 3. fälttåg 178
2 Krön 28,18 179
Gads, Rubens och Moabs städer 180
Administrationstexter 185
Kungasigill 185
Arad-ostraka 185
Lakis-ostraka 186
Samaria-ostraka 187
1 Krön 2 och 4 och 7 187
Det Enade rikets städer 188
Det Delade rikets städer 189
I Josuaboken stamvis förekommande städer, som är gemensamma med GT i övrigt 189
Stadslistorna i Esra och Nehemja 190
Distrikt i Juda 191
Gränsbeskrivningar 192
i öster, s. 194
i norr, s. 194
i väster, s. 195
i söder, s. 195
De gammaltestamentliga städerna i egyptisk kontext 199
Egyptiska toponyms i Palestina 200
Ortnamnsförteckning ....
A. Städer, hapax legomena utanför Josuaboken 206
B. Städer — icke hapax legomena — ej nämnda i Josuaboken 211
C. Städer, som är hapax legomena i Josuaboken eller endast förekommer där 215
D. Städer — icke hapax legomena — i Josuaboken och förekommande i GT i övrigt 220
E. Summering av städerna i Gamla testamentet 228

Kap. XIII. Erövringen och arkeologien 229
Sinai och Negeb 234

Södra Kanaan 236
Mellersta och norra Kanaan 236
Utmärkande drag i de tidigaste järnåldersbosättningarna 239
Kultplatser 240
Transjordanien 241
Khirbet Medeinet al-Mu'arradjeh 242

Summary 260

Förkortningar 275

Bibliografi 277

Författarregister 297

Förord

Mitt studium av Josuaboken har pågått under drygt tio år. Då arbetet ofta lagts åt sidan för andra uppgifter uppstår naturligtvis ojämnheter i framställningen. Ändock dristar jag mig att publicera manuskriptet.

Kapitlet om ''Fördelningens geografi'' med dess olika tabeller och uppställningar kunde säkerligen ha gjorts med större akribi, om persondator använts. Men läsaren måste vara medveten om att författaren ännu befinner sig i den smärtsamma övergången till dataåldern. Detta visar sig inte minst vid transskriptionen av hebreisk text. Av tekniska skäl saknas vissa läsetecken. Stavning av namn har många gånger berett mig svårigheter.

''Erövringen och arkeologien'' är det senast tillkomna kapitlet. Det skrevs hösten 1989 vid Aarhus Teologiska Fakultet under en månads vistelse, möjliggjord genom ekonomiskt stöd från NORDPLUS. Ett stort bibliotek ställdes till mitt förfogande av inspirerande kolleger.

Med glädje erinrar jag mig intensiva josuadiskussioner under besök i Jerusalem, i synnerhet med professorerna B. Mazar, Z. Kallai och M. Elat.

Det engelska sammandraget är i stort den föreläsning, som jag höll vid The Annual Meeting of Japan Old Testament Society, Tokyo den 12 juni 1989. Det har språkgranskats av dr J. Clontz, Maebashi, Japan och dr G. Mitchell, Heidelberg.

Mitt särskilda tack går till institutionssekreterare Leena Källström, Uppsala, som åtog sig den mödosamma uppgiften att renskriva manuskriptet och har fullgjort denna på ett beundransvärt sätt.

Arbetet tillägnas norska kolleger, studenter och vänner åren 1983–85.

Rossö den 6 augusti 1990

Magnus Ottosson

Inledning

Det är speciellt M. Noth, som lagt grunden till en nästan allmänt accepterad redaktionshistoria av Jousaboken.[1] Han förutsätter i Jos 2–9 en kedja av benjaminitiska lokalsägner av etiologisk art, vilka bearbetas av ''der Sammler'', ca 900 B.C. Denne var från Juda och hade ingenting gemensamt med pentateuchkällorna. Honom tillskrivs infogandet av Josuagestalten och han har bl.a. vävt in historietråden från kap. 2 i kap. 6, i synnerhet vv. 22–26.

Kap. 10 och 11 betecknar Noth som ''Heldenerzählungen'' eller ''Kriegserzählungen'', ursprungligen av lokal karaktär, till vilka såväl ''hela Israel'' som ''Josua'' tillfogats av ''der Sammler''. Kap. 12 har en deuteronomistisk ingress, vv. 1–6 men består dessutom av äldre obestämt material.[2]

Jos 13,1–21,42 har enligt Noth haft en egen litterär förhistoria, som inte haft någonting att göra varken med de övriga delarna av Josuaboken eller med Pentateuch-berättelserna. Han kallar det ''ein zweites deuteronomistisches Stadium''[3], som bestod av stadslistor och listor på Grenzfixpunkten. Dessa hade sammanfogats och bearbetats av der ''Bearbeiter''.[4]

Ej heller kap. 24,1–33 har hört till den ursprungliga deuteronomistiska Josuaboken. Avsnittet är fördeuteronomistiskt och har tjänat som förebild till det deuteronomistiska kap. 23. Till kategorin deuteronomistiska ramberättelser hör kap. 1,1–18 samt 23,1–16. I övrigt finns längre deuteronomistiska passager i kap. 8,30–35 och 21,43–22,6. Kap. 22 är i övrigt efterdeuteronomistiskt.[5]

Till efterdeuteronomistisk ''Zuwachs'' hör de avsnitt, som till form och innehåll erinrar om P-skriften i Pentateuchen. Hit hör t.ex. uppgifterna om landfördelningskollegiet, församlingstältet i Silo, *'ēdā*-begreppet etc.[6]

S. Mowinckel trodde sig kunna bevisa att det i J fanns underlag för en erövringsberättelse även av Cisjordan.[7] Han fann bl.a. vissa bevis härför i Jos 2–11, vilka han kombinerade med Nu 32,32–42 (J). J presenterade emellertid inte någon erövringshistoria utan snarare en resultatsrapport och anekdotiskt material. Den predeuteronomistiske författaren av bl.a. Jos 2–11 var därför egentligen inte J utan en senare, som Mowinckel benämner J^{V}. ''Die Geschichtsauffassung

1 M. Noth, *Das Buch Josua*, 1953^{2}.
2 *Op. cit.*, 8.
3 *Op. cit.*, 10.
4 *Op. cit.*, 14.
5 *Op. cit.*, 15 f.
6 *Op. cit.*, 10 f.
7 S. Mowinckel, Tetrateuch-Pentateuch-Hexateuch, *BZAW* 90 (1964).

und die Ideologie dieser Umarbeitung stehen dem Deuteronomisten näher als dem alten J."[8] J^V torde då närmast motsvara Noth's "Sammler". Mowinckel antog också, att Jos 1 ersatt ett tidigare kapitel, som inte kan sökas på annan plats än i Nu 32. Det behandlar öststammarnas bosättning i Transjordanien.[9] Inledningsfrasen av Jos 2,1 skulle bl.a. tyda därpå. G. M. Tucker är införstådd med Mowinckels uppfattning och understryker den genom att även poängtera förekomsten av ortnamnet Shittim i Jos 2,1, vilket utgör den sista lägerplatsen i Nu 25,1 (J).[10]

Mowinckel tog ännu ett steg i sin rekonstruktion av Josuabokens traditionshistoria genom att anta, att även P haft en erövringshistoria, som endast bestått av schematiska notiser. P, som levat i Palestina, kände till såväl J^V, som D. "Das hat zur Folge gehabt, dass die jenigen Abschnitte aus J und P, die von Josua und der Landnahme handelten, in den entsprechenden Teil des Geschicthwerkes eingearbeitet wurden".[11] P skulle sålunda vara det senaste skiktet i Josuaboken.

Ehuru M. Weinfeld i sin analys av det deuteronomistiska historieverket mycket sporadiskt går i närkamp med Josuabokens redaktionsproblem, så understryker han, att de individuella berättelserna av Jos 1–12 är gamla, medan deras ramar är sena och deuteronomistiska till sitt ursprung. I detta "deuteronomic strand" av Josuaboken har Josua genom det nationella uppvaknandet under den josianska eran formats till en nationell *militär* ledare, medan han i de tidigare traditionerna uppträder som en nationell religiös ledare på samma sätt som Mose. "The wars of Josua, according to the P traditions, are locally fought battles in which the sacral factor plays a dominant role (for example, the conquest of Jericho, the Achan episode)". Men "the military orations and the pictures of total war described in the deuteronomic strand of the Book of Joshua reflect, therefore" (dvs. inflytande i synnerhet av assyriska krigsbeskrivningar) "the military reality of the eight and seventh centuries B.C. which has been turned back to conditions prevailing during the periods of the conquest."[12] Weinfeld företräder en helt konverterad uppfattning i förhållande till Mowinckel och räknar med en P-berättelse som är äldre än D. Erövringsskildringarna tillhörande P enligt Weinfeld motsvarar Mowinckels J eller J^V och är under alla omständigheter pre-deuteronomistiska.[13]

[8] *Op. cit.*, 51.
[9] *Op. cit.*, 49.
[10] G. M. Tucker, The Rahab Saga, *The Use of the Old Testament in the New and Other Essays. Studies in Honor of W. F. Stinespring. Ed.* J. M. Efird, 1972, 81.
[11] *Op. cit.*, 77.
[12] M. Weinfeld, *Deuteronomy and the Deuteronomic School*, 1972, 50 f.
[13] Det finns forskare, som praktiskt taget lyckats skapa en stor mosaik bestående av flera klart avgränsade traditioner från olika tider i Josuaboken. T.ex. F. Langlamet, Gilgal et les récits de la traversée du Jourdain (Jos., III-IV), *Cahiers de la RB*, 1969 och *RB* 79 (1972), 7-38. Den sistnämnda undersökningen är bl.a. en värdefull konkordansstudie, men dess resultat blir en alltför långtgående källdelning. Till samma kapitel, se också C. A. Keller, *ZAW* 68 (1956), 85-97; J. Dus, *ZAW* 72 (1960), 107-134 och J. Maier, *BZAW* 93 (1965). Langlamet finner åtta skikt, Keller och Maier sex, Dus fem.

Noth, Mowinckel och Weinfeld representerar var sitt årtioende i fråga om uppfattningen av Josuaboken. Knappast är det dock fråga om någon utvecklingstrend. Det som skiljer Weinfeld från de två övriga är hans syn på P-materialet såsom primärt i förhållande till det deuteronomistiska. Fortfarande får Noth betraktas som exegetlikaren,[14] ehuru det ibland skymtar tendenser att tidigarelägga P.[15]

Den följande undersökningen utgör ett försök att finna de motiv eller temata, som ligger bakom kompositionen av Josuaboken i dess nuvarande utseende. Det är alltså ett försök att finna eventuella premisser till en medvetet gjord komposition vid en något så när fixerad tidpunkt. Ehuru man givetvis under en lång tidrymd kan räkna med textuella förändringar i boken, så utgår jag ifrån att dessa inte är av den omfattningen, att man kan tala om tillägg, som helt luckrat upp den en gång presenterade kompositionen. Faktiskt kan man i Josuaboken iakttaga en kompositionell medvetenhet, som utan tvekan går tillbaka på en tradent, redaktör, ja även författare. Äldre material har använts till att bygga upp en komposition med en klar ideologisk trend. Och denna komposition är gjord av en jerusalemitisk redaktör, som jag kallar Dtr. Hans arbete har varit helt ideologiskt motiverat. Det historiska skeendet är därmed också underordnat ideologin. Josuabokens händelser blir typexempel på respekten för den mosaiska lagen. Den senare blir garantin för att Josua, den ideale ledaren, skall lyckas föra folket till dess slutgiltiga ''vila'' *měnūḥāh*, målet för rikets (åter)upprättelse. Eftersom

[14] J. A. Soggin, *Joshua. A Commentary*, 1972, följer i stora stycken M. Noths grundläggande principer såsom de fastställes i dennes kommentar till Josuaboken.

[15] Det är inte utan att man får den uppfattningen av R. Rendtorff, Das überlieferungsgeschichtliche Problem des Pentateuch, *BZAW* 147, 1977. P måste logiskt senast vara samtida med D, om inte rentav tidigare. Rendtorff tar dock avstånd från källsöndringen och använder ordet P- och D-Bearbeitung. Då nämner jag inte de israeliska forskarna, vilka konsekvent sätter den prästerliga traditionen före den deuteronomistiska. Jfr M. Haran, The Law-Code of Ezekiel XL–XLVIII and its Relation to the Priestly School, *HUCA* 50 (1979), 47 not 4, som hänvisar till M. Burrows diss. *The Literary Relations of Ezekiel*, 1925, 44–68. Ehuru inte Burrows berör relationen P-Dtr, så är hans uppfattning, att författaren till Hesekiels bok känt till hela P, intressant. Vissa texter i Josuaboken uppvisar stilistiska likheter med Hesekiels bok. Jfr M. Haran, *op. cit.*, 66. ''Beside the manifest priestly character which marks Ezekiel's diction, one also discerns in it a palpable Deuteronomic influence, whereas in P's language there is no hint of such an influence. Inasmuch as only Ezekiel was exposed to D's influence, it follows that it is his code which is the later growth of the priestly school, while P, that school's first and authentic manifestation, should actually be dated to the time preceding Josiah.'' Enligt M. Haran var ''Ezekiel only an epigonic disciple of the priestly school, making use of its terminology.'', sid 57. Jfr M. Haran, Shiloh and Jerusalem: The Origin of the Priestly Tradition in the Pentateuch, *JBL* 81 (1962), 14–24. Se även *Idem*, *Temples and Temple-Service in Ancient Israel*, 1978, 133–147. M. Haran, anser, att det historiska belägget för att datera P utgörs av Hiskias kultreformation. Prästerna lyser dock nästan helt med sin frånvaro i traditionerna om Hiskia. De uppträder endast såsom sändebud till profeten Jesaja, 2 Kon 19,2. Däremot har översteprästen Hiskia och prästerna under honom stora och centrala uppgifter vid Josias reformation, 2 Kon 23,4 ff. Sålunda kan inte kultreformationen utgöra underlag för bestämningen av P. Det prästerliga språket och dess kultiska förordningar bygger säkerligen på en nedärvd, gammal palestinensisk tradition. Även om många prästerliga regler mycket väl kan vara sena, är de likväl präglade av det nedärvda språket. Jfr nu M. Ottosson, Tradition and History, with Emphasis on the Composition of the Book of Joshua, *The Productions of Time*, 1984, 81–143.

öststammarna och deras område spelar en icke ovidkommande roll i Josuabokens komposition, tecknar de sammantagna geografiska uppgifterna om orter och gränser bilden av det reala davidiska riket. Men detta är för Dtr ett slutmål konfirmerat i Sikem, kap. 24. Vägen dit går via erövring och fördelning.

Erövringsskedet kap. 2–12 är inramat av Dtr-avsnitten, kap. 1 och 13. Geografiskt sett tecknar det i första hand erövringen av Juda rike i dess största omfattning, varefter följer erövringen av Hasor och de nordligaste delarna av Galiléen. Landbeskrivningen är emellertid centrerad kring två begrepp, nämligen Juda bergsbygd och Israels bergsbygd, 11,21. Den omständigheten förråder, att Dtr i sin indelning av materialet utgår från det delade rikets situation, ehuru erövringen företas av hela Israels amfiktyoni. Men eftersom krigets lag kräver utrotning av allt liv, som står främmande för Jahve, är erövringen centrerad till Juda rike. Det hade närmast varit en hädelse, om en liknande erövringsskildring gjorts över Nord Israel, där kanaanéerna ej fördrivits, Jos 16,10; 17,12 och inom vars område Betel och Dan är belägna. Dessa kultplatser framstår enligt deuteronomistisk teologi som de första avancerade tecknen på avfall från den jerusalemitiska kulten och den mosaiska lagen.

Fördelningsskedet antas allmänt börja med kap. 13. Här räknas emellertid endast upp de områden, som Josua ej hann med att erövra samt rekapituleras den mosaiska fördelningen till de 2 1/2 stammarna öster om floden Jordan. Den egentliga fördelningen av västjordanlandet börjar först i kap. 14 och avslutas i 19,59. Fördelningen företas stamvis men i två omgångar. Först tilldelas de 2 1/2 stammarna, Juda, Efraim och 1/2 Manasse sina områden, kap. 14–17 och därefter de övriga sju stammarna, 18,1 ff. Den dispositionen antas bero på att Dtr i kap. 14–17 utmärker de under historien ledande stamenheterna, som ger namn åt Nord- och Sydriket. Samtidigt blir kap. 14 en litterär parallell till kap. 13,7 ff. Jos 20–21 behandlar asyl och leviterstäderna, medan kap. 22–24 tecknar fördragssituationer, i vilka ''rikets'' enhet understryks. Öst- och väststammarna har en palaver i kap. 22 men sammanhållningen bekräftas, varefter nord- och sydstammarna sluter fördrag i Sikem, kap. 24. Åtminstone fördraget i Sikem tecknar den ideala sammanhållningen, som står i bjärt kontrast till skeendet i 1 Kon 12, där riket delades på grund av avfall till ''andra gudar'', ett begrepp av stor ideologisk betydelse i Jos kap. 23 och 24. Utan att här gå in på detaljer kan man fastställa, att fördelningsavsnittet innehåller den ursprungligen största sammanhängande texten, Silo-material, som övertagits av Dtr. Erövringsavsnittet, som delvis också innehåller predeuteronomistiskt material, är emellertid komponerat på så sätt att det geografiskt skall täcka fördelningstexternas geografi. Skildringen av den samlade israelitiska erövringen i Josuaboken är därmed en Dtr-invention men uppbyggd på äldre traditionsgods. Jos 3–8 är komponerade enligt ett övertaget litterärt mönster. Se nedan!

Landkonceptioner i Josuaboken

''Davidsriket'' och ''det delade riket'' har ovan initierats såsom tänkbara och realistiska utgångspunkter i Dtr:s disposition av textmaterialet. Det antas, att Josuaboken har rangen av programskrift, som i det förgångnas kategorier vill skildra det enda möjliga sättet att återupprätta det enade riket. Det kan endast ske genom en ledare, som minutiöst håller den mosaiska lagen. Josuaboken får därmed positionen av en kodex för återupprättelsen.

Delningen av Davidsriket utgör den första verkligt stora katastrofen i folkets liv. Den ideologiska orsaken till delningen säges bero på avfall från YHWH, 1 Kon 11,11 ff., och sönderfallet sker först i rikets periferi, *Edom* 1 Kon 11,14 ff., *Aram* 1 Kon 11,23 ff., och slutligen *Nordisrael*, 1 Kon 11,26 ff. I övrigt har folket avfallit till att dyrka Astarte, *sidonernas* gudinna, Kemos, *Moabs* gud och Milkom, *Ammons* gud, 1 Kon 11,33. Det är de landområden, som hörde till Davids rike, om man följer censuspatrullens väg i 2 Sam 24. Trots att detta rike endast ägde bestånd under några årtionden, kommer det i jerusalemcentrerad ideologi att framstå som ett realiserbart rike styrt av en framtida laglydig davidid.

Josuaboken är på sätt och vis en ringkomposition, i vilken Davidsriket stegvis växer fram i såväl erövringen som fördelningen. En liknande uppbyggnad kan spåras även på andra håll i Gamla testamentet. Profeten Elias vandringar i 1 Kon 17–19 följer Davidsrikets gränser, hans uppgörelse med Baals-profeterna på Karmel sker med tolvstamsförbundets symbolik och därtill kommer besöket på Horeb, laggivningens berg. Att det dessutom är Elia — den messianske förelöparen — stärker naturligtvis intrycket av en medvetet upplagd resroute.[16]

Återföreningen av Nordriket och Sydriket är alltid ett intresse från det senares sida. Redan Rehabeam tog upp strid för att realisera tanken, 1 Kon 12,21 ff., 14,30, men ideologiskt betraktades delningen som ett verk av YHWH, 1 Kon 11,28 ff., och en återförening kunde således endast ske genom honom. Vid vissa tillfällen lierar sig Israel och Juda, t.ex. 1 Kon 22,3 ff.; 2 Kon 3,4 ff., och ibland dominerar Nordriket den politiska situationen, 2 Kon 14,11 ff.; 16,5 ff., men det synes aldrig finnas förutsättningar eller vilja att politiskt restaurera det enade riket. Det är och förblir den frälsningshistoriska förhoppningen. Den är nära att infrias genom Josia, 1 Kon 13,2: 2 Kon 22–23. Fyndet och efterlevnaden av en ''lagbok'', 2 Kon 22,10 f., i 23,21 kallad ''denna förbundsbok'' och i v. 25 ''Moses hela lag'', ger de tänkbara ideologiska premisserna; och politiskt sett synes landet under en kort period ligga öppet för Josia. Men det hela rinner ut i sanden genom att YHWH fortfarande vredgas på Juda, 2 Kon 23,26 f., och Josia stupar vid Megiddo, 23,29, jfr 2 Krön 35,20 ff.

I profetlitteraturen är det svårt att finna detaljerade gränsdragningar för det Davidsrike, som skall återuppstå. Vissa texter talar dock för att den ovan skisserade kompositionen av Josuaboken går tilbaka på föreställningar, som åtmin-

[16] The Prophet Elijah's Visit to Zarephath. *Essays in Honor of G. W. Ahlström*, 1984, 185-198.

stone sedan 700-talet f. Kr. varit gällande i Juda rike, med en förhoppning, att de två rikena skall återförenas och regeras av en davidid.

Amosboken är därvidlag unik, eftersom dess redaktör synes ha haft Davidsrikets omfattning som utgångspunkt för kompositionen.[17] Omnämnandet av det sönderfallna rikets olika randområden utgör en effektfull ingress, kap. 1–2, varefter följer domsutsagor mot Juda och i synnerhet mot Nordisrael. Boken har även ett logiskt slut i det omdiskuterade messianska oraklet om upprättelse. Även om Amosbokens slutredaktion och därvid även komposition anses vara sen, finns i den övriga profetlitteraturen lätt iakttagbara ''bilder'', som speglar det delade rikets situation men som följs av orakel om återupprättelse. Det gäller t.ex. Hos 1; Jer 3; Hes 37,16 ff.; Jes 7,1 ff., där sönerna liksom hos Hosea symboliserar de båda rikenas öden. Jes 8,23 kan i fortsättningen härav mycket väl ur jerusalemitisk aspekt avse det enade riket[18] och följes av det kända messianska oraklet, 9,1 ff.

I ljuset av de givna referenserna är det möjligt att geografiskt se den frälsningshistoriska dimensionen i Josuaboken. Ändock måste dock Davidsriket realiter endast vara en del av det område, som ursprungligen lovades Abram, nämligen ''från Egyptens flod ända till den stora floden, till floden Frat'', Gen 15,18. Med något annorlunda terminologi återkommer den områdesbeskrivningen i Jos 1,4. Det är intressant att notera, att den alltid är knuten till lag eller laggivning, t.ex. Ex 23,31 och ännu mera accentuerat i Dt 1,6 f.; 11,22 ff. Av den deuteronomistiska formuleringen i 1 Kon 5,21 att döma, anses också det området såsom det ideala rike, över vilket Salomo härskar, när han står på höjden av sin makt. Det är det rike, som Babels konung har bemäktigat sig enligt 2 Kon 24,7. Fridsfurstens land tecknas i liknande kategorier, Zach 9,10 och vid (åter)upprättelsen av det riket, står Jerusalem naturligt i centrum, Jes 27,12. Förmodligen avses med denna gränsdragning ett slags världsherradöme, Ps 72,8,[19] jfr Pss 2,8; 89,26; 2 Sam 8,3.

Josuabokens geografiska utspel i 1,4 blir en ideal passus. Israeliterna varken erövrade eller fördelade ett så stort område, som där anges. Dtr gör också ett förbehåll i v. 3 genom att tillägga ''varje plats, som eder fot beträder, har jag givit eder såsom jag sade Mose''. Jfr Dt 11,24. Därmed förstås naturligtvis varje ort, som blir föremål för erövring. Uttrycket återkommer emellertid endast en gång i det följande, Jos 14,9 och då om Kaleb och syftar på området kring Hebron.

Erövring och fördelning berör slutligen ett område, som är mindre än det i Jos 1,4 angivna. Men föreställningarna om ''erövring'' i världsherradömets kategorier är åtminstone pre-exilska.[20] Det framgår i metaforens form i Ps 80,9 ff., Is-

[17] R. A. Carlson, Profeten Amos och Davidsriket, *RoB* 25 (1966), 57-78.

[18] Denna uppfattning underströks av H. Kimura, Is 6:1-9:6. *A Theatrical Section of the Book of Isaiah*, 1981, 119 ff.

[19] M. Sæbø, Vom Grossreich zum Weltreich, *VT* 28 (1978), 83-91.

[20] E. Haglund, *Historical Motifs in the Psalms*, 1984, 58 ff. Jfr T. Veijola, *Verheissung in der Krise*, 1982, 176.

rael skildras såsom ett vinträd, vilket YHWH låter bryta upp från Egypten och plantera ''ända till havet ... intill floden'', v. 12.[21] Varför Dtr i sin erövringsskildring utgått från detta område kan man endast spekulera över. Men det troligaste är, att föreställningar om Löftets land har legat bakom. Detta kan endast realiseras i samband med absolut lagobservans.[22] Så långt sträckte sig inte Dtr:s förhoppningar. Redan fördraget med Rahab utgör egentligen ett lagbrott, t.ex. Ex 23,32; Dt 7,2. Geografiskt sett följer Jousaboken samma synsätt som i Deuteronomium. I Dt 1,7 dras i princip gränserna för Löftets land, men det land, som Mose skådar från berget Nebo, Dt 34, är identiskt med Davidsriket. Josuaboken söker sig även till platsen, där löftet om landet gavs, nämligen Sikem, Gen 12,6. Fördraget i Sikem blir således en ideologisk *inclusio*, Jos 1,4–24,1. Jfr Gen 12,6–15,18. Josuas erövring är emellertid geografiskt sett helt anpassad efter de fördelningstraditioner, som Dtr övertagit och bearbetat.[23]

Kanaans land

Onekligen ligger en viss spänning geografiskt sett mellan t.ex. Gen 15,18 och Gen 13,14–16 och 17,8, för att nämna endast de texter, som innehåller Guds landlöfte till Abram. Det stora området mellan Eufrat och Egypten är en helt annan storhet än begreppet Kanaan, eftersom det senare utifrån kontext alltid knyts till orter, som ligger väster om floden Jordan.[24] Ideologiskt har de mycket gemensamt. Jfr även Gen 15,18–21. Den säkerligen äldsta kartografien över Kanaan finns i Gen 10,19.[25] Kanaans nordgräns, Nu 13,21; Nu 34,7 ff.; Jos 13,5 sammanfaller i stort med Davidsrikets 2 Sam 24,6; 2 Kon 14,25. Jfr Gen 14,14 f. Kanaan är det område, som vi vanligen förknippar med Josuaboken. Visst förekommer uttryck som ''landet som jag lovat edra fäder'', med syftning på landet väster om floden Jordan eller ''landet som flyter av mjölk och honung'', men själva termen Kanaan uppträder förutom i 5,12 ''Kanaans produkter'' först i kap. 14. Staden Silo låg i Kanaan, 14,1 och fäderna vandrade där, 24,3, men i erövringsskedet saknar Kanaan egentlig betydelse för Dtr. Visserligen utspelar sig hela händelseförloppet i Kanaan, men Dtr:s landkonception följer helt andra principer, eftersom öststammarnas samhörighet med de västra grupperna så starkt accentueras. Vi har ovan sökt teckna situationen så, att det är Davidsrikets utsträckning, som är förebilden.

21 Se H. Gunkel, *Die Psalmen*, 1926, 352.

22 Jfr N. Lohfink, Kerygmata des Deuteronomistischen Geschichtswerks, *Festschrift für H. W. Wolff*, 1981, 87 ff. See further M. Ottosson, Josuaboken — en deuteronomistisk programskrift, *RoB* 40 (1981), 11-13; *Idem*, Tradition and History, 1984, 95 ff.

23 Situationen är annorlunda hos ''Kronisten'', eftersom patriarktraditionerna spelar en mycket större roll där än i Josuaboken. Se S. Japhet, Conquest and Settlement in Chronicles, *JBL* 98 (1979), 205-218.

24 R. de Vaux, Le pays de Canaan, *JAOS* 88(1968), 23-30.

25 R. North, S.J., *A History of Biblical Map Making*, 1979, 31 ff.

Floden Jordan har aldrig varit en naturlig gränslinje mellan väst och öst. Israelitiska stamgrupper har alltid bott på båda sidor om floden. Under större delen av Israels historia var området öster om Jordan behärskat av nordisraeliterna, men David lyckades dessförinnan följa upp Sauls och Ishbaals maktanspråk på Transjordanien. Han lyckades också därifrån besegra araméerna på ett avgörande sätt, 2 Sam 10.[26]

Kanaan är som geografisk term för första gången belagd på Alalakh-kungen Idrimis stele, ca 1450 f. Kr.[27] Landet Kanaan var behärskat av Egypten, *EA* 8,25; 36,15; Gen 9,22; 47,13 f., och det är med stadsstaternas undergång vid bronsålderns slut som vi får anta, att Israel som etniskt begrepp blir till. Namnet Israel växer fram ur Kanaan. Om vi med begreppet Israel här endast åsyftar det Enade riket under David och Salomo, så omfattar det i princip Kanaan åtminstone med dess gränser i (söder och)norr samt Östjordanlandet. Vid vilken tidpunkt i den litterära framväxten av de gammaltestamentliga traditionerna sammansmältningen mellan Kanaan och Israel har ägt rum, är svårt att uttala sig om. Det är i prästerliga kretsar och av dessa förvaltade traditioner t.ex. Jahvisten, som begreppet Fädernas land spelar den största rollen. Men det avser historiskt sett en tid, då ingen israelitisk riksbildning skulle ha förelegat. Hos Hesekiel kap. 47–48 (47,18) är Jordan rikets östra gräns och alla tolv stammarna placeras in i Fädernas land. Det är säkerligen också ett ''prästerligt'' betraktelsesätt att se Östjordanlandet som orent, Jos 22,19, men trots detta betonas sammanhållningen mellan öst och väst, och YHWH-altaret blir vittne på samhörigheten, Jos 22,27.

Något av denna dubbeltydighet kan redan skymtas i Gen 13–14. Vid skilsmässan från Lot får Abram Cisjordanien och vandrar i kompassens alla riktningar för att legitimera landet som israelitiskt, 13,17. Jfr Jos 1,4. Intressant är att Abram i kap. 13 befinner sig mellan Betel och Ai, dvs i det traditionella gränsområdet mellan Cisjordaniens norra och sydliga del, jfr Jos 7,2; 8,12. Därefter bosätter sig Abram i Mamre vid Hebron, sedermera Davids första huvudstad. Om nu inte Gen 14 isoleras helt från sitt nuvarande sammanhang, vilket synes vara exegetisk praxis, återfinnes där Abrams kontakt med Transjordanien. Han besegrar de fyra kungarna i det området, en legitimationshandling?, nonchalerar Sodoms kung men lierar sig med Jerusalems kung, 14,17 ff.

I Nu 34,2–12 tecknas Cisjordaniens, Kanaans gränser i en unik och säkerligen gammal tradition, som emellertid omedelbart följs av de östjordanska stammarna, vv. 13 ff. Den senare delen av Numeri har utan tvekan varit väl bekant för Josuabokens redaktör. Mycket tyder således på att Davidsrikets gränser i traditionstillväxten tidigt kom att utmanövrera begreppet Kanaan som en ledande ideologisk storhet. Dtr fulbordade denna process. Medan Gen 13–15 återger

[26] En rekonstruktion av den historiska situationen har givits av M. Ottosson, *Gilead. Tradition and History*, 1969, 190 ff.

[27] Se Y. Aharoni, *The Land of the Bible*, 1967, 61 ff.

framväxten av ett rike, som i reala termer kan sägas bestå av Kanaan (Gen 13), det reala Davidsriket (Gen 13–14) och det ideala Salomos rike (Gen 15), så tar Dtr det sistnämnda som utgångspunkt för sin landteologi i Josuaboken.[28] Enligt min mening torde absolut lagfullkomlighet ha varit den enda förutsättningen för att få det ideala riket, Dt 11,22 ff. Detta decimerades allt efter graden av folkets olydnad mot Lagen.

Davidsriket hade dock varit en realitet och dess avgränsning är tydlig i Josuaboken. Vi kan därmed antaga, att Dtr anser dess existens vara beroende av de på Lagen baserade principer, som återfinnes i Josuaboken. Där står vad som krävs av ledare (kung) och folk för att det skall vara verklighet. Området från floden Frat till Egyptens bäck förblev det ideala Davidsriket, jfr 1 Krön 5, som inte ens uppnåddes genom Josua men väl genom Salomo. Men Josuas lagfullkomlighet behöver inte ifrågasättas. Han figurerar aldrig i någon tvivelaktig situation, men däremot blir han själv försatt i ''knipa''. Fördraget med Rahab är egentligen ett brott mot Jahves lag, Ex 23,32; Dt 7,2. Dtr gör dock allt för att göra Rahab deuteronomistiskt rumsren, 2,9–11. Även gibeoniterfördraget blir i princip ett brott mot Lagen, eftersom man inte undersökt omständigheterna ordentligt. Visserligen sluter Josua fördraget med dem, 9,15, men ansvaret förs över på folket. Obs! plur i 9,14 och 15b. Den manövern ''räddar'' Josua. Sådana episoder tillika med andra svaghetstendenser, t.ex. nordstammarnas försumligheter att slåss inom sitt område, 16,10; 17,12; 18,3 bör i ljuset av Nordrikets avfall från Davids hus, 1 Kon 12,16 ff., ha varit ideologiska orsaker för att riket inte kom att omfatta det som Jos 1,4 utlovar. Till och med Jahves rundhänta löfte i Jos 13,6 att själv fördriva invånarna från vissa randområden infriades ej, Dom 3,1 ff. Olydnaden når sitt maximum i 2 Kon 21,11 ff. Folket är genom Manasses brott inte ens värdigt att besitta Juda och Jerusalem. Med Josia finner vi incitamenten till en restauration av det reala Davidsriket. Men tanken härpå slås bryskt ned vid Megiddo, 2 Kon 23,29, vilket av Dtr betraktas såsom Jahves beslut, 2 Kon 23,26 f. Det ideala rikets gränser omnämnes sista gången i 2 Kon 24,7, men då erövras det området av Babels konung från egyptierna.

Ehuru fördelningstexterna här och där bär spår av Dtr:s ingrepp — det gäller i synnerhet dispositionen — innehåller dessa ett geografiskt material, som återspeglar det Enade rikets organisation, (Salomos tid).

Den josuanska erövringens geografi passar väl in på fördelningsmaterialet och antas vara beroende därav.[29] Fördelningens geografi, gränsuppgifter och stadslistor, är emellertid mycket komprimerad och kan sägas vara ''telescoped'' från

[28] Min indelning av landet har ingenting gemensamt med Y. Kaufmann's fem landkonceptioner, *The Biblical Account of the Conquest of Palestine*, 1953, 46 ff. Däremot har min uppfattning mycket gemensamt med idéerna hos B. Springer, Die Landverheissung im Deuteronomistischen Geschichtswerk, *Laurentianum* 18 (1977), 116-157. Jfr P. Diepold, *Israels Land*, 1972.

[29] Jfr Z. Kallai, *Historical Geography of the Bible*, 1986; *Idem*, *IDB. Suppl. Vol.*, 1976, 920-923 och *Idem*, *IEJ* 27 (1977), 103-109.

det Delade rikets situation. Enligt Jos 1,6 är Josuas huvudsakliga uppgift att fördela landet och hans erövring torde då realiter vara beroende av det område, som han skulle komma att fördela, nämligen Davidsriket.[30] Av kompositionen att döma är sammanhållningen av det området oerhört viktig för Dtr, och det sammanfaller med den geografi, som återfinnes i Gen 13–14 och Nu 34.[31]

Det ideala rikets ursprung

En titt på den främreorientaliska kartan gör en indelning av området mellan Eufrat och Tigris i nordöst och med Nilen parallella floddalar i sydväst ganska självklar. Frågan är hur det har kunnat bli ett israelitiskt idealrike. Det är emellertid inte otänkbart, att samma geografiska indelning tänktes föreligga i paradisföreställningen, om de fyra floderna uppfattas som gränsfloder, Gen 2,10–14. De västliga floderna Pison och Gihon är osäkra namn, men ingenting hindrar, att de kan motsvara Nilen respektive Egyptens bäck. LXX har t.ex. läst Gihon i stället för Sihor i Jer 2,18, och Sihor och Nilen behöver inte vara identiska i Jes 23,3 utan två ''parallella'' floder. Nilen = Pison? liksom Hiddekel = Tigris har i Gamla testamentet ingen gränsfunktion. De ligger utanför det ideala området. Jfr dock Jes 19 och Jona bok. Kain gick bort från Jahve och bosatte sig ''öster om Eden'', Gen 4,16. En *eisodus* från landet ''Nod'' blir resultatet av Abrahams övergång av Eufrat. Den bayloniska fångenskapen innebär motivmässigt en utdrivning, jfr Gen 3,24. Men på denna följer åter en *eisodus*, Esra 1. Relationen Eden — det ideala Israel skulle kunna förklara uttryck såsom ''landet som flyter av mjölk och honung'' och inte minst teckningen av den messianska guldåldern i Jes 11,1 ff. Det märkliga är, att den geografiska aspekten alltid synes föreligga i texter, som skildrar restaurationen av tillståndet i Eden före det s.k. Syndafallet.[32]

[30] Transjordanien var dock erövrat av Mose, Nu 21,23 ff.; Dt 2,24.

[31] Det är mycket sannolikt, att Nu 34 enl. ''en P-uppfattning'' tecknar området väster om floden Jordan, dvs Kanaan. Z. Kallai, The Boundaries of Canaan and the Land of Israel in the Bible, *EI* 12 (1975), 27-34. *Idem*, *IEJ* 27 (1977), 107 ff. Se även Y. Aharoni, *op. cit.*, 67 ff. Nu 34 har inga fraser som direkt kan sägas vara deuteronomistiska, men ändock har Dtr i Josuaboken byggt upp hela sin geografi efter Nu 34 och då inbegripes också Transjordanien, Nu 34,14 f. Frågan är, i jämförelse med Gen 13-14, om Nu 34,14 f. kan betraktas som senare tillägg. Medvetandet om Davidsrikets konception genomsyrar helt enkelt Nu 34 liksom Gen 13-14.

[32] Området mellan Egyptens bäck och Eufrat är utan tvekan det dominerande ''världsbegreppet'' i GT och detta område kan tillfalla israeliten, om han strikt håller Lagen, Ex 23,31; Dt 11,24. Det området, som återfinns i löftet till Abram, Gen 15,18, upprepas när Israel står i begrepp att ta landet, Dt 1,1-8 och Jos 1,4. Områdesbeskrivningen är alltid förknippad med lagobservans.

Då människan placerades i ''en trädgård på stäppen österut, *gan bĕ'eḏaen miḳḳaeḏaem* Gen 2,8; *bĕḡan 'eḏaen*, Gen 2,15, ställdes hon inför en lagobservans att inte äta från kunskapens träd på gott och ont. Straffet därför blir utdrivning — men vart? Kain bosatte sig så småningom *be'aeraeṣ nôd ḳiḏmaṯ 'eḏaen*, Gen 4,16. Tolkningen av *'eḏaen* såsom ''geografiskt'' begrepp blir således väsentlig liksom även förståelsen av *miḳḳaeḏaem*, Gen 2,8; 3,24, jfr 2,14; 4,16. Vi får utgå ifrån att det rör sig om mytologiskt geografitänkande, men det är inte alldeles självklart, att Eden skall översättas med ''stäpp''. Roten finns nu belagd i tidig arameiska i betydelsen ''göra fruktbar''. Se J. C. Green-

Mose — Josua

Namnet Mose återfinns inte mindre än 52 gånger i Josuaboken. Denna Mosedominans, vilken är spektakulär i jämförelse med Gamla testamentets böcker utanför Exodus-Deuteronomium, hör närmast samman med kraven på laguppfyllelse. Naturligtvis borde Josua såsom varande Moses ''högra hand'' under Ökenvandringen vara väl införstådd med de mosaiska direktiven i allmänhet. Men de täta referenserna till Mose och hans Lag synes i Josuaboken ha en speciell tendens. Det råder nämligen en fast relation mellan laguppfyllelse och landkonception; där är ''världsherradöme'' det ideala reviret. En kortfattad analys av de Mose-dominerade texterna förstärker denna uppfattning. Först och främst bör det också påpekas, att Mose alltid figuerar i Josuabokens redaktionella skikt (Dtr). För Dtr gäller det att framhålla Josua såsom den ideale ledaren, på vilken

field, A Touch of Eden, *Orientalia J. Duchesne — Guillemin Emerito Oblata*, 1984, 219-224. A. R. Millard, The Etymology of Eden, *VT* 34 (1984), 103-106. Jfr G. von Rad, *Genesis*, 1974, 76, som menar att *'eḏaen* var för israeliten en synonym till Paradiset, Jes 51,3; Hes 28,13; 31,9. Den betydelsen i Gen 4,16 innebär, att Kain, här personifierande mänskligheten, se G. von Rad, *op. cit.*, 104 f., bosätter sig utanför Paradiset, som i öster avgränsas genom floderna Eufrat — Tigris. Paradisets östra gräns är alltså identisk med motsvarande gräns för det ideala Davidsriket eller Land of Promise. *mikḵaeḏaem* kan vara både ett geografiskt och temporalt ord, dvs betyda såväl ''österut'' som ''från fordom''. Den förstnämnda generella betydelsen är att föredra i Gen 2,8. Men uttrycket säger inte, att trädgården låg öster om Eufrat! Det är öster om Eufrat, som mänskligheten tänktes befinna sig vid det stora *hybris*-brottet, byggandet av Babels torn, Gen 11,1 ff. Och det är ur detta folkhav, som Abram får kallelsen att lämna området ''på andra sidan floden'' och gå över Eufrat. Abrams klan är med andra ord tillbaka på ''fädernas'' mark, dvs platsen för det förlorade Paradiset och har möjlighet att ''restaurera'' det utifrån nya premisser. Den största svårigheten geografiskt sett utgör floderna Pison och Gihon. De förekommer inte i någon annan text. Genom verbet *sāḇaḇ* tänkes dessa floder ''omge'' länderna Havila och Kus; jfr användningen *hālaḵ* i fråga om Hiddekel. *sāḇaḇ* behöver emellertid inte alltid ha den strikta betydelsen av ''gå runt'', t.ex. 1 Krön 13,3 (där processionsverb till Förbundsarken). Jag vill för min del tänka mig dem såsom parallellt rinnande floder, på samma sätt som Eufrat — Tigris. Det ligger således närmast till hands att identifiera dem med Nilen och *w. el-'Arīš*, varav den sistnämnda i begreppet ''Egyptens bäck'' mycket ofta är ideal gränsflod i sydväst. A. S. Yahuda, *The Language of the Pentateuch in its Relation to Egyptian. Vol. I.*, 1933, 158 ff. uppfattade de fyra floderna som gränsfloder. Pison och Gihon är emellertid för honom Nilens övre och nedre lopp. Yahuda har också en del intressanta iakttagelser i relation till egyptiska föreställningar. Se nu M. Sæbø, *ZDPV* 90 (1974), 30 f. Det är inom området mellan dessa fyra floder som den gammaltestamentliga historien utspelar sig, och det är möjligt att här se ursprunget till omfattningen av det ideala Israel, till vilket Abram och hans ättlingar blev de ideologiska arvtagarna. Ännu en iakttagelse till föreställningen om Edens trädgård och dess relation till det israelitiska världsbegreppet kan göras. I Gen 2,15 berättas, hur Gud tog människan och placerade henne i Edens trädgård ''för att bearbeta den och bevara den'', *lĕ'āḇdāh ūlĕšāmrāh*. Obs! det feminina objektssuffixet! Litterärkritiskt är detta suffix ett stort problem, eftersom *'āḇaḏ* ej kan tänkas vara en paradisisk syssla. Se O. H. Steck, *Die Paradieserzählung. Eine Auslegung von Genesis 2,4b-3,24*, 1970, 49 not 75 f., som antar, att endast vakthållningen hör till det ursprungliga skiktet och att det feminina suffixet syftar på en dörr eller ingång *daelaeṯ* till trädgården. Ett *'ăḏāmāh* skulle mycket väl kunna vara objekt enligt anspelningen i Gen 2,5. Men det gäller arbetet på den ''förbannade marken'', 3,17. En annan möjlighet är att suffixet syftar på *'aeraeṣ*, 2,5. Såväl *'ăḏāmāh* som *'aeraeṣ* spelar en stor roll i de följande traditionerna om Abraham och även Jakob, Gen 28,13 ff. Omfattningen är densamma som i Gen 2,10-14. Se även M. Ottosson, Eden and the Land of Promise, *VTS* 40 (1988), 177-188. Jfr W. Berg, Israels Land, der Garten Gottes, *BZ* 32 (1988), 35-51.

såväl folkets slutliga "vila" som landets omfattning beror. För att uppnå idealtillståndet, ro från yttre fiender inom ett genom Jahve utlovat område, måste såväl ledare som folk göra som Mose sagt eller befallt.[33] Josuas besittning av Lagen innebär således skyldigheter men även ett privilegium, Jos 1,7 ff. Genom innehavet av Lagen kan han känna den största förtröstan. Ingen är honom likvärdig och Jahve är med honom såsom Han var med Mose, 1,5. I vissa kapitel finns det en koncentration av hänvisningar till Mose. Hit hör naturligtvis det första kapitlet, som innehåller anslaget till Josuas verksamhet samt förhållningsorder till öststammarna. Här omnämnes Mose inte mindre än 11 gånger. Liknande referenser ehuru sporadiska ges i 3,7; 4,10,12,14 och 9,24 men i 8,30–35, altarbygget på Ebal, återkommer en koncentration av Mose-referenser. I kap. 11, som skildrar erövringen av Hasor och *ḥeraem*-kriget i allmänhet, återfinnes förnyade hänvisningar till Mose. Eftersom *ḥeraem*-kriget och dess "lag" redan börjar i kap. 6, kan referenserna till Mose synas väl senkomna i kap. 11. Men det kapitlet är tänkt såsom ett slags *conclusio* av *ḥeraem*-striderna i enlighet med mosaiska direktiv,[34] Dt 2,34; 7,2; 13,16; 20,14. Erövringen av Jeriko har en något annorlunda karaktär. Se nedan! Dtr:s rekapitulation av det transjordanska kriget 12,1–7 och fördelningen av det området, 13,8 ff., omnämner naturligtvis Mose. Men intressantare är, att i kap. 14 den mosaiska auktoriteten åberopas i fråga om Kalebs arvedel i Hebron. Det är knappast någon tillfällighet, att den davidiska dynastiens ursprungsort på detta sätt ges mosaisk legitimation. Det får betraktas såsom naturligt, att asyl- och leviterstäder sättes in i ett mosaiskt sammanhang, kap. 20–21 och likaså, att Mose förekommer i 22,1–9, som handlar om öststammarnas bosättning. I den historiska prologen till Sikem-fördraget återkommer Mose en sista gång, 24,5, men utan någon ideologisk accent. Dessa referenser till Moses person och lagboken, Jos 1,7;8,31,32,34; 22,5; 23,6 och 24,26, är i det följande oerhört betydelsefulla för att förstå Josuabokens ideala historieskrivning samt Dtr:s syfte med boken.

I och med att Josua handhar Lagen på ett i detalj föreskrivet sätt, 1,7 ff., tillskrivs honom ideala egenskaper. Han blir på alla sätt framgångsrik (*haṣlīaḥ-haśkīl*) och växer i praktiken upp till Moses jämlike. "Såsom de hade fruktat Mose, fruktade de Josua", 4,14. Josuas ledarskap når "fullkomningen" i kap. 24,25–28, när han i "Guds lagbok" skriver in "alla dessa ord", vilka i praktiken avser erövring och fördelning av ett område, som är identiskt med Davidsriket. Dessa handlingar, *dĕḇārīm*, vilar definitivt på mosaiska direktiv, Dt 1,1.

[33] Relationen mellan Esra, "skrivaren av himmelsgudens lag" och Nehemja, "ståthållaren" är återgiven i de kategorier, som vi finner i Josuaboken. Därmed skulle man kunna förstå de historiska ojämnheter, som påvisats i Nehemjas bok, varigenom man velat placera Nehemja före Esra. Ideologiskt sett är emellertid det förfarandet en omöjlighet.

[34] Dtr:s avslutning på kriget återfinns i Jos 11,15. "Såsom Jahve hade befallt Mose, sin tjänare, så befallde Mose Josua. Och så gjorde Josua. Han avlägsnade inte något av allt det som Jahve befallt Mose." Tydligare kan inte relationen Mose — Josua skrivas. Med *ḥeraem* avses tillspillogivning av fienderna och deras byte.

Det finns ytterligare bevis för att den ''mosaiska auktoriteten'' genomsyrat Dtr:s komposition av Josuaboken. Vid en granskning av Josuas verksamhet finner man mycket ofta, att dennes handlingar i praktiken är repliker på Moses aktivitet.

T.ex. Josua skickar ut spejare eller sändebud, 2,1; 6,17. Jfr Nu 21,21/Dt 2,26; Josua reser tolv stenar vid Gilgal, 4,4 ff., 20. Jfr Ex 24,4; Josua omskär folket 5,2 ff. Jfr Ex 12,44; Josua räcker ut sin lans, 8,18. Jfr Ex 14,16,21; 17,11 ff. Det s.k. P-material, som finnes i Josuaboken är i påfallande grad Mose-relaterat. Vi skall nedan beröra Dtr:s relation härtill och frågan är, om inte den josuanska aktiviteten tyder på att Dtr är beroende av detta P-material. Ett nästan ordagrant ''P-citat'' återfinnes i 5,15. Jfr Ex 3,5. Josua uppmanas att ta av sig sina sandaler, ty vid Jeriko står han på en helig plats.

Israels kungar — Josua

I och med att Landets omfång sätts i samband med Lagens observans, framstår Josua givetvis såsom ett föredöme för varje kung i Israel och Juda. Ingen av dessa kan odelat sägas vara perfekta kungar, eftersom de aldrig lyckades återställa Davidsriket. De nordisraelitiska kungarna gör enligt Dtr alltid ''det som är ont i Herrens ögon''. Vissa kungar i Juda t.ex. Asa, Joshafat, Hiskia och i synnerhet Josia gjorde insatser för att rena YHWH-religionen i den mosaiska lagens anda, men de kunde inte åstadkomma någon realpolitisk förändring. Josia levde visserligen upp till idealet att följa ''Moses hela lag'', 2 Kon 22,2; 23,25, men Manasses överträdelser kunde inte sonas, vv. 26 f. Josia-tiden blev den sista temporära återupprättelsen. Förutsättningarna, även de religiösa, att skapa ett nytt Davidsrike, existerade emellertid inte längre.

De som realiter en gång härskat över Davidsriket var David och Salomo. Rehabeam tog arvet för givet men möttes av motstånd i Sikem, 1 Kon 12. Ideologiskt sett var delningen av riket redan beslutat av YHWH. Orsaken var att Salomos harem[35] hade förlett kungen att tjäna andra gudar, 1 Kon 11,3 och v. 11: ''Och YHWH sade till Salomo: Eftersom det är så med dig och du inte har hållit mitt förbund och mina stadgar, som jag befallt dig, skall jag slita (sönder) riket från dig och ge åt dina tjänare''. I det avseendet bör Josua framstå som det största deuteronomistiska idealet. Han sätts aldrig i samband med någon kvinna. I judiska legender berättas emellertid, att Josua gifte sig med Rahab.[36] Intressant är likväl, att det är en kanaaneisk kvinna, som ingår det första fördraget med israe-

[35] Här torde Salomos giftermål med Faraos dotter, 1 Kon 9,16,24, ideologiskt sett ha varit en allvarlig förseelse. Hon representerade ''de främmande gudar'', som fäderna en gång dyrkat, Jos 24,14.

[36] Rahab införlivades därmed i Jesu släkttavla, Mt 1,5. Jfr R. E. Brown, Rahab in Mt 1,5, Probably is Rahab of Jericho, *Bi* 63 (1982), 79–80.; Jfr M. Ottosson, Rahab and the Spies, *Studies in Honor of Åke W. Sjöberg 1989*, 419–427.

literna. Hon bekände sig emellertid enligt Dtr till YHWH, Jos 2,9–11, varigenom hennes närvaro ej leder till något avfall. Rahab med familj placerades dock utanför Israels läger, Jos 6,23.

De flesta verb, till vilka Josua är subjekt, används för att understryka Josuas lydnad av Lagen eller Moses direktiv. Således är det svårt att i övrigt jämföra Josuas aktivitet med de israelitiska kungarnas. En liten men dock betydelsefull detalj kan emellertid framhållas. Josua stannar hos sitt krigsfolk över natten, Jos 8,9. Detta kan jämföras med Davids motsatta agerande och innehållet i Urias svar i 2 Sam 11,11.

En sak hade dock Josua gemensam med sina kungliga ''kollegor''. Han blir gammal, Jos 13,1; 23,1 f. Även för honom betraktas ålderdomen såsom en inaktiv period. Josua förmår ej erövra allt land, 13,1, men YHWH själv lovar att fördriva de resterande folken, 13,5. Josuas uppgift att fördela landet i dess helhet står dock kvar och den fullgörs. Det är på Salomos ålderdom, som hans hustrur förleder honom att tjäna andra gudar, 1 Kon 11,4 ff., och möjligen kan Davids åtgärd att mönstra folket ses som ett utslag av ''senilitet'' eller åtminstone dåligt omdöme, 2 Sam 24,17/1 Kon 1,1. Jfr 1 Krön 23,1; 1 Sam 12,2; Ps 71,9,18.

Josuabokens litterära situation

Josuabokens komposition är ett verk av Dtr, som jag då betraktar såsom den slutgiltiga redaktorn. Denne har likaså författat vissa delar av boken för att inrama och länka samman predeuteronomistiska traditioner. I sitt ''författarskap'' känner sig Dtr inte bunden till ''deuteronomiska'' uppgifter.[37] Det visar sig nämligen ofta, att dessa är samordnade och inflätade med textmaterial, vars fraseologi visar sig ha nära relation till s.k. P-kontext i Tetrateuken. Vi har ovan funnit den tendensen i fråga om Mosegestalten. Avsikten har varit att understryka lagobservansens betydelse för äganderätten till Landet, vars konception helt och hållet bygger på laglydnaden. För att endast nämna en detalj i det sammanhanget kan vi notera hur Josua i kap. 1, påminner öststammarna om den mosaiska befallningen till dem, Nu 32,17 och Dt 3,18. Här är P-fraseologi blandad med deuteronomisk. I den deuteronomistiska formen blir de mosaiska direktiven ytterligare accentuerade genom att observansen inte endast gäller Lagen utan utsträcks till förvaltaren av densamma, nämligen Josua, Jos 1,18. För dem som betraktar ''P-fraserna'' såsom en sen produkt ges de benämningen ''sekundära tillägg''. Det betraktelsesättet är enkelt och kanske effektivt, men för att kunna sekundärförklara ett textavsnitt krävs ingående bevisning även om det skulle ha P-karaktär. En detaljerad genomgång av Josuabokens komposition vi-

[37] Hit räknar jag fraseologi, som överensstämmer med textmaterialet i Deuteronomium. Eftersom M. Noth var helt övertygad om att endast Deuteronomium-material fanns i Josuaboken och inget Numeri-material, vilket har betraktats såsom yngre, är vår formulering en ''utmaning''.

sar ganska klart, att Dtr haft litterära förebilder och det intressanta är, att dessa återfinns i Exodus och Numeri men mycket sällan i Deuteronomium. Genom att jämföra ett typiskt P-avsnitt, Ex 12–17 med Jos 3–8 skall jag försöka påvisa, att det råder ett litterärt och innehållsligt samband mellan de två textavsnitten.

Övergången av floden Jordan skildras närmast i teofanikategorier. Naturlagarna bringas att upphöra genom att flodens vatten ''blev stående såsom en hög'' vid Adam, Jos 3,16. Det är lätt att associera till skildringen av övergången av Sävhavet, ehuru flera exegeter vill förneka, att det råder ett samband mellan texterna.[38] Skildringen av den josuanska flodövergången måste karaktäriseras såsom deuteronomistisk, men klart är att texten har en svåranalyserad bakgrund. Det tyder inte minst textkritiska undersökningar på. Jag betraktar textens nuvarande sammansättning såsom ett arbete av Dtr, vilken i sin tur torde ha öst ur kulttraditioner knutna til Gilgal.[39]

Även om det motivmässigt råder ett samband mellan Jos 3–4 och Ex 12–14, finns det klara olikheter. Så t.ex. introduceras övergångarna på olika sätt. I Exodus ger Mose påskstadgan, varvid han understryker omskärelsens vikt och noggrant ser till att allt mankön är omskuret. I Josuaboken företas omskärelsen *efter* övergången av Jordan såsom den första åtgärden, 5,2 ff., varefter man firar påsk, 5,10 f. Denna disposition ter sig emellertid naturlig, eftersom Dtr ser hela den mosaiska lagkodexen, föreläst av Mose på Moabs hedar, såsom den självklara ingressen till landerövringen. ''När ni har gått över floden Jordan'' skall lagaktiviteten sättas i spel. Den aktuella tidpunkten är — så snart som möjligt.

Övergången av Sävhavet är intimt förknippad med Moses och Arons palaver med Egyptens farao. När denne har släppt israeliterna, ångrar han sig och förföljer dem, men dränks med hela sina krigshär i Sävhavet, Ex 14,28. ''Inte en enda av dem kom undan.'' Ehuru uttrycket *ḥeraem* inte uttryckligen nämnes här tillhör frasen *ḥeraem*-krigets vokabulär, Jos 8,17. Därtill kan vi också lägga uppgiften, att israeliterna tar byte av egyptierna vid uttåget, Ex 3,22; 11,2; 12,35 f. Det gäller närmast metaller och mantlar.

Om tillspillogivningen av Jeriko sätts i direkt samband med övergången av floden Jordan, — arkprocessionen är det gemensamma motivet — så uppnås samma effekt som i Exodus.[40] Allt liv i Jeriko ges till spillo, Jos 6,17,21 och metaller, Jos 6,19,24 samt mantlar, Jos 7,21 tas som byte. Ett sådant rigoröst *ḥeraem*-krig förs inte i fortsättningen och ett sådant är heller aldrig förenligt med deuteronomistisk ideologi. Denna motivmässiga överensstämmelse mellan Sävhavet — Egypten och Jordan — Jeriko framstår såsom ett medvetet deuteronomistiskt grepp. Och att därvid Sävhavsmotivet har influerat Jordanmotivet och inte tvärtom, torde kunna betraktas som självklart.

38 I den skaran kan vi även nu införliva lundaexegeten S. Norin, *Er Spaltete Das Meer*, 1977, 40 f.

39 Se J. R. Porter, *SEÅ* 36 (1971), 5-23, med litt. Se kap. III not 4.

40 Jerikos kung spelar en undanskymd roll därigenom att Rahab tillägnas ett helt kapitel, men kungen låter ''förfölja'' spejarna, Jos 2,2 ff.

Kompositionsmönstret kan följas ännu ett steg. Efter de spektakulära händelserna vid Sävhavet respektive Jeriko har det YHWH-ledda krigståget förlorat teofaniens prägel. De följande drabbningarna vid Refidim, Ex 17,8–16 respektive Ai, Jos 7–8 inleds med nederlag. Amaleq, en ärkefiende till Israel, kan besegras först sedan Mose fått hjälp av Aron och Hur att hålla sina händer utsträckta. Israel lider först nederlag mot Ai och besegrar staden, sedan Josua hållit sin lans utsträckt så länge striden varat. I Ex 17,14 uppmanar YHWH Mose att skriva upp striden till åminnelse för Josua och i v. 15 bygger Mose ett altare efter segern. Slående är att den avslutningen på perikopen kan förklara Josuas altarbygge på Ebal i Jos 8,32–35. Visserligen lyser Dt 27 klart igenom i det Dtr-bearbetade avsnittet. Men både skrivandet på och byggandet av altaret — det enda som Josua bygger — ges genom denna jämförelse ett särskilt perspektiv. Dtr:s avsikt med kompositionen är naturligtvis att understryka den mosaiska auktoriteten i allt vad Josua företar sig. Lagen observeras bokstavligen. Det utmätta straffet på Akans förbrytelse statueras såsom exempel på en rätt lagobservans.

Vad gäller striderna mot Ai finns ytterligare litterära länkningar t.ex. Gen 14 och striderna i Domareboken, nederlag—seger, men dock närmast i Nu 21,1–3. Besegrandet av Arad — en stad med nästan samma bronsåldershistoria som Ai — sker först sedan man lidit nederlag. Vid Ai-striden dödas 36 man, Jos 7,5, och vid Arad tar den kanaaneiske kungen israeliter till fånga. Det kan nämnas, att varken Mose (Arad) eller Josua (Ai) är direkt ansvariga för nederlagen. Mose omtalas inte i Nu 21,1–3 och Josua följer i Jos 7,2 ff. sina utsända spejares direktiv. Jos 7 är klart icke-deuteronomistiskt stilistiskt sett. Det originella i sammanhanget är, att man kan känna igen ''P-språk'' i 7,1 och vv. 6 ff. Kapitlet följer egentligen upp de rigorösa *ḥeraem*-lagarna i Jos 6. Dessa är inte förenliga med Dtr:s följande redovisning. Redan i Jos 8,2 noterar vi en uppluckring av *ḥeraem* som om Akan-episoden inte inträffat. Jfr Jos 6,21; 7,24. Samma uppfattning kan lätt spåras i de följande Dtr-inslagen av krigsrapporterna, t.ex. Jos 11,14; 24,13.

För att återvända till P-problematiken i Josuaboken finns det ytterligare avsnitt av P-karaktär, vilka dock utförligt redovisats av flera forskare. Det gäller Jos 9,15b–21. Här är en folkloristisk berättelse använd för att ge ett exempel på observansen av Lagen i Dt 20,15, jfr Dt 29,24. Städer utanför Israels tilltänkta område finns det ingen anledning att förstöra ej heller att utrota deras befolkning, eftersom risken för avfall till främmande gudar är begränsad. Gibeoniterna lyckades emellertid dupera Josua och israeliterna och sade sig vara långväga ifrån. Med god tro följdes Lagen och det ledde till att man förutom Rahab fick ytterligare en främmande folkgrupp på Sydrikets område. Dtr avslutar kapitlet med etiologien hur på det sättet gibeoniterna blir vattenbärare och vedhuggare vid altaret i Gibeon. Avsnittet 9,15b–21 kan betraktas såsom en oberoende enhet, men det intressanta är, att dess stil och ordval har P-karaktär. Det är i synnerhet *'ēḏā*-begreppet, som gör texten främmande för Dtr. Dessutom visar sig gibeoniterna i detta avsnitt representera ytterligare tre städer, Hakkefira, Beerot och Kirjat-Jearim, 9,17, vilka utgör en enhet vid hemkomsten från den babyloniska fångenskapen, Neh 7,29. Jfr Esra 2,25.[41] Eftersom etiologien, Jos 9,22 ff. bygger på ''P-stycket'' verkar det vara svårt att sekundärförklara det (Noth). I vilken riktning bedömningen än skall göras, så bör man ha i minnet, att P-stilen alltid förekommer i de lokala traditionerna, knutna till Gilgal och Gibeon i fråga om erövringsskedet och till Silo i fråga om fördelningsskedet.[42]

Jos 14,1–19,51 kan enkelt avgränsas som en enhet genom att ingress och avslutning är praktiskt taget identiska. I detta avsnitt föreligger hela fördelningen av landet såsom Dtr tänkt sig den. Denne låter stamlotterna först gå ut till de ledande stammarna, Juda i söder och Efraim-Manasse i norr — exakt som erövringen är disponerad i kap. 10,40–43 (Sydriket) och 11,1 ff. (Nordriket och hela landet). Samma indelning av Landet kunde vi också notera i Gen 13, Abrahams uppgörelse med Lot. Kompassens alla riktningar är representerade i Josuaboken, om vi därtill lägger Jos 12, en sammanfattning av östlig och västlig erövring, jfr Num 34; Dt 6. Denna enkla nästan skissartade indelningsprincip har i praktiken både topografisk och historisk bakgrund. Det finns ingenting som talar för att fördelningsmaterialet, dvs. stamlotternas gränsbeskrivningar och stadslistor har P-karaktär. Bakom den komprimerade geografi, som där föreligger, får vi förutsätta en lång historisk process. Jag skulle vilja kalla den ''telescoped geography''. Men ändock kan man med starka skäl knyta fördelningsmaterialet till Silo, emedan de sju stammarnas lotter mäts upp, när Tabernaklet står i Silo, Jos 18,1. Här återkommer P-fraseologien liksom i v. 7 (ordningsföljden av öststammarna). Fördelningsterminologien är P-besläktad, varigenom markeras den mosaiska auktoriteten i skeendet. Jos 18–19 är komponerade av Dtr, som genom den noggranna uppskrivningen av de sju stamlotterna, markerar dessa som lagstadgade. Jfr Jos 24. Den principen finns ej med i Jos 14, eftersom den då kunde ha givit lagkaraktär åt delningen i ett Syd- och Nordrike. Stamlotterna går emellertid tillbaka på mosaiska direktiv, Jos 14,2–5 — ett avsnitt, som är sammanfattat av Dtr. Denne har dock använt sig av fraser och uttryck, som är karakteristiska för P-stilen.

Stam- och stadslistornas stereotypa formler tillhör säkerligen det nedärvda och vid kungatiden använda arkiv- och kanslispråket. Den tidens skrivarskolor låg i anslutning till templet och man vågar nog förmoda, att dessa organiserades och leddes av prästerna. Det är också mycket möjligt att Silo i det avseendet en gång har utgjort ett administrativt centrum, där vägarna möttes i kompassens alla riktningar.

Jos 20–21, vilka behandlar inrättandet av sex asylstäder och fyrtiotvå leviterstäder, följer den tidigare använda geografiska indelningsprincipen och tillhör i

[41] Ett antal av 95 gibeoniter omtalas i Neh 7,25. Ett liknande ''fyrstadsförbund'' omtalas i 1 Sam 7,16 f.

[42] Beträffande vår uppfattning om ''P-materialet'' och dess härkomst, se avsnittet *Den prästerlige samlaren*.

sin nuvarande uppställning Dtr. Det finns drag av både Dt 19 och Num 35 men som alltid i Josuaboken är P-inslaget starkare än det deuteronomiska. Omnämnandet av Översteprästen liksom förekomsten av *'ēdā*-begreppet tas allmänt som bevis, att det är fråga om en P-text. Men för den skull behöver den inte vara ett efter-redaktionellt inskott. Asylinstitutionen liksom leviterstäderna utgör i praktiken Dtr:s sista pusselbit för att kunna presentera ett komplett Davidsrike. Att denne för det ändamålet var tvungen att använda gammalt prästerligt material behöver knappast vara sensationellt. Skildringen av de prästerliga institutionerna har helt enkelt refererats på nedärvt prästerligt språk. Endast Dtr:s landkonception har här och där inkräktat på P-språket.

Jos 22 föreligger i en komposition liknande den som finns i Jos 19. En Dtr-ingress, vv. 1–11, föregår en berättelse, vars språk är klart prästerligt. Kapitlets karaktär och betydelse har varit omdiskuterade. I allmänhet betraktas det som ett sent inskott. Men i ljuset av Josuabokens komposition har det karaktären av fördragstext, som bekräftar enheten mellan öst och väst. Jfr Gen 13 och 14. Jos 22,22–29 består av fördragsspråk med dubbelt gudsanrop, v. 22, åtföljt av positiva och negativa konditionala satser. Ett sådant språk återfinnes bl a i Num 32,20–30; 16,29; Jos 2,14,20; 1 Sam 12,14–15, och det ålderdomliga fördragsmönstret är inte att ta miste på. Slutet av kapitlet är bearbetat av Dtr. Därom vittnar inte minst ordningsföljden av öststammarna, vv. 31,33 f. samt slutversen, som närmast konkluderar anslaget från v. 22.

Jos 23–24 saknar P-språk. Kap. 23 är helt författat av Dtr och kap. 24 har en deuteronomistisk ''touche''. Den enda släktskapen med P utgör uppbyggnaden av palavern mellan folket och Josua, 24,14–24. De tre frågorna med det negativa konstaterandet, v. 19, har sin motsvarighet i Sinaiförbundet, Ex 23,23 ff. Uppgiften om att fäderna tjänade ''andra gudar'' även i Egypten kan anses vara originell, men uppgifter härom föreligger även i Jer 44,8; Hes 16,26; 20,7; 23,3,8,19,21,27. Inom området mellan Eufrat och Egyptens bäck gör YHWH anspråk på att vara den suveräna guden. Med avseende på Landet företer Josuaboken ett slags ringkomposition, 1,4–24,14. Här är det idealstaten, som ''YHWH står i begrepp att ge dem'', 1,2. Men som i Dt 34 stannar det vid Davidsriket.

Även asylinstitutionen gällande tillfälliga dråpare får i Dtr:s stat sin praktiska tillämpning. Det sista som omtalas i Josuaboken är Eleasars (Översteprästens) död. Alla eventuella tillfällighetsdråpare torde därmed ha blivit fria i den stat, som byggts upp genom lagobservans och till följd därav gudomlig generositet. *Ex silentio* kan man sluta sig till att den ende, som överlever Josuas tid, är Kaleb. Det kan vara signifikativt, eftersom han är den davidiske anfadern, 2 Sam 3,8; 1 Krön 2,50 f.

Josuaboken och Numeri

I fråga om Josuabokens P-relation måste naturligtvis hänsyn tas till flera av Numeris texter. Somliga kapitel i Numeri kan tillskrivas P, t.ex. Num 32 men där finns naturligtvis också material, som ej innehåller typisk P-stil eller P-terminologi. I vissa fall kan det röra sig om traditioner, som är övertagna och förvaltade av P. Dessutom finns det material, som starkt påminner om deuteronomisk text. Att söka göra ett diakront ställningstagande av de olika texttyperna är oerhört svårt. En litterärkritisk atomklyvning i flera led bjuder mig emot att göra. Däremot, en formhistorisk indelning med accent på de olika berättelserna som helhet, vilka sammanställts av en Tetrateuk-redaktör, är en viktig och fruktbärande uppgift. För mig är det emellertid svårt att tänka sig, att denne redaktör har disponerat sitt material på samma ideologiskt hårdhänta och målmedvetna sätt som Dtr. Texterna i Numeri har deskriptiv karaktär. På vandringen mot Fädernas land ''förbereder'' Mose folket på deras vistelse i Kanaan genom att ge dem kultiska och etiska förordningar. Dessa åtgärder har såsom vi ovan sett åberopats och omsorgsfullt rekapitulerats av Dtr genom att använda uttrycken ''såsom Mose sagt'' eller ''gjort''. ''Numeri-kompilatorn'' kan t.ex. inte som Dtr avge ett ideologiskt framtidsperspektiv, eftersom folket dör i öknen på grund av olydnad. Återupprättelsen knyts till den följande generationen, som under ledning av Kaleb, Num 14,22 ff. och Josua, Num 27,15 ff., jämte Eleasar och Pinehas får komma in i Landet. Det är den generationen Dtr är intresserad av, och han följer sedan folket till det bittra ''slutet'', 2 Kon 25.

Numerireferenserna är omfattande i Josuaboken. Vissa texter är så formulerade, att det råder ingen tvekan om deras relation till Numeri.[43] Här ställs man inför ett avgörande, vilken text som är den primära antingen Josuaboksstället eller Numeri. Återigen synes det hos exegeterna i allmänhet vara den sena dateringen av P, som ger Josuaboken företräde. Ibland växlar bruket. Ingen äger facit, men om vi utgår från att vissa ideologiska temata såsom lagobservans och landkonception präglat Josuabokens komposition, och denna komposition innehåller material i det närmaste identiskt med de deskriptiva texterna i Numeri, så är det mera sannolikt, att den ideologiska framställningen är beroende av Numeri än tvärtom. Annars har de mosaiska traditionerna varit så litterärt bundna, att Dtr kan ha haft nedärvd kunskap om dem oberoende av Numeri. En generell uppställning av s.k. Numeri-inslag i Josuaboken visar, att det är närmast i fråga om landkonception och landfördelning som Numeri-texterna kan tänkas ha blivit använda. Ideologiskt sett åberopar Dtr därmed den mosaiska auktoriteten för sin uppställning.

Erövringsskedets texter har föga inslag av Numerimaterial. I Dtr:s ramberättelse, Jos 1,12–18 och 4,13, som behandlar öststammarna, återkommer emeller-

[43] Det bevisas inte minst genom B. Johnson, *Hebräisches Perfekt und Imperfekt mit vorangehenden w^e^*, 1979, 26 ff. spec sid 28.

tid uttryck, som finns i Numeri. Uttrycket ''2000 alnar'' i Jos 3,4 kan endast härröra från Num 35,5, eftersom den måttenheten på båda ställena berör leviterna, och i Josuabokens version ter sig det avståndet mellan Förbundsarken och folket såsom originellt. Intressant är att jämföra den korta traditionsenheten, Num 21,1–3, erövringen av Arad och Jos 7–8, erövringen av Ai. Segern över städerna följs i båda fallen på ett nederlag. Dessutom har städerna — åtminstone under Tidig Bronsålder — nästan samma historia, för att under Mellersta och Sen Bronsålder ligga öde. Ai saknar betydelse under israelitisk kungatid, medan Arad då utgör ett viktigt ''lås'' för vägen mot det inre av Juda bergsbygd.

Litterärt sett råder en släktskap mellan Jos 10 och Num 21. Liksom i Jos 10,13 återfinnes ett poetiskt stycke hämtat ur ''den Redliges bok'' och citerat i samband med amoriterstriden vid Gibeon, så förekommer i Num 21,14 citat ur ''Krigens bok'', även där i samband med kriget mot amoriter(kungen Sihon). Man kan även jämföra *'āz*-satsen i Jos 10,12 resp. Num 21,17.[44]

I Jos 11–22 återfinnes såväl innehållsligt som fraseologiskt många beröringspunkter med Num 31–35. Det finnes en gemensam nämnare i såväl Josuaboken som Numeri, nämligen referens till mosaisk aktivitet. I synnerhet i fråga om fördelningsavsnittet är detta alldeles evident. Ett undantag måste dock understrykas. Dtr låter envist Ruben stå före Gad bland de transjordanska stammarna, varigenom landfördelningen i Jos 13,15–33 inte överensstämmer med den som är i Num 32. Men däremot svarar den skisserade geografien i Jos 11,16–23; 13,2–5; 13,15–33 helt med den som finns i Num 34,1–15. Även uppräkningen av stammarna i Num 34,19 ff. är intressant i en jämförelse med Jos 14–18. Två företeelser är därvid iögonenfallande, nämligen Syd-Nord-grupperingen i båda texterna liksom Dans placering i söder. Men ''Dans område gick ut från dem'', Jos 19,47, dvs. daniterna tog sig arvedel norrut. Deras ursprungliga arvedel i söder baseras sålunda på mosaiska direktiv.

Num 34,19–29	*Jos 14–18*
Juda	Juda
Simeon	Benjamin
Benjamin	Simeon
Dan	Dan (Jos 19,40–46)
Josefs söner	*Josefs söner* (Jos 14,1–6; 16–17)
Manasse	Manasse
Efraim	Efraim
Sebulon	Sebulon
Jisaskar	Jisaskar
Asher	Asher
Naftali	Naftali
	Dan (Jos 19,47)

[44] Likartat ordfält förekommer t.ex. i Jos 10,11 och Ex 9,19 ff.

I övrigt är det enkelt att göra en uppställning av texter i Josuaboken och Numeri, vilka utan tvekan har relation till varandra.

Numeri	*Josuaboken*
31,8,16	13,21
32	1; 22; Jfr 13,15–33
(33, Lägerplatser	12, Kungar)
34,1–2	11,16–23; 13,2–5
34,13	13,7
34,14 f	13,8
34,19,23,24	14,1–6
35,1–8	21
35,9–34	20
36	17,3

Den markanta ''Numeri-influensen'' återfinnes närmast i samband med fördelningen av Landet och leviternas städer. Orsaken härtill torde inte vara svår att finna. Fördelningsprincip, Num 26,52 ff., liksom landkonceptionen, Num 34, är befalld av Mose. Släktskapet med Numeris texter är således helt i linje med Dtr:s bundenhet till Moses gestalt. I fråga om fördelningsförfarandet ter sig denna bundenhet ganska naturlig, eftersom det föreligger i predeuteronomistisk kontext. Vad gäller erövringsskedet blir ofta referenserna till Mose konstlade. Vi har där kunnat konstatera, att Mose (nästan) alltid förekommer i de redaktionella avsnitten (Dtr) för att legitimera *ḥeraem*-kriget.

Josuaboken och Deuteronomium

Josuaboken är naturligtvis avfattad i ''the Spirit of Deuteronomium'' men i jämförelse med den stora förekomsten av P-och Numeri-material är det överraskande att finna relativt få direkta associationer till Deuteronomiums text. Den deuteronomiska fraseologien är emellertid lätt att känna igen, t.ex. Dt 3,28/Jos 1,6 ff. och i fråga om de levitiska prästerna. I Jos 8,30–35 finns klar anspelning på förbannelse- och välsignelsetematiken i Dt 27; 11,28 ff., men den är egentligen pre-deuteronomistisk. Förbannelsen drabbar Israel en gång på grund av förbundsbrott, *ma'al*, Jos 7,1 och därmed torde det ha varit aktuellt att bygga altaret just på Ebal. Eljest framstår ledare och folk såsom observanta undersåtar, för vilka Lagen alltid står i centrum. Josua själv intar samma position som Mose innehade och lydnaden gentemot honom är oinskränkt. Den som inte gör Josuas befallning ''skall dö'', *jūmāṯ*, Jos 1,18, ett uttryck, som emellertid endast förekommer två gånger i Deuteronomium, Dt 13,8; 17,8. Som vi ovan betonat, bestämmer graden av lagobservans Landets omfattning och det är helt i linje med Dt 11,22–32. Dtr utvecklar och knyter till sin landuppfattning det lagkomplex, som finns i Deuteronomium. Men för att betona den mosaiska auktoriteten i synnerhet vad gäller fördelningen av Landet, åberopas mosaiska principer såsom de framstår i Numeri. I fråga om erövringen saknas uppgifter kring Mose, vilken förde krigen öster om floden Jordan. Men då tillgriper Dtr det kompositionsmönster, som präglar den mosaiska aktiviteten *par préference*, nämligen Uttåget ur Egypten. Ökenvandringen torde i praktiken ha varit ytterst ointressant för Josuabokens Dtr, ty den tiden kännetecknas endast av en serie av avfall.

Den prästerlige samlaren

Eftersom urkundshypotesen inte har ansetts tillämplig på Josuaboken, måste nya begrepp skapas för att söka fixera texterna i ett pre-redaktionellt skede. M. Noth präglade då termen ''der Sammler'', vilken efter Salomos död skriftligt sammanfogat de etiologiska sägnerna och krigsberättelserna i Josuabokens första hälft och gjort dem allisraelitiska. Dessutom introducerade han Josuagestalten.[45] Vad gäller fördelningsstadiet består de ursprungliga texterna av stadslistor och Grenzfixpunktreihen, vilka sammanfogades av ''der Bearbeiter''. Först i nästa litterära stadium tillkom i dessa Josuagestalten, och fördelningstexterna knöts till Samlarens allisraelitiska erövringsberättelse, där Josuagestalten då fanns. Samlaren uppträdde på 900-talet f. Kr., medan Bearbetaren verkade på Josias tid (639–609). Josuagestaltens uppträdande i fördelningsskedet daterade Noth till efterjosiansk tid, medan däremot vissa delar av den territoriella indelningen återgår på eftersalomonisk tid. Förutom de deuteronomistiska ramarna, som finns på flera ställen i Josuaboken, betraktade M. Noth Jos 13,1–21,42 och 24,1–33 såsom tillhörande ett andra deuteronomistiskt stadium, vilket länkats samman med erövringsdelen.

I fråga om två deuteronomistiska skikt i Josuaboken är det möjligt att följa Noth.[46] T.ex. har Jos 24 en klar deuteronomistisk touche utan att behöva tillhöra Dtr. Detsamma kan också sägas om Jos 8,1–29. Men att större delen av fördelningsmaterialet skulle vara deuteronomistiskt, sedan Silo utmönstrats som ett sent P-inskott, är något svårare att förstå. Noth betraktade emellertid detta material såsom tidigast josianskt, dvs. samtida med det andra deuteronomistiska skiktet. Formhistoriskt bedömde han erövringstraditionerna annorlunda. Men det måste anses såsom mycket märkligt, att dessa skulle vara så mycket äldre än fördelningsmaterialet. En tidsskillnad på mer än 300 år!

[45] Se M. Noth, *Das Buch Josua*, 1953^2, 9 ff.

[46] Man frestas att använda de generella termerna ''deuteronomic — deuteronomistic'' för att ange släktskap, som i vissa kapitel inte är fullt utvecklad. Varför Dtr:s stil inte helt slår igenom, men ändå är möjlig att urskilja, kan bero på dennes bundenhet vid och känsla för det arkaiska språket, samtidigt som lagstilen bör ha haft en retarderande effekt. Därifrån är emellertid steget långt till ''a tripartite division'' av Dtr i DtrH, DtrP och en DtrN såsom den framföres av Göttingen-gruppen W. Dietrich, R. Smend Jr och T. Veijola i flera arbeten. Hypotesen följs upp bl.a. av T. N. D. Mettinger, *King and Messiah*, 1976, 19 ff. En sådan uppdelning saknar realistisk grund. Åtminstone vågar jag göra den kommentaren till T. Smends uppfattning, att DtrN, dvs en nomistisk redaktion, skulle finnas i Jos 1,7-9; 13,1b-6; Jos 23. R. Smend, Das Gesetz und die Völker, *Festschrift G. von Rad* 1971, 494-509. Se nu också N. Lohfink, Kerygmata des Deuteronomistischen Geschichtswerks, *Festschrift H. W. Wolff* 1981, 87-100.

En annan premiss, som M. Noth följde, var att pentaeuchkällorna, förutom D, saknades i Josuaboken. P-inslag kunde visserligen påvisas men dessa utgjorde en alltför smal basis, och dessutom var de sena inskott. Det gällde även vissa texter, som fanns i Numeri.

Det är givetvis förenat med stora svårigheter att teckna den litterära förhistorien till det redaktionella skiktet av Josuaboken. Men om man antar, att Dtr representerar praktiskt taget det sista skiktet, torde denne såsom redaktör och författare ha haft en bred överblick av historien. Han borde ha haft facit. Kan man komma underfund med Dtr:s ideologiska motiv, som präglat och dikterat hans komposition, får s.k. sekundärt och primärt material en annan nyans. Sekundärt är då det material, som ej domineras av Dtr:s ideologiska grundprinciper. Vill vi klassa P-materialet såsom sekundärt i anslutning till den litterärkritiska uppfattningen, kommer Dtr:s plan med Josuaboken att helt stympas och sakna mening. Här har såväl tidigt som sent historiskt och legendartat material, dvs. under mycket lång tid traderat och bevarat material, sammanflätats till en frälsningshistorisk helhet. Det har givetvis varit en lång och invecklad process, men principerna för arbetet kan endast skönjas i redaktionsskiktet. Vi har t.ex. kunnat iakttaga förekomsten av olika landkonceptioner, men för Dtr gäller minst Davidsriket såsom slutgiltig produkt, entydigt förknippat med observans av den mosaiska lagen.

Litterärkritiska analyser visar hur motsägelsefull och mosaikartad en rekonstruktion av de olika litterära skikten kan bli, om operationerna inte sammankopplas med medveten plan eller idé.[47] Dock har traditionerna vid någon tidpunkt, trots deras olika karaktär, samlats till en komposition. Det arbetet kan endast ha gjorts av Dtr. Men det pre-deuteronomistiska materialet, vilket utgör fundamentet till kompositionen, har förvaltats och traderats på ett eller annat sätt. Enklast är att antaga, att dessa traditioner förvaltats av *präster* vid de olika lokala helgedomarna, i synnerhet Gilgal, Gibeon och Silo. Materialet har varit både av liturgisk och berättande karaktär. De mestadels formelartade fördelningstexterna torde ha tillhört förvaltning och arkiv. Det kan också gälla vissa krigstexter såsom Jos 10,28–39. Att beskriva traditionernas förredaktionella historia är synnerligen hasardartat. Men som arbetshypotes torde det inte vara helt felaktigt att göra de lokala helgedomarna i Palestina till kultur- och traditionsbärare, dvs. anta ett tidigt och fortgående samlarstadium. Noths begrepp ''Sammler'' är därvid alldeles utmärkt att använda. I vår mening knyter vi det till prästerliga kretsar vid de lokala kultplatser, som enligt Gamla testamentet föregick templet i Jerusalem, men existerade även under kungatiden.[48] För Josuabokens del skulle det då röra sig om Gilgal och Gibeon i första hand. Men även Silo kan ha varit ett religiöst och kulturellt centrum långt ner i tiden.

[47] Referenser till litterärkritiska arbeten ges i det följande. En viss moderation präglar emellertid E. Otto, *Das Mazzotfest in Gilgal*, 1975.

[48] Till detta prästerliga samlarstadium räknar vi begreppet ''P''. även använt i det föregående.

En litterär referens återfinnes i Josuaboken, nämligen till ''den Redliges bok'', Jos 10,13. Termen återkommer i 2 Sam 1,18. Det är således endast Josua och David, som citerar den och i helt skilda situationer. Det är omöjligt att uttala sig om bokens omfattning och funktion. Med t.ex. de ugaritiska poetiska texterna i minne är det knappast svårt att tänka sig ''den Redliges bok'' såsom ett epos hemmahörande i ett tempel- eller palatsbibliotek. Då det inte finns några associationer till Jerusalem i de verser, som är bevarade, vågar vi kanske antaga, att eposet ursprungligen hört hemma i en lokalhelgedom. Men ingenting tyder på förekomsten av prästerliga tradenter, då deras typiska språk inte förekommer i Jos 10. Ändock vågar man förutsätta en prästerlig miljö. I Nu 21 finns nämligen liknande ''amoriterpoesi'' med P-ramar.

Det prästerliga språket är naturligtvis mycket framträdande i de ''liturgiska'' avsnitten, Jos 3–7. Men den deuteronomistiska överarbetningen är inte att ta miste på.

I ytterligare ett sammanhang kan koncentrationen av P-språk noteras. Det gäller fördragsavsnitten i Jos 22 i synnerhet men även i Jos 9 och Jos 2. Liksom i övrigt i Gamla testamentet har fördragen i Josuaboken en stereotyp uppbyggnad, som de har gemensamt med fördrag hos de i Israel omgivande folken. I gammalt rättsspråk, ofta av prästerlig karaktär, finns inte så sällan de för fördragen karaktäristiska *'im - 'im lō'* satserna, t.ex. Gen 4,7,31,50 ff.; Lev 26; Nu 32,20 ff., 29 f.; Jos 2,14,20; 22,22 ff.; 23; 1 Sam 12,14 f. Ett sammanhang mellan den under århundraden stelnade fördragsstilen och det prästerliga språket ger tyngd åt argumentationen, att det sistnämnda likaså är nedärvt och inte alls behöver vara av sent datum. Det är möjligt att göra en jämförelse mellan prästerligt och deuteronomistiskt språk i anslutning till fördragstexter i Josuaboken. Det gäller då Jos 2; 22;23;24. Spejarnas uppgörelse med Rahab är uppbyggd kring två konditionalsatser, varav den ena är nekande. Samma system återfinns i det klart P-besläktade Jos 22 närmast vv. 22 och 24. Faktiskt även i det som deuteronomistiskt betraktade Jos 23, speciellt vv. 8–13, finns en liknande uppbyggnad med konditionala satser. Avsnittet är säkerligen starkt överarbetat av Dtr, men ändock blir den gamla ''prästerliga'' fördragskaraktären klart framträdande. Någon direkt negerad konditionalsats förekommer inte, men v. 12 får utan tvekan den innebörden. I Lev 26 dominerar konditionalsatserna. Avsnittet vv. 3–12 inledes med en jakande konditionalsats medan de nekande återkommer i vv. 14,18,27. Jfr Lev 26,7–8 och Jos 23,9–10. I 1 Sam 12,14–15 finns konditionalsatserna såsom ett motsatspar. De är föregångna av en kortfattad historisk exposé, i vilken folket framställs som ångerfullt, varvid YHWH kommer till undsättning. Jämförelsen mellan Jos 23 och 1 Sam 12 är möjlig även av den anledningen, att båda kapitlen utgör avskedstal av Josua respektive Samuel.[49] Båda är också återgivna såsom gamla och grå, Jos 23,1; 1 Sam 12,2. Den deuteronomistiska

[49] Samuel nämner dock inte Josua i sin frälsningshistoriska exposé, se senast G. W. Ahlström, Another Moses Tradition, *JNES* 39 (1980), 65-69.

stämpeln kan utan tvekan noteras även i 1 Sam 12, men konditionalsatserna innehåller formuleringar, som återfinnas i prästerligt språk, t.ex. Lev 26; och 1 Sam 12,16 påminner mycket om Ex 14,13.

I Jos 24, det verkliga fördragskapitlet, finns emellertid endast en konditionalsats, v. 15. Den får ingen negerad följdsats utan framställningen leder över i frågesatser, vilka folket besvarar positivt, varefter fördraget sluts. Jfr Ex 24,3,7. Jos 24 är således annorlunda uppbyggt i jämförelse med Jos 22 och 23. De sistnämnda kapitlens fördragsavnitt verkar väsentligt ålderdomligare än det som finns i Jos 24, resp. Ex 24. Förmodligen tillhör de förra nedärvt textmaterial med formuleringar, som utgjort standardfraser vid fördragssituationer. Då man får förutsätta, att de flesta, om inte alla fördrag, ingåtts vid tempel med guden som vittne, och kanske även förestavats av präster, är det inte otänkbart, att det är prästerligt språk, som präglat fördragen.

Enligt vår hypotes har således prästerna vid de israelitiska helgedomarna delvis präglat men i första hand bevarat traditioner av olika slag. Flera av dessa har säkerligen varit folkloristiskt gods såsom berättelsen om Rahab, om nederlaget vid Ai och om gibeoniternas list. Förmodligen har också de såsom liturgiska karaktäriserade traditionerna om övergången av Jordan och erövringen av Jeriko blivit populära berättelser, ehuru de kan ha varit knutna till ett *hieros logos* om kultplatsen Gilgal.

Traditionerna i anslutning till Silo är speciella. Silo framstår såsom kultiskt centrum och i kraft härav såsom plats för fördelningen av sju nordliga stamlotter inkluderande Benjamins stam, Jos 18. Eleasar är ''prästen'' i Silo enligt Jos 14,1; 18,1; 19,51 och som medlem i ''Kommissionen'' fördelar han i princip land till alla nordstammar jämte Benjamin. Men i Jos 22 framträder överrraskande Eleasars son, Pinehas, vid palavern om öststammarnas altare. Pinehas spelade emellertid en liknande central roll vid Sittim, Nu 25,1 ff. i den s.k. Baal-Peor episoden, jfr Jos 22,17, medan Eleasar fortfarande var präst. Silos centrala ställning i konfrontationen med öststammarna och platsens centrum för fördelning av land — i stort motsvarande Sauls rike, 2 Sam 2,9, Jos 17–19 — tyder inte på att traditionsgodset är sydligt. Här rör det sig också om prästerligt material, som ställde innehavet av öststammarnas område under debatt. Risken för att Jordan skulle betraktas som Landets gräns, Jos 22,24 f., vore förödande för Dtr:s landuppfattning. Synen på Transjordanien såsom orent land, Jos 22,19, måste betraktas som prästerlig. Jfr i synnerhet Hes 48. Dessa funderingar förtrycks, definitivt genom Dtr:s bearbetning. Det östjordanska altaret, var det nu kan ha legat, blir ett vittne för enigheten väst-öst. Jfr Jes 19,19 f. Men Sydrikets område ligger helt utanför aktiviteten i Jos 22. Judas undanskymda roll i samband med Silo kan ha en historisk bakgrund. Det rör sig här om gammalt material, som kanske rent av går tillbaka på Sauls tid. Juda står isolerat vid Gilgal, Jos 14,6, och östjordanlandet har i praktiken alltid varit lierat med Nordriket.[50] Utsagan

[50] M. Ottosson, *Gilead*, 223 ff.

i Gen 49,10 kan med andra ord återspegla den situation, som tecknas i Josuaboken, nämligen (åter)upprättandet av Davidsriket.

Med detta synsätt, att benämna P-traditioner för prästerliga, kanske det kan anmärkas, att vi endast gjort en vid generalisering av ett traditionsbegrepp, som oftast knutits till Sydriket. Men det är ofrånkomligt, att lokalfärgen i det prästerliga materialet är nordlig i många fall. Hit hör inte minst Silo-traditionerna. P = prästerliga traditioner är ett mycket vidsträckt begrepp i både tid och rum. Prästerliga grupper vid de lokala helgedomarna har utgjort samlare och förmedlare av traditioner. Traditionsmassan kan ha varit gemensam i vissa fall, såsom liturgier, lagar, fördrag, stamsägner och vandringsberättelser av folkloristisk art. Varje helgedom bör också ha haft en kultgrundningstradition, *hieros logos*. En sådan traditionsprocess har givetvis pågått under århundraden och varit såväl muntlig som skriftlig. Den slutlige redaktören, Dtr, som vi betraktar såsom jerusalemit, har lyckats centralisera traditionsmassan och gjort en ideologisk komposition, som varit både *telescoped history and geography*. Denne har endast haft ett enda mål för sina ögon: att skildra hur Davidsriket skulle kunna återuppstå. Det är gjort i form av en komprimerad historia och geografi av olika tider. Kungatidens historia kan således fördömas utifrån Josuabokens komposition, i vilken Juda rike utgör basområdet för återerövring av Davids och Salomos rike. Fördragstexterna i Jos 22–24 ger de direkta riktlinjerna för hur enigheten skulle ha kunnat bevaras. Utifrån Jos 24 fördöms Rehabeams olyckliga expedition till Sikem, 1 Kon 12. Programmet om återupprättelsen blir emellertid en utopi genom Manasses synkretistiska förehavanden. Inte ens en kung som Josia kunde förverkliga det deuteronomistiska programmet, 2 Kon 23,22. Det har Dtr mod att skriva! Men trots sin idealitet står han med båda fötterna på jorden. Det rike, som åsyftas i Jos 14–24 är det i historien förankrade Davidsriket, som likafullt är något beskuret i jämförelse med de gränser, som dras i Jos 1,4. Det riket kunde dock endast tillfalla den helt lagobservante israeliten och det var identiskt med Eden, Gen 2,10–14.[51]

Josuabokens avfattningstid

Dtr har verkat på Josias tid och han har upplevt en positiv nationalism växa fram i Juda genom det assyriska rikets fall. Josias reformation kunde göras utan någon som helst främmande inblandning. Härmed ställdes stora förhoppningar på Josia. Dessa återkommer inte minst i 1 Kon 13,2, när gudsmannen från Juda ropar mot altaret i Betel: ''Altare, altare! Så säger Herren, Se åt Davids hus skall födas en son vid namn Josia.'' För min del ser jag kompositionen av Josuaboken gjord i ljuset av dessa förhoppningar. En exilsk eller efterexilsk avfattningstid,

[51] Se M. Ottosson, Eden and the Land of Promise. *VTS* 40 (1988), 177-188.

vilket i allmänhet antas, är jag mycket skeptisk till. Det beror närmast på den detaljerade men urgamla gränsdragning av Davidsriket, som förekommer i Josuaboken men inte alls i efterexilsk litteratur. Visserligen finns i det sena profetiska framtidsperspektivet en davidid, som skall uppstå, men avgränsningen av hans rike är svävande.[52]

[52] Sydriket med Jerusalem i centrum kan givetvis betraktas såsom ett ideologiskt basområde, men Esra — Nehemja-böckerna har inte något davidiskt landperspektiv i Dtr:s anda. Däremot öppnar t.ex. Sach 9,1 ff., på samma sätt som Amosprologen med ett uppräknande av det davidiska rikets landområden, vv. 1-8 för att sedan vända sig till Juda och Efraim och därefter, v. 10, låta skildringen mynna ut i den ideala landkonceptionen, i vilken davididen blir fridsfursten för folken. Men man har en känsla av, att det nästan är fråga om "apokalyptiska perspektiv". Det partikularistiska betraktelsesättet saknas helt, och Dtr:s iver för lagobservans, såsom ett oeftergivligt krav för landinnehav, är bortblåst.

KAPITEL I

Introduktionen av Josua

Allmänt erkännes, att Jos 1 i sin helhet är deuteronomistiskt. Såväl ordval som syntax förråder det deuteronomistiska författarskapet. I en klar Dtr-kontext tillerkänns Josua ledarrollen efter Mose och med de för Dtr typiska imperativformerna ges förhållningsorder till honom. Josua skall leda folket över Jordan till det Förlovade landet, och fördela det åt folket. Jfr Dt 31,23. Han presenteras som Nun's son, Moses *měšārēṯ*. Det är enda gången i deuteronomistisk text som Josua har den ''titeln'', vilken i Dt 10,8; 17,12; 18,5,7 och 21,5 ges leviterna. Hans stamtillhörighet saknar helt ideologisk betydelse. Den nämnes för övrigt endast i Nu 13,8,16 och Dt 32,4, men då tillsammans med namnet Hosea, som i Nu 13,7 ändras av Mose till Josua, jfr Dom 2,9. Den namnändringen predestinerar Josua som folkets ledare och han installeras i sitt ''ämbete'' i Nu 27,12–23, en traditionsenhet, som torde ha förelegat för författarna av Dt 34 och Jos 1.[1] Nu 27 står i klar P-kontext, för vilken Israels *'ēḏā* utgör det bärande beviset.

Josuas övertagande av ledarskapet sker med formelartade fraser. Direktiven från YHWH sätter honom i samband med det ideala landet, vilket han får myndighet att fördela, Jos 1,6. I det följande är det klart, att Josua skildras såsom prototypen till en ideal davidisk kung. Han blir lyckosam i alla sina handlingar genom att leva med en noggrann lagobservans. Samma fraseologi återkommer i Dt 31,6–8,23. Välsignelsetemat, som alltid blir en följd av lagobservansen, understryks i vv 7–9. Dessa verser utgör en parafras på Ps 1. Jfr Dt 31,8; 1 Kon 2,3; negativt Dt 28,29 ff. Tematiken har utförligt behandlats av professor Ivan Engnell.[2] Och utifrån liknande premisser har professor Geo Widengren understrukit den eminenta roll, som lagstudiet och handhavandet av Lagen spelade inom det Sakrala kungadömet.[3] Naturligtvis är det en idé, som starkt poängterades av Dtr. Lagen blir för honom fundamentet till folkets existens. Landets omfattning och öde blir också beroende av kungens förmåga att hålla Lagen, Dt 17,18 ff. Josua kan ej sägas ha blivit ertappad med någon lagöverträdelse och blir naturligtvis prototypen för den deuteronomistiske idealkungen.[4] Det i Jos

[1] Se analys av N. Lohfink, Die deuteronomistische Darstellung des Übergangs der Führung Israels von Moses auf Josua, *Scholastik* 37 (1962), 32-44. Lohfink bedömer Numeritraditionerna som äldre än Dtr. *Op.cit.*, 35 not 16.

[2] I. Engnell, Planted by the Streams of Water. Some Remarks on the Problem of the Interpretation of the Psalms as Illustrated by a Detail in Ps. 1, *Studia Orientalia Joanni Pedersen*, 1953, 85-96.

[3] G. Widengren, King and Covenant, *JSS* 2 (1957), 1-32, spec. s. 13 f.

1,6,7,9,18 återkommande uttrycket *ḥăzaḳ wae'aĕmaṣ* bör ha hört hemma inom kungaideologien.[5] Åtminstone kan en sådan predeuteronomistisk uppfattning utläsas av Ps 80,16 ff. Men "die Bestärkungsformel" står här i kontrast till verb, som uttrycker rädsla, skräck och fruktan. Dessa bör ha fienderna till subjekt, varför formeln han ha använts inom det Heliga krigets sfär.[6] Ett sådant krig är omöjligt att föra med framgång, om inte Lagen strikt hålles. Liksom Josua får direktiv om styrka från YHWH, så kan han förmedla samma uppmaning till folket, Jos 10,25, i samband med den omilda behandlingen av de fem kungarna i Makkedas grotta, och folket kan säga likadant till Josua, Jos 1,18. Ytterligare en koncentration av uttryck såsom *hāḡā, hiṣlīaḥ* och *hiśkīl* med syftning på Josua förstärker intrycket, att Dtr velat ge Josua rangen av idealkungen. I erövringsavsnittet uppträder Josua alltid ensam och ger order åt folket via *šōṭĕrīm*, Jos 1,10; 3,2; 8,33, *zĕḳēnīm* Jos 7,6; 8,10,33; 9,11 och *šōfĕṭīm* Jos 8,33. Det är en ledarroll, som Josua övertagit från Mose, Nu 11,16; Dt 1,16; 16,8. Samtliga dessa ämbetstitlar återkommer i fördragsrubrikerna, Jos 23,2; 24,1, tillsammans med en fjärde grupp *rā'šīm*. Prästerna är ganska anonyma. De figurerar endast såsom bärare av Förbundsarken, Jos 3–6; 8,33. Eleasar nämns första gången i Jos 14,1, Pinehas i Jos 22,13.

I det följande ger dock Josua knappast intrycket av att vara en väldig krigare. Ser vi på dispositionen av erövringstraditionerna, så är det först från och med striden mot Ai som några taktiska manövrer skildras, Jos 8. Dessförinnan utgör händelserna en gudomlig demonstration genom tåget över Jordan och erövringen av Jeriko; såsom vid Uttåget ur Egypten. Dtr:s underlåtenhet att redan i presentationen av Josua ge honom martiala epitet, är motiverad, eftersom det i fråga om erövringen råder en viss spänning mellan tanken, att YHWH strider för Israel, Dt 1,30, ja, han har i praktiken givit dem landet, Dt 1,8, och Israel har bara att ta det i besittning, och att Israel strider för YHWH. I den predeuteronomistiska och deuteronomistiska versionen av Josuas ämbetsbeskrivning finns helt en-

[4] Se M. Ottosson, Josuaboken — en deuteronomistisk programskrift, *RoB* 40 (1981), 3-13 och *Idem*, Tradition and History, with Emphasis on the Composition of the Book of Joshua, 1984.

[5] "Det kungliga mönstret" i Josuas utnämning till Moses efterträdare understryks av J. R. Porter, The Succession of Joshua, *Proclamation and Presence*, 1970, 102-132. Porter arbetar vidare på Lohfinks uppfattning (se not 1), att Jos 1,1-9 inte rätt och slätt är uppmaningar adresserade till Josua utan representerar en regelmässig formulering för installationen av en person till ett bestämt ämbete. Samma fraseologi återfinns i motsvarande texter om David-Salomo, Samuel-Saul, Elia-Elisa. Jfr M. Weinfeld, 1972, 45 ff., som är mycket kritisk till Lohfinks uppfattning. Enligt Weinfeld är det i Josuas fall inte fråga om ledarens utnämning till ett ämbete utan texten skildrar en krigssituation och Josua sålunda konfronteras med en svår uppgift, som måste bli utförd. Weinfeld refererar speciellt till assyriska texter, där formuleringar liknande dem i Jos 1, används för att stärka modet på kungarna Assarhaddon och Assurbanipal, *ANET*², 449-451. Det är emellertid en annan dimension i Jos 1. Alla formuleringarna är koncentrerade kring observansen av Lagen och eftersom Josua aldrig blir avslöjad som överträdare av Mose lag, tecknar texten den ideale ledaren och kungen enligt deuteronomistisk uppfattning. Se vidare M. A. Beek, Josua und Retterideal (1971) och senast C. Schäfer-Lichtenberger, *ZAW* 10(1989), 198-222.

[6] Se J. Schreiner, *'āmaṣ*, *ThWAT*, *Bd I*. *Ed*. G. Joh. Botterweck and H. Ringgren, 1973, 350 f. och F. Hesse, *ḥāzaq*, *ThWAT*, *Bd II*, 856.

kelt inte Josuas stridsuppgift accentuerad. Formeluttrycket *ḥazzeḳ* i Dt 1,38 syftar endast på uppgiften att fördela; detsamma gäller Dt 3,28. Jfr Nu 27,17. Detta understrykande av fördelningen torde ha uppkommit därigenom att YHWH redan givit landet åt fäderna, Gen 12,7 etc. skall ge, Ex 32,13; Nu 10,29; 14,8 eller står i begrepp att ge (*pt.qal* av *nāṯan*), Lev 14,34; 25,2; Nu 15,2. Detta ''givande'' kan tillgå så, att YHWH själv skall fördriva landets urinnevånare genom att sända en ängel, Ex 23,20 eller sända skräck och fruktan, Ex 23,27 etc. Jfr Jos 2,9–11. I några texter finns stridsmoment, Nu 21,1 ff.; 32,20 ff.; 33,52 ff. med Israel som subjekt. De som särskilt skall vara stridsberedda är öststammarna, Nu 32,1 ff., Jos 1,14, Israels krig mot amoriterkungarna Sihon och Og blir helt enkelt en mall på riktig krigföring, Dt 2,24 ff., där fienderna grips av skräck och fruktan inför YHWH och hans härskaror. Men i sådana drabbningar är såväl befäl som soldater anonyma. Det är först i och med Akans förbundsbrott, Jos 7,1 ff., som striderna får markkontakt och Josuas militära agerande får konkreta drag.

Enligt Jos 1,6 blir Josuas huvudsakliga uppgift att fördela landet. YHWH står i begrepp att ge det åt Israel, Jos 1,2 och har givit ''varje plats, som eder fot beträder'', Jos 1,3. Uttrycket syftar säkerligen på martiala handlingar, men dessa följs inte upp i fortsättningen av kapitlet. Det område, som Josua skall fördela, blir beroende av utsagan i Jos 1,3. Jfr Dt 11,24. I Dt 3,28 är det landet, som Mose såg från Nebo, Dt 34,1 ff. Se Inledningen. Men inte desto mindre synes Josua ha en något undanskymd roll i fördelningsavsnitten. I Gilgal ger han land åt Kaleb, Jos 14,6 och han lovar Efraim och Manasse ytterligare en arvedel i Jos 17,14. Josua ger order om asylinstitutionen i Jos 20,1 ff., och liksom Mose, Nu 26,55 f., kastar han lott om vissa områden, Jos 13,6; 18,6; 23,4 men annars är det ''Kommissionen'' med prästen Eleasar i spetsen, som fördelar landet, Jos 14,1; 19,51; 17,4; 21,1. Josua ingår i densamma, men intar där alltid platsen efter Eleasar. Uppgiften om ''Kommissionen'' tillhör säkerligen det prästerliga materialet, Nu 32,28. Föreställningen torde gå tillbaka på den mosaiska kommissionen, Nu 1,44; 4,34; 31,13; 32,2. I denna intar emellertid Mose alltid den främsta platsen. Josuas undanskymda plats i kommissionen tyder på att uppgiften är övertagen av Dtr och borde då ha tillhört Silotraditionerna. Det är en slutsats, som direkt kan dras ur Jos 19,51.[7] I fördragsavsnitten, Jos 23–24, uppträder emellertid Josua i rollen av den ideale ledaren, som han innehar i Jos 1. Josua agerar här ensam och som Moses jämlike.

I erövringsavsnittet samt i fördragen, de texter, som till största delen har blivit bearbetade och delvis också författade av Dtr, intar Josua en ledarroll av mosaisk stämpel. Enligt min uppfattning har den präglats av Dtr:s uppfattning av Mose. Vid krigsmomenten liksom vid fördragens ingående är det relativt enkelt att finna paralleller till Mose i det josuanska agerandet. Det måste bedömas så-

[7] Jfr M. Wüst, *Untersuchungen zu den siedlungsgeograpischen Texten des Alten Testamets, 1. Ostjordanland.* 1975, 188 f.

som en litterär typologi. För att vara den ideale ledaren var Josua tvungen att göra såsom Mose hade gjort eller sagt.

Josuas roll såsom fördelare av landet betonas i Jos 1. Men i det följande står det klart, att denna position är den minst framträdande i fördelningsavsnittet. Förmodligen har Josua ursprungligen hört till fördelningsmaterialet och ingått i ''Kommissionen'' hemmahörande i Silo.[8] Dtr synes emellertid i några fördelningspositioner ha ryckt Josua ur Kommissionen och låtit honom agera såsom Mose, t.ex. Jos 22,7. Det gäller närmast lottkastningen, Jos 13,6; 18,6,10; 23,4. Jfr Nu 26,55 f.; 33,54. Likaså kunde Dtr i sin inledning av Josuaboken åberopa mosaiska utsagor — såsom vi ovan sökt visa — för att accentuera Josuas uppgift att fördela landet.

Josuas första befallning riktas till *šōṭĕrê hāᶜām*, v. 10, att dessa skall göra förberedelser till uppbrott inom tre dagar.[9] Jfr Ex. 12,39. I Jos 1,11 b. återupprepas frasen från 1,2, jfr Dt 11,31.

Följdriktigt erinras därefter de östjordanska stammarna om sin skyldighet att väpnade dra över floden Jordan för att delta i erövringen, Jos 1,12–18. Dessa stammar är enligt Dtr:s konsekventa system i Josuaboken, Ruben, Gad och 1/2 Manasse. Den sistnämnde kan saknas, t.ex. Jos 22,32 f. men måste vara med vid fördelningen av land, Jos 13. Jfr även Nu 32,33. I deuteronomistisk kontext nämnes alltid Ruben först, jfr Nu 32,2 ff. Öststammarna och deras område utgör en viktig beståndsdel i Dtr:s landstruktur inom Josuaboken. Trots de ''prästerliga'' försöken att få Gilead betraktat såsom ''orent land'', Jos 22,19, godkänner Dtr altarbygget och låter öststammarna tillhöra den västliga gemenskapen. De måste därför deltaga i erövringen av Cisjordanien för att sedan återvända till sitt område. I Jos 1 finns ingenting, som direkt antyder om palavern mellan Mose och stammarna i Nu 32. Då enligt M. Noth den östjordanska erövringen först skildrats av Dt 3,12 f., 18–20, har enligt honom Jos 1,12 ff. ingenting gemensamt med Nu 32,20–32, som tillhör P. Noth's syn bygger på den i deuteronomistisk text ofta återkommande mosaiska segern över amoriterkungarna Sihon och Og, vilken först senare skulle ha övertagits av prästerliga tradenter.[10]

I min avhandling ifrågasatte jag Noth's uppfattning.[11] I Nu 21 återfinnes

[8] Jfr A. Alt, Josua, *KS* I, 1953, 188, som anser Josua ursprungligen höra hemma i efraimitiska hjältesägner, Jos 10. Josuas historicitet är emellertid dunkel. Den behöver inte ifrågasättas, men se 1 Sam. 12,8, som överhuvudtaget inte nämner Josua. Jfr G. W. Ahlström, Another Moses Tradition, *JNES* 39 (1980), 65-69.

[9] M. Noth ansåg dessa vara sekundärt gods i sammanhanget, *Das Buch Josua*, 1938. I den omarbetade upplagan 1953, 29 tillhör Jos. 1,10 textens grundbestånd.

[10] Intressant är att se hur M. Noth ändrade sig i detta avseende. I artikeln Num. 21 als Glied der 'Hexateuch'— Erzählung, *ZAW* 58 (1940/41), 161-189, anser han Num. 21,33 ff. vara primärt i förhållande till Dt 3,1 ff., medan han har motsatt uppfattning i *Überlieferungsgeschichtliche Studien*, I, 1943, 35 not 1. I Beiträge z. Gesch. d. Ost-Jordanlandes, *III*, *BBLA*, 1951, 10 n. 1, återgick han till uppfattningen redovisad i *ZAW* 58. M. Wüst (1975) 45, menar, att traditionen om Sihon har sitt ursprung i Nu 21 medan däremot uppgiften om Og går tillbaka på Dt 3,1-7.

[11] M. Ottosson, *Gilead. Tradition and History*, 1969, 67 ff.

inom P-materialet mycket gamla uppgifter om strider med amoriterna öster om Jordan, t.ex. den s.k. Sihonsången, Nu 21,27 ff. Så man bör åtminstone ifrågasätta, om P konsekvent kan betraktas såsom senare än deuteronomistiskt material. Då i det följande, problemet kommer att bli aktuellt, är det intressant att göra en terminologisk jämförelse mellan Jos 1,12–18; Dt 3,12 f., 18–20 och Nu 32. Likheten mellan Dt och Jos är stilistiskt påfallande. Jos 1,15 och Dt 3,20 är i stort sett identiska. Jos 1,14 liksom Dt 3,18 använder uttrycket ''inför edra bröder''. Nu 32,20 f. har ''inför YHWH''; så även Jos 4,13. Nu 32,17 skriver ''inför israeliterna''. I övrigt påminner Dt och Nu mest om varandra. Dt 3,18 har *ḥălûṣīm*, Nu 32,30,32 har samma term, medan 32,20 har *nif.*-form av *ḥālaṣ* och vv 27,29 *ḥālûṣ* och v. 17 *ḥūšīm*; Jos 1,14 *ḥămūšîm*. Dt 3,19 nämner ''edra städer'', vilket kan förenas med ''städerna'', som även namnges i Nu 32. Jos 1,15 har neutralt *hā'āraeṣ* så även Dt 3,18, jfr Nu 32,4. Varken Dt eller Jos 1 känner till de transjordanska stammarnas ovilja att spontant dra över floden Jordan. I Nu 32 föregås nämligen aktionen av en lång palaver mellan Gad-Ruben och Mose. I denna återges en överenskommelse i jakande och nekande konditionalsatser, Nu 32,20–30, ett stildrag, som måste betraktas som ålderdomligt och hör till edseller fördragsstil.[12] Den återfinnes inte så sällan i prästerligt influerad text, som måste ha varit känd av Dtr. Redan i Jos 2 inträffar dessa konditionalsatser i nekande och jakande form. Ehuru Dtr i Jos 1,12–18 är mycket beroende av Dt 3,12 f., 18–20, så finns det underlag för antagandet att även Nu 32 varit känt av denne. Öststammarnas opposition mot Mose i Nu 32 ville Dtr knappast förmedla i Josuabokens inledning, då detta skulle ha betytt ett övergrepp på Dtr:s landuppfattning, dvs. sammanhållningen mellan öst och väst i det reala davidsrikets omfattning.

[12] M. Ottosson, *op.cit.*, 76 f. I det följande uppmärksammas denna typ av ''fördragstexter'' i Jos 2;22-24.

KAPITEL II

Spejarna och Rahab

''Och Josua, Nuns son, sände hemligen ut två spejare från Sittim och sade, Gå och bese landet och Jeriko.'' Denna ingress av Josuabokens andra kapitel gör Josua till Moses jämlike. Vi kommer i det följande att finna, hur Josua ofta gör som Mose gjort eller befallt. Det är en fraseologi, som får betraktas såsom klart deuteronomistisk. På samma sätt som Mose, då han befann sig i Landets sydligaste gränspunkt, Kades, Nu 13,27; Dt 1,19 och därifrån skickade 12 spejare för att bespeja Landet och enligt Nu 13,19 ff. för att undersöka om landet var gott eller dåligt och om dess inbyggare var starka eller svaga, gör nu Josua. Av den givna rapporten framgick, att Landet var mycket gott, men också, att dess befolkning, anakiterna, var mycket storväxt och bodde i starkt befästa städer.[1] Spejarnas uppgift om städerna och befolkningen kom att totalt lamslå israeliterna. På grund av denna försagdhet skulle ingen av dem få komma in i Kanaan, Nu 14,35.[2] I så många dagar som spejarna varit i Kanaan, lika många år skulle israeliterna vistas i öknen, dvs. tills dess att de dog.

Utsändandet av spejarna i Nu 13 gjordes på Jahves initiativ, men enligt den deuteronomistiska versionen, Dt 1,19 ff. sändes de ut på folkets initiativ, Dt 1,22.[3] Deras rapport ledde också till uppror och försagdhet. Och vid meddelandet om anakiternas reslighet och städernas storlek och fortifikation förfärades folkets hjärtan, 1,28. I folkets begäran tillkommer, att spejarna skall utforska vägen, Dt 1,22. Man kan tänka sig, att detta är en medveten accent från deuteronomistens sida; trots upplevelsen av uttåget ur Egypten och Jahves ledning under

[1] Det är här berättigat att erinra om utsändandet av spejarna söderifrån just för att peka på accentförskjutningen mellan P och D. Jfr M. Weinfeld (1972), 48. Det visar sig nämligen, att de stora städerna och anakiterna, vilka skrämde ökengenerationen, ingår i den deuteronomistiska summeringen av erövringen i Jos 11. Motivmässigt skulle man kunna tala om en ''ringkomposition''. — S. Wagner, Die Kundschaftergeschichten im Alten Testament, *ZAW* 76 (1964), 255-269, ger en genrebeskrivning och framlägger den hypotesen att spejarberättelsernas Sitz im Leben utgjordes av det heliga kriget såsom G. von Rad uppfattade det. Dock låter Wagner uppgiften i Nu 13, enligt vilken Yahweh var den utsändande instansen, vara sekundär och återgå på P:s teologi. Se även J. P. Floss, Kunden oder Kundschafter? (1982)

[2] Kanaan som landbegrepp tillhör P, dvs. enligt vår uppfattning de av prästerskapet vid de lokala helgedomarna och vid Jerusalems tempel förvaltade traditionerna. Se M. Ottosson (1984), 105 f. Kanaan spelar en underordnad roll i de deuteronomistiska texterna. Den dominerande landuppfattningen i Josuaboken återgår på davidsriket omfattande Cis- och Transjordanien men ''Löftets land'', Jos 1,4 är en utopi. Se Nu M. Ottosson, Eden and the Land of Promise, 1988.

[3] Deut 1,19 ff. beskriver ett slags ''anti-landnama''. Östjordanlandet var nu erövrat av Moses. Jfr D. J. McCarthy, Some Holy War Vocabulary in Joshua, *CBQ* 33 (1971), 228-230.

hela ökenvandringen kräver man en redogörelse i första hand om vägen och därefter städerna. Också Mose dras in i folkets tvivel, då utsändandet av spejarna var gott i hans ögon, 1,23. Han liksom folket fick till straff att dö i öknen. Folket vidtog också krigsförberedelser, Dt 1,41–42, vilka ej är omnämnda i Nu 14,40 f. Dessa är emellertid av intet värde, jfr Dt 20,1 ff. och i synnerhet 20,8.

Ytterligare tre gånger sänder Mose ut män dels i diplomatiskt syfte till kungen i Edom, Nu 20,14 och till amoriternas kung Sihon, Nu 21,21 och dels för att bespeja Jaeser, Nu 21,32. Här användes samma term *rāḡal* som i Jos 2,1. Josuas handlingssätt är därmed en uppföljning av Moses åtgärder, då han och folket närmade sig ''bebodda'' trakter. Landet, vägen och städerna var de objekt, som man ville ha kunskap om. Josuas spejare tillhör den generation, som har fått det definitiva löftet om Landet, Nu 14,3,31; Dt 1,39. Josuas order är kort: ''Gå och utforska landet'', Jos 2,1. Städerna nämns inte, men ändock står Jeriko såsom ett slags tillägg. Namnet saknas i LXX och Pesh men står i MT såsom en självklar lokalangivelse till Rahabhistorien. Spejarterminologien överensstämmer med den i Dt 1,22,24 och Nu 21,21, jfr Nu 13. Det kan knappast sägas, att spejarna följt givna direktiv, dvs. att utforska landet. Uttrycket ''två män'', 2,1, är sällsynt i Gamla testamentet. Förutom här och i Jos 6,22 förekommer det endast, när en situation kräver vittnen, Dt 17,6; 21,17; 1 Kon 21,10. Som vi skall se längre fram, innehåller Jos 2 flera juridiska termer och antalet spejare kan sålunda vara beroende av det fördrag, som ingås med Rahab.

Rahab är naturligtvis huvudpersonen i Jos 2. Hon dirigerar hela händelseförloppet och spejarna behöver endast lugnt avvakta det som skall ske. Det är hon, som också ger dem vägdirektiv, 2,16. Jämväl Jerikos kung, som misstänker, att spejarna har kommit för att utforska hela landet, 2,3, dirigerar hon med märkbar pondus. Hennes roll som *zōnā* och innehavare av hus intill stadsmuren, 2,15 är inte helt ointressanta uppgifter. Den hebreiska termen *zānā* betyder ''bedriva hor'' eller ''hora efter'' t.ex. utöva kult av främmande gudar. Rahab kan såsom ''sköka'' innefattas i båda betydelserna, dvs. både såsom tänkbar prostituerad och tillhörig en för Israel främmande gudstro. Israeliterna var tidigare sedan vistelsen i Sittim väl förtrogna med denna typ av kvinnor. Spejarna, utsända till Jeriko, kom direkt från Sittim, där de hade varit i kontakt med Baal Peor-kulten genom ''att hora med Moabs döttrar'', Nu 21,1 ff. Det berättas, att israeliten Simri också hade gått in till midjanitiskan Kosbi, Nu 25,6 ff., 14,18. Förmodligen var det här fråga om en fruktbarhetskult, till vilken israeliterna avfallit. Det ligger nära till hands att jämföra Kosbi och Rahab. Båda bär namn, som kan tänkas tillhöra deltagare i orgiastisk fruktbarhetskult.[4] För Kosbis skull drabbades hennes folk av utrotning; endast de ogifta kvinnorna fick leva, Nu 31,18. Rahab

[4] För en möjlig etymologi av namnet Kosbi, se *Lex*. Prof. H. M. Barstad har haft vänligheten att visa mig ett manuskript, nu publicerat i *SEÅ* 54(1989), 43-49.''The OT Feminine Personal Name *RAHAB*. An Onomastic Note''. Han refererar där till J. A. Montgomery, Notes on the Mythological Epic Texts from Ras Shamra, *JAOS* 53 (1933), 121, som sökte visa, att ordet *hrḥbt* i Jes 57,8 skulle

agerar som bekant annorlunda och hon och hennes klan räddas till livet vid den kommande tillspillogivningen av Jeriko, 2,12 ff. Liksom Peor-episoden framställs såsom ett varnande läroexempel vid ankomsten till Landet, Dt 4,1 ff.; Jos 22,17, så kan naturligtvis Rahabs agerande likaså uppfattas didaktiskt.[5] Ehuru hon är ''sköka'' förleder hon inte israeliterna utan hon tillskrivs äran att vara den första kanaané, som erkänt Jahve och israeliternas rätt till Landet. Dtr låter henne tala på hela den kanaaneiska befolkningens vägnar, 2,11. De Jahves frälsningsgärningar, som Mose ständigt åberopade inför den nu utdöda israelitiska menigheten och vilka ändock aldrig var tillfyllest för folket, läggs nu i munnen på en kanaaneisk representant och blir till bekräftelse på att erövringsverket kan börja. Spejarnas rapport lyder kort och gott: ''Jahve har givit oss hela landet i vår hand och jämväl är landets alla invånare i upplösning inför oss'', 2,24, jfr Dt 1,27 f. och Jos 2,11. Fiendens försagdhet blir ett accentuerat motiv i den fortsatta skildringen, Jos 7,5; 1,9. Den fruktan, som ökengenerationen kände, Dt 1,28, har nu drabbat kanaaneerna.[6]

Rahab intar en mycket säregen position inte bara i Josuaboken utan även i hela Gamla testamentet. Ett stort skäl härför är självklart, att hon gömmer de israelitiska spejarna och att hon därvid vilseleder Jerikos kung, som vill gripa dem. Dessa handlingar liksom att hon hjälpte spejarna att fly, 2,15, har renderat henne en fast plats i traditionen. Nu är det inget ovanligt, att fatala kvinnor på liknande sätt spelar historiska roller vid städers erövring. Det har i alla fall varit ett omtyckt tema inom den folkloristiska genren. Berättelsen om Rahab är självklart en vandringslegend, som funnit sin väg in i det deuteronomistiska historieverket. Det finns flera paralleller att visa på.

Fördraget

Men av en anledning är Rahab helt unik. Hon tar initiativet till att ingå ett fördrag med spejarna och denna handling bryter mot alla föreskrifter. Såväl ''Förbundsboken'', Ex 23,32 (jfr Ex 34,15) som Dt 7,2 förbjuder ingående av fördrag med Kanaans befolkning. Men den första kanaané, som man träffar på, är man villig att befrynda sig med utan någon som helst eftertanke. När t.ex. gibeoni-

uppfattas såsom en beteckning på kvinnligt könsorgan, eftersom ordet står som parallell till *zḳrwn*. Samma ordpar, *rḥbt* och *dḳr* återfinnes i ugaritiskan. Barstad kommer till den slutsatsen, att ''Rahab is not a 'real' personal name, but a ''nick-name'' bluntly indicating the woman's métier.''

5 Detta visas inte minst av judiska och tidiga kristna tolkningar, se H. Windisch, Zur Rahabgeschichte, *ZAW* 37 (1917/18), 188–198. Jfr G. Hölscher, Zum Ursprung der Rahabsage, *ZAW* 38 (1919/29), 54–57, som betraktar Rahab såsom en representant för kanaaneisk kultprostitution. För en mytologisk interpretation, se A. Jeremias, *Das Alte Testament im Lichte des Alten Orients*, 1916[3], 413 f., D. J. Wiseman, Rahab of Jericho, *The Tyndale Bulletin* 14 (1964), 8–11 och K. M. Campbell, Rahab's Covenant, *VT* 22 (1972), 243–44 betraktar Rahab såsom en officiell person.

6 Rahabs yttrande i 2,10 har en påfallande likhet med Ex 15,15 f. Jfr också Jos 4,23. Motiven i Ex 13–15 har flitigt utnyttjats i prologen till Deut, jfr Dt 4,29 och Jos 2,11.

terna lyckades dupera Josua att ingå en förbindelse med dem, noteras åtminstone en reaktion, ''och hela församlingen knorrade'', Jos 9,14,18, trots att gibeoniterna avlägger i stort samma bekännelse till Jahve som Rahab, 9,9 f. Det måste dock betonas, att Jos 9,18 ingår i en av Dtr övertagen text, språkligt att döma av P-karaktär. I Rahabs fall föreligger inga ideologiskt grundade kommentarer. Hon har visat *ḥaesaeḏ*, 2,12, och förväntar sig detsamma av israeliterna. Kommentatorerna har inte närmare understrukit fördragssituationen i Jos 2. I stort har de följt samma indelning av texten som M. Noth hade gjort. Han menar, att den består av tre samtalsscener, nämligen vv. 3,4b,5 och vv. 9–14 samt vv. 16–21a med därtill knutna situationsuppgifter.[7] Den ende som verkligen uppmärksammat fördragssituationen i Jos 2 är K.M. Campbell, men tyvärr har han endast antytt den i en kort notis. Campbell har i Jos 2 iakttagit en disposition, som påminner om fördragsformer enligt främreorientalisk och även gammaltestamentlig tradition, med *inledning*, 2,11, *prolog*, vv. 9–11, *fördragsvillkoren* dikterade av Rahab, vv. 12–13 av spejarna, vv. 18–20, *sanktioner*, vv. 18–20, ed, vv. 14–17 och *fördragstecknet*, det röda snöret, vv. 18–21.[8] Det är mycket som talar för att Jos 2 i den nuvarande deuteronomistiska tappningen bevisligen lånat såväl ordval som sin litterära struktur från genren fördragstexter. Vv. 9–11 röjer klart Dtr:s hand.[9] Rahab har där gjorts till ett deuteronomistiskt språkrör. Nu har fruktan för israeliterna drabbat Kanaans folk framför allt genom ryktet om hur Jahve låtit torka ut Sävhavet. Denna ordvändning med direkt syftning på denna händelse finns endast i Jos 2,10 och 4,23. Verbet ''torka ut'' med Jahve som subjekt knyts också till övergången av floden Jordan 4,23 och 5,1. Jfr Ps 74,15. Segrarna över amoriterkungarna Sihon och Og hör också till de av Dtr ofta omnämnda frälsningsgärningarna. Och som en pivot i Rahabs bekännelse följer i v. 11, ''ty Jahve er gud, han är Gud uppe i himmelen och nere på jorden''. Detta uttryck kan också hänföras till deuteronomistiskt språkbruk. Förutom här förekommer en liknande fras i Dt 4,17 f., 39, 1 Kon 8,23 samt i Dekalogen Ex 20,4/Dt 5,8. Med utgångspunkt från denna bekännelse, kan Rahab be om ett fördrag slutet i Jahves namn — Dt 6,13; 10,20 — varvid hon kräver samma *ḥaesaeḏ*, barmhärtighetshandlingar som hon visat spejarna och därvid begär hon ''ett säkert tecken'', v. 12. Det sistnämnda betraktas som dunkelt i sammanhanget, ty något sådant omnämnes inte i fortsättningen. Vad detta tecken kan ha varit är omöjligt att säga. Det är inte osannolikt, att uttrycket kan ha tillhört fördragsvokabulären. Frasen *nāṯan 'ōṯ* står i övrigt endast tillsammans med *mōfēṯ*, ''under'', Dt 6,22; 13,2. Jfr Jos 4,6. I fördragsögonblicket har Rahab gjorts till bekännare av Israels gud och därigenom kan eden accepteras. Hennes kanaaneiska bakgrund omnämnes överhuvudtaget inte.

[7] *Das Buch Josua*, 29. Han följs av J. A. Soggin, *Joshua*, 1982, G. M. Tucker, (1972) och D. J. McCarthy, *Bi* 52 (1971), 165 ff., spec. 170. W. L. Moran, The Repose of Rahab's Israelite Guests, *Studi sull'Oriente e la Bibbia*, 1967, 273-284, betonar förekomsten av verb kring vilka kapitlets retorik är uppbyggd.

[8] Se not 5.

[9] Jfr E. Tov, The Growth of the Book of Joshua in the Light of the Evidence of the LXX Translation, *Scripta Hierosolymitana* 31 (1986), 321-339, spec. 332.

De konditionala satserna

I hela Jos 2 har Rahab initiativet och detta gäller också fördragsslutandet. Hon anger innehållet i eden, nämligen att israeliterna skall låta ''min fader och min moder och mina bröder och mina systrar och allt som tillhör dem leva och ni skall rädda oss (LXX 'mig') från döden'', v. 13. Formuleringen förutsätter den följande tillspillogivningen av Jeriko. Denna tanke är så dominerande, att Jeriko inte erbjuds något annat alternativ, Dt 20,10 ff. Men staden tillhör ett av de ''sex'' folken och dess befolkning har inget val. Allt liv skall utplånas. Den följande eden saknar således underlag. Ideologiskt sett är den en omöjlighet och kan endast försvaras därigenom att den ingås i Jahves namn, v. 12. Det är spejarna, som dikterar villkoren och det genom att använda en nedärvd konstruktion av konditionalsatser. ''*Om du inte berättar detta vårt handlingssätt*, skall vi bevisa dig barmhärighet och trofasthet'', v. 14 med fortsättning i v. 17 ''fria är vi från denna din ed, som du ingått med oss''. Och i jakande form ''*Och om du berättar detta vårt handlingssätt*, så är vi fria från den ed som du har tagit av oss'', v. 20. Mönstret, där en jakande och negerad konditionalsats av samma ordalydelse kontrasteras, behöver inte ha sitt Sitz im Leben i fördragstexter, men nästan överallt, där det uppträder, återfinnes en juridisk terminologi.[10] I Jos 2 är denna juridiska fraseologi rikligt förekommande. Tre gånger upprepas ''fria är vi från din ed'', vv. 17,19,20. Samma uttryck återkommer i Gen 44,10 och i synnerhet i Nu 32,22. Övrig fraseologi, som kan betecknas såsom edsformler är ''oss i stället för er till att dö'', v. 14, vilket påminner om uttrycken i 1 Kon 20,39,42 och 2 Kon 10,24. Frasen ''hans blod över vårt huvud'' och ''hans blod över hans eget huvud'', v. 19 kan jämföras med liknande uttryck i 2 Sam 1,16; 1 Kon 2,32,37 och Hes 33,4.[11] Kanske också frasen ''var och en som går ut från ditt hus'', v. 19 kan tillhöra edsvokabulären, Ex 12,22; Dom 11,31;[12] 1 Kon 2,36 f.

Några exempel på kontrasterande konditionalsatser av samma typ som de ovan angivna skall här ges. I Gen 4,7 kontrasteras ''om du har gott i sinnet'' till ''om du inte har gott i sinnet'', vilket säkerligen är gammalt rättsspråk. Förutom ytterligare exempel i typiska rättssatser såsom Ex 22,6 f.; Dt 20,11 f.; Dt 28,1,13,15,58 återkommer samma stildrag i berättande text innehållande eder eller löften såsom Nu 32,20 ff.; Jos 22; Dom 4,8; 9,15,19–20; 1 Sam 12,14 f.; 2 Kon 2,10; Job 33,33 och Jer 17,24,27. Texten i Nu 32,20,23,29,30 påminner en

[10] Se M. Ottosson, *Gilead*, 76 f. J. Muilenburg, The Form and Structure of the Covenantal Formulations, *VT* 9 (1959), 347-365, spec. 355 och H.W. Gilmer, *The If-You Form in Israelite Law*, 1975. Han behandlar ''om inte'' konstruktionen kortfattat på sid. 30. Se senast M. Ottosson, Rahab and the Spies (1989).

[11] Frasen tillhör utan tvekan det kultiska rättsspråket och torde vara gammal. Se diskussionen mellan H. Graf Reventlow, *VT* 10 (1960), 31 ff. och K. Koch, *VT* 12 (1962), 396 ff.

[12] Traditionen om Jeftas dotter hör också till den folkloristiska genren. Se M. Ottosson, *Gilead*, 170 ff. med litt.

hel del om situationen i Jos 2. I båda fallen återges en palaver kryddad med juridisk terminologi i form av negerade och jakande konditionalsatser. I Nu 32 berättas hur Ruben och Gad har funnit det östjordanska landet så inbjudande, att de vill stanna där och inte dra över floden Jordan tillsammans med de andra stammarna. Men sedan Mose yttrat sig i ett didaktiskt formulerat anförande, förklarar de sig beredda att delta i erövringen av Kanaan. Moses tal kulminerar i en positiv och en negativ försäkran. Den är positiv i vv. 20 ff. ''*Om ni gör* såsom ni nu har sagt . . . så skall ni vara utan skuld mot Jahve och Israel men negativ i v. 23 ''Men *om ni inte gör* så, då syndar ni mot Jahve . . . ''Även i vv. 29 och 30 återkommer samma typ av satser men nu med subjektet i 3. pers plur ''Mose sade till dem: *Om Gads och Rubens barn går över Jordan* med er . . . då skall ni åt dem ge landet Gilead till besittning (v. 30). Men *om de inte drar över* med er, så skall de få sin besittning i landet Kanaan. ''Liksom i Jos 2,17,19,20 återkommer *nĕḳijjīm* ''vara fri från skuld'' i Nu 32,22. Användningen av konditionalsatser, i vilka innehållet beskrivs både positivt och negativt och med mer eller mindre samma fraseologi ger en klar association till fördragssfären. I det sammanhanget vill jag ytterligare citera två texter, nämligen Jer 17,24,27 och 1 Sam 12,14–15, där formuleringarna belyser edsslutandet mellan Rahab och spejarna.

I Jer 17 utgör de två sentenserna en del av ett prosastycke, där profeten ivrar för observansen av sabbatsbudet. Han gör detta så intensivt, att hela nationens existens vilar därpå. Det är således ett passande tillfälle att använda fördragsstilen. V. 24 ''Men *om ni vill höra mig*, säger Herren, så att ni på sabbatsdagen inte för någon börda in genom denna stads portar utan helgar sabbatsdagen, så att ni på den inte gör något arbete . . . då skall kungar dra in genom denna stads portar . . .'' V. 27 ''Men *om ni inte hör* mitt bud att helga sabbaten och att inte bära någon börda in genom Jerusalems portar på sabbatsdagen, då skall jag tända eld på dess portar . . ..''

Samma användning av konditionalsatser återfinnes i 1 Sam 12, ett kapitel som man ofta refererar till vid analysen av Jos 24. I ett profetiskt tal ställer Samuel sig själv i kontrast till den kung, som folket begär, och han gör det genom att återge en fördragspassus. V. 14 ''Om ni fruktar Jahve och tjänar honom och lyder hans röst och inte är gensträviga mot Herrens befallning, då skall både ni och den kung som regerar över er följa Herren er Gud.''

V. 15 ''Men om ni inte hör Herrens röst utan är gensträviga mot Herrens befallning, då skall Herrens hand drabba er liksom edra fäder.''

Både Jeremia 17 och 1 Sam 12 är präglade av samma fördragsstil. Situationen är emellertid intern, dvs. fördraget bekräftar relationen mellan Jahve och Israel. Exempel på sådana fördrag ges det flera även om konditionalsatserna kan karaktäriseras som asyndetiska.

I Jos 2 återges ett fördrag mellan israeliter och icke israelit i själva Kanaan. Ett sådant fördrag är förbjudet i gammaltestamentlig lag. Rahab lever inte i ett perifert område, Dt 20,16; 7,2; Ex 23,32 f., och spejarna har inte erbjudit henne eller någon i staden Jeriko fred, Dt 20,10 ff. De har inte heller initiativet, vilket vi skulle vänta oss i den situationen. Genom att Rahab uppträder såsom ''proselyt'', Jos 2,9 ff. och sluter fördraget i Jahves namn, arbetar allt till spejarnas fördel. Genom fördraget kan hon rädda sitt och sin klans liv, men det nämnes ej heller, att de blir arbetspliktiga, Dt 20,11; Jos 9,27.

Patriarkerna kunde ingå fördrag med utlänningar. Så gjorde Abraham och Abimelek, Gen 21,27 ff. och Isak och Abimelek på den senares initiativ, Gen 26,28. Här befinner de sig i ett gränsområde och det berättas om tvister om vatten, men fördragspartnern, filistéerna är medvetna om sin underlägsenhet. Det är intressant att jämföra Abimeleks ord till Abraham, Gen 21,22 f. med Rahabs ord till spejarna, Jos 2,12 f. Abimelek sade till Abraham ''Gud är med dig i allt vad du gör. Så lova mig här nu med ed vid Gud, att du inte skall göra dig skyldig till något svek mot mig eller mina barn och efterkommande, utan att du skall bevisa mig och det land, där du nu bor såsom främling, samma godhet *ḥaesaed*, som jag har bevisat dig. Och Abraham svarade ''Det vill jag lova dig.'' Abimeleks och Rahabs yttranden är ganska lika allra helst innehållsligt.

Rahab

Rahabs personlighet och inte minst ställning i Jos 2 blir ytterligare intressant, om hennes initiativ till en edsförbindelse innehållande klart definierade villkor tas i beaktande. Visserligen kan man inte bortse ifrån att den är ett uttryck för list, en egenskap som är vanlig i folkloristisk genre, och det gällde för Rahab att rädda sitt och hennes klans liv. Men vid en jämförelse med motsvarande fördragssituation i Jos 9, där ett fördrag sluts med gibeoniterna, omnämnes speciellt, att det ingicks med list. Israel trodde, att gibeoniterna var från en stad, som låg utanför deras anfallsmål. I Rahabs fall finns inga dolda anspelningar. Såsom boende i Jeriko torde Rahab ha varit betraktad som kanaané. Hon hade ett eget hus vid stadsmuren och ett fördrag ingånget med henne kunde absolut inte försvaras utifrån israelitisk lag. Som nämnts ovan representerar hon ingen annan gudstro än den jahvistiska. Däremot står hon i nära kontakt med Jerikos kung. Hennes bekännelse till Jahve ingår emellertid i de deuteronomistiskt formulerade verserna, 2,9 ff.

Just i den passusen i berättelsens upptakt, att spejarna kommo in i en skökas hus och lade sig där, 2,1,8, kan ge en något tvivelaktig bild av deras ärende.[13] Men intentionen är närmast att gömma sig på en plats, där män av olika kategorier söker spännande social samvaro. Med utgångspunkt i 109–111 i Hammurabis lag har några forskare sökt rekonstruera situationen i Jos 2 och snarare gjort Rahab till värdshusvärdinna än sköka. Att hennes hus ändock beboddes av ett

[13] Verbet *šāḵaḇ* förekommer två gånger 2,1,8. Det är möjligt, att ordvalet berättartekniskt kan ha syftat till en dubiös tolkning. Skökan kommer upp till männen på taket — men avlägger sin bekännelse. Jfr H. W. Hertzberg, *ATD* 9, 1953, 19. Till verbet, jfr 2 Sam 12,16; 13,31.

hushåll visar uppgiften om linstjälkarna, som var utbredda på taket, 2,6; men jämför Hos 2,7,11 och 2 Kon 23,7 såsom en jämförbar kontext. P.H. Horn har nyligen sökt placera in Rahab i en social omgivning präglad av nomaders motsatsställning till "staden" i ett "dimorphic society".[14] Enligt hans resonemang, där Rahab snarast utgör en värdshusvärdinna av samma kategori som är beskriven i Hammurabis lag, är hon samtidigt lierad med spejarna antingen som en nomadkvinna eller som tillhörig Jerikos asociala skikt. Enligt den tankegången skulle Rahab mycket väl kunna vara en "israelitiska", som hamnat som värdshusvärdinna i Jeriko och strax igenkänner spejarna vid ankomsten till hennes hus. Hon blir uppmärksammad på värdshusvärdars skyldighet att rapportera till "palatset" om främmande besökare, 2,3 f.[15] Och hon lämnar också vilseledande uppgifter. Även om Horn helt riktigt betraktar episoden såsom en litterär framställning utan något bevisat historiskt underlag, så kommer den nära en tänkbar verklighet.

Ändock får nog Rahab betraktas såsom kanaané, eftersom texten inte ger någon annan association. På vilket sätt som hon sedan förtjänade sitt uppehälle antingen såsom sköka eller värdshusvärdinna eller såsom bådadera spelar egentligen mindre roll. För spejarnas del gällde det att finna en plats där man kunde gömma sig, och Rahab visade sig därvid vara rätt person att vända sig till. När episoden skildras i det följande, återfinnes några märkliga iakttagelser att understryka. Rahabs agerande återges nämligen med maskulina verbformer, 2,17,18,20. Det gäller formerna *hišba'tānū* (jfr HV 5,9) och *hôraḏtēnū*. Grammatiskt brukar dessa former förklaras, att den gamla ändelsen *i* (*hišba'tīnū*) och (*hôraḏtīnū*) inte alltid blir bevarad. Ty såsom König uttrycker det; att säga, att man skulle ha använt 2. sing. mask. även vid ett feminint subjekt, skulle under alla omständigheter inte innefattas i språkets idé.[16] Eftersom övriga verb med Rahab som subjekt står i femininum är säkerligen den ovan givna förklaringen den riktiga även om vi har en edssituation, som är synnerligen enastående, då ena parten är en kvinna. Däremot kan handlingen i 2,18 jämföras med Mikals agerande i 1 Sam 19,12. Att med ett rep fira ned någon genom ett fönster får betraktas såsom ett typiskt feminint drag i folkloristisk litteratur. Rahabs rep är inte identiskt med det röda snöre *tiḳwaṯ ḥûṭ haššānī*, 2,18, *tiḳwaṯ haššānī*, 2,21, som Rahab binder i fönstret såsom tecken på överenskommelsen, 2,12. Det har varit svårt att finna någon förklaring till "det röda snöret". J.P. Asmussen,[17] antog det vara en fana, som markerade Rahabs hus såsom skökohus. Snarare bör det tolkas som ett synligt "förbundstecken" mellan Rahab och Israel, varigenom

[14] Josua 2,1-24 im Milieu einer, "dimorphic society", *BZ* 31 (1987), 264-70.

[15] Denna parallell med innehållet i CH 109 har jag blivit uppmärksammad på i privat korrespondens med Dr R. Westbrook, Jerusalem.

[16] Fr. E. König, *Historisch-Kritisches Lehrgebäude der Hebräischen Sprache*, I, 1881, 410, 412.

[17] Bemerkungen zur sakralen Prostitution im Alten Testament, *Stud. Theol.* 11 (1958), 167-192, spec. 182. Jfr A. Cohen, *Beth Mikra* 26 (1981), 278, som uppfattar *tiqwā* såsom en "group" eller "collection".

hon och hennes familj räddas från *ḥeraem*. Verbet *ḳāšar* associerar bl.a. till det israelitiska bruket att binda ett förbundstecken på handen, Dt 6,8; 11,18. Den röda färgen är eljest skyddsfärg, jfr Ex 12,7,13. *ḥûṭ šānī* förekommer i övrigt endast i bildspråket om brudens läppar, HV 4,3.

Berättelsen om Rahab får sin epilog i Jos 6. Hon och hennes familj räddas undan tillspillogivningen, 6,17,22–25. De föres ut från staden och placeras utanför Israels läger, 6,23 ''och hon bodde i Israels mitt ända till denna dag'', 6,25.

Eftersom Jos 2 och 6 är sammanknutna genom Rahab-berättelsen och det har diskuterats, när detta kan ha gjorts (se nedan) är det nödvändigt att först göra en kort ordanalys av Rahab-avsnittet i kap. 6 och jämföra ordvalet med det som finns i kap. 2.

I 6,17 viges staden och dess befolkning till tillspillogivning. Rahab har enligt deuteronomistiskt tänkande, syftat på tillspillogivning av människor, när hon föreslog eden i 2,12 f. Detta framgår också av Jos 2,10 i en jämförelse med Dt 2,34 f. Hennes hjälpsamhet gentemot spejarna rekapituleras i kap. 6 med en från kap. 2 delvis avvikande terminologi; för ''gömma'' användes i 6,17b, *ḥāḇā'* (så även i 2,16) men i 2,4 *ṣāfan* (jfr Ex 2,2,3) och i 2,6 *ṭāman* (jfr Ex 2,12; Gen 35,4; Jos 7,21). *mal'āḵīm* användes i kap. 6,17b, 25, *mĕraggĕlīm* 6,22; 2,1, *hannĕ'ārīm hamraggĕlīm*, 6,23 och *lĕraggĕl*, 6,25; *laḥpōr*, 2,2f. Deut 1,22; i 6,17b förekommer subj. ''vi'' i stället för ''Josua'', 2,1;6,25; jfr även 2,13 med 6,23, där ''systrarna'' är ersatta av ''alla hennes släktingar''. *mal'āḵīm*, ''sändebud'', är knappast att betrakta som en synonym till *mĕraggĕlīm*, då de förra alltid sändes ut öppet, medförande ett budskap från någon. Termen förekommer övervägande i det deuteronomistiska historieverket (belagt endast 9 ggr i plur. i P-verket och en gång i Dt 2,26, rekapitulerande händelsen i Nu 21,21). Termen är i 6,17b således klart redaktionell. Mowinckel[18] antog även 6,23b vara redaktionell, vilket är sannolikt utifrån bl.a. Dt 7,26.[19] Rahab och hennes släkt var dock av främmande härkomst och kunde ej placeras i lägret.

Rahabhistoriens epilog i kap. 6 är således inflätad i *ḥeraem*-förfarandet av Jeriko[20] av Dtr, som också svarar för etiologierna i v. 25. Jämförelsen med ordvalet i Jos 2 talar för en sådan uppfattning. Förekomsten av *mal'āḵīm*, ''sändebud'' omväxlande med *mĕraggĕlīm*, ''spejare'' tyder på att det funnits ytterligare en tradition om Jerikos fall.[21] Huruvida Rahab-historen ursprungligen har hört till denna kan inte avgöras. Fragment av en parallell-tradition till Jerikos erövring förekommer i Jos 8,2; 12,9 och i synnerhet 24,11 ''Och ni gick över Jordan och kom till Jeriko och *ba'alê jĕrīḥō* förde krig med eder . . . .'' ''Sändebuden'' kan där ha förekommit, då det var praxis, att sådana skickades ut i förväg, Nu

18 Tetrateuch-Pentateuch-Hexateuch, *BZAW* 90 (1964), 33, se också G. M. Tucker, 70 f.

19 Bevis för att verserna 17b, 24b tillhör Dtr utgör också deras inledningsord *raḳ*. Det synes alltid inleda Dtr-avsnitt i Josuaboken 1,7,17,18;6,12,15,17,24; 8,2,27; 11,13,14; 13,6,14; 22,5.

20 Denna tradition är klart pre-Deuteronomistisk.

21 Se J. A. Soggin, *EI* 16 (1982), 215-217.

21,21 etc. för att erbjuda fred, Dt 2,26 ff. Denna princip är också uttalad i krigslagarna, Dt 20,10 ff., jfr Dt 7,2, men i praktiken satt ur funktion genom Jahves ingripande, Dt 2,30; Jos 11,9 f. *ḥeraem*, i vilket enligt deuteronomistisk uppfattning ingick endast befolkningens utrotande, utlöstes alltid förutom i Rahabklanens och gibeoniternas fall. Skonandet av dessa kan ha lett till en deuteronomistisk efterrationalisering, att det var just i Gibeon och Gilgal (i Jerikos närhet) som ''avfallet'' började, vilket slutligen ledde till Israels undergång.[22] I Jos 1 dras gränserna till det utlovade landet, v. 4 och förutsättningen för innehav av ett sådant enormt område, jfr Gen 2,10–14, är total lagobservans, vv. 6 ff. Det är intressant att se, att detta ''löftesland'' förloras först genom Eva i Gen 3 och genom Salomos harem i 1 Kon 11, jfr dessutom Esra 9–10 och Neh 13,26. Det är möjligt att även Rahab skall bedömas utifrån en liknande ''geisha-aspekt'', dvs. hon blev genom fördraget orsaken till det första israelitiska lagbrottet i Kanaan och därmed försvann förutsättningarna för uppfyllelsen av Jos 1,4.

Rahabgestalten blev emellertid populär i sen tradition och gjordes t.o.m. till Josuas gemål, ja, kom att ingå i Jesu stamtavla, Matt 1,5. Med Jerikos erövring enligt kap. 6 har hon inte haft någonting att skaffa. Utan tvekan har hon figurerat i en predeuteronomistisk berättelse av folkloristisk typ förknippad med tell es-Sultan.[23] Dtr har emellertid gjort det mesta möjliga av henne, nämligen till sitt språkrör för att understryka Israels ensamrätt till Landet.[24]

Språkligt sett bryter kap. 2 Dtr-trenden från kap. 1. I 2,9–11 finns klart deuteronomistiska formuleringar, som också återkommer i 2,24. Men det mellanliggande avsnittet, vv. 12–23, som till största delen upptar edsöverenskommelsen mellan Rahab och spejarna har knappast varit föremål för deuteronomistisk bearbetning men kanske motivsammandragning (repet och den röda tråden). Vi har visat på att vissa edsformuleringar starkt påminner om dem som bl.a. finns i Nu 32. De formler som i övrigt endast är belagda i deuteronomistiska traditioner synes ha tillhört gammalt stelnat (kultiskt) rättsspråk.

M. Noth ansåg, att Rahab-berättelsen tillhört ''der Samler'', ca 900 f. Kr.[25] Allmänt räknades också den salomoniska eran såsom litterär storhetstid,[26] men det får bedömas som ett osäkert antagande. Templets och palatsets tillkomst ledde säkerligen till en centralisering av arkiv- och ''bibliotek''. Men ännu saknas tillräckliga bevis för förekomsten av en ''skrivarkultur'' vid denna tid. Det munt-

[22] Jfr. N. Lohfink, *ḥeraem*, *ThWAT*, Bd III, 210 f.

[23] Berättelsen om Rahab har säkerligen traderats muntligt under en mycket lång tid. G. M. Tucker, 83 ff.

[24] M. Noth hävdar i sin kommentar till Josuaboken s. 23, att ''Rahabs hus'' bör ha stått i det förstörda Jeriko såsom ett konkret vittnesbörd om ''Israels erövring''. Vi har ett svenskt Rahabmotiv, som är knutet till den danske kungen Valdemar Atterdags brandskattning av Visby år 1361. En borgardotter figurerar som förrädare i en spejarhistoria, där Valdemar själv är huvudpersonen. Som straff för att ha förrått staden murades kvinnan in i Jungfrutornet, ''som finns där ända till denna dag''. Traditionen om Jungfrutornet kan man spåra tillbaka i tiden. Den tillkom först i början av 1800-talet, alltså ca 500 år efter själva händelsen, trots att tornet fanns på 1300-talet.

[25] *Comm.*, 12.

[26] Se K. Berge, *Jahvistens tid*, 1985.

liga traditionsförfarandet dominerade säkerligen och berättelsen om Rahab borde ha tillhört en omtyckt genre. Gilgal torde ha utgjort ett annex till Jerusalems tempel och traditionerna borde i princip vara gemensamma för båda kultplatserna. Historien om Rahab tillhör kategorien folkloristisk tradition. I samband med städers erövring och brandskattning figurerar ofta det täcka könet. Under den långa tid som tell es-Sultan legat öde, ca 1300–800 f. Kr. har naturligtvis Rahabs namn i folkmun varit knutet till Jerikos undergång. Hennes egentliga ursprung är säkerligen också lokalt men kan endast bli föremål för spekulationer. Eftersom Dtr är medveten om rahabiternas kanaaneiska ursprung, placeras de utanför det israelitiska lägret, 6,23. Kanske kan man misstänka, att de på samma sätt som gibeoniterna varit knutna till en kultplats, i detta fall Gilgal. Såväl Gibeon, 1 Kon 3,5 ff., som Gilgal, Jos 5,13 ff., var viktiga centra för kungliga visioner med historieformande innehåll.

KAPITEL III

Seger — nederlag — seger. Altarbygge Jos 3—8

A. Jordan — Gilgal — Jeriko

Kap. 3–6 har liturgisk bakgrund med skildringen av den omständliga ''processionen'' fram till Gilgal och den därefter elliptiska vandringen runt Jeriko, företag, i vilka Förbundsarken står i centrum. Ehuru ordval och fraser ibland synes vara främmande för deuteronomistisk vokabulär är det dock klart, att avsnittet utgör en deuteronomistisk komposition, som återgår på liturgiskt stoff,[1] knutet till kultplatsen Gilgal genom dess traditionella roll såsom första lägerplats väster om Jordan. Motiven i skildringen av övergången av floden Jordan ger associationer till Sävhavsepisoden, till vilken den kateketiska förklaringen, 4,23, också hänvisar. Till det deuteronomistiska skiktet hör inte minst leviternas uppträdande och till detta torde också de etiologiska avsnitten knytas. I kap. 3–6 är P-fraseologien så inarbetad, att den liksom de texter där den förekommer måste ha varit känd av Dtr. Se Inledning.

Kap. 3 ''Och NN stod upp på morgonen'' följer i P-text med få undantag när på ett nattligt gudsorakel, t.ex. Ex 24,4, och situationen är densamma i Josuaboken 3,1; 6,12; 7,16 och 8,10. I vv. 2–4 har vi klara indicier för en deuteronomistisk hand, eftersom *levitiska* präster fungerar som arkbärare cf. Dt 10,8; 31,9,25 f.; Jos 8,33.[2] Beträffande avståndet till arken ''ca två tusen alnar'', v. 4, är det svårt att avgöra om däri ligger någon särskild innebörd. Det skulle kunna höra samman med uppmätningen av de levitiska utmarkerna, Nu 35,5, dvs. en taluppgift associerad till leviterna i v. 3 och som samtidigt accentuerar deras roll som bärare av arken.[3] V. 5 är utifrån innehåll och ordval klart icke deuteronomistisk. Uppmaningen till helgelse, emedan man dagen därpå skall bevittna Jahves agerande, förekommer i P-texter, Ex 19,10,14; Nu 11,18, cf. Kronisten. Även Jos 7,13 står i icke deuteronomistisk kontext. Termen *nip̄lā'ōṯ* är i det deuteronomistiska historieverket i övrigt endast belagd i Dom 6,13 men återfinns mestadels

[1] Se R. A. Carlson, *David the Chosen King*, 1964, 102 not 3.
[2] A. Cody, *A History of Old Testament Priesthood*, 1969, 138 ff.
[3] Det fanns ett levitiskt sångargille i Bet-Hagilgal under efterexilsk tid, Neh 12,29. I Nu 10,33 uppges avståndet till Förbundsarken vara ''tre dagsmarscher''.

i Psaltaren. Cf. dock till vårt ställe Ex 34,10 och i synnerhet Ex 3,20. Den syftar på undergärningar i Egyptens mitt.

I v. 7 börjar ett typiskt deuteronomistiskt anslag, "i dag skall jag börja att göra dig stor i hela Israels ögon" se även Jos 4,14. Konstruktionen *hajjôm hazzāe 'āḥēl + inf. constr.* förekommer på liknande sätt i Dt 2,25 såsom inledning till amoriterkriget öster om Jordan, cf. Dt 2,24,31. Fortsättningen av kapitlet är tydligt deuteronomistiskt t.ex. vv. 9 och 10, den sistnämnda med en uppräkning av de sju folken. Flera fraser och uttryck tyder dock på ett nedärvt ordförråd — kanske härstammande från liturgiska traditioner av P-karaktär.[4] Den geografiska uppgiften i v. 16 är dunkel. Adam torde annars ha varit en viktig fästning vid det vadställe, varifrån vägen ledde in till det inre av Nordisrael via Wadi el Far'ah. Uppgiften om att floden blev torr endast i dess södra lopp kan således ha en judaistisk tendens.

Kap. 4 domineras delvis av den något omständliga proceduren att låta tolv män hämta tolv stenar från Jordans botten, på den plats prästerna stått med arken samt placera (*hinnîaḥ*) dem på övernattningsplatsen. I stället för dessa stenar lät Josua resa upp (*hēḳîm*) tolv andra mitt i floden, v. 9. De förra stenarna lät han därefter resa (*hēḳîm*) i Gilgal, v. 20.[5] Josuas båda åtgärder följs av likartade kateketiska förklaringar, v. 6 f. och v. 21 ff.[6] Stenarna som placerades i floden sägs vara där "ända till denna dag", cf. 4,7, men så ej stenarna i Gilgal. Man kan i det fallet tänka sig en "censurerad" etiologi till namnet Gilgal =

[4] En klar översikt av äldre analyser ges hos C. A. Keller, *ZAW* 68 (1956), 85-97. De kultiska aspekterna, "kultlegend rörande en skördefest i Gilgal har alltsedan H.-J. Kraus, *VT* 1 (1951), 181-199, vidareutvecklats av J. A. Soggin, *VTS* 15 (1965), 263-277 och kanske kulminerat hos J. R. Porter, *SEÅ* 36 (1971),5-23. De litterärkritiska analyserna av modernt snitt kommer mestadels till det resultatet, att Sävhavsmotivet i texten är sent, t.ex. E. Vogt, *Bi* 46 (1965), 125-148. Angående litt. se upptagna arbeten i *Inledning* not 1 och 13. Alla bygger på den aprioriska förutsättningen att P-associationerna äro sena. Texter av liturgisk karaktär har en svårbemästrad traditionshistoria, eftersom snabba och oftast oväntade motivväxlingar förekommer. Man torde även ha att räkna med såväl komplettering som decimering av en text, som traderats och kanske reciterats under en mycket lång tid. Man kan t.ex. visa på LXX:s version av Josuaboken, som inte minst i Gilgal-komplexet uppvisar en del intressanta avvikelser från MT. Men ehuru den grekiske översättaren i vissa detaljer ger en fri och oftast midrashbetonad exeges så följer han samtidigt i de övervägande fallen omsorgsfullt den hebreiska förlagan. Se E. Tov, Midrash-Type Exegesis in the LXX of Joshua, *RB* 85 (1978), 50-61. Händelsernas till synes ologiska relation till varandra får väl anses vara symptomatiskt för hebreisk berättarstil. Se t.ex. P. P. Saydon, The Crossing of the Jordan. Josue 3;4, *CBQ* 12 (1950), 194-207. Rörande andra texter i GT, cf. W. J. Martin, Dis-chronologized Narrative in the Old Testament, *VTS* 17 (1969), 179-186 och senast R. Alter, *The Art of Biblical Narrative*. 1981. De s.k. P-motiven i Jos 1-12 behöver inte nödvändigtvis vara sent gods. Och att uppfatta deras oftast sporadiska förekomst i dessa kapitel som tecken på en P-redaktors arbete *efter* Dtr verkar ur tendenssynpunkt ganska otroligt inte minst i kap. 3-6. Sävhavsmotivet var starkt förankrat i den förexilska liturgien och sammanknytningen med övergången av Jordan är naturlig. Cf. Ps 66 och 114. S. Norin, *Er spaltete das Meer*, 1977, 40f., anser, att det inte föreligger ett direkt samband mellan traditionerna om Exodus och Jordanövergången. Se dock vår strukturjämförelse i det följande.

[5] Det är utan tvekan en viktig nyansskillnad mellan *hinnîaḥ* och *hēḳîm*. En länkning till Dt 27,2 kan inte uteslutas.

[6] Se J. A. Soggin, *VT* 10 (1960), 341-347 men cf. B. O. Long, *BZAW* 108 (1968), 78 ff. Se nedan not 9.

(stenkrets) cf. Dom 3,19,26. Namnet sätts i stället i samband med omskärelsen, Jos 5,9.

Motivmässigt är kapitlet besläktat med Exodus-traditionerna. Direkt syftning till Sävhavsundret görs i v. 18 och v. 23. Cf. Ex 14,22,29, dessutom dateras Jordanövergången enligt P-schemat, v. 19.[7] Östjordanstammarnas tåg över Jordan ''inför Jahve'', (i Jos 1,14 och Dt 1,18, ''inför edra bröder'') är i v. 13 återgivet enligt Nu 32,27.[8] Dtr låter Josua växa upp till Moses storhet, v. 14 och de två kateketiska förklaringarna till stenarna i Jordan och stenarna i Gilgal har sin närmaste förebild kring påskfirandet och Sävhavsundret, Ex 12,26 f. (*'āmar*); 13,14 f. (*šā'al*); Dt 6,20 f. (*šā'al*).[9] Till detta kan också fogas, att Mose reste 12 stoder (*massēbā*) nedanför Sinai berg, Ex 24,4, i samband med förbundsslutandet. P-uttrycket (*maṣṣēḇā*) torde emellertid ha varit alltför belastat för Dtr, som använder det mera neutrala uttrycket *'ăḇānīm*. Se not 5.

Kap. 5 innehåller uppgifterna om omskärelse och firande av *paesah massôt*. Namnet Gilgal härleds från verbet *gālal*, ''vältra'' en etymologi, som säkerligen är redaktionell och snarare en ordlek.[10] Kapitlets samband med P-material är ganska klart. Fädernelöftet, v. 6, rekapituleras och det ges i Gen 17,8–14 med omskärelsen som förbundstecken, v. 10. Ingen oomskuren fick fira påsk, Ex 12,44,48 och högtiden skulle firas vid ankomsten till Kanaan, Ex 13,5.[11] Ut-

[7] Se J. A. Wilcoxen, Narrative Structure and Cult Legend. A Study of Joshua 1-6, *Transitions in Biblical Scholarship*. Ed. J. C. Rylaarsdam, 1968, 43-70, som räknar med två sjudagarsperioder inom kap. 1-6, sid. 60 ff. Han anser, att avsnittet utgör en festlegend knuten till Gilgal och antar ett årligt firande av påsken där.

[8] Talet ''40.000'' är originellt i v. 13. Det återfinnes i ett liknande sammanhang i Dom 5,8 och torde ha betydelsen av ''fulltalighet''. Till uppfattningen om *'aelaeꝑ*, se nu J. A. Soggin, *Judges*, 1981, 87.

[9] Beträffande etiologierna i Josuaboken anser M. Noth, (1953), 25 f., att dessa går tillbaka på der Sammler utifrån sin uppfattning om att sägnerna är ursprungligt etiologiska av lokal art. Etiologierna i Jos 6,25; 7,26 är emellertid löst anknutna till resp. kapitels historia som helhet. Den enda etiologi, vilken jag bedömer som ''ursprunglig'', är 8,29. Men kapitlet anser jag vara deuteronomistiskt. Till undersökningar om etiologier se B. S. Childs, A Study of the Formula ''Until This Day'', *JBL* 82 (1963), 279-292. Enligt Childs har denna formula sällan någon etiologisk funktion för att rättfärdiga förekomsten av ett existerande fenomen utan i de flesta fall är den tillagd för att bekräfta eller ytterligare understryka en gammal tradition, så t.ex. Jos 6,25. B. O. Long, The Problem of Etiological Narrative in the Old Testament, *BZAW* 108, som når i en utförlig undersökning i stort samma resultat som Childs, dvs. etiologierna har inte något ursprungligt historievärde utan snarare bekräftar företeelsen i efterhand. Den kateketiska utläggningen enligt fråga-svar schemat anser Long utgöra ett sekundärt inslag i berättelsen för att förtydliga ett objekt, s. 81. Han kommer också till den slutsatsen, att dessa schemata ''appear only in Deuteronomy or Deuteronomy type material'', s. 84. Till det sistnämnda räknar han Ex 13,1-6, en tradition, som t.ex. N. Lohfink bedömer vara proto-deuteronomistisk, *Das Hauptgebot*, 1965, 11 ff. Long är bunden till den litterärkritiska källindelningen men där råder knappast någon enighet beträffande Ex 13. Long följer Noth, *Überlieferungsgeschichte des Pentateuch*, 1948, 32 n., 106. Attacker på etiologiernas ursprunglighet gjordes av J. Bright, *Early Israel in Recent History Writing*, 1956, 91 ff. M. Noth modifierade A. Alts och sin egen syn i *VTS* 7 (1960), 278 ff.

[10] Cf. E. Nielsen, *Schechem*, 1955, 301. Cf. R. Gradwohl, *VT* 26 (1976), 235-240.

[11] Se Soggin, *VTS* 15, 270 ff.; Porter, *SEÅ*, 36, 13 ff. och Wilcoxen, *Transitions*, 65 ff.; E. Otto, *Das Mazzotfest in Gilgal*. *BWANT* 107, 1975, 184, upptar ytterligare P-referenser såsom ''göra påsk'', Nu 9:2,5; cf. 2 Kon 23:21 och ''från dagen efter påsk'', Nu 33:3.

trycket *šēnîṯ* i v. 2 bör tyda på att även omskärelsen före påskfirandet i Egypten tänktes ha varit en unison handling.

Vv. 13–15 ger associationer till P-text; inte bara genom v. 15/Ex 3,5, som närmast får tolkas som Dtr:s strävan att göra Josua till Moses like, utan även genom omnämnandet av hövitsmannen för Jahves härskara. Man kan häri se en uppföljning av Ex 23, 20 ff., som tillhör Sinaikomplexet.[12] Cf. även Ex 24,4/Jos 4,20. Prepositionsuttrycket *bîrîḥō* torde inte utgöra någon större svårighet. Översättningen bör i sammanhanget rent logiskt vara ''*vid* Jeriko'', cf. ''vid Gibeon'', 10,10, dvs. uttrycket kan inte syfta på tellen.[13]

Koncentrationen av omskärelse och påsk till omedelbart efter övergången av Jordan torde redaktionellt ha haft någon ideologisk innebörd, säkerligen för att markera Israels särprägel gentemot den kanaaneiska befolkningen. Däri kan också ligga förpliktelsen till omedelbar uppfyllelse av påbudet i Ex 13,5, dvs. en accentuering av tidpunkten, *när* Jahve låter dig komma in. En liknande uppmaning föreligger i Dt 27,3, som *kan* ha fört tankarna till Josuas stenar i Gilgal och som redan i Jos 8,30–35 aktualiserar Josuas altarbygge på Ebal. Vi får räkna med att Dtr:s framhållande av observans av den mosaiska lagen och övriga föreskrifter i allra högsta grad påverkat Josuabokens komposition och därvid försvagat möjligheterna att upptäcka Gilgal-traditionernas ursprungliga intentioner. Gilgal var som kultplats pliktskyldigast sanktionerad av Dtr. Platsen hade nämligen en stark förankring i Israels historia inte minst under Samuels och Sauls tid. I det följande skall vi finna, att såväl uppfattningen av *ḥeraem* i Jos 6 som dess tillämpning i Jos 7 går tillbaka på Gilgal-traditioner. Det visar också förekomsten av Förbundsarken.

Gilgal

Gilgals exakta position är okänd.[14] Det låg någonstans strax öster eller nord-öst om Jeriko, Jos 4,19. Platsen torde ha varit en betydelsefull vägstation vid ett traditionellt vadställe över Jordan, Dom 3,19 ff.; 2 Sam 19,16 ff., cf. även 2 Sam 10,5 ''vid Jeriko'', men samtidigt en samlingsplats av kultisk rang. Samuel dömde i Gilgal, 1 Sam 7,16, Saul begav sig dit för att offra, 1 Sam 10,8; 13,4 ff.; 15,12 ff. Vi finner också profeterna Elia och Elisa i Gilgal, 2 Kon 2,1 ff.; 4,38 och båda utför en delning av Jordan genom att slå med Elias mantel på vattnet, 2,8,14, en tydlig anspelning på händelserna i Jos 3–4. Cf. även Mika 6,5. Profetgillen fanns i Jeriko, 2 Kon 2,5,15, och Gilgal, 2 Kon 4,38. Vilken typ av kultplats var då Gilgal? Det intressanta är att Gilgal i kultisk kontext ofta nämnes vid sidan av Betel (Bet-Awen). Samuel vandrade bl a mellan Gilgal och Betel,

[12] Cf. Nielsen, 301, och hans diskussion om E. Sellin, *Gilgal*, 1917.

[13] Noth, 1953, 39, anser, att uttrycket ursprungligen avsett ''im Stadtgebiet von Jericho''. I *Josua*, 1938, 4, knöt han episoden till en helgedom i staden. Cf. P. D. Miller Jr., *The Divine Warrior in Early Israel*, 1973, 129, som riktigare vill knyta episoden till Gilgal.

[14] Se nu diskussion hos E. Otto (1975), 12 ff.

1 Sam 7,16, liksom senare Elia och Elisa, 2 Kon 2,1 f. Cf. 1 Sam 13,4 f. Hosea och Amos betraktade kulten i Gilgal och Betel (Bet-Awen) som likvärdig och därtill avskyvärd, Hos 4,15; Amos 4,4; 5,5. All deras ondska är i Gilgal enligt Hos 9,15 och där offrar de *šĕwārīm*, Hos 12,12.[15] Det kan vara en tillfällighet men ändå noterbart, att liksom under israelitisk tid tell es-Sultan låg öde i Gilgals närhet så var förhållandet detsamma med et-Tell i Betels närhet; dvs. det fanns vid kultplatserna "två städer", vilka förstörts lång tid före den josuanska invandringen men ändå figurerar i det sammanhanget. Gilgal har dock i Josuaboken helt överflyglat Betels eventuellt kultiska roll.[16]

Av kultinstallationer i Gilgal omnämnes endast *pĕsîlīm*, "stoder", i samband med domaren Ehuds besök hos Eglon, Dom 3,19,26. Ordet *paesael/pĕsîlīm* representerar i hela GT grovt avfall från Jahve, Ex 20,4; Dt 5,8; Lev 21,1 etc. Ehudhistorien är, förutom ramarna, klart fördeuteronomistisk och *pĕsîlīm* har där knappast väckt någon redaktionell anstöt, då Ehud "återvände från stoderna" v. 19 eller "passerade" dem, v. 26. Uppgiften torde dock utgöra ett belägg för att Gilgal varit en öppen kultplats bestående av en "stenkrets" med altare.[17] Det är inte otänkbart att förekomsten av dessa stoder var "verklighetsunderlag" till uppgiften om Josuas tolv stenar, Jos 4,20 ff. Att dessa stenar för Dtr representerade något dunkelt kan bevisas av att uppställningen av dem inte följdes av det i sådana sammanhang oftas brukliga "och de äro där ända till denna dag" cf. Jos 4,9.[18]

Sedd utifrån jerusalemitisk aspekt måste kulten i Gilgal, som åtminstone fram till 722 f.Kr. var nordligt influerad, under det delade rikets tid ha tett sig avskyvärd. Det är dock troligt att intågstraditionerna närmast med övergången av Jordan som bärande motiv även då varit mycket intimt förbundna med Gilgal. Det är enda förklaringen till Elias och Elisas handlingssätt och talet om *ṣidḳōt YHWH* "från Shittim och ända till Gilgal", Mika 6,5.[19] I Neh 12,29 tillhörde Bet-Haggilgal leviternas utmarker och var knutet till Jerusalems tempel. Hoseas och Amos polemik mot kulten i Gilgal under 700-talets mitt tyder på att den då var nordligt orienterad med utbredd offeraktivitet. Kritiken kan ha mildrats efter Nordrikets fall.[20]

[15] Se Nielsen (1955), 297 n. 1.

[16] Betel är omnämnt endast som geografisk hänvisning. Jos 7,2; 8,9,12,17. enligt Jos 12,16,23 hade såväl Betel som "Gilgal" en kung. I fråga om den geografiska relationen mellan Betel och Ai, cf. Jos 8,9 och Gen 12,8.

[17] Att sådana funnits i bronsålderns Palestina kan arkeologiskt beläggas, t.ex. Geserstoderna. M. Ottosson, *Palestinas arkeologi*, 1974, 44; *Idem*, *Temples*, 1980, 94 f. Även i Timna påträffades en "stenkrets", som synbarligen var en kultinstallation. B. Rothenberg, *Timna, Valley of the Biblical Copper Mines*, 1972, 112 ff. Se senast A. Mazar, *BAR* 9:5 (1983), 34–40, som kanske hittat en High Place.

[18] Gilgals ev. kanaaneiska betydelse är okänd. Det torde dock vara sannolikt att kultplatsen haft gamla anor vid sidan av Jeriko, som dock låg öde mellan ca 1300–800 f.Kr. H. J. Franken, *OTS* 14 (1965), 189–200. Det är inom denna tidsrymd, som Samuel, Saul och David besökte Gilgal.

[19] Uttrycket förekommer redan i Dom 5,11. Se P. D. Miller Jr., *The Divine Warrior in Early Israel*, 1973, 84, 173 men även i "Gilgal-kapitlet", 1 Sam 12,7. Cf. L. L. Thompson, *JBL* 100 (1981), 343–358.

[20] Nielsen, 299.

Det har uppmärksammats såsom en egendomlighet, att inte någon förbundsslutning mellan Jahve och Israel i Gilgal omnämnes, varken i samband med resningen av de tolv stenarna, cf. Ex 24,4 ff. eller vid firandet av påsken. Omskärelsen är dock ett förbundstecken, och den markerar israeliternas exklusivitet vid intåget i Kanaan. Tystnaden kan bero på Gilgals ändock tvivelaktiga karaktär som kultplats. Det torde framgå av det deuteronomistiska avsnittet Dom 2,1–5, i vilket skildras hur Jahves sändebud drar upp från Gilgal till Bokim, tolkat som Betel (LXX) och påminner folket om hur de redan från början slutit förbund med landets invånare. I själva verket slöt Israel förbund med den förste kanaané, som de råkade på, nämligen Rahab. Sedan är det en annan sak, att hon gjorts till deuteronomistiskt språkrör.

Gilgal har egentligen mycket gemensamt med dess ''västliga pendant'', Gibeon. På båda platserna slöts fördrag med landets invånare, vilket ur Dtr-aspekt måste ses som en början till Israels ''andliga'' uppluckring. Dessutom var såväl Gilgal som Gibeon replipunkter för Saul och hans dynasti och de låg båda på Benjamins område.

Jerikos tillspillogivning

Kap. 6, ''Erövringen'' av Jeriko, den första av tillspillogivna orter, är inte bara ett historiskt utan framför allt ett traditionshistoriskt problem. Motivmässigt med arkens medverkan utgör Jerikos fall höjdpunkten av de processionsavsnitt, som förekommer i kapitlen 3–6. Det är som om Dtr sökte kumulera effekten i erövringsverket genom att i dess början konkretisera och demonstrera Jahves makt i arkens uppträdande. Alla naturlagar upphävs, Jos 3, när arken bärs fram, och han är hela jordens eller hela landets herre, Jos 3,11.[21] Den liturgiska aspekten i fråga om Jerikos erövring är klart framträdande och ingen allvarlig exeget söker numera göra den till ''krigshistoria''. Cf. Dom 7,15 ff. Jos 6 återger närmast en procession av en festförsamling.[22] Dess rörelse är sannolikt elliptisk och uttryckes med verben *sāḇaḇ* och *nāḳaf*. Vi skall i det följande se, att *sāḇaḇ* förekommer tillsammans med arken, vilket torde motbevisa Noths uppfattning att Förbundsarken är sekundär i sammanhaget.[23]

[21] Till uttryckets ev. mytologiska bakgrund, se Porter, *SEÅ* 36, 18 ff.

[22] Därför talar de olika kategorier, som deltar i vandringen, alla krigsmän, 6,3, givetvis prästerna och *kål hā'ām*, 6,5, vilket Soggin tolkar som ''festförsamling''. Sexdagarsschemat, Jos 6; 3,14, innehållande rutinmässiga handlingar följda av en effektfull förändring på den sjunde dagen återkommer i Exodus, Leviticus och Deuteronomium, Ex 16,26 etc. Ex 24,16 återger därvid en teofani-situation. ''Liturgiska'' rörelseschemata är ofta omständliga, t.ex. Moses vandringar upp och ner på berget Sinai, Ex. 19. Cf. också Jos 6,5,20 med Ex 19,13. Beträffande kultisk tolkning av kap. 3-6, se nu E. Otto (1975), 167 ff.

[23] Noth anser, att arken sekundärt kommit in i kap. 6 från Jos 3. Hos J. Maier, *BZAW* 93, 32 ff., finns en kortfattad sammanfattning av de olika skikt- och källteorierna. Maier lyckas finna inte mindre än sex skikt i Jos 5,13-6,20(25), s. 37, varvid arken inträffar först i det 4:e och 5:e. Bortsett från hans uppfattning om P som *a priori* av sent datum är jag böjd för att instämma med honom,

Ett möjligt mönster till den elliptiska processionen i Jos 6 återfinnes i Ps 48.[24] I Ps 48,13 ges uppmaningen *sobbū ṣijjôn wĕhaḳḳîfûhā*, ''Gå runt Sion, ja, vandra runt det''. Avsikten med processionen är inte helt klar. Psalmens innehåll karakteriserar den som en Sionshymn med arkprocession. Cf. även Ps 47,6. Arken är inte nämnd i psalmen, men vi vågar dock förutsätta, att en arkprocession runt Jerusalem förekommit som ett led i kulten[25] för att demonstrera Jahves makt och Jerusalems intakthet, cf. Neh 12,31.

Det är nämligen mycket troligt, att det elliptiska processionsmomentet med arken i spetsen har varit mycket levande för Dtr, eftersom verbet *sāḇaḇ* varit knutet till arkens frambärande. Detta kan iakttas i samband med att filistéerna erövrat arken, 1 Sam 5. Arkens placering i Dagons tempel i Ashdod har lett till att svåra ''plågor'' drabbat filistéernas område. Vid arkens förflyttning i städerna Gat och Ekron, användes verbet *sāḇaḇ*, vv. 8–10 än i *ḳal* med staden som objekt, v. 8 och än i *hif.* med arken som objekt, vv. 9,10, cf. Jos 6,11. Plågorna fortsätter dock och de erinrar klart om händelserna i Egypten, på vilka det anspelas i 1 Sam 6. Tydligt är, att arkens *sāḇaḇ*-rörelse tänkes sprida död och vanmakt bland Israels fiender.[26] Som verb vid arkens förflyttning från Kirjath Jearim till Jerusalem användes åter *hif.* av *sāḇaḇ* i 1 Krön 13,3 (ett davidiskt uttalande som inte finns i den deuteronomistiska traditionen i 2 Sam 6). Det är inte otroligt, att användningen av verbet *sāḇaḇ* i 1 Sam 5,8 ff. och 1 Krön 13,3 i samband med arkens förflyttning utgör en *terminus technicus* för en (elliptisk) procession, Ps 48. Ligger en sådan föreställning också dold i arkens signalord Nu 10,35–36? ''Återvänd Jahveh tills Israels mångtusenden''.[27]

Dessa spridda hänvisningar till arkens sammanställning med verbet *sāḇaḇ* ger

att bilden av arken är präglad av den jerusalemitiska tempelteologien under sen kungatid, sid. 39. Jag skulle också vilja tillägga, att synen på Gilgal som kultplats är präglad av denna teologi. Men det går ju givetvis inte att göra arktraditionerna av lika sent datum. Arken hörde tveklöst till Salomos tempel, för vilken detta var byggt. Det visar inte minst förekomsten av det Allra Heligaste, Arkens boplats, som fått sin form efter det tält, där den tidigare var placerad, cf. Maier, 69. Kritik av Maiers uppfattning i övrigt ges hos P. D. Miller Jr, 1973, 145 ff. och i synnerhet not 235. I denna instämmer jag till fullo, men vill tona ned den heliga krigsstämning som Miller förstorar upp i Jos 3-6. Det ''Heliga kriget'' införs med 5,13 och kan sägas fortsätta först efter processionen runt Jeriko genom utlösandet av *ḥeraem*. Eftersom detta i kap. 6 innehållsligt måste definieras som pre-deuteronomistiskt kan det ha knutits till ett Gilgalritual, i vilket processionen ingått. Vi måste betänka, att tell es-Sultan låg öde ca 1300-800 och kan således inte ha förstörts i ett israelitiskt heligt krig.

[24] S. Mowinckel, *Offersang og Sangoffer*, 1980, 7, 539.

[25] Se H. Schmid, *ZAW* 67 (1955), 188 f.; 192 ff. med hänvisning till litt.

[26] Verbvalet i samband med arken diskuteras inte alls av Maier, 47 ff. ej heller av H.-J. Zobel, *ʼărôn*, *ThWAT*, Bd I, 1973, sp. 391 ff. E. F. Campbell, *The Ark Narrative (1 Sam 4-6; 2 Sam 6). A Form-Critical and Traditio-Historical Study*, 1975, har inte varit mig tillgänglig.

[27] Cf. Nielsen, *VTS* 7 (1960), 65 ff., som riktigt anknyter signalorden till ''a ritual occasion''. Dessa är klart predeuteronomistiska (Nielsen, Miller) men sena enligt Maier. De tillhör säkerligen gammalt P-språk. Verbet *sāḇaḇ* figurerar också under uttåget ur Egypten, Ex 13,17. Tolkat som ett processionsverb löser det även svårigheten med motsättningarna mellan Nu 21,4 *sāḇaḇ* och Dt 2,4 *ʻāḇar*. Det förra har alltid tolkats så att folket gick runt Edom, enl. Dt drog man fram *ʻāḇar* på Edoms område; cf. Dt 2,1 *wannāsāḇ*. Verbet *sāḇaḇ* kan i gammalt liturgiskt språk ha varit så intimt förknippat med arken, att det stelnat till ett processionsverb utan elliptisk innebörd, så bevisligen i

vid handen att marschen mot Jeriko går tillbaka på föreställningar om arkprocessioner. Vid dessa kan Gilgal ha spelat en central roll. Tillfälligt eller ej sker Josuas erövringsverk i elliptiska banor med Gilgal som utgångspunkt. Liksom vid rundvandringarna av Jeriko återvänder alltid Josua med jämna mellanrum till Gilgal, 7,6; (säkerligen 8,33–35); 9,6; 10,6,9,15,43; 14,6 och man får kanske förutsätta, att arken hela tiden tänkes leda tåget. Cf. Nu 14,44; Dt 1,42.

Processionen kring Jerusalem Ps 48 var säkerligen ämnad att demonstrera Jahves storhet inför hans kultförsamling och kanske att tillföra ''makt'' åt stadens murar och torn.[28] Arkens procession runt en fientlig stad leder till motståndarnas förgörelse. Detta kunde konstateras vid arkens vistelse i filistéernas område, 1 Sam 5 och ännu mera påfallande är detta i Jos 6, cf. även 1 Sam 14,18 ff. Utan tvekan spelas det med samma motiv i såväl 1 Sam 5 som i Jos 6. De liturgiska momenten och anvisningarna i fråga om processionen kring Jeriko återspeglar en renodlat kultisk situation. Och då stadens fall åtminstone i israelitisk tid inte äger någon historisk realitet måste episoden ses såsom en kultisk manifestation av Jahves makt. Här drabbas emellertid inte fienderna av ''plågor'' såsom i 1 Sam 5 utan till total förintelse, sedan murarna fallit. Cf. 1 Kon 20,29 f. De senare föll på sjunde dagen efter den sjunde rundvandringen, dvs. efter det, enligt Dtr, nödvändiga antalet gånger för att uppnå en sådan effekt.[29] Larmet hörde till processionen, se, Ps 47, och behöver inte ha varit den avgörande faktorn för murens fall. Folket drog (*‘ālāh*) sedan in i staden, 6,20, cf. v. 5, ''den ene framför den andre'', *’īš naeḡdō*, ett uttryck, som förråder processionsterminologien. Cf. Amos 4,3. Uttrycket *hā‘īrāh*, ''in i staden'', bryter dessutom mot den påbjudna tillspillogivningen.

Gilgal-*ḥeraem*

Invävda i processionsförfarandet återfinnes bestämmelser för tillspillogivningen av staden och dess befolkning. Principerna är kortfattat formulerade men inte desto mindre detaljerade. Och framför allt, de är oerhört rigorösa. Som rubricerande bestämmelse fungerar v. 17a. ''Och staden, den skall vara *ḥeraem* och allt som är i den skall tillhöra Jahve''. Den följs av uttryckligt förbud att vidröra det tillspillogivna. Om så sker, drabbas Israels läger av olycka, v. 18, eller snarare av förbannelse. Genom formelartade uppräkningar noteras därefter tillvägagångssättet vid *ḥeraem*. Metallerna, silver, guld, koppar och järn skall placeras i Jahves skattkammare, v. 19 eller ''i skattkammaren i Jahves hus'', v. 24.[30] Cf.

1 Krön 13,3. Formen *wajjissóḇ* i 1 Sam 15,12 kan således referera till Förbundsarken men kan också vara ett rent förflyttningsverb, cf. 1 Sam 15,27. *sāḇaḇ* i Nu 21,4 och Dom 11,18 uttrycker närmast erövring. Cf. M. J. Gruber, *Bi* 62 (1981), 331 ff.

[28] Cf. J. L. McKenzie, *The World of the Judges*. 1966. 52.

[29] V. 15b utgör en *raḵ*-sats, som är redaktionell.

[30] V. 24b är en klar redaktionell *raḵ*-sats.

Nu 31,22, "guld, silver, koppar, järn, tenn och bly". Allt liv, "från man till kvinna, från yngling till åldring och från oxe till får och åsna" skall slås med svärdsegg, v. 21. I övrigt skall staden med dess innehåll brännas i eld, v. 24. Förbannelse drabbar den, som avser att bygga upp staden igen, v. 26.[31] Han bryter mot den uttalade *ḥeraem*-principen. Av de tre städer, som israeliterna brände enligt Josuaboken, nämligen Jeriko, Ai och Hasor, förblir endast Ai "en evig tell", *tèl 'ōlām*, Jos 8,28. Cf. Dt 13,17. Ehuru tillspillogivningsavsnittet i Jos 6 delvis är präglat av Dtr:s stil, är det ingen tvekan om att det innehåller mycket gamla principer, som i vissa stycken avviker från de gängse deuteronomistiska. Den grundläggande tanken synes vara, att allt som erövras tillhör Jahve. För att understryka detta påbud, som gör allt krigsbyte till heligt stoff, cf. Lev 27,28, måste allt liv utsläckas, staden brännas och i övrigt värdefullt byte deponeras på helig plats, dvs. templet.[32] Förbannelsen över den som dristar sig att bygga upp staden igen är säkerligen redaktionell, cf. 1 Kon 16,34, men den understryker den rigorösa innebörden av *ḥeraem*. Dtr var väl införstådd med att Jeriko var en förbannad stad, 2 Kon 2,19 ff., och bevisligen har också staden legat öde under lång tid. Ingen fick överhuvudtaget befatta sig med staden och dess innehåll. Då "smittades" personen i fråga, dvs. han blev helig och kunde därigenom inte vistas bland människor. Således kan det vara riktigt att med C. H. W. Brekelmans förstå *ḥeraem* såsom ett *nomen qualitatis*, analogt med *qodaeš* och *ḥōl*,[33] "heligt och profant", cf. 1 Sam 21,5 f. Men denna kvalitetsbestämning av *ḥeraem* får aldrig ses som passivt statisk utan vidröring av det föremål, som är *ḥeraem*, förändrar totalt inte bara den människans situation utan hela hennes kollektiv. Se Jos 7. N. Lohfink vill närmast definiera *ḥeraem* såsom ett *nomen concretum*, vilket aldrig synes ha förlorat den ålderdomliga, kultiskt-sakrala innebörden av vigning.[34]

Jos 6 är unikt i Gamla testamentet, eftersom det så detaljerat återger ett rigoröst och oåterkalleligt *ḥeraem*; allt tillhör Jahve. Situationen är en omringad stad, "ingen kan gå ut och ingen kan gå in", v. 1. Josua mottager därvid ett gudsorakel, "Se, jag har givit Jeriko och dess konung i din hand", v. 2. Det enda som israeliterna skall göra, är att gå runt staden enligt ett bestämt schema och i en bestämd ordning. På den sjunde dagen skall sju präster stöta i sju basuner, v. 4, och först vid ett utdraget basunljud på den sjunde dagen skall folket upp-

[31] V. 26 brukar betraktas som redaktionell. M. Noth, *comm.* kallar den "erklärende Glosse".
[32] Uttrycken "Jahves skattkammare", Jos 6,19, och "skattkammaren i Jahves hus", v. 24 brukar betraktas såsom en anakronism med syftning på Jerusalems tempel eller också såsom en allusion på templet i Gilgal, J. A. Soggin, *Joshua*, 88. Det var emellertid en allmän princip att ta fiendernas metaller, helga dem och placera dem i templet. Så gjorde David, 2 Sam 8,7,11 ff. Salomo överförde dessa metaller till templet i Jerusalem, 1 Kon 7,51. Den moabitiska sedvänjan var identisk med den israelitiska, *KAI* 33,12 f.,18. Cf. också 1 Kon 14,26 och 2 Kon 24,13, där egyptierna (Sosak) respektive babylonierna (Nebukadnessar) plundrar Jerusalems skattkammare. Till helgandet av metaller, som tagits i strid, se Nu 31,21 ff.
[33] *De Ḥerem in het Oude Testament*. 1950, 43 ff. och *ḥeraem* Bann, *ThWAT I*, 1971, sp. 636.
[34] N. Lohfink, *ḥāram*, *ThWAT*. Bd III, 1978, 198.

häva *tĕrū'āh*, "larm". Stadens mur skall då falla, och "den ene framför den andre", vv. 5,20, skall processionen fortsätta in i staden. Ordningen i marschen överensstämmer inte med den som förordas i Jos 3. Där går Förbundsarken först på ett stort avstånd framför folket. I Jos 6 går den efter prästerna men före eftertroppen, dvs. folket, vv. 8f. Tidpunkten för folkets larm är tydligen viktig, v. 10. Det skall komma allra sist på tillsägelse av Josua. Jos 6,20 förråder dock närmast ett traditionellt processionsförfarande med larm och trumpetstötar om vartannat, cf. Ps 47,6; 81,2 ff.; 98,4 ff., etc. och inte minst 2 Sam 6,15. I krigssituationer är naturligtvis *tĕrū'āh* ett härskri vid anfall för att åstadkomma panik i motståndarlägret, t.ex. Dom 7,21 tillsammans med basunstötar. Enligt 1 Sam 4,5 f. upphäver folket *tĕrū'āh* vid Förbundsarkens ankomst i lägret, vilket då vållar tillfällig panik bland filistéerna.[35]

Vid Jerikos erövring finns inte tillstymmelse till krutrök. Fienderna omtalas överhuvudtaget inte. Det viktigaste som texten förmedlar, är *ḥeraem*-institutionen i dess rigorösaste omfattning. Skonandet av Rahab-klanen är att betrakta såsom ett redaktionellt inslag, vilket inte minst vill framgå vid en följande granskning av det typiskt deuteronomistiska *ḥeraem*. Den rigorösa synen på *ḥeraem* i Jos 6 är bakgrunden till straffet mot Akan i Jos 7.

Nederlaget vid Ai, 7,1–5, beror på att Akan har dragit olycka, *'ākar*, över Israel, 7,25. Cf. 6,18. Det betraktas som ett oerhört brott och hela Israel har helt plötsligt blivit *ḥeraem*, 7,12, och har därigenom inte förmåga att besegra sina fiender. Genom lottkastning avslöjas Akan. Han har tagit av bytet, nämligen en mantel, 200 siklar silver och en guldtacka på 50 siklar, dvs. sådant byte, som skulle ha deponerats i Jahves skattkammare, 6,19,24. Genom att bränna och genom stening avliva Akan och hela hans hus, 7,25, lyckas Josua befria Israels läger från total utplåning. Det intressanta är, att Akan tillhör Juda stam, en uppgift, som måste betraktas såsom predeuteronomistisk i den i övrigt allisraelitiska sättningen av Jos 1–12. Det brott Akan har begått är klart formulerat i *ḥeraem*-lagarna i Jos 6. Metaller tillhörde Jahve, övrigt byte brändes och allt liv utplånades.

Det är en allmän uppfattning, att Josuabokens första hälft innehåller ursprungligen benjaminitiska traditioner. Jos 6 och inte minst Jos 7 passar väl in i det mönstret. En jämförelse mellan Jos 6–9 och Saulstraditionerna i 1 Sam 10–15 visar, att det finns gemensamma inslag. Närmast bakom den deuteronomistiska fördömelsen av Saul ligger en *ḥeraem*-uppfattning, som har mycket gemensamt med den i Jos 6–7.

Fördömelsen av Saul i 1 Sam 15 sker efter hans seger över amalekiterna. Samuel görs här till det deuteronomistiska språkröret, och hans dom över Saul baserar sig på den senares bristande observans av *ḥeraem*. Som rubrikversen till 1 Sam 15 anger sätts nu Sauls kungakrona på spel. Avsikten är, att han skall mista

[35] Se P. Humbert, *La "Terou'a". Analyse d'une rite biblique*. 1946.

den. Sauls uppdrag är att slå (*hikkāh*) Amalek "och ni skall tillspilloge (*wĕhaḥăramtaém*) allt som tillhör honom och du skall inte skona honom (*lō' taḥmol*) och du skall döda (*wĕhēmattāh*) från man till kvinna, från barn till dibarn, från oxe till får, från kamel till åsna, 1 Sam 15,3. Sedan Saul låtit avlägsna keniterna, emedan de hade bevisat Israel barmhärtighet vid uttåget ur Egypten, v. 6, så tillspilloger Saul amalekiterna och slår dem ända till den ideala gränsen mot Egypten, v. 7. Men Saul och folket skonade emellertid amalekiterkungen Agag, och det bästa av får och storboskap etc. ville de inte tillspilloge, v. 9, utan "folket tog det bästa av bytet (*mēhaššālāl*) av får och storboskap, det förnämsta av *ḥeþ raem* för att offra åt Jahve din Gud i Gilgal", v. 21.

Vid en jämförelse mellan 1 Sam 15 och Jos 6 iakttar man vissa förmodligen ej tillfälliga likheter, t.ex. den omständliga uppräkningen i 1 Sam 15,3 och Jos 6,21 (även Jos 7,24) och skonandet av keniterna, 1 Sam 15,6 och av Rahab, Jos 6,17 — åtminstone i senare fallet är det fråga om ett redaktionellt tillägg.[36] Beträffande behandlingen av boskapen bryter Saul väl mot *ḥeraem*-bestämmelsen i Jos 6 men inte mot den deuteronomistiska. Se nedan. Saul döms alltså efter det benjaminitiska *ḥeraem* eller den form av tillspillogivning, som tillämpades i Jeriko-Gilgal. Naturligtvis har Dtr tillspetsat situationen i 1 Sam 15,21. Man kan verkligen inte till Jahve offra något av *ḥeraem*, ty det tillhör redan honom. Detta är i överensstämmelse med Jos 6.[37] Sauls medvetna skonande av amalekiterkungen kanske också överensstämmer med Gilgal-*ḥeraem*. Jeriko-kungens öde nämns inte uttryckligen, Jos 6,2. Enligt den deuteronomistiska *ḥeraem*-principen uppfyller Samuel alla krav, då han pulvriserar Agag, 1 Sam 15,33 — men han gör det "rituellt", inför Jahve. Kanske det var förenligt med Gilgal-*ḥeraem*? Cf. Jos 8,29 etc.

I 1 Sam 14,24 ff. omtalas vidare hur Saul genom ed förbjuder folket att äta tills dess han har tagit hämnd på sina fiender. Detta görs i en situation, då hela landet flödar över av sötsaker.[38] (Så är säkerligen innebörden av v. 25). Jonatan äter dock ovetandes om eden och så snart som han har smakat på honungen blir hans tillstånd förändrat. I princip har han drabbats av *ḥeraem*.[39] Detta visar hans yttrade i v. 30 "O, att folket idag hade fått äta av sina fienders byte" (*miššĕlàl 'ōjĕḇāw*). Enligt Jonatan har Saul dragit olycka (*'āḵar*) över landet genom sin ed, v. 29. Men enligt Gilgal-*heraem*, Jos 6,18; 7,25, är naturligtvis Jonatan den skyldige. Det ligger nära till hands att tolka uttrycket *wattārō'nāh 'ēnāw*, 1

[36] H. J. Stoebe, *Das erste Buch Samuelis*. 1973, 282, betraktar 1 Sam 15 såsom enhetligt litterärt sett. Det är inte alls otroligt, att keniterna utgör en ursprunglig beståndsdel i kapitlet. Men parallellen keniterna-Rahab är i sammanhanget onekligen slående. Båda hade också visat israeliterna ḥaesaḏ, 1 Sam 15,6; Jos 2,12; (6,17). Cf. O. Bächli, *ATANT* 59, 1970, 21-26 och se vidare "Gibeoniternas list", nedan.

[37] Allt krigsbyte tillskrivs där Jahve. Några offer omtalas naturligtvis inte. Cf. Dt 13,17, *kālīl lĕYHWH*, "ett heloffer åt Jahve", vilket här syftar på byte, som skall brännas tillika med staden.

[38] Uttrycket *bĕja'ar*, 1 Sam 14,25, sätts här i relation till *hapax*-frasen, *bĕja'rat haddĕḇaš*, v. 27. Se A. Caquot, *dᵉḇaš*, *ThWAT*, bd II, 1977, sp. 136.

[39] Det är svårt att undgå en association till Gen 3,6f.

Sam 14,27, (29)[40] i enlighet med Akans yttrande i Jos 7,21, *wā'ēr'aēh baššālāl*. Striden mot filistéerna stannar upp av det skälet att Saul inte får något orakelsvar från Jahve, 1 Sam 14,37. För att utröna orsaken vidtages lottkastning, 14,41 f. Denna procedur uttryckes med verbet *lāḵaḏ*. Så är fallet endast i Saulstraditionerna, 1 Sam 10,20 f.; 14,41 f., 47 samt i Jos 7,14–18.[41] Alltså föreligger även här ett klart samband mellan de två uppgifterna. Och detta framstår så mycket klarare, då såväl Jonatan som Akan träffas av lotten för samma brott, tillgripande av *ḥeraem*. Cf. även 1 Sam 14,43 och Jos 7,19.[42]

Innan vi redovisar de deuteronomistiska *ḥeraem*-bestämmelserna, vilka klart avviker från Gilgal-*ḥeraem*, är det emellertid befogat att omnämna det moabitiska *ḥeraem* enligt Mesha-stenen.[43] Detta framträder särskilt från rad 14–18. ''Och Kemosh sade till mig, gå, tag Nebo (i strid) mot Israel. Och jag gick om natten och jag kämpade mot det från gryningen ända till middagen. Och jag intog det och dödade allt, 7000 män och främlingar och kvinnor och främmande kvinnor och slavinnor, ty åt 'Ashtar Kemosh hade jag vigt det till förintelse (*hḥrmth*). Och jag tog därifrån Jahves föremål(?) och släpade dem inför Kemosh.''

Vid en jämförelse mellan Gilgal-*ḥeraem* och de moabitiska åtgärderna i strid föreligger en del viktiga likheter. Ett gudsorakel inleder striden, staden intages, allt liv utrotas — observera den detaljerade uppräkningen, Jos 6,21; 7,24; 1 Sam 15,3, Mesha-inskriften rad 16 f. — metaller tillfaller guden, staden brännes, Jos 6 etc. Mesha-inskriften är tyst på den sistnämnda punkten, men det synes som om Mesha låter bygga upp alla erövrade städer förutom Nebo. Det kan antas, att det beror på att kungen speciellt vigt den till förintelse åt 'Ashtar Kemosh, cf. Jos 6,17.[44] Ett sådant synsätt skulle kunna utläsas av namnen Horma, Nu 21,1 ff. och Dom 1,17, vilka återfinnes i predeuteronomistiska traditioner. Den kortfattade skildringen av Arads erövring i Nu 21,1–3 påminner mycket om Jos 7–8.

Det är tunnsått med exempel på *ḥeraem*-krigföring med åtföljande utplåning av befolkningen utanför Gamla testamentet. Till och med den assyriska krigföringen, som allmänt betraktas som särskilt grym och skoningslös har omvärderats.[45] Även amalekiterna, som ofta ges ett nedvärderande omdöme, t.ex. 1 Sam 15, är i själva verket synnerligen milda i sin krigföring, 1 Sam 30,1 ff.

[40] Beträffande olika tolkningsförslag, se H. J. Stoebe (1973), 267f.

[41] H. Gross, *lāḵaḏ*, *ThWAT*, bd IV, 1983, sp. 575 f.

[42] Det otroliga är, att Jonathan går fri, medan Saul framstår som den skyldige. H. J. Stoebe, *op. cit.*, 273, ser situationen såsom ett spänningsförhållande mellan det gamla sakralsrättsliga tänkandet, vilket Saul företräder och en ny tids synsätt. Episoden initierar ''dödsdomen'' över Saul. Sonen går fri. Cf. 2 Sam 12,13f., där sonen dör, men David går fri.

[43] *KAI*, 33.

[44] Så N. Lohfink (1978), 202 f. — Det är emellertid inte så säkert, att Mesha lät tända eld på staden Nebo. Det var säkerligen en rätt sällsynt åtgärd, som vi skall finna i endast några fall i gammaltestamentlig krigföring. I övrigt brändes varken Samaria av assyrierna, 2 Kon 17,6, eller Jerusalem av babylonierna, 2 Kon 25,1 ff. Men jämför dock 2 Krön 36,19.

[45] Se W. von Soden, Die Assyrer und der Krieg, *Iraq* 25 (1963), 131 ff.

Innan vi redovisar de mest framträdande linjerna i den deuteronomistiska krigföringen och *ḥeraem*-uppfattningen, är det dock nödvändigt att följa upp Akan-episoden i Jos 7. Stilistiskt och tematiskt tillhör kapitlet Gilgal-traditionerna, vilket vi redan initierat genom jämförelsen med 1 Sam 14–15. Innehållsligt redovisas ett brott mot den *ḥeraem*-princip, som tillämpas i Jos 6. Detta brott karaktäriseras som *ma'al* och det får det tidigare ''processionskriget'' att helt komma av sig. Ur kompositionssynpunkt är således placeringen av Jos 7 av stort intresse.

B. Akan-episoden, Jos 7

Akans brott anticiperas i Jos 6,18 genom förbudet att avhålla sig från *ḥeraem*, och användningen av verbet *'āḵar* associerar till Jos 7,25 f. 6,18 inleds emellertid med *wĕraḳ* och torde (liksom v. 17b och 24b) vara redaktionell utvidgning för att sammanbinda Akanberättelsen, det misslyckade tåget mot Ai, med det föregående. Ehuru kap. 7 till grundstrukturen är predeuteronomistiskt finns det vissa indicier, som tyder på en lätt redaktionell bearbetning, men det påminner till sin texttyp om Jos 2, t.ex. utsändandet av spejarna, Jos 7,2.

7,1a får betraktas som redaktionell rubrikvers. Den framställer brottet såsom kollektivt. Frasen *mā'al ma'al*[1] avser i GT ett svårt trolöshetbrott, som nästan alltid är riktat mot Jahve. (Enda undantagen är Nu 5,12,27 och Hes 18,24). Den är mest använd i Kronistverket 21 ggr samt Hes 8 ggr. I Josuaboken återkommer den i kap. 22 men används en gång i Dt 32,51, där Mose får besked om att han inte får komma in i Kanaan på grund av folkets trolöshet vid Meribas vatten och inte höll Jahve helig, jfr Nu 20,12. Tidigast kan versen således tillhöra Dtr. Associationen till Meribas vatten är i detta sammanhang utomordentligt viktig, ty lydnadsbrottet där kom helt att förändra israeliternas situation. Den segerrika ökenprocessionen kom helt av sig, då amalekiterna sökte strid, Ex 17,8 ff. Under vissa moment i striden var Amalek överlägset. Först sedan Aron och Hur höll upp Moses händer såsom ett ''segertecken'' kunde striden avgöras till israeliternas förmån. Bilden är densamma i Jos 3–8. Jos 7,2–9 skildrar det misslyckade fälttåget mot Ai. Spejarnas rapport och taktiska råd präglas av nonchalans eller snarare av ett utslag av hybris, ''må du inte bemöda dig (att sända) dit hela folket, ty få är de'', dvs. folket i Ai, Jos 7,3b. Josua följer rådet, som kan synas vara logiskt efter framgången vid Jeriko. Samtidigt kunde det också vara tillit till Jahves stora makt. Anfallet blev ett fiasko. Säkerligen berodde detta inte på antalet män utan Israels förbundsbrott, 7,1. Då det var en likartad förutsättning i Nu 13–14, upplevelsen av Jahves stordåd i Egypten, Nu 14,11, rapporterade emellertid spejarna om landsinnevånarnas mångfald och styrka, vilket leder till

[1] Se K. Koch, *TLZ* 90 (1965), cols 663 f.

folkets totala uppgivelse. Man "grät på den natten", Nu 14,1b. Nederlaget vid Ai orsakar naturligt nog en liknande reaktion. Josua och de äldste reagerar inför förbundsarken i typiska sorgegester "ända till aftonen", 7,6. Jfr Dom 20,26. Josuas yttrande präglas av formelartade utrop, 7,7, som även återfinnes i Nu 14,2 f.; 20,3 ff.; även gråtandet förekommer, då israeliterna längtar tillbaka till Egypten, Nu 11,18 ff.; 21,5. Jfr Ex 17,3. I Jos 7,7, fäller Josua yttrandet: "O, att vi hade beslutat oss för att stanna på andra sidan Jordan". I folkets svaghetssituation finns således här en längtan till en "trygg" vistelse utanför landet. Med deuteronomistisk fraseologi uttryckes folkets uppgivenhet med att "folkets hjärta försmäktade och blev till vatten", Dt 1,28; 20,8; Jos 2,11; 5,1; 7,5; 14,8.[2]

Ju mera man rådfrågar konkordansen med avseende på Josuas yttrande i Jos 7,7 f. ju mera övertygad blir man, att Josua helt enkelt spelar en Moses-roll[3] men knappast som förebedjare.[4] Visserligen finns uttryck, som har karaktären av bönerop såsom *'ăhāh 'ădōnāj YHWH*, men det är knappast någon bön Josua utstöter utan snarare en förtvivlad formelartad retorisk fråga i klagostil.[5] "Ack, Herre (*bī 'ădōnāj* förekommer i övrigt endast i Ex 4,10,13; Dom 6,15; 13,8) vad skall jag säga (endast här och i Ex 3,13, jfr Ex 17,4) och vad skall du göra" (i övrigt endast i Jes 45,9; Prv 25,8; Ex 5,15 har *lāmmā*, jfr Ex 33,5). Gesten att falla ned på sitt ansikte till marken framför förbundsarken behöver inte vara uttryck för en bön, Jos 7,10, utan kan tillhöra faste- och sorgebruket.[6] Bästa jämförelsen utgör Davids beteende i samband med sonens sjukdom, 2 Sam 12,16 ff. Någon böneterm förekommer inte, möjligen i 2 Sam 12,20 men jfr t.ex. Jos 5,14.

[2] Den frasen är såsom vi har sett ett ledmotiv i den deuteronomistiska landnama-orationen, antingen negativt (om folket), Dt 1,28;20,8 eller positivt (om kanaanéerna) Jos, 2,11.

[3] Hif. av verbet *'āḇar* med floden Jordan som objekt, Jos 7,7, förekommer i övrigt endast i Nu 32,5. Uttrycket "ditt stora namn" påminner om liknande fraseologi i de deuteronomistiska talen, t.ex. 1 Sam 12,22; 1 Kon 8,42, vilken dock kan återgå på liturgisk tradition, Ps 76,2. Jfr Nu 14,17 "Men må nu Herrens kraft vara stor".

[4] Förbönens roll och funktion har behandlats bl.a. av P. A. H. de Boer, *De voorbede in het Oude Testament*, 1943 och F. Hesse, *Die Fürbitte im Alten Testament*, 1951. I samband med att jag sökt argument för tesen, att Josua oftast blir framställd såsom Moses jämlike, har jag i "Tradition and History with emphasis on the composition of the Book of Joshua", *Festschrift E. Hammershaimb*, 1984, antytt Josuas roll som förebedjare i Jos 7. Som antytts har fraseologien i Josuas bön knappast något med en förbön att skaffa. Det är inte Josuas agerande i Jos 7,6-9, som räddar folket — och Jahve verkar bli föga imponerad över hans handlande, 7,10, "varför ligger du så på ditt ansikte?" — utan den följande lottkastningen. Jfr de Boer, 67 och F. Hesse, 117. En sammanställning av de texter, som återger gammaltestamentliga förebedjare, återfinnes hos L. Ramlot, Prophétisme, *Dictionnaire de la Bible. Tome VIII*, 1972, cols 1162 ff. Se nu E. Aurelius, *Der Fürbitter Israels*, 1988, 130 ff.

[5] Jfr H. W. Wolff, *Amos*, 1969, 343, som i relation till denna bönefraseologi refererar till Jos 7,7; Jer 1,6; 4,10; 14,13; Ez 4,14; 9,8; 21,5. Jfr Dom 6,22; 2 Sam 7,18-20,22,28.

[6] Förbundsarken betraktas av J. Maier, 1965, 18 såsom ett sent inskott i Jos 7. Men episoden är utan tvekan knuten till ett erkänt centrum för arkprocession, nämligen Jeriko-Gilgal. Det finns ingen anledning att sekundärförklara den här. Förekomsten av "Israels äldste" torde inte bereda några svårigheter, då uttrycket bekräftar kapitlets P-stil. Jfr J. A. Soggin, 1982, 104. Beträffande sorgeriterna, se Ex 32,11; Nu 14,13 ff.; Dt 9,26. Den närmaste parallellen finns dock i 2 Sam 12,16 ff.

Jos 7,11 återger Israels synd i en sexfaldig uppräkning av preciserade brott, bland vilka tillgripandet av *ḥeraem* särskilt understryks. Det är svårt att förstå, varför denna långa brottskatalog tagits upp i sammanhanget. Den accentuerar den förbannelsesituation, som Israel befinner sig i och understryker, att det rör sig om förbundsbrott. Hela folket har syndat, Jos 7,1,11, tills dess man utrotat de skyldiga. Den detaljerade uppräkningen av brott får nog inte betraktas såsom deuteronomistisk[7] utan snarare såsom övertagen från det kultiska språket. I Hos 4,1 ff. har Jahve en rättsstrid med Nord-Israel och orsaken därtill anges genom ett stort antal brott, som räknas upp på liknande sätt som i Jos 7,11. Den kollektiva skulden betraktas såsom självklar tils dess den skyldige ertappats och utrotats ur Israel. Akan-episoden uppvisar vissa slående likheter med skildringen av korahiternas undergång, Nu 16,20 ff.

Genom att man tillgripit *ḥeraem*, dvs. åt Jahve vigt krigsbyte, närmast metaller, Jos 7,21; 6,17,24, har Israel blivit *ḥeraem*, Jos 6,18. Israel har vigt sig till samma öde som drabbat deras fiender. Detta kan endast undvikas genom att den som tagit av *ḥeraem* förintas tillsammans med sitt orättmätiga krigsbyte, 7,24. Det kan tänkas att upprepningen av denna förintelse, dels *hišmīḏ*, v. 12, och dels *hêsīr*, v. 13, syftar i första fallet på personen, som tagit *ḥeraem* och i andra fallet på objektet. *hišmīḏ* står oftast med personobjekt men *hêsīr* med sakobjekt.[8] Hela Israel drabbas av tillspillogivningen, som närmast yttrar sig däri att fienderna blir övermäktiga så länge *ḥeraem*, dvs. person som sak, finns i lägret. Vv 11–12 bör inte tolkas så att hela folket eller del därav tagit av *ḥeraem*. Snarare är det fråga om gammal berättarteknik, att alla är misstänkta tills dess den enskilde syndaren fångats upp (av lotten). Men *ḥeraem* kan varken vidröras eller avlägsnas på annat sätt än att folket ''helgar sig'' dvs. inträder i samma gudomliga sfär som *ḥeraem* (i detta fall metaller, jfr Jos 6,19). Folket skall också helga sig, eftersom ett gudomligt ingripande är förestående, Ex 19,10 ff.; Nu 11,18 ff.; Jos 3,5 och ett sådant anbefalles genom lottkastningen, vv 14–15. I v. 14 står aktivt *lāḵaḏ* med Jahve som subjekt men i v. 15 användes en passiv konstruktion, *wĕhājā hannilkāḏ baḥeraem*, ''och det skall ske, den som fångas *baḥeraem*'' skall brännas i eld etc. I allmänhet översättes *baḥeraem* ''in der Angelegenheit mit dem gebannten Gute''.[9] O. Eissfeldt,[10] översätter ''im Besitz des Bannguts'', men Alfrink har här riktigt förstått *ḥeraem* som ett *nomen actionis*. ''In V. 15 scheint also *ḥeraem* etwas von Jahwe zu sein.''[11] Jfr 1 Kon 20,42; Jes 34,5. *baḥeraem* bör således översättas ''av *ḥeraem*'' (när *lāḵaḏ* konstrueras med *bĕ* har prepositionen alltid instrumental betydelse). Den som tillgripit *ḥeraem*

[7] Tendensen att göra Jos 7 deuteronomistiskt framkommer bl.a. hos J. S. Ascaso, *Las Gueraas de Josué*, 1982, 130 ff. Med ett sådant ställningstagande har man nått så långt, att man kan förklara allt i Gamla testamentet för deuteronomistiskt.

[8] B. J. Alfrink, *Studia Anselmiana* 27/28 (1951), 119 ff.

[9] M. Noth, *comm ad loc.*

[10] *Hexateuch-Synopse*, 1922, 216.

[11] *Op.cit.*, 122. — Så även N. Lohfink, *ḥāram. ThWAT*, Bd III, sp. 198.

skall således drabbas av *ḥeraem*, dvs. vigas till utrotning.

Kapitlets karaktär och dess ordval tyder på att det är ganska fritt från redaktionella ingrepp (mot Alfrink). Enda undantagen är 7,1a och 7,5b. Det är mycket troligt, att Akanberättelsen, jfr 6,18, hört till samma sägenkrets som kapitlen 3–6 och händelserna i 7,6 utspelas sannolikt i Gilgal (så Noth). V. 15 erinrar om Dt 7,25 f. men i senare fallet användes *to'ēḇā*, v. 15 *nĕḇālā*. Men hur förhåller det sig med den avslutande etiologien i 7,26? Enligt Noth anses etiologierna vara en skapande faktor vid traditionsbildningen såsom den yttrat sig i sägenkretsarna i Josuaboken. Beträffande Jos 7,26, avslutar han sin kommentar, (den andra) steningen av Akan och hans hus var egentligen överflödig efter bränningen men ''war hier erforderlich zur Erklärung des dann 26 noch einmal ausdrücklich erwähnten Steinhaufens, der der lokale Haftpunkt des vorliegenden Überlieferungsstoffes war''.[12] Frågan är om detta är riktigt. Hela kapitlet behandlar ett *ḥeraem*-problem och den som drabbas av tillspillogivningen är Akan. Jfr dock 1 Krön 2,7, som har Akar. Det enda som associerar till namnet Akar är den klart pre-deuteronomistiska talion-satsen i v. 25 *māē 'ăḵartānû ja'kārĕḵā YHWH bajjôm hazzāe.*[13] Stenhopen som sådan, om nu en lokaltradition utpekat den som Akans ''gravhög'' leder inte till namnet Akors dal (redan omnämnt i v. 24). Etiologien är utan tvekan sekundär till det predeuteronomistiska *ḥeraem*-dramat. V. 26 avslutar kapitlet med att Jahve vände sig bort från sin vrede, vilket ger en harmoniserande avslutning, eftersom kapitlet inleds med att Jahves vrede upptändes mot israeliterna, 7,1b. Sålunda har en stickordsetiologi, v. 26b, skapats från v. 25. Om etiologien skulle ha haft hela kapitlet som underlag hade namnet ''Akans dal'' varit historiskt riktigare. V. 26 tillhör således redaktionsskiktet och det är Dtr, som laborerat med ''stendösetiologien''. Bevisen härför är lätt skönjbara i de följande kapitlen, 8,29; 10,18, vilka står i klar deuteronomistisk kontext. Och v. 26 leder även över till berättelsen om det framgångsrika tåget mot Ai. Förbundsrelationen Jahve-Israel är nu helt återställd.[14]

[12] *Josua*, 1953, 46.

[13] Verbet, som återfinnes 14 ggr i Gamla testamentet, står i en liknande mot Saul! riktad anklagelse i 1 Sam 14,29. Det handlar även där om en *ḥeraem*-situation men vänd i dess motsats, tolkad utifrån Jos 7. Kanske vi skall erinra oss, att Akan tillhörde Juda stam och drabbas av ''benjaminitiskt'' *ḥeraem*. I ytterligare dramatiska sammanhang står *'āḵar* i ordväxlingen mellan Jefta och hans dotter, Dom 6,35 och mellan kung Ahab och profeten Elia.

[14] Profeten Hosea torde ha känt till traditionen om förbundsbrottet i Akors dal, när han talar om att ''göra Akors dal till en hoppets port'', Hos 2,15. Hosea var klart fientlig till kulten i Gilgal, Hos 4,15. I Jes 65,10 skildras Akors dal som ett ogästvänligt ökenområde. Angående LXX:s läsning av Jos 7, se nu E. Tov, *RB* 85 (1978), 58. I Kopparrullen från Qumran (3Q15) omnämnes såväl ''Akors dal'' som ''Akans dal'', H.-D. Neef, *ZDPV* 100 (1984), 104 ff.

Deuteronomistiskt *ḥeraem*-krig

Jos 8,1–29 utgör ett enhetligt avsnitt[15] och det återger utan några större tolkningssvårigheter ett i detalj väl planerat och genomfört segerrikt krigståg mot staden Ai. Avsnittets stil och innehåll förråder, att det är fråga om en deuteronomistisk komposition. Jos 8,1–29 utgör ett deuteronomistiskt typexempel på framgångsrik krigföring samt på behandling av besegrade fiender och taget krigsbyte. Dispositionen är följande:

Vv 1–2	Jahves order till Josua
Vv 3–8	Josuas order till sina trettio tusen
V. 9	Gruppering
Vv 10–17	Taktiken genomföres
Vv 18–29	Jahves direktiv om *ḥeraem* och dess verkställande

Jahves direktiv till Josua att med sitt krigsfolk tåga mot Ai inleds med ett ''oracle de salut'', ''frukta inte och var inte försagd'', 8,1. Samma orakel återkommer i Jos 10,18; 11,6. Jfr 10,25 där formeln adresseras till folket av Josua efter striden men före avrättningen av de fem kungarna. I samtliga fall rör det sig om deuteronomistisk kontext. Formeln förekommer följaktligen inte i Jos 6 och 7. Jfr Jos 1,9.[16]

Till ''frukta icke'' oraklet knyts också en ''Übergabeformel'', ''Se, jag har givit i din hand''.[17] Denna sammansättning återkommer också i Jos 10,8; 11,6 (deuteronomistisk kontext) samt i Jos 6,2, i samtliga fall före stridens början. Jfr Jos 2,24. Objekten till formeln i Jos 8,1 är inte ointressanta, eftersom de utgöres av en uppräkning, ''Ais kung och hans folk och hans stad och hans land''. Fraseologien är säkerligen gammal, då sådana uppräkningar återkommer som *ḥeraem*-objekt, Jos 6,21; 7,24 etc. I samband med ''übergabeformeln'' förekommer en liknande uppräkning i Nu 21,34, ''honom (Og), hans folk och hans land''. I Jos 6,2 är naturligt frasen stympad, ''Jeriko och dess kung, tappra krigare''. Staden och kungen blir i kapitlet de framträdande stridsobjekten. I den följande gudomliga befallningen, 8,2, liksom i övriga krigsrapporter i Josuaboken kretsar alltid händelseförloppet kring staden och dess kung. Tillspillogivningen av Jeriko statueras såsom exempel med två undantag, dels bytets behandling och dels stridstaktiken, bakhållet, *'ōrēḇ*.

''Bakhållet'' som stridstaktik får i svårtillgänglig terräng ses som ganska na-

[15] R. G. Boling, *Joshua*, 236 finner det troligt att två berättare Dtr 1 och Dtr 2 ''successively, contributed to the formation of the unit''.

[16] Formeln är gammal, belagd bl.a. i Maribreven och har ett brett användningsregister. Detta gäller också Gamla testamentet, där ''frukta icke''-formeln första gången uppges vara adresserad till Abraham, Gen 15,1. Formeln uppträder i 22 krigstexter och av dessa återfinnes 14 i Dt och Josuaboken. Se J. G. Heintz, *VTS* 17 (1969), 124 och H. M. Dion, ''The fear not'' formula and Holy War, *CBQ* 32 (1970), 565-570. Enligt M. Weinfeld, *Deuteronomy*, 50 f. är den deuteronomistiska användingen av formeln baserad på assyriska krigsskildringar.

[17] J. G. Heintz, (1969), 125 ff.

turligt och enkelt att tillämpa, t.ex. 1 Sam 15,5. Förenad med krigslist, 2 Krön 20,22, kan bakhållet bli en obehaglig överraskning för en fiende, 2 Krön 13,13 f. Några exempel tyder på att bakhållstaktiken använts vid belägring av städer, Dom 9,34 ff.; Jer 51,12. Och en avbruten belägring kunde väcka försvararnas misstänksamhet, att ett bakhåll hade planerats, 2 Kon 7,3–16.[18]

I Jos 8 är krigstaktiken initierad och anbefalld av YHWH. Samma situation förutsätts i 2 Krön 20,22; Jer 51,12. Det i Jos 7 skildrade, misslyckade anfallet på Ai är känt, 8,5 f och därför kan Ais försvarare lockas att förfölja israeliterna ''liksom förra gången'', varvid bakhållstrupperna på ett givet tecken skall storma in i den övergivna staden, 8,18 f. Här uppträder verkligen Josua som en riktig härförare. Ordergivningen avslutas med en klassisk militär fras: ''Sen, jag har befallt eder'', 8,8. Jfr Jos 23,4. Josua stannar under natten hos sin trupp, jfr 2 Sam 11,11 och mönstrar den till strid morgonen därpå, 8,10.

Resultatet av krigsfolkets omständliga manövrer överträffas dock av Jahves tilläggsdirektiv till Josua 8,18 ff., *nĕṭēh bakkīḏōn* etc., ''ty i din hand skall jag ge staden''. Denna gest att sträcka ut *kīḏōn* följs av en brandskattning av Ai, och slakten av invånarna pågår ända tills alla dräpts, 8,22 ff., förrutom kungen, som greps levande, 8,23. Det är alltså fråga om *ḥeraem*, 8,25 f. ''Från man till kvinna'', tolvtusen, alla stadens borgare dödas. Det är närmast bakhållstrupperna, som åstadkommer blodbadet. De stormar fram från terrängavsnittet ''mellan Betel och Ai, dvs. väster om staden'', 8,9–12.[19] Det är samma område, i vilket Abraham hade slagit upp sitt tält, Gen 12,8, och framför allt byggt ett altare, Gen 13,2. Här är det traditionella gränslandet mellan Nord- och Sydriket. Det kan således innebära en ideologisk markering, att de av Jahve beordrade bakhållstrupperna, 8,2, förläggs hit. Betel framhävs inte i Jos 8. Däremot lokaliseras Ai utifrån Betel, 7,2; 12,9, vilket vittnar om att Betel ändock var den ledande orten i området. Staden tilldelas Benjamin, 18,22. På grund av Betels roll såsom framträdande nordisraelitisk kultplats har den trängts undan i Josuaboken.[20] Dtr kunde inte låta den ideale ledaren Josua inta en sådan kontroversiell ort. Jfr Betels roll i Dom 20.[21] I 8,17 står ''Ai och Betel''. Där har sannolikt ''Betel'' automatiskt hängts på Ai på grund av deras nära geografiska relation

[18] Se W. M. W. Roth, Hinterhalt und Scheinflucht, *ZAW* 75 (1963), 296-304.

[19] Se H. Rösel, Studien zur Topographie der Kriege in den Josua und Richter, *ZDPV* 91 (1975), 159 ff. Ytterligare topografisk analys finns hos Z. Zevit, *BASOR* 251 (1983), 23-25; Se även G. Schmitt. 1980, 33-76 och senast N. Na'man, *ZDPV* 103 (1987), 13 f.

[20] Jfr R. G. Boling, *Joshua*, 240.

[21] Utifrån Betels underordnade roll i Josuaboken är det för mig helt obegripligt, att T. Veijola, *Verheissung in der Krise*, 1982, 186 ff., kan se Betel såsom deuteronomistkretsens hemort. Hans analys av Dom 20–21 innehåller inte en enda hänvisning till Jos 8, trots att Dom 20 och Jos 8 står i nära relation till varandra. Hur denna överensstämmelse skall uppfattas finns det delade meningar om. Se en sammanställning hos H.-W. Jüngling, *Richter 19 — Ein Plädoyer für das Königtum*, 1981, 36 ff. — K.-D. Schunck, *Benjamin*, 1963, 65, har uttryckt sig mycket försiktigt och förklarar den likartade terminologien i Dom 20 och Jos 8 genom att innehållsligt besläktat stoff får en schablonartad form, dvs. Jos 8 kan ha existerat oavhängigt Dom 20.

till varandra. Jfr Esra 2,28; Neh 7,32, ''Betels och Ais män''. Ai var då inte bebott.[22]

Var Josua skulle ha stått, när han sträckte ut sin *kīḏōn*, framgår inte. Han ledde den styrka, som låtsades fly bort från Ai, medan man var förföljd av stadens soldater. Således blir det praktiskt omöjligt, att han kunde placera sig synlig för bakhållet så snabbt som texten gör gällande. Som vi längre fram skall söka visa, har avsnittet om Josuas *kīḏōn* en stark ideologisk innebörd, och vår uppfattning är, att Josua spelar exakt samma roll i 8,18 ff. som Mose gjorde i Ex 17,7 ff. Båda håller ut *kīḏōn* respektive händer tills dess fienderna nedgjorts. Jfr Jes 5,25 etc. Det är enda tillfället, som en israelit är utrustad med en *kīḏōn*. Ordets betydelse har varit omdiskuterad. Men eftersom det finns talrika exempel på att ''sickelsword'' långt efter det att vapnet var i praktiskt bruk fortfarande användes såsom ett ''makttecken'' eller liknande, har den översättningen numera blivit allmän.[23]

Josuas gest är riktad mot Ai och görs såsom ett tecken till bakhållet att storma in i staden. Gesten kan naturligtvis vara ett segertecken, makttecken, men det betydelsefulla är, att Josua håller sitt ''sicklesword'' utsträckt tills dess att allt mänskligt liv är utsläckt, 8,22. Josua drog nämligen inte tillbaka sin hand ''förrän han hade låtit giva till spillo alla Ais invånare'', 8,26. Gesten introducerar det deuteronomistiska *ḥeraem*, som här tillämpas för första gången och i fortsättningen karaktäriseras såsom mosaiskt påbud. Det *ḥeraem*, som tillämpades i Jos 6, var rigoröst och utan undantag. Allt liv, även boskapens, lämnades till tillspillogivning, 6,19 ff. och staden med allt dess innehåll brändes, 6,24a. Dt 13,13 ff. känner till och kan tillämpa detta rigorösa *ḥeraem* men i fall, då ''onda män'' har lyckats förleda en stads invånare att avfalla från Jahve. Allt människoliv och boskap skall då dödas, bytet i övrigt samlas ihop och brännas såsom *kālīl* åt Jahve, Dt 13,17. Jfr 1 Sam 15,15–23 och Meshainskriften, rad 12. Det handlar således inte om en krigssituation utan om medvetet avfall från Jahve. Enligt krigslagen i Dt 20 existerar två olika *ḥeraem*-principer. Den ena avser avlägset belägna städer, Dt 20,13–15. I sådana fall skall endast alla män dödas, medan kvinnor, barn och allt annat slags byte tas i förvar. I fråga om städer, som ligger mitt i Israels tilltänkta land, skall allt liv utplånas, Dt 20,16–18. Om byte sägs ingenting.

I Jos 8,2 ger Dtr förhållningsregler beträffande behandlingen av krigsbytet. ''Och du skall göra med Ai och dess kung såsom du gjort med Jeriko och dess kung, blott dess byte och dess boskap skall ni plundra för eder egen räkning''. En liknande formulering återkommer i 8,27. Vad kan då innefattas i begreppet *šālāl*, ''byte''?[24] I Jos 8,2,27; 11,14 kan det tydligen omfatta allt utom männi-

[22] Jfr M. Noth, Bethel und Ai, *PJ* 31 (1935), 7-29.

[23] O. Keel, *Wirkmächtige Siegeszeichen im Alten Testament*. 1974, 13 ff. Jfr K. Galling, Goliath und seine Rüstung, *VTS* 15 (1965), 165 ff.

[24] Jfr H. Ringgren, *bāzaz*, *ThWAT. Bd 1*, 1973, sp. 585 ff.; H.J. Stoebe, Raub und Beute, *VTS 16 (1967), 340–354.*

skor och boskap. I Jos 22,8 är *šālāl* en sammanfattning av boskap, silver, guld, koppar och järn samt mantlar. Jfr Jos 6,7,21,24. En liknande indelning, boskap och övrigt byte, återfinnes i Dt 2,35; 3,7. Jfr 1 Sam 15. I Dt 20,13 f kan som tidigare nämnts även kvinnor och barn räknas in såsom *šālāl*. Men det gäller då byte från avlägset belägna städer. Som deuteronomistisk grundprincip gäller emellertid, att allt människoliv (i fråga om Kanaans invånare) skall utrotas, Jos 8,22,24 f.; 10,20,28,32 f., 35,37,39 f.; 11,8,11,14. Dessa texter innehåller typisk deuteronomistisk utrotningsfraseologi. Allt människoliv skall dödas. Om således *ḥrm* haft betydelse av ''vigning av krigsbyte till Jahve'', så har det i deuteronomistisk text blivit en synonym till *hišmīḏ, hikkāh, hārag* etc.[25] Detta ohyggliga synsätt har givetvis en teologisk bakgrund, att förhindra Israel från avfall till främmande gudar, Dt 7.

Flera texter vittnar dock om moderation. Man skall erbjuda fred, Dt 20,10, men det är aldrig någon som accepterar fredsanbudet, Dt 2,26; Jos 11,19 f. Gibeon utgör ett särfall, Jos 9 liksom keniterna, 1 Sam 15,6 och Rahab, Jos 2,13; 6,17,25. *Pax Israelitica* innebar total underkastelse och slaveri. Skonsamhet kan motiveras genom begär till byte, Dt 2,35; 3,7; 20,14 och genom begär till kvinnor, Dt 21,10 ff. Sauls byteskatalog i 1 Sam 15,9 strider inte mot deuteronomistisk uppfattning, men han döms efter Gilgal-*ḥeraem*. I samband med att tyngdpunkten lades på befolkningens utrotning eller fördrivning uppmjukades den nedärvda *ḥeraem*-bestämmelsen väsentligt av Dtr. Inte bara byte kunde behållas och användas utan även städer, hus, vingårdar, olivplanteringar och brunnar övertogs, Dt 6,10 f.; 19,1; Jos 24,13.

Till *ḥeraem*-principen hörde undantagsvis att bränna staden, vilket uppges i fråga om Jeriko, Jos 6,24, om Ai, 8,8,19,28 och om Hasor 11,11. Det sistnämnda fallet uppges vara utanför vanlig praxis enligt Jos 11,13 ''Men alla städer stående på 'sin tell' brände inte Israel med det enda undantaget av Hasor. Det brände Josua''. Vad gäller Ai utvecklades åtgärden till en etiologi. Staden blev ''till en evig ruinhög (*tèl ʿōlām*) såsom den är ända till denna dag, 8,28.

I en stelnad fras återkommer oftast ett omnämnande av de erövrade städernas kungar. 8,2 ''Och du skall göra med Ai och dess kung''. Jfr 10,1. Samma fras upprepas om Makkedas kung, 10,28, om Libnas kung, 10,30. I 10,39 är Libnas kung typexemplet. Nu berättas ingenting om Jerikokungens öde. Han förekommer sporadiskt i 2,3. Men kungen av Ai hängdes upp på trä och togs ned vid solens nedgång, (Dt 21,22 f.), varefter de kastade upp ett stort stendöse över kroppen på en plats vid stadsporten. På samma sätt hade gjorts med Akan, 7,26 och senare med de fem kungarna vid Makkedas grota, 10,27, alla namngivna 10,3. Samtliga tre fall avslutas med den etiologiska frasen *ʿaḏ hajjôm hazzāē*.

Kungarnas tillfångatagande och avrättning hör givetvis till *ḥeraem*-principen. De delar samma öde som sina undersåtar. Deras ideliga uppträdande i Josuaboken kan återspegla en gången tids historiska realitet, bronsålderns stadsstatssys-

[25] Se N. Lohfink, *ḥāram*, *ThWAT. Bd III*, sp. 209 ff.

tem. Men den ofta förnedrande behandlingen av dem utgör snarare ett förhärligande av Jahve. Alla städer som erövras är kungastäder, kap. 12, och i synnerhet Gibeon, 10,2 och Hasor 11,10, ges framträdande rang. En sådan accent torde givetvis ligga i den deuteronomistiske berättarens intresse, jfr 10,37, 39,40. Förfarandet med de avlivade kungarnas kroppar rimmar väl med Dt 21,23.

I det sammanhanget saknar inte de därtill knutna etiologierna sitt intresse och i synnerhet, när de står i en klar deuteronomistisk kontext. Vi har tidigare bedömt Rahab- och Akoretiologierna, 6,25 resp. 7,26 som redaktionella, och tendensen är ännu klarare i Jos 8, som är allt igenom deuteronomistiskt. Kapitlet mynnar ut i en dubbel etiologi, dels om staden som blir en beständig ruinhög och dels om kungen, vars gravhög liksom tellen är synlig ''ända till denna dag''. Här är inte etiologierna baserade på någon sekundär stickordsprincip utan utgör tillsammans en komprimerad sammanfattning av skeendet i kaptilet. Staden är huvudmålet för erövringen och den läggs i aska trots att det strider mot deuteronomistisk princip, Dt 6,10 f., Jos 24,13. Kungen av Ai omnämns inte mindre än fyra gånger i kapitlet, 8,1,14,23,29. Det skulle inte förvåna om formeln ''ända till denna dag'' är baserad på synintryck av *et-tell/'Ai* i slutet av järnåldern.[26] Det kan tänkas att Jeriko, Ai liksom Arad, Nu 21,1–3 och kanske också Hasor, Jos 11,11 betraktats på annorlunda sätt än övriga erövrade städer, emedan de bevisligen legat öde under mycket lång tid. Detta förhållande har lett till en traditionsbildning i form av etiologier.[27] En intressant iakttagelse kan också vara att både Jeriko och Ai ligger vid sidan av delvis beryktade helgedomar, Gilgal respektive Betel. Hasor var under Sen bronsålder försedd med flera tempel, där med stor sannolikhet sol och måne var föremål för dyrkan.[28] Om Dtr kan ha haft någon kunskap därom är väl tvivelaktigt, men brandskattningen av Hasor skulle då kunna förklaras genom ideologiska motiv. Jfr Dt 17,3; 13,13 ff.

Jos 8 — Dom 20

Trots att Jos 8,1–29 inte bereder några svårigheter i fråga om disposition och innehåll, återkommer samma problematik här såsom i de föregående kapitlen, nämligen associationslänkningen till benjaminitiska traditioner. I Jos 6–7 fanns klar anspelning på det *ḥeraem*, som används i 1 Sam 14–15. Jos 8 har å andra sidan satts i samband med Dom 20, som återger de israelitiska stammarnas straffraid mot Benjamin och brandskattningen av Gibea. Dom 20 och Jos 8 överensstämmer i fråga om taktik och krigsterminologi. De divergerande skillna-

[26] Den detaljerade skildringen av topografien tyder på god lokalkännedom. Jfr H. Rösel, *ZDPV* 91 (1975), 161 ff. Det är emellertid knappast troligt, att Dtr känt till den mycket kortlivade bosättningen under Iron I, ca 1100 f.Kr. Den kan ha varit israelitisk.

[27] A. Alt, Josua, *KS I*, 176-192; M. Weippert, *ZDPV* 80 (1964), 185; V. Fritz, *ZDPV* 82 (1966), 338 ff. Se vidare M. Weippert, *The Settlement of the Israelite Tribes in Palestine*, 1971, 136 ff.

[28] Y. Yadin, *Hazor*, 1972, 67 ff.; M. Ottosson, *Temples and Cult Places in Palestine*, 1980, 27 ff.

derna är, att oraklet i Betel spelar en så stor roll i Dom 20,18,23,27 och dessutom förekommer två misslyckade anfall mot Gibea. Jfr Jos 7. Därefter får man ett positivt orakelsvar, vilket följs av sentensen: "Då placerade Israel bakhållstrupper mot Gibea runt omkring", 20,29. Jfr Jos 8,2. Relationen mellan de två traditionerna har ingående diskuterats och teorierna är flera. Medan J. Wellhausen antog, att Dom 20 snarast var en kopia av Jos 8,[29] så ger uppgifterna i Hos 9,1–9 och 10,9, ett starkt stöd för att en gammal tradition ligger bakom den nuvarande berättelsen i Dom 20. R. de Vaux ville göra gällande, att Dom 20 ursprungligen hörde hemma i Betel, och att berättelsen om Ais erövring inspirerats av den i Betels tempel bevarade och traderade Gibea-versionen. Genom segern över Ai skulle Benjamins stam få ett slags upprättelse för Gibea-händelsen, eftersom Ai låg på Benjamins område.[30]

Den benjaminitiska anknytningen av berättelsen i Jos 8 har säkerligen varit väsentlig för Dtr. Men varför skulle redaktorn av Josuaboken på ett så anonymt sätt rehabilitera Benjamin för brandskattningen av Gibea? Innan relationen mellan Dom 20 och Jos 8 blir fullständigt förståelig, är det nödvändigt att hänvisa till de traditioner, som skildrar Sauls tragiska "felsteg" i 1 Sam 14–15. Som vi ovan sökt bevisa, dömdes Saul enligt Gilgal-*ḥeraem* och hans ed görs om intet genom att folket intervenerar till Jonatans försvar. Samma rigorösa *ḥeraem*-princip antyds i Dom 20,48. En liknande ed har israeliterna svurit enligt Dom 21,1 ff. Benjamins stam skulle komma att dö ut, om inte eden upphävdes. Man hade svurit att inte gifta bort sina döttrar till de överlevande benjaminiterna. Problemet löses genom ett hänsynslöst *ḥeraem*-krig mot Jabesh Gilead, i vilket endast 400 jungfrur räddas från *ḥeraem*. Invånarna i Jabesh Gilead hade inte deltagit vid samlingen i Mispa, därför var de fria från eden. Jabesh Gilead var den ort, som Saul räddade från ammonitisk tillspillogivning, 1 Sam 11 och där han bevisade sin och Israels storhet. Nu drabbas samma stad av tillspillogivning, låt vara för att rädda Benjamins fortsatta existens. Häruppbåden sker i båda fallen på liknande sätt. Saul styckade sina oxar, 1 Sam 11,7 och sände delarna runt i Israel. Jfr Dom 19,29 f.[31]

I Domarboken föreligger en medveten redaktionell nedvärdering av Benjamin 1,21 och 19,1 ff. Jfr Dom 5,14. Denna negativa syn på benjaminiterna synes vara nedärvd. Kriget mot Benjamin utbryter på grund av att stammen inte tillämpar den rättspraxis, som t.ex. används mot Akan. Man utlämnar nämligen inte brottslingarna från Gibea, Dom 20,12 f. "Saulsmotivet" är således starkt accentuerat. Och då redan Hosea omnämnt "Gibeas dagar" såsom början av Israels synder, Hos 10,9, och ett slags avfallets period, Hos 9,9, så borde man däri införstå den tid, under vilken Benjamins stam hade hegemonien i Israel och då när-

[29] Jfr J. Wellhausen, *Die Composition*, 1899, 122 ff.; 227 ff.

[30] R. de Vaux, *The Early History of Israel*, 1978, 619. Jfr K.-D. Schunck, *Benjamin*, 68. Till Dom 20, se E. J. Revell, *VT* 35 (1985), 417-433.

[31] För en möjlig redaktionslänkning av skildringen, se K.-D. Schunck, 90 ff.

mast Sauls tid. Orsaken varför Saul blir förkastad är egentligen en gåta. Han är känd ''för sin nitälskan för Israel och för Juda'', 2 Sam 21,2. Men allt det som Saul företar sig vänds emot honom och betraktas som avfall från Jahve. Att denna form av historieskrivning har programmatisk och ideologisk karaktär, är inte svårt att inse. Den enklaste förklaringen till att Saul fördöms, torde vara, att han misslyckades med riksbildningen. Det skulle vem som helst i hans position ha gjort, Ty det verkar som om Saul sökte förverkliga ''det ideala Israel''. Det landideal, som framhålles i Hos 9,3, är ''Jahves land''. Om detta är identiskt med det ideala Israel enligt gränsdragningen i Gen 15,18 etc., så är innehavet därav förknippat med absolut lagobservans, Dt 11,24; Jos 1,3 ff. Sauls ambitioner att följa Jahves lag är stora men han anses ha misslyckats. Med David inleds en epok, vars lagobservans är avfattad att garantera Davidsrikets gränser, 2 Sam 24. Vi har i Inledningen sökt visa, att såväl Deuteronomium som Josuaboken inleds med gränsdragning av det ideala Israel i enlighet med Gen 15,18 men avslutas med Davidsrikets gränser, Dt 34,1 ff. och Jos 22–24. Redan Davidsriket utgör således en klar decimering av det land, som lovats Israel, och orsaken därtill kan endast uppfattas såsom ett bevis på bristande lagobservans.

I Josuaboken är det lätt att finna orsaker till att de inledande landintentionerna, 1,4, inte kan realiseras. Redan fördraget med Rahab utgör ett avfall. Därtill kommer Akans brott mot Gilgal-*ḥeraem* och det fortsätter genom fördraget med gibeoniterna, Jos 9. Men enligt Dtr:s erövringsprogram har dessa handlingar blivit fullt legitima. Rahab görs till jahvistisk bekännare, 2,9–11, Akans brott tillhör en ''annan tid'' och fördraget med gibeoniterna, ehuru det var felaktigt, Jos 9,14 f vänds så småningom mot Saul, 2 Sam 21,1 ff. Med Jos 8,2,27 är det helt plötsligt tillåtet att taga byte och det på Jahves egen order, Jos 8,2. Josuabokens första erövringsavsnitt, Jos 2–9, har en klar affinitet till benjaminitiska traditioner och därmed kan Dtr i sin programmatiska historieskrivning indirekt anklaga Sauls tid för att vara orsaken till decimeringen av det ideala landet, Jos 1,4. Akan blir då helt enkelt ett offer för en gången tids lagobservans. Med de fortsatta krigsberättelserna i Jos 10–11 framträder konturerna av Davidsrikets utsträckning i söder och i norr. Hela denna historieproblematik är emellertid i Josuaboken så komponerad, att den ut textstrukturell aspekt överensstämmer med händelserna i Ex 12–17. Ett led har emellertid ännu inte behandlats, nämligen Josuas altarbygge på Ebal.

C. Altaret på Ebal, 8,30–35

Avsnittet är klart deuteronomistiskt och tillhör utan tvekan tidigast Dtr. Till innehåll, ordval och uppbyggnad är det beroende av Dt 11,26–30 och Dt 27,4 ff., välsignelserna och förbannelserna, som skall uttalas på berget Gerissim respektive Ebal. Anledningen till att avsnittet placerats strax efter det lyckosamma fälttåget mot Ai är på logisk väg svår att finna. Soggin medger, att stycket inte har något samband med det som föregår ej heller med det som följer efter, och han vill i stället placera det efter 24,27.[1] Noth anser, att den deuteronomistiske redaktören har placerat stycket här, emedan vägen till Sikem låg öppen för israeliterna efter erövringen av Ai.[2]

Det är knappast troligt att den deuteronomistiske redaktören låtit sig vägledas av sådana synpunkter utan enda möjligheten att lösa kompositionsproblemet är att söka hans ideologiska intentioner. Det finns ingen central-palestinsk erövringstradition i Josuaboken och man kan inte tänka sig att 8,30–35 skulle ersätta en sådan. Traditionsenhetens plats förklaras bäst genom att se altarbygget såsom en del av en såväl ideologisk som litterär typologi eller struktur.[3] Dt 11 och 27 går säkerligen tillbaka på en ceremoni, vars ursprungliga *Sitz im Leben* vi inte känner, men som naturligt torde vara knuten till trakten av Sikem.[4] Denna ceremoni föregången av lagskrivning på stenar och altarbygge på Ebal skulle utföras, när man gått över floden Jordan, Dt 27,4.[5] Men för att denna ceremoni ideologiskt skall ha någon innebörd, så bör förbannelse ha drabbat Israel vid något tillfälle. Detta händer en enda gång i Josuas Landnamaverk, nämligen när Akan förgriper sig på *ḥeraem* i kap. 7. Akan är den förste israelit, som begår en synd på Kanaans mark och den förbrytelsen karakteriseras som ett förbundsbrott, 7,15. Jfr även v. 11 i kollektiv aspekt. Det leder till Israels nederlag vid

1 *Joshua*, 241. Jfr J. A. Soggin, *ZAW* 73 (1961), 78 ff.

2 *Josua*, 1953, 51 ff.

3 Kraus, *VT* 1, 193 ff., har inte rätt, då han antar, att Gilgal mycket tidigt har avlöst Sikem som central kultplats för amfiktyonien, ett antagande som bl.a. skulle grunda sig på Dt 11,29 f. att förlägga ''Ebal'' till Gilgal. Vi måste komma ihåg, att det är tidigast Dtr, som flyttat Ebal till Gilgal och det har han gjort, när Gilgal behärskades från Jerusalem. Sikems centrala roll för amfiktyonien framstår inte minst genom Jos. 24. Avsnittets, 8,30-35, beroende av Dt 11,29 f. och Dt 27,1 ff. är helt klar och det utgör en konstgjord återspegling av de i Dt förekommande Sikem-texterna.

Se Nielsen, *Shechem*, 76 ff., 295 ff., S. Tengström. *Die Hexateuch-Erzählung. Eine literaturgeschichtliche Studie*, 1976, 149 ff., spec. 152 ff. har en motsatt uppfattning till Nielsen, och menar att det protodeuteronomistiska materialet i Jos 8,30-35, ehuru fragmentariskt, har legat till grund för Dt 27,5-7. Omnämnandet av altaret i Sikem intar en nyckelställning i landerövringsberättelsens litterära uppbyggnad. Berättelsen har, enl. Tengström, två parallellt konstruerade delar: den första, kap. 1-8, skildrar vägen från övergången av Jordan in till landets centrum, och den innehåller två krigsskildringar, erövringen av Jeriko och Ai, vilka inleds av en berättelse om hur Rahab och hennes familj blev ett undantag från *ḥeraem*-principen. Den andra delen av landerövringsberättelsen skildrar hur hela landet erövras, och den består likaså av två huvudsakliga krigsberättelser, erövringen av de södra resp. norra delarna av landet. Också denna del skildrar inledningsvis ett undantag från *ḥeraem*-principen, nämligen gibeoniterna, kap. 9. Att detta är landerövringsberättelsens grundläggande artikulering framgår av 9,1f., som inleder hela avsnittet 9-11. Jos 8,30-35 skulle således vara slutpunkten i landerövringsberättelsens första huvudavsnitt, vilket visar, att dennas litterära huvudstruktur förutsätter ett centralpalestinensiskt perspektiv. Jfr även s. 63. Bedömd såsom en Dtr-komposition är en sådan förklaring helt riktig, men 8,30-35 måste vara helt beroende av Dt 27 (mot Tengström). Även om Dtr i detta inledande skede av landnama tänkt sig altarbygget just på Ebal, så spelar Sikem ännu ingen central roll, då man åter befinner sig i Gilgal strax efteråt, 9,6. Kriget fortsätter därifrån, 10,7.

4 Se bl.a. R.de Vaux, *The Early History of Israel*, 620.

5 Frasen ''när du har gått över floden Jordan'', Dt 27,4, har ur lokal aspekt betytt en del i den exegetiska diskussionen för att placera episoden i Jos 8,30-35 i Gilgal, se O. Eissfeldt, Gilgal or Shechem?, *Proclamation and Presence*, 1970, 93 ff.

försöket att erövra Ai. Israel har drabbats av *förbannelsen*.[6] När Akan äntligen uppdagats och han själv med sitt hus utrensats ur Israel, kan Josua återuppta striden mot Ai och leda Israel till seger. Israel står åter under *välsignelsen*, men tillståndet är inte detsamma som före nederlaget. Den ordnade processionen från Jos 6 har övergått i bakhållstaktik. Tillfället är kommet, då ceremonien på Ebal har aktualitet och skall utföras.[7] Men är det då troligt, att Dtr tänkt sig altarbygget på berget Ebal strax norr om Sikem? Det är i sammanhanget knappast realistiskt. Han har vägletts av uppgiften i Dt 11,30, där såväl Gerissim som Ebal uppges ligga *mûl haggilgāl*. Hur *den* geografiska hänvisningen tillkommit är svårt att uttala sig om. Det är utan tvekan Dtr. som formulerat den. Med denna ''originella'' lokalangivelse av Ebal i minne sätts 8,30–35, in i det geografiska sammanhang, som föreligger i kap. 1–8,29, och den ideologiska bakgrunden är det misslyckade och det framgångsrika fälttåget mot Ai. Förbundsarkens närvaro vid ''Ebal'', 8,33 blir då knappast sensationell. Jfr även 7,6. Folket liksom arken befinner sig åter i Gilgal, vilket framgår vid fördragsslutandet med gibeoniterna, 9,6.

Förbannelse- och välsignelsetemat är ytterst vanligt i deuteronomistisk historieskrivning. Men dess förekomst i Jos 7–8 är ändock något uppseendeväckande, då det är enda gången, som Josua sätts i samband med ett nederlag på grund av ett förbundsbrott. Även om lokaliseringen av altarbygget är något svår att acceptera i det geografiska sammanhanget, så är det ur litterär aspekt möjligt att förstå Dtr:s kompositionsteknik. Såsom vi nämnt i Inledningen, är Dtr:s ledande princip vid kompositionen, att Josua skall göra såsom Mose gjort eller sagt. Ordern om altarbygget på Ebal har Josua redan fått i Dt 27 och tidpunkten, när ni gått över floden Jorden, betonas uttryckligen.[8] Placeringen av altarperikopen i Jos 8,30 ff. blir härmed helt logisk, då avsnittet Jos 3–8 har samma struktur som Ex 12–17. Efter den spektakulära segern över egyptierna i Ex 15,22 ff. berättas om folkets avfall vid en serie av episoder, kulminerande i folkets tvist med YHWH vid Massas och Meribas vatten, Ex 17,1–7. I de följande verserna omtalas, att Amalek därefter sökte strid med Israel. Segern vanns liksom vid Sävhavet genom att Mose höll upp sin ''Gudsstav'', medan Josua drog ut till strid. Men det skedde under föga spektakulära former. Mose förmådde inte ensam hålla ut sina händer tills dess att Amalek besegrats. Orsaken torde ligga i folkets tvist med YHWH. Meribas vatten blev den definitiva orsaken till att Mose måste dö öster om Jordan, Nu 27,14, och i Dt 6,16; 9,22; 33,8 betecknas episoden såsom ett

[6] Såsom vi ovan sökt visa baseras denna på Sauls (och benjaminiternas) misslyckande att tillkämpa sig det ''ideala riket'' genom en ''omänsklig'' lagobservans. Med Davidsrikets omfång som riktmärke kan Sauls eventuella landambitioner betraktas som hybris.

[7] Avsnittet Jos 8,30-35 inleds med det temporala adverbet *'āz*, ''då'', vilket säkerligen accentuerar altarbygget som fullkomningen och uppföljningen av de föregående händelserna. En liknande funktion har *'āz* i Jos 22,1. Se i övrigt Jos 10,12. Jfr Ex 15,1; Nu 21,17. Jfr I. Rabinowitz, *VT* 34 (1984), 53-62.

[8] Jfr H. Seebass, *Bi* 63 (1982), 28 ff.

klart förbundsbrott. En jämförelse mellan händelserna vid Refidim, Ex 17,8–16 och vid Ai, Jos 7–8 är faktiskt ganska slående. Josua håller ut sin *kīḏōn*, Jos 8,18, då ”gudsstaven” är förbehållen Mose.[9] Men intressantast är, att Mose direkt efter slaget vid Refidim bygger ett altare, Ex 17,15, sedan händelsen skrivits ned och inpräglats hos Josua. Utifrån det ovan skrivna måste således även Josua bygga ett altare efter segern vid Ai. Det kräver Dtr:s typologiska föreställningar såväl ideologiskt som litterärt. Lokaliseringen är av ringa vikt i sammanhanget — endast att Josua gör det. Altaret på Ebal var det enda, som Josua fick i uppgift att bygga.

En sammanställning av de jämförda textstrukturerna ser ut på följande sätt:

Ex 12–17		*Jos 3–8*	
Kap. 12–14	Påskfirande	Kap. 3–6	Övergång av Jordan
	Övergång av Sävhavet		Påskfirande
Ex 14,26	utplånandet av egyptierna		tillspillogivningen av Jeriko
Kap. 15–17	Vattnen i Mara, Elim och	Kap. 7–8	Nederlaget vid Ai
(avfall)	i synnerhet Massa-Meriba		Förbundsbrott
	nederlag och seger vid Refidim		Seger vid Ai
	Moses Gudsstav (händer)		Josuas *kīḏōn*
	Altarbygget		Altarbygget på Ebal

Erövringen av Jeriko har alltså motivmässigt sammanförts till de rituella och liturgiskt betonade avsnitten om Jordanövergång, omskärelse och påskfirande i kap. 3–5. Texterna demonstrerar Jahves suveränitet genom Förbundsarkens närvaro liksom Israels exklusivitet genom omskärelse och påskfirande. Processionsförfarandet vid erövringen av Jeriko understryker denna Jahves makt liksom den rigorösa *ḥeraem*-bestämmelsen markerar Israels exklusivitet i förhållande till landets befolkning. Om denna princip bryts leder det till förbundsbrott, och ett sådant exempel statueras i kap. 7, nämligen förgripandet på *ḥeraem*.

I vår strävan (se Inledning) att finna de temata, som bidragit till kompositionen av Josuaboken, betonade vi bl.a. Dtr:s ofta förekommande referenser till Mose i samband med den josuanska aktiviteten.[10] Det borgade för att Josuas handlingar var helt i överensstämmelse med Lagen. I den litterära strukturen av avsnittet Jos 3–6 kunde vi även finna påtagliga bevis för att den mosaiska exodusdramatiken genomsyrat såväl innehåll och fraser som komposition. Den totala tillspillogivningen av Jeriko — med undantag för Rahab — framstår som den märkliga jordanövergångens klimax på samma sätt som Faraos och egyptiernas totala undergång enligt Ex 14,26 ff. efter övergången av Sävhavet.

Som betonats av kommentarlitteraturen har vi här säkerligen ett liturgiskt mönster knutet till kultplatsen Gilgal. Förbundsarken har där spelat en domine-

[9] Denna uppfattning förelåg redan hos K. Möhlenbrink, Josua im Pentateuch, *ZAW* 59 (1942/43), 14 ff.

[10] Detta betonas nu också av R. Polzin, *Moses and the Deuteronomist*, 1980, 74 ff.

rande roll, och den blir också en central företeelse i Dtr:s komposition. Förekomsten av en ursprunglig berättelse om övergången av Jordan etc utan Förbundsarkens medverkan är högst osannolik. Det är här fråga om Dtr:s komposition och författarskap byggt på de liturgiska traditioner, som ursprungligen hörde hemma i Gilgal. Förbundsarken är för Dtr inte bara symbolen för Jahves närvaro utan även förvaringsplats för den mosaiska Lagen. Det spelar naturligt en stor roll i Josuaboken.

Fram till och med erövringen av Jeriko ger berättelsen intryck av att skildra Jahves enorma makt, genom vilken han kan dirigera floden Jordans vatten och förgöra de fiender, som står i Israels väg. Anspelningen på Uttåget ur Egypten är i det avseendet självklar. Jos 6 avslutas med den deuteronomistiska frasen ''Och Jahve var med Josua och ryktet om honom gick i hela landet''. Men därefter stannar den processionsartade segermarschen upp. Akans brott, Jos 7, leder till nederlag, som dock är av tillfällig art. Sedan Lagens strängaste straff tillgripits och syndarna utplånats, kan Josua mönstra sina trupper och föra dem till en stor seger, Jos 8. Denna episod följs i sin tur av altarbygget på Ebal. Detta markerar naturligtvis lagobservansens betydelse, eftersom en kopia av Lagen skrivs på stenarna, Jos 8,32, men framför allt utgör altarbygget en klar parallell till Ex 17,15.

Vi har i den litterära analysen även sökt understryka Saulstraditionernas roll i synnerhet i samband med händelserna kring Gilgal och Jeriko. I nästa kapitel, Jos 9, kan vi också notera, att Sauls skugga vilar över händelserna även i Gibeon.

KAPITEL IV

Gibeoniternas list

Utan tvekan ligger bakom fördraget med gibeoniterna enligt Jos 9 en gammal tradition, som historiskt föregriper händelserna i 2 Sam 21,1–14. I Jos 9 skildras alltså ett fördrag, som sedan skulle ha brutits av Saul. Men först under Davids tid har Sauls brott lett till treårig hungersnöd. Så småningom bragtes försoning genom utlämnande av sju saulidiska prinsar till gibeoniterna. Fördraget med gibeoniterna fick sålunda en dramatisk och blodig epilog. Men dessutom bör det också ha haft återverkningar på Gibeons roll under Salomos tid, 1 Kon 3. Gibeon var då den förnämsta offerhöjden och det var säkerligen där, gibeoniterna blev ''vedbärare och vattenösare'' Jos 9,21,23, en uppgift som fått aktualitet genom J.B. Pritchards utgrävning av imponerande vattensystem i el-Jib.[1]

Ur *ḥeraem*-aspekt är Jos 9 av största betydelse, då det vid sidan av Rahabfördraget utgör det enda exemplet på en oblodig överenskommelse under landnama. Kapitlet omges av skildringar, dels 8,1–29 och dels 10,8 ff. av *ḥeraem*-krigets totala utrotning av fienderna. Enligt krigslagen i Dt 20,10–18 skall Israel först erbjuda en stad fred, innan belägring påbörjas, dvs. det gäller städer som ligger utanför de ''sju folkens'' område, Dt 20,15 ff. I princip har detta påbud endast följts före striden mot Sihon, Dt 2,26. Jfr Nu 21,21 ff. Kungen vägrade emellertid beroende på att Jahve förhärdade hans hjärta, Dt 2,30. Jfr även Jos 11,20 till synes inom Kanaans område.

Enligt krigslagen skall Israel erbjuda den överlägsnes *šālôm*, Dt 20,10. Om staden svarar (*'ānāh šālôm*) och öppnar sina portar, så skall dess befolkning bli arbetspliktigt (*lāmás*) och vara trälar (*'āḇaḏ*) v. 11.[2] Men om den icke vill sluta fred med dig (*tašlîm 'immāḵ*), så gäller *ḥeraem*. Alla män skall då dödas men kvinnor och barn får tillhöra bytet, Dt 20,14. Då Gibeon-episoden omtalas, användes just *hif.*-formen av *šālam*, Jos 10,1,4; 11,19, med staden som subjekt och tydligt är, att normerna i Dt 20,10–18 är underförstådda. Men fördragets ingående saknar den krigiska ram, som man därav skulle ha väntat sig. Israel befinner sig i Gilgal, 9,6 och alltså inte på framryckning. Fördraget är helt enkelt en preventiv åtgärd från gibeoniternas sida och de uttalar en deuteronomistisk bekännelse, som i stort överensstämmer med Rahabs trosvissa yttrande, Jos 2,9–

[1] J. B. Pritchard, *The Water System of Gibeon*, 1961.

[2] Jfr 1 Sam 11,1, där ammoniterkungen Nahash belägrar Jabesh Gilead. Stadens män ber om ett fördrag, ''Slut förbund med oss, så skall vi tjäna dig''. Se B. Halpern, *CBQ* 37 (1975), 303 f. Jfr F. C. Fensham, *VT* 13 (1963), 133 ff. och *Idem*, *BA* 27 (1964), 96 ff.

11. Resultatet blir, att såväl Rahab som gibeoniterna får behålla livet, Jos 6,25, respektive Jos 9,15. Associationerna till krigslagen, Dt 20, framträder också däri att gibeoniterna sade sig komma från ett avlägset land, Jos 9,6,9,22, jfr Dt 20,15. Det är knappast någon tillfällighet, att folklistan i Jos 9,1 helt överensstämmer med den som finns i Dt 20,17.[3]

Den deuteronomistiska ingressen, Jos 9,1–2, ger ett intressant perspektiv åt Josuabokens geografi i övrigt. Det ideala land, som tecknades i Jos 1,4, var en omöjlighet att uppnå på grund av bristande lagobservans. I stället framstår det davidiska riket såsom slutmålet för erövringen, Jos 22–24. Jfr t.ex. 2 Sam 24.[4] Jos 9,1–2 ger också en liknande anspelning på omfattningen av Josuas landnama. De geografiska begrepp, som används, är ''på andra sidan Jordan, Bergsbygden, Shepela och det Stora havets strand ända till Libanon''. ''På andra sidan Jordan'' avses här säkerligen vara ett sammanfattande uttryck för hela området väster om Jordan, dvs. Kanaan, Jos 5,12, vars traditionella indelningar är Bergsbygden, Shepela och Kustremsan. Sträckningen av den sistnämnda ända upp till Libanon, förstärker intrycket att det är fråga om hela Cisjordanien. Dess erövring följer sedan i en sydlig och en nordlig attack tills dess davidsrikets gränser har nåtts, Jos 11,16 ff. Jfr Jos 10,40 ff. och uttrycken *pae 'aeḥāḏ*, 9,2, *pa ʻam 'aeḥāṯ*, 10,42.[5] Jfr Jos 11,18 *jāmīm rabbīm*. Området öster om floden Jordan har man så att säga redan ''i potten''.

Jos 9,3–15 utgör ett sammanhängande avsnitt, och ordval samt innehåll tyder på ringa deuteronomistisk bearbetning.[6] Josua spelar till en början en föga framträdande roll och ställer endast frågan: ''vilka är ni och varifrån kommer ni?'', 9,8, men ingår sedan fördraget, 9,15. Först i 9,22 återkommer han och uttalar förbannelsen över gibeoniterna. Jfr Jos 6,26. Skildringen av gibeoniternas list i kombination med Israels underlåtenhet att hänskjuta frågan till Jahve är berättartekniskt en uppdramatisering av händelsen, men den förklarar samtidigt hur ett förbjudet fördragshållande uppstått, jfr Ex 23,52; 34,12; Dt 7,12. Sådant hör säkerligen redan hemma i den folkloristiska formen.[7] Men naturligtvis kan

[3] J. Blenkinsopp, *CBQ* 28 (1966), 207 ff., redovisar utförligt bl.a. terminologiska överensstämmelser mellan Dt 20;8,4; 29,4,10, jfr Neh 9,21 och Jos 9.

[4] Se M. Ottosson, *Elijah's visit to Zarephath*, 1984.

[5] Se J. Niehaus, *VT* 30 (1980), 236-239.

[6] Den utförligaste textanalysen har gjorts av J. Halbe, *VT* 25 (1975), 613-641. Halbe uppfattar vv. 3-15a som en avrundad enhet (v. 8 är ett inskott), vilken är en etiologi på ett fördrag, som reglerade gibeoniternas särställning i Israel. Denna berättelse blev sedan utvidgad med vv. 8,16-17,22,23,25,26,27.

[7] En verkligt intressant iakttagelse har gjorts och utvecklats av P. Kearny, *CBQ* 35 (1973), 8 ff. Kearny antar, att händelseförloppet i Jos 9-10 har använts av den deuteronomistiske redaktören till 2 Kgs 20,1-9 men i en omvänd disposition. Kearny påvisar många detaljöverensstämmelser, men framför allt utgör solmiraklen en sammanhållande länk mellan Jos 10,12 och 2 Kgs 20. Därtill skulle man också kunna tillägga, att Gibeon var en helgedom, där kungar plägade mottaga drömorakel, 1 Kgs 3,4 ff. Och det är mycket troligt, att vi finner kung Hiskia i en liknande situation, Jes 38,16 ''och må du ge mig en dröm så att jag får leva''. Se M. Ottosson, *ḥālam*, *ThWAT*. Bd. II, 1977, sp. 994. En sådan typ av omkastad disposition som den Kearny antar i 2 Kgs 20,1-19 har vi också

man inte undgå att märka att fördraget är tänkt som en del av Josuabokens komposition. Ordvalet i 9,4 *gam*[8] *hemmā bĕʿårmā*, "jämväl dessa med list" kan utgöra en syftning på fördraget med Rahab, Jos 2. Texten erinrar också om vad Josua gjort med Jeriko och Ai, 9,3. De deuteronomistiska ordvalen är uppenbara i 9,22–27, och i det avsnittet står Josua i centrum. Typiskt är också att i denna deuteronomistiska kontext finns den etiologiska formeln "ända till denna dag", v. 27.

Analysen av texten kan logiskt leda till det antagandet, att Jos 9 innehåller två berättelser, baserade på olika traditioner, den ena knuten till Josua och den andra till "Israels män" (se nedan), vilken endast skulle handla om förbundet med gibeoniterna.[9] Någon tidigare josuansk version har väl knappast förelegat.

I Jos 9,15–21 återfinnes en klar stilbrytning till den föregående folkloristiska berättelsen och naturligtvis till de deuteronomistiska ramarna i 9,1–2,22–27. Detta avsnitt präglas av typisk prästerlig stil och innehåller uttryck som *nĕśi'ê hāʿēḏā*, v. 15b,18, verbet *lûn*, v. 18. Dessutom tillkommer uppgiften om ytterligare tre städer, v. 17. Nu är det inte längre Josua, som slutit fördraget med gibeoniterna utan *hannĕśī'īm*, som svurit eden, v 15b., vv 19 ff. och gjort dem till vedhuggare och vattenösare vid kultplatsen i Gibeon. 9,15b–21 brukar ibland avfärdas som ett sent P-inskott.[10] Men den metoden är alltför enkel, och det är troligare, att Dtr utnyttjat ett prästerligt traditionsmaterial såsom avsnittet 9,15–21 för att göra en "stilenlig" avslutning med Josua åter i ledarrollen. Med den svävande formuleringen "till den plats som han utvalt", v. 27 sammanbindes Jos 9 med berättelsen om det från Jerusalem ledda häruppbådet i Jos 10.[11] Sammanbindningen av det josuanska fördragsavsnittet kan således ha skett i Gibeon och redan på det prästerliga traditionsstadiet. Berättelsen om gibeoniternas list torde ha hört till kultplatsens rekvisita. Genom eden kom gibeoniterna att garan-

sökt påvisa i det föregående. Vi är nog mera benägna att kalla sådana litterära paralleller för textstrukturer. H. N. Rösel, *BN* 28 (1985), 30-35 och C. Schäfer-Lichtenberger, *BN* 34 (1986), 58-81 har tyvärr inte varit mig tillgängliga.

[8] Jfr C. J. Labuschagne, *Festschrift Th. C. Vriezen, Studia Biblica et Semitica*, 1966, 193-203.

[9] Se K. Möhlenbrink, *ZAW* 56 (1938), 241 ff. Halbe, *op.cit.*, 629 antar i stället att kapitlet varit föremål för senare utvidgning. Trots stilskillnaderna i det följande avsnittet, Jos 9,15-21, försvarade J. Liver, *JSS* 8 (1963), 227-243 kapitlets ursprungliga enhet. J. M. Grintz, *JAOS* 86 (1960), 113-126 var kritisk till alla försök till uppdelning av texten.

[10] Så gör alla litterärkritiska kommentatorer. Bevisen för avsnittets sekundära karaktär bygger vanligtvis på uttrycken "församlingen" och "församlingens furstar". För M. Noth, *Josua*, 1953, 55 ff., 58 f. uppstod dock vissa svårigheter genom att "furstarna" utgjorde en urgammal ledaradel i Israel. P-språket har numera varit föremål för ingående analyser och därvid har kronologiska ställningstaganden gjorts, vilka förklarar många fraser hos P såsom hörande till arkaiskt språk. Se bl.a. A. Hurvitz, *Tarbitz* 40 (1971), 261-267. Engelsk summary i *Immanuel* 1 (1972), 21-23. Som det stora arbetet måste emellertid framhållas A. Hurvitz, *A Linguistic Study of the Relationship Between the Priestly Source and the Book of Ezekiel*, 1982. Se även A. Hurvitz, *RB* 81 (1974), 24-56 jfr S. McEvenue, *The Narrative Style of the Priestly Writer*, 1971.

[11] Det är troligt, att "min Guds hus", 9,23, och tillägget i 9,27, "den plats som han utvalt" är ett Dtr-försök att camouflera höjdkulten i Gibeon. Det sistnämnda uttrycket är närmast ett stickord till Jerusalem, Jos 10,1. Jfr en liknande redaktionell kapitelavslutning i Jos 22,34.

teras liv och boplats i israeliternas mitt.[12] Och den omständigheten att de hade underordnade sysslor vid kultplatsen i Gibeon, som åtminstone på Salomos tid, 1 Kon 3,4 ff., var ett viktigt inkubationscenter, var naturligtvis förevigad i kultplatsens traditioner.[13] Tidigare hade Rahabs klan fått bosätta sig utanför Israels läger i Gilgal, Jos 6,23, efter en ed, som har vissa likheter med gibeoniternas. Det är bara i anslutning till dessa två kultplatser som delar av den kanaaneiska befolkningen på Sydrikets område inte har utrotats. Detsamma hände också jebusiterna i Jerusalem, Jos 15,63. Men där berodde det på israeliternas oförmåga att erövra staden.

De vid sidan av Gibeon uppräknade städerna, Hakkefira, Beerot och Kirjat-Jearim, Jos 9,17 ligger närmare än 10 kilometer från Gibeon. Samma städer omtalas vidare i Jos 18,25–28 såsom benjaminitiska och dessutom återkommer de i Neh 7,25–29, jfr Esra 2,25. Kirjat-Jearim blev säte för arken under en period, 1 Sam 7,2. Alla städerna låg i Jerusalems närhet och kan således ha haft en speciell prästerlig eller kultisk karaktär.[14] Även Gilgal är nämnt i liknande uppräkningar eller grupperingar av städer tillsammans med Betel och Mispa, 1 Sam 7,16.

Som nämnt utgjorde Gibeon ”den främsta offerhöjden” under Salomos tid. Även gibeoniternas ställning som kulttjänare kan belysas utifrån uppgifter i 1 Kon 9,20 f. Där berättas att just Salomo gjorde icke-israeliterna i landet, dem som Israel inte tidigare vigt till *ḥeraem*, ”till arbetspliktiga tjänare”. Att vedhuggare och vattenösare kunde utgöra ett slags främmande parias-grupp framgår av Dt 29,10. Det ligger således närmast till hands att knyta gibeoniternas ställning inom Israel såsom den framgår av Jos 9,21 ff. till rådande förhållanden vid Gibeons *bāmā* på Salomos tid. Edsfördraget mellan israeliterna och gibeoniterna var av äldre datum. Dtr som hade den uppfattningen, att alla kanaanéer (åtminstone av manskön) måste utrotas, kunde nu förklara, varför israeliterna under kungatiden ”avfallit” till kulten i Gibeon. Det berodde på ett under landnamatiden förhastat Shalom-förfarande.[15]

[12] Detta uttryck har närmast beaktats genom dess singulära eller plurala possessivsuffix och därvid tillhört olika litterära skikt. Se *comm.* och J. Blenkinsopp, 1966, 211 not 11. Ordet *ḳaeraeḇ*, ”mitt” har dock under landnama-tiden en speciell ideologisk betydelse därigenom att Jahve alltid vill bo i Israels mitt. Sålunda skall alla andra gudar avlägsnas ur Israels mitt, Jos 24,23. Det är också en viss skillnad om Israel säges bo i andra folks mitt. Så är fallet i Domarboken, där Israel säges bo i kanaanéernas mitt, Dom 1,32 f.; 3,5. Jfr Jos 24,17 ”de folk i vars mitt vi drog fram”. Men i övrigt i Josuaboken under erövrings- och fördelningsskedet är det alltid andra folkgrupper, som bor i Israels mitt såsom Rahab, Jos 6,25, gibeoniterna, 9,7,16,22; 10,1; Geshur och Maaka 13,13 och kanaanéerna i Efraims mitt, 16,10. Jfr jebusiterna, 16,53. I de sistnämnda fallen beror förhållandet på Israels oförmåga att besegra sina fiender.

[13] Se t.ex. M. Haran, The Gibeonites, the Nethinim and the Sons of Solomon's Servants, *VT* 11 (1961), 159 ff. J. Liver, 1963, 237 f. följer i stort M. Haran, och menar, att gibeoniterna så småningom gått upp i Nethinim och Salomos tjänare, som utförde lägre tjänster i Jerusalems tempel.

[14] För identifikation, se M. Haran, 1961, 160 f.; J. Blenkinsopp, *Gibeon and Israel*, 1972, 1 ff. Arkeologiskt: J. B. Pritchard, *VTS* 7 (1959), 1-12; *Idem, Gibeon — Where the Sun Stood Still*, 1962. *Idem, Hebrew Inscriptions and Stamps from Gibeon*, 1959. *Idem, The Bronze Age Cemetery at Gibeon*, 1963; *Idem, Winery, Defences, and Soundings at Gibeon*, 1965.

[15] R. Polzin, *Moses and the Deuteronomist*, 1980, 117 ff. kopplar samman gibeoniterna med *gēr-*

Åter kan vi emellertid notera, att Sauls ande vilar över Gibeon på samma sätt som den gjorde över Gilgal-Jeriko enligt vårt sätt att referera till en saulidisk rigorös form för tillspillogivning av fiender. Eden med gibeoniterna förutsätts, då det berättas hur Saul "sökte att dräpa dem i sin nitälskan för israeliterna och Juda", 2 Sam 21,2. Sauls dåd sonades genom att David lämnade ut sju män av Sauls ätt till att hängas upp på berget inför Jahve, 2 Sam 21,9.[16] Domen över Saul är i fallet med gibeoniterna lika inkonsekvent som i fråga om de föregående episoderna. Landnama-tidens israeliter försummar att "fråga Jahves mun"[17] angående riktigheten av de uppgifter, som gibeoniterna lämnat. Också i P-avsnittet hörs endast ett "knorrande" från kultförsamlingen, Jos 9,18. Saul hade å sin sida utrotat teckentydare och spåmän ur Israel, 1 Sam 28,4 ff. och intensivt sökte Jahves orakel utan att få något svar. Det berodde säkerligen på rädsla. Men han anklagas av spåkvinnan i Endor för att utöva list mot henne, 1 Sam 28,12. Det är samma verb som användes om gibeoniterna, Jos 9,22. David får emellertid svar direkt från Jahve om orsaken till hungersnöden, 2 Sam 21,1 f.

Sauls länkning till Gibeon är säkerligen underförstådd i Jos 9. Att skildringen av edsöverenskommelsen med gibeoniterna är av avsevärd ålder visar inte minst uttrycket *'īš Jiśrā'ēl*, Jos 9,6 f. Såsom G. Schmitt framhåller användes detta uttryck i det äldre skiktet av Dom 20 och i historien om Sauls och Davids regeringstid.[18] I texter som anspelar på en senare tid än Salomos förekommer inte uttrycket. Vi vill även införliva det som ett bevis för att Josuaboken kompositionellt sett ger en historieversion, som hela tiden anspelar på Sauls och Davids riken. Sauls riksbyggnad var dömd att misslyckas. I de krigståg, som följer i Jos 10–11, förs man geografiskt sett till Davidsrikets sydligaste och nordligaste gränser.[19]

begreppet i Jos 8,33,35. Jos 9 vill således förklara hur en sådan grupp blev boende i Israels mitt. Relationen till Dt 29 uttrycker han på så sätt, att "Dt 29 is a literary foreshadowing of Joshua 9". Gibeon är således redan närvarande i församlingen enligt Dt 29,10 f.

[16] A. Malamat, *VT* 5 (1955), 1-12; H. Cazelles, *PEQ* 87 (1955), 165-175; A. S. Kapelrud, *La Regalità Sacra. Studies in the History of Religions* 4 (1959), 294-301; J. Dus, *VT* 10 (1960), 353-374. R. A. Carlson, *David the Chosen King*, 1964, 198 ff.; J. Blenkinsopp, *Gibeon and Israel*, 90 ff.

[17] Frasen återkommer endast i Jes 30,2. Se H. Madl, *BBB* 50 (1977), 37-70.

[18] G. Schmitt, *Du sollst keinen Frieden schliessen . . .* 1970, 37 ff.

[19] B. Halpern, *CBQ* 37 (1975), 315 har klart sett sambandet. "In the first place, Israel's victory has grown in the telling: editors have Davidized Joshua's achievement (10:40-2; 11:16-20); what probably was once an extended historical process they have telescoped into a highly compressed account (so the immediate conquest of the north, 11:10-15)". Se också N. Na'aman, *Borders & Districts*.

KAPITEL V

Erövringskrig i söder och norr

Sydlig koalition

Jos 10 förutsätter fördraget med gibeoniterna i kap. 9. Utifrån 10,2, ''ty Gibeon var en stor stad lik en kungastad'', ger sig den ''folkloristiska'' bakgrunden av fördraget såsom det är återgivet i kap. 9. Att accenten där närmast låg på förklaringen av Gibeon som *bāmā* har jag sökt visa i det föregående.

Kap. 10 kan lätt uppdelas i två delar, vv. 1–15 och vv. 16–43.[1] Båda delarna avslutas med frasen ''Och Josua och hela Israel återvände till lägret i Gilgal'', v. 15[2] och v. 43. Den andra delen av kapitlet kan i sin tur uppdelas i två avsnitt, vv. 16–27, och vv. 28–43. Det första avsnittet har det gemensamt med vv. 1–15, att motståndarna är desamma, vv. 3,5,23 men genom v. 15 skiljs traditionsenheterna åt och de har åtminstone av Dtr betraktats som två separata händelser och inte som någon direkt uppföljning av segern vid Gibeon, 10,10.

Den deuteronomistiska uppfattningen om Heligt krig präglar hela kapitlet. Förutsättning för segern är given i och med krigsoraklet i v. 8. Jahve förvirrade fiendehären, *hāmam*, v. 10.[3] Jahves medverkan i striden får teofaniens känne-

[1] Samma uppdelning har Noth, 1953, 60 ff. och han anser dessutom, att vv. 16 ff. är sekundära och tillhör ett andra stadium av den litterära tillblivelseprocessen, s. 61. P. Weimar, Die Jahwekriegserzählungen in Exodus 14, Josua 10, Richter 4 und 1 Samuel 7, *Bi* 57 (1976), 38-73, räknar med en omfattande litterär utvecklingsprocess. Tvådelningen av Jos 10 går tillbaka på författaren av DtrG, s. 51, som dock i sin tur använt två krigsberättelser. Den ena omfattande ett fälttåg mot städerna Libna-Lakish-Eglon (från Hiskias/Manasses tid) jämkas ihop med Gibeon-Makkeda berättelsen och ytterligare tillägg så att den nu föreliggande dispositionen erhållits. DtrG har emellertid enligt Weimar blivit föremål för vidare bearbetning, s. 53 ff. Termen ''Jahwekriegserzählung'' enligt artikelns rubrik använd om flera likartade berättelser återgår på W. Richter, *Traditionsgeschichtliche Untersuchungen zum Richterbuch*, 1966², 180 ff. Alla fyra berättelserna har tillhört en och samma nordisraelitiska tradentkrets, s. 72, som kan ha stått i nära kontakt med Sauls hov. Traditionerna har därefter kommit till Jerusalem. Här skulle enligt Weimar i Jos 9/10 föreligga en kritisk udd riktad mot Davids religionspolitik, ja, mot David själv. Denna mycket förenklade redogörelse för Weimars tolkning av Jos 10 har inte mycket gemensamt med min uppfattning om kapitlets funktion sett utifrån den josuanska erövringen i dess helhet. I dess nuvarande position för kapitlet den josuanska hären till Davidsrikets och under alla omständigheter ''Storjudas'' sydgräns, Jos 10,40 ff. Det borde vara redaktionellt material. Skulle kapitlet ursprungligen ha tillhört en nordisraelitisk tradentkrets av antidavidisk karaktär, då har den slutlige Dtr varit en litterär ''trollkarl'' i kraft av sin jerusalemitiska ideologi.

[2] Cf. Soggin, 127 och mina anmärkningar i anslutning till verbet *sāḇaḇ* i Jos 6.

[3] En liknande disposition: krigsorakel följt av Jahves förvirring av fiendehären och den senares flykt återfinnes bl.a. i Dom 4,14 f.; jfr Ex 14,24. Se P. Weimar i not 1 och G. H. Jones, *VT* 25 (1975), 642-658.

tecken, v. 11, jfr Ps 18,14 f.; Job 38,22 f.; (Ex 9,18) och det är inte minst påtagligt genom citatet från ''den Redliges bok'', v. 12 f. Dess ursprungliga *Sitz im Leben* kan väl endast bli föremål för en viss grad av spekulation. Det torde dock ha utgjort en teofani i en (krigs) hymn kanske knuten till Gibeon, v. 12b. Det är intressant att se, att här används samma associationsprincip som i Nu 21,14 ff., 16 ff., 25 ff. Den gemensamma nämnaren för såväl Numericitaten som Jos 10,12 ff. är *amoriterna*. I Nu befinner sig folket på amoritiskt område och i Jos 10 strider man mot amoritiska kungar, 10,5 f., 12. Detta folk har speciellt av Dtr betraktats med ideologisk avsky.[4] Även introduktionen av citatet v. 12a (*'āz*) ''då talade Josua till Jahve'', överensstämmer med Nu 21,17, (*'āz*) ''då sjöng Israel''. Jfr Jos 8,30.[5] Min förmodan är att dessa poetiska citat har förvaltats av ''P'', och Jos 10,12 ff. kan ursprungligen ha tillhört kultpoesien i Gibeon. Hela stridsskildringen, vv. 10–14 präglas av ålderdomlig stil och har rönt mycket litet deuteronomistisk påverkan.

Desto mera påtaglig är denna i det följande av kapitlet. Episoden med de fem kungarna i Makkedas grotta är klart formad av Dtr. Här finns förintelseaspekten enligt deuteronomistisk *ḥeraem*-uppfattning, i synnerhet v. 19 f. med uppmaningen till folket att inte känna någon fruktan, v. 25.[6] Och behandlingen av kungarna mynnar ut i den vanliga redaktionella formeln ''ända till denna dag''.

Fortsättningen av Jos 10,28–39 innehåller kortfattade och stereotypa stridsskildringar över *sju* städer, Makkeda, Libna, Lakish, Geser, Eglon, Hebron och Debir. Sjutalet är här som tidigare det deuteronomistiska uttrycket för fullständighet. Städerna söderut är nu erövrade. Vilken princip, som använts för att ange deras ordningsföljd torde vara svårt att avgöra.

Striderna mot de nämnda städerna skildras med korta formelartade uttryck, som alla återger *ḥeraem*-krigets grymheter. Resultatet bir inte bara städernas erövring; i allra högsta grad betonas befolkningens definitiva utrotande. Att det här rör sig om ett deuteronomistiskt *ḥeraem*-krig är helt självklart. Jfr Jos 6. Verbet *ḥrm* förekommer i Jos 10 omväxlande och tillsammans med uttrycket ''han slog med svärdsegg allt vad liv har'' och ''inte någon flykting fanns kvar''. Även om inte alla fraser förekommer vid varje stridsmoment, betonas, att Josua gjorde likadant med varje stads befolkning. Detta krigsmönster har tidigare förekommit i Dtr:s komposition men inte i så koncentrerad form som här.

M. Weinfeld har i sitt arbete *Deuteronomy and the Deuteronomic School*,

[4] Se M. Ottosson, *Gilead*, 100 ff. P. D. Miller, 1973, 123 ff. betraktar citatet som exempel på krigsepifani. Se även H. N. Rösel, *VT* 26 (1976), 505-508.

[5] Se P. C. Craigie, The Conquest and Early Poetry, *Tyndale Bulletin* 20 (1969), 76-94. Beträffande eventuell solförmörkelse år 1131 f.Kr. se J. F. A. Sawyer, *PEQ* 104 (1972), 139-144 och F. R. Stephenson, *PEQ* 107 (1975), -120. Se M. J. Gruenthamer, *CBQ* 10 (1948), 271-290 och J. S. Holladay, *JBL* 87 (1968), 166-178; S. J. de Vries, *VT* 25 (1975), 80 ff.

[6] Beteendet att sätta foten på en besegrad fiendes nacke eller hals är tidigt belagt, t.ex. hos Sinuhe. — Angående lokaliseringen av Makkeda, se K. Elliger, *PJB* 30, 55-57 och nu senast D. A. Dorsey, *Tel Aviv* 7 (1980), 185-193, som förlägger platsen till Ch. Neit Maqdûm öster om Lakish. Cf. M. Noth, *PJ* 33 (1937), 22-36.

1972, pekat på det deuteronomistiska språkets affinitet med assyriska uttryck, t.ex. i fördragstexter. När det gäller Dtr:s krigsterminologi är situationen identisk. En titt på Sanheribs annaler blir rätt belysande.[7]

Endast vid erövringen av Lakish återfinnes en från de övriga stridsskildringarna avvikande ordalydelse, nämligen att Josua tog staden ''på den andra dagen'', Jos 10,32. Med anledning av sina utgrävningsresultat i Lakish tolkade D. Ussishkin detta bokstavligt, *Tel Aviv* 5 (1978), 92. Tidsuttrycket förekommer i övrigt sparsamt i stridssammanhang, Dom 20,24,25, jfr Jos 6,14 och i viss mån Jer 41,4. Tidsbestämningen kan vara en följd av verbformen *wajjiḥan*. Jfr dock Jos 10,34 f., som är i princip identisk med v. 32 men har tidsuttrycket ''på den dagen''.

Tendensen i krigsberättelserna är att föra fram det erövrade området till Davidsrikets och Juda rikes sydgräns, Jos 10,40 ff. liksom striden mot de fem kungarna i kapitlets förra hälft förde Josua och hans här till Juda rikes nordvästgräns. Sydrikets erövring är därmed komplett och kan enligt Dtr's uppfattning användas som basområde för erövringen i norr. Den ledde till Davidsrikets nordgräns. I princip behövdes därmed ingen erövringsskildring av det mellanpalestinensiska området, jfr Jos 18. Ingen rättrådig ledare såsom Josua kunde ha företagit en sådan erövring, eftersom kanaanéerna tilläts bo kvar i området. En möjlig tolkning är, att Jos 10 innehåller fragment av Davids krig i Cisjordanien, jfr 1 Krön 14,16 ''från Gibeon ända till Geser''. Nordstammarna gick frivilligt över till honom efter Is-Bosets död, 2 Sam 5,1 ff.

Jos 10,40–42 utgör en viktig sammanfattning och avslutning på erövringen söderut. Området sammanfattas i Bergsbygden, Negeb, Låglandet och *hā'ăšēḏôṯ*. I v. 41 ges områdets omfattning från söder: Kadesh Barnea — Gasa — hela landet Gosen — ända till Gibeon.[8] Cirkeln är därmed sluten. Folket återvände till Gilgal, v. 43. Vad detta stridsmönster innebär för en helhetstolkning av Josuas och även Moses erövring enligt Josuaboken skall framgå i kapitlet ''Erövringens geografi''.

[7] Referenserna här nedan görs till D. D. Luckenbill, *The Annals of Sennacherib*, Chicago 1924.

Sid 35 rad 69 f.	påminner om skildringen av det deuteronomistiska *ḥeraem*-kriget.
Sid 37 rad 12	*ina girri aḳmu* ''jag brände med eld''
Sid 38 rad 45	*ana tilli ù karme*
Sid 40 Col V, rad 2	skräck överväldigar fienden
Sid 54 rad 51	*ina* ^{w}*kakki ú-šam-kit-ma* ''Jag högg ned dem med svärd''
Sid 55 rad 58	*na-piš-tum ul ezib* ''inte ett liv kom undan''
Sid 55 rad 62	''Jag högg ned dem med svärd''
Sid 67 rad 8	''Jag hängde dem på pålar''
Sid 63 rad 12 ff.	behandling av byte
Sid 86 rad 15 ff.	'' '' ''
Sid 88 rad 38 f.	'' '' ''
Sid 24 rad 29	*bit niṣirtišu* ''hans skattkammare'', jfr Jos 6,19,24
Sid 28 rad 20 f.	Jfr Jos 6

Se även M. Weippert, ''Heiliger Krieg'' in Assyrien und Israel, *ZAW* 84 (1972), 460-493 och senast J. van Seters, Joshua's Campaign and Near Eastern Historiography, *SJOT* 2 (1990), 1-12.

[8] Uttrycket *pa'am 'aeḥāṯ*, v. 42 kan kanske förklaras ur *pāeh 'aeḥāḏ* i 9,2. Meningarnas innehåll

Nordlig koalition

Josuas och härens återkomst till Gilgal efter fullbordad erövring av ett område, som i stort synes omfatta Sydriket, Jos 10,43, utgör en klar gränsdragning till krigståget mot norr, kap. 11, 1–15. Kap. 11 är emellertid i stort uppbyggt på samma sätt som kap. 10 men är helt präglat av deuteronomistisk fraseologi.[9] Uttrycket *wajhî kišmōaʿ* inleder händelserna, jfr 10,1; 9,1; 5,1. Motståndarnas fruktan omnämnes dock inte i kap. 11. I stället skildras mängden av deras stridsvagnar och hästar, 11,4. I söder var Jerusalems konung, Adoni Sedeq, koalitionsledare, 10,3 ff., i norr Hasors konung, Jabin, 11,1 ff. Krigsskådeplatserna är Gibeon, 10,9 f. respektive Meroms vatten, 11,7. Stridernas förlopp återges på ungefär samma sätt, plötslig israelitisk attack, 10,9; 11,7, förföljelse, 10,10; 11,8 och nedmejning, 10,10 f.; 11,8. Efter striden vid Gibeon återvände Josua till Gilgal, 10,15, och de fem besegrade kungarnas avrättning betraktades som en separat episod, 10,16–27. Även efter striden vid Meroms vatten ''återvände Josua''. Men frasen står bara generellt, följt av ''och han tog Hasor'', 11,10. De stereotypt formulerade erövringsskildringarna av sju namngivna städer motsvaras i kap. 11,12–15 av ''alla dessa städer'', säkerligen en sammanfattning av Hasor, Madon, Shimron och Akshaf, 11,1. I 11,16–23 ges en områdesbeskrivning, jfr 10,40–42, som omfattar såväl sydligt territorium (i stort samma namn som i 10,40–42) som nordligt, dvs. hela landet samt även rekapituleras fördraget med gibeoniterna, 11,19. Denna inramning av Cisjordanien blir ideologiskt betydelsefull vid sidan av Jos 12,1–6. Omnämnandet av Mose tyder på att det är en redaktionell avrundning. I denna epilog sväller även texten ut i en koncentrerad men ändå detaljerad sammanfattning av *ḥeraem*-krigets innebörd. Jahve ger i Israels hand *nāṯan bĕjaḏ*, Josua tar *lāḵaḏ* (stad) eller *lāḵaḥ* (land) och befolkningen dödas *hikkā lĕfî ḥaeraeḇ* eller *hārag̅*. Viktigt är att fullständig utplåning av befolkningen uppnås. I 10,22 förekom uttrycket *'aḏ tummām*, jfr 8,24, för att åskådliggöra utrotningens omfattning. Den stående deuteronomistiska frasen är eljest ''ända tills dess ingen lyckas rädda sig''. Med små variationer förekommer uttrycket i Jos 8,22; 10,28,30,33,37,39; 11,14. I det sammanhanget har verbet *ḥrm* helt enkelt blivit en utrotningsterm synonym till *hišmîḏ* utan någon antydan om vigning av fienderna till Jahve, 10,28,35.37,39,40; 11,11,12,20,21. Den deuteronomistiska *ḥeraem*-uppfattningen kan sägas vara sammanfattad i 11,14. Hela befolkningen utrotas — obs! *raḵ*-satsen — men ''alla städernas byte (*šālāl*) och boskapen tog israeliterna som rov åt sig''. Även städerna torde ha hört till bytet, 11,13. Jfr 6,10 f.; 24,13. Under det josuanska krigståget brändes endast tre städer, Jeriko, Ai och Hasor. Övriga nämnda städer intogs. Det föreligger ingen

synes tyda därpå och båda uttrycken står i en klar deuteronomistisk kontext. För en litterärkritisk analys av 10,28 ff. se K. Elliger, *PJB* 30 (1934), 47 ff. Elliger antar, att avsnittet ursprungligen hört till kalibbiternas och keniternas erövring; enligt K. Möhlenbrink, *ZAW* 56 (1938), 265 till rubeniternas inträngande i västjordanlandet.

[9] Se även V. Fritz, *Ugaritforschungen* 5 (1973), 132.

uppgift angående Geser, 10,33. Hebron är emellertid objekt till verbet *ḥrm* i 10,38. Jfr 11,21. De kanaaneiska kungarnas utrotning synes spela en stor roll, 11,17 f. Bortsett från gibeoniterna, 11,19, dirigerades deras underkastelse från Jahve, 11,20.

Väsentligt i samband med krigståget mot norr är skildringen av den sträckning, enligt vilken Israel förföljer den nordliga koalitionens kungar, Jos 11,8. Flyktvägen slutar vid det Stora Sidon och Misrefot Majim, jfr Jos 13,6. Sidon är alltid den ideala nordvästligaste gränspunkten av såväl det israelitiska Kanaan, Gen 10,19 som Davidsriket, 2 Sam, 24,6; 1 Kon 17,9 etc. Skildringen av den sydligaste sträckningen återfinnes i Jos 10,40 f. Vi skall i det följande se, att skisseringen av de erövrade områdena — det gäller även fördelningen — alltid göres i kompassens riktningar. Ändpunkterna visar sig alltid vara viktiga replipunkter i såväl det enade som det delade rikets historia. Den senare problematiken är i allra högsta grad aktuell genom att begreppen Juda och Israels bergsbygd införes i Jos 11,16,21.

Hasors brandskattning

Som visats är kap. 11 uppbyggt som kap. 10. Striden vid Meroms vatten utgör en episod och intagandet av Hasor en annan. Det var koalitionsledaren Jabins stad, ''huvudet av alla dessa kungariken'', v. 10. Den enda stad i söder som fått ett liknande epitet är Gibeon, 10,2, med tillägget ''större än Ai''. Ehuru övriga städer också representerades av kungar torde Gibeon och Hasor enligt traditionen ha varit huvudcentra i var sitt område. Båda låg strategiskt placerade vid viktiga vägar,[10] och detsamma var förhållandet med Ai och Jeriko. Med undantag av Gibeon har de övriga städerna det gemensamt att de brändes, 6,24; 8,28; 11,11. De utgör således ett undantag från den deuteronomistiska *ḥeraem*-principen, Dt 6,10 f.; Jos 24,13. Vad gäller Jeriko och Ai kan ''förfarandet'' dels vila på en fördeuteronomistisk *ḥeraem*-uppfattning, jfr Meshas behandling av Nebo, och förbannelsen av Jeriko 6,26 och dels därpå att deras storhet gick tillbaka på en dunkel forntid.[11] Det torde ha funnits folkliga traditioner om dessa städer och deras öden var där lätt att knyta till Josuas landnama.

[10] Ehuru kung Adoni-Sedeq var koalitionsledare, omnämnes inte Jerusalems vidare öden. I Dom 1,8 undergår emellertid Jerusalem samma öde som Hasor. Terminologien är inte exakt densamma och säkerligen fördeuteronomistisk. Tystlåtenheten i Jos 10 kan vara beroende av 2 Sam 5. Jfr dock Dom 1, 1-8, där Jerusalems kung heter Adoni-Beseq, säkerligen primärt till Adoni-Sedeq. Så M. Noth, *comm.*

[11] Vad gäller Ai, till tiden före ca 2400 f.Kr. Den pauvra israelitiska bosättningen, ca 1200-1050 f.Kr., bevisad genom utgrävningar, torde knappast ha varit känd av Dtr, jfr den deuteronomistiska etiologien och uttrycket *tel ʿôlām*, Jos 8,28. Detsamma kan sägas om tell es-Sultan. Staden låg bevisligen öde ca 1300-800 f.Kr. Obs! att ordet *tel* förutom i Jos 11,13 endast förekommer i Dt 13,17; Jer 30,18; 49,2, dvs. i ''deuteronomistisk'' kontext.

Hasor måste likaså ha varit en sägenomspunnen stad om vars stora ruinområde, den s.k. ''Nedre staden'' vittnade. Den byggdes aldrig upp under israelitisk tid. Dess kung, Jabin, figurerar även i Dom 4,1 ff. och har där en imponerande stridsvagnsstyrka på 900 vagnar, Dom 4,3. Det är säkerligen samma Jabin som omnämnes i Jos 11,1. Uppgiften om stridsvagnarna i 11,4 tyder också på ett sammanhang med traditionen i Domarboken. Den senare betraktas i allmänhet som äldre än Jos 11.[12] Tidpunkten för Hasors fall är fortfarande omtvistad.[13] Föreställningarna om stadens forntida makt hölls givetvis levande i folklig tradition genom anblicken av bronsåldersruinerna. Uttrycket *lĕfānîm*, 11,10, har flitigt diskuterats, om det syftar på Josuas tid (Yadin) eller bronsåldern (Malamat).[14] Ur Dtr:s aspekt syftar det naturligt på Josuas tid. Dtr sände inte Josua till en redan ödelagd stad. Men realiter torde inte Josua ha haft någonting med Hasors fall att göra. Det av Josua brända Hasor kan placeras i samma traditionskategori som Jeriko och Ai.

I detta sammanhang har utsagan i 11,13 ett visst intresse. ''Blott (*raḳ*) alla de städer som låg på sin tell (*tillām*) dem brände inte Israel.'' Denna typ av satser har jag i det föregående tillräknat Dtr, och förhållandet är tveklöst detsamma här (mot Noth).[15] Utsagan är i överensstämmelse med den deuteronomistiska uppfattningen, att israeliterna kom till ''dukat bord'', Dt 6,10 f.; 24,13, endast befolkningen skulle utrotas. Israeliterna kan sålunda ha slagit sig ner i de övriga städerna. Nu utgjorde den s.k. ''Övre staden'' en tell, som var starkt befäst från Salomos tid. Det bekräftar såväl arkeologin[16] som 1 Kon 9,15. Det kan tänkas, att detta israelitiska Hasor även kan inneslutas i utsagan enligt 11,13. I så fall skulle uppgiften om det av ''Josua förstörda'' och sägenomspunna Hasor syfta på ruinerna av den ''Nedre staden''. Det skulle då råda ett logiskt samband mellan de tre ruinkullarna, Jeriko, Ai och Hasor, inom deuteronomistisk tradition, och man kan även tillägga städerna Gibeon och Arad, Nu 21,1–3.

Jos 11,15

Hasor var Josuas sista erövringsobjekt. Ytterligare land återstod, Jos 13,1,6, men dess invånare åtog sig Jahve själv att fördriva, Jos 13,6, jfr Dom 2,21 ff. Men före rekapitulationen av det erövrade landet i 11,16 ff., avslutar Dtr Josuas erövring på ett sådant sätt, att hans erövringsverk har mosaisk sanktion. ''Såsom Jahve befallt Mose sin Tjänare, så hade Mose befallt Josua och så gjorde Josua. Han utelämnade inte någonting av det som Jahve befallt Mose.'' En perfekt lag-

12 Se V. Fritz, 1973, 129.
13 Se diskussionen hos V. Fritz, 1973, 134 ff. och A. Malamat, *JBL* 79 (1960), 12–19.
14 Se M. Ottosson, 1974, 82 ff. m. litt.
15 Jfr Noth, 1953, 69, som anser den höra till ''Sammler''.
16 Y. Yadin, Hazor, *The Schweich Lectures 1970*, 1972, 129 ff. Fig. 27. Till Hasors unika ställning under Sen bronsålder, se kap. 12.

observans kan inte uttryckas mera pregnant. Stilen är densamma som i Jos 1. Versen kunde i princip ha stått i vilket sammanhang som helst, och den har i sig själv ingen krigisk anknytning. En sådan saknades också i Jos 1. Där var befallningen till Josua närmast att fördela Landet, Jos 1,6. Underförstått är naturligtvis, att Jahve givit Israel landet. De reella striderna är underordnade den principen, men de sätts här in i lagobservansens ram, en övergång till skildringen av det erövrade landet, 11,16 ff.

Avslutningsvis omtalas i 11,21 f. bl.a. utrotningen av anakiterna från det av Israel erövrade området. Endast i filistéerområdet fanns de kvar, jfr 1 Sam 17 (Goljath). Den slutvinjetten på Josuas erövringsverk är viktig, eftersom anakiterna tillsammans med de starkt befästa städerna i spejarberättelsen betraktades av folket såsom oövervinnliga, Nu 13,29,33 f.; 14,1 ff.; Dt 1,28; jfr sammanställningen, stora och befästa städer/anakiter i Dt 9,1 f. Landet fick efter erövringen en temporär vila, *šāḳaṯ*, 11,23.[17] Den slutgiltiga vilan *mĕnūḥā* blev aktuell först efter fördelningen, Jos 21,43 ff. Terminologien tillhör även där Dtr.

[17] Se M. Ottosson, *Gilead*, 118.

KAPITEL VI

Erövringens geografi

Den ibland något vaga men ideologiskt betydelsefulla gränsdragningen av den största sträckningen av det utlovade landet har berörts i Inledningen. Enligt Jos 1,4 sträcker det landet sig från öknen (i söder) och Libanon (i norr), floden Eufrat (i öster) och Medelhavet (i väster) innefattande hettiternas område, dvs. närmast Syrien. Inte någon gång lyckades Israel behärska eller erövra ett så stort område. Men det utgjorde det ideala rike, som endast kunde uppnås av en helt lagobservant kung och dito folk. Det landet ställs samman med lagobservansen i Ex 23,25 ff. och Dt 11,24. Den gränsdragningen utgjorde i princip anspråk på "världsherradöme". Jfr Sak 14,8 f.; Ps 72,8.[1]

De områden, som blir föremål för erövring inom detta ideala land, ligger öster och väster om floden Jordan. Transjordanien, omfattande Gilead i dess största utsträckning och Basan, hade redan erövrats av Mose och fördelats av honom.[2] Trots att de företagen kan synas ointressanta för Josuas fälttåg, har vi noterat, att Dtr med jämna mellanrum rekapitulerar erövringen av Transjordanien med avsikt att framhäva det reala Davidsrikets omfattning och gränser.[3] Dtr ger inga detaljer om den mosaiska erövringen annat än i samband med fördelningarna i Jos 13. Av intresse för kungatidens historia är uppgiften, att araméerstaterna Gesur och Maaka inte erövrades, Jos 13,13.[4] I viss mån berör detta också uppgifterna om land som skall erövras enligt Jos 13,1–6. Även det området ålåg egentligen Josua att erövra. Det tas upp i Josuaboken av ideologiska orsaker. Återigen är det sträckningen av Davidsriket som förespeglar Dtr.[5]

Gränsdragningarna återfinnes alltid i deuteronomistisk text. De består av ganska enhetlig terminologi på större topografiskt framträdande områden.

[1] Se M. Ottosson, *'aeraeṣ*, *ThWAT. Bd I*, 1970, sp. 426 f.; 432 ff. I allmänhet antas Jos 1,4 med paralleller (se Inledning) anspela på "en något vag föreställning om Davids stora maktområde", M. Noth, *comm.* 1953, 28. Se M. Sæbø, *ZDPV* 90 (1974), 14-37; *Id*, *VT* 28 (1978), 83-91 m. litt. Till samma kategori av texter hör också Jes 27,12.

[2] Beträffande Nu och Dt-materialet, se M. Ottosson, *Gilead*, 53 ff.; 91 ff. men i synnerhet M. Wüst, *Untersuchungen zu den siedlungsgeographischen Texten des Alten Testaments. I. Ostjordanland*. Wiesbaden 1975.

[3] Davidsrikets omfattning ligger utan tvekan latent i gränsuppgifterna i Nu 34. Och jag vill även göra gällande, att detta rike "bygges upp" i kompositionen av Gen 12-15. Gen 15,18 avser det ideala området. Jfr Jos 1,4. Se Inledning. Till Nu 34,7-9 och Ez 47,15-17; 48,1, se redan K. Elliger, Die Nordgrenze des Reiches Davids, *Palästinajahrbuch* 32 (1936), 34-73.

[4] Dessa uppgifter visar bl.a., att vi har "telescoped geography" i Josuaboken. Beträffande termen, se M. Ottosson, *Gilead*, 114. Den innebär, att landet är sett i *retrospect*, dvs. kungatidens politiska situation legitimeras genom omfattningen av den mosaiska erövringen.

[5] Så även J. A. Soggin, *Joshua*, 152. Däremot kan inte M. Noths sekundärförklaringar av texten, dvs. vv. 2-6, leda till någon helhetssyn. *Comm.*, 75.

Jos 9,1	Bergsbygden, Shepela, det Stora havets strand upp emot Libanon.
11,16 f.	Josua intog hela landet, Bergsbygden, hela Negeb, hela landet Gosen, Shepela, Araba, Israels Bergsbygd och dess Shepela. Från berget Halak, som höjer sig mot Seir ända till Baal Gad i Libanons dal nedanför berget Hermon. Jfr även 10,40 och se Fördelningens geografi.
12,7 f.	Från Baal Gad i Libanons dal och ända till berget Halak, som höjer sig mot Seir; i Bergsbygden, Shepela, Araba, Ashedot, öknen, Negeb.
Jos, 13,2 ff.	Filistéernas kretsar, från Sihor . . .från Teman . . .ända till Afek . . .och det giblitiska landet och hela Libanon österut, från Baal Gad, nedanför berget Hermon ända till Lebo Hamat.

I de flesta fall är de topografiska angivelserna möjliga att definiera och man har en bestämd känsla av att det är system i Dtr:s geografi. Variationerna är naturligtvis flera. Ibland tas utgångspunkten från söder, Jos 11,17 och ibland från norr, Jos 12,7. Liknande omkastningar förekommer också i fördelningstexterna. Med det ''ännu inte erövrade landet'', Jos 13,2–7, kommer den nordliga gränsen att dras upp mot Lebo Hamat.[6] Jfr Nu 13,21 ''från öknen Sin ända till Rehob Lebo Hamat.'' Därmed nämnes en känd nordlig gränspunkt för Davidsriket, 2 Sam 8,9. En annan nordvästlig gränspunkt för såväl Kanaan som Davidsriket föreligger i Jos 13,4, nämligen ''staden, som tillhör sidonierna''.[7] Den läsningen är ett ingrepp i den masoretiska texten — jag ändrar *mĕʿārā* till *mēʿîr* — men i sammanhanget ger den ändringen en god förståelse av texten i jämförelse med Gen 10,19 ''från Sidon'', Jos 11,8 ''ända till det Stora Sidon till Mishrefot Majim''. ''Staden'' är enligt min mening Sarepta, vilken får tillägget ''som tillhör Sidon'', 1 Kon 17,9; Ob v. 20. Jfr 2 Sam 24,6. Sidon omnämnes praktiskt taget endast i gränssammanhang i Gamla testamentet. Det område, som tecknas i Jos 13,2–6, utgör närmast Kanaans kusttrakter. Davidsrikets sträckning i väster är något diffus men åtminstone under Salomos tid torde filistéerna ej haft styrka att hålla Israel borta från kusten. Se redan 2 Sam 8,1. Erövringen av Kanaans kustområde verkställdes aldrig, Dom 3,1 ff. och Josua dödade inte anakiterna i Gasa, Gat och Ashdod, Jos 11,22.[8] Härifrån fick också David flera av sina väldiga kämpar, vilka tillhörde hans garde, 2 Sam 15,18 ff. Bland de 14 städer i Shepela, vilka tillföll Juda stam, inräknades emellertid Ekron, Ashdod och Gasa, Jos 15,45–47. Enligt Dom 1,18 erövrade Juda städerna Gasa, Askelon och Ekron. Det är således svårt att få någon samlad bild över situationen. Flera av filistéerstäderna uppträder även som gränsmarkeringar.[9] Ekron i Jos 15,11 —

[6] Se Y. Aharoni, *The Land of the Bible*, 1968², 65 f. Jfr emellertid R. North, Phoenicia- Canaan Frontier ''Lᵉbô' '' of Ḥama, *MUSJ* 46 (1970–71), 69–103. B. Mazar, 1986, 189–202; N. Na'aman, *EI* 16 (1982), 152–158; *Idem*, *Borders*, 39 ff.

[7] Emendationen är föranledd av uttrycket *'ăšaer laṣṣīḏōnīm*. Jfr M. Noth, *comm.*, 70.

[8] Jfr 2 Sam 21,15 ff., som återger Davids strider mot rafaéernas avkomlingar i detta område. Jfr Jos 11,22.

[9] På grund av stadens läge längst i sydväst blir Gasa den viktigaste gränspunkten. Hit sträcker sig Kanaans gräns enligt Gen 10,19 och även Salomos rike, 1 Kon 5,4 (från staden Tifsah vid Eurat till Gasa). Kung Hiskias erövringar nådde Gasa, 2 Kon 18,8 liksom kaftoréernas, Dt 2,23 och midjaniter-

det gäller Juda gräns i väster — samt i stridssammanhang omnämnes med *min* - *'ad* formeln, likaså Gat och Ekron i 1 Sam 7,14; 17,52. Att traditionerna är så motsägelsefulla beträffande filistéerområdet kan ha sin orsak däri att David en gång sökt skydd hos kungen i Gat, 1 Sam 21; 27 och att Israel under kungatiden betraktade filistéerstäderna som viktiga försvarszoner mot Egypten.

De folk, som bebor landet är sju till antalet, Jos 3,10 eller sex, Jos 9,1; 12,8 med samma ordningsföljd.[10] Sjutalet återkommer i Jos 24,11, jfr Dt 7,1, och omspänner hela Kanaans befolkning. Sextalet synes närmast förekomma i ''krigstexter''. Dt 20,17 har exakt samma antal och ordningsföljd som Jos 9,1 och 12,8. Om däri finns någon speciell innebörd är svårt att avgöra. Närmast till hands är emellertid antagandet, att den fullständiga utplåningen egentligen aldrig ansågs ha uppnåtts.

Det är först med Jos 11 och striden mot den nordliga koalitionen som skildringen sväller ut till att omfatta hela Kanaan. Genom att Dtr såsom en kontrast till de omfattande striderna i söder enligt Jos 10 låter dessa på ett likartat sätt fortsätta längst i norr uppstår ett erövringens vakuum i det centrala Palestina. Visst måste det ha funnits krigstraditioner även från detta område, som i gestalt av Nordisrael under kungatiden mestadels kom att dominera den politiska bilden. Men Dtr:s tystnad beror utan tvekan på den ideologiska avsky och motvilja, som man från jerusalemitisk horisont kände inför nordstammarnas kult i Betel och Dan. Den kulten ''uppstod'' vid delningen av det enade riket. Därför kan ej Dtr låta Josua erövra Betel. Därmed skulle man ha sanktionerat en nordisraelitisk kultplats. Jfr Dom 1,22 ff. De sju mindre centralstammarna tilldelas arvedel från Silo, Jos 18, och i det sammanhanget stämplas de som försumliga i fråga om krigiska bragder, Jos 18,3. Omdömet kan vara deuteronomistiskt.

Geografiskt sett är erövringssskildringen av det södra Palestina den mest detaljerade. I synnerhet gäller det striderna på Juda och Benjamins områden. Denna sydliga erövring sammanfattas i Jos 10,40–42 och avslutas i v. 43 med att Josua och hela Israel återvände till Gilgal, utgångspunkten för striderna. Det område, som därmed erövrats och noggrant avgränsats, är i praktiken Sydriket i dess största omfattning.[11] Här har den kanaaneiska befolkningen nästan fullständigt utrotats. Sydriket kan därför i Josuaboken utgöra det ideologiskt enda rätta basområdet i de fortsatta strävandena att återupprätta Davidsriket. Utan att det finns några bevis för antagandet skulle åtminstone striderna mot de sju städerna i Jos 10 kunna återgå på davidiska stridstraditioner i väst, vilka i övrigt Gamla testamentet ej omnämner. Jfr dock 1 Sam 29–30.

nas, Dom 6,4. Uttrycket *'ad 'azzā*, ''ända till Gasa'' är alltså formelartat och har i flera fall en ideologisk betydelse. Jfr Z. Kallai, The United Monarchy of Israel — A Focal Point in Israelite Historiography, *IEJ* 27 (1977), 107.

[10] Det folk som saknas i jämförelse med Jos 3,10, är girgasiterna. Se T. Ishida, *Bi* 60 (1979), 461-490.

[11] Jfr Z. Kallai, Judah and Israel — A Study in Israelite Historiography, *IEJ* 28 (1978), 251-261.

Benjamin och Juda

Det antas allmänt att erövringsskildringen till största delen vilar på benjaminitiska lokalsägner av etiologisk karaktär.[12] Etiologierna har jag ovan sökt förklara som tillhörande Dtr-skiktet närmast för att bekräfta eller understryka episoder eller företeelser. Den benjaminitiska prägeln på de ursprungliga berättelserna behöver inte ifrågasättas men det bör understrykas, att i kompositionen av erövringen hela tiden det s.k. amfiktyonibegreppet underförstås.[13] De enda stamenheter, som särskilt omnämnes är de s.k. öststammarna, Ruben, Gad och halva Manasse, Jos 1,12 ff.; 4,12, f.; 12,6. Dessutom understrykes i det för-deuteronomistiska kap 7, att Akan tillhörde Juda stam. Så även om de mera detaljerat återgivna episoderna inträffar på Benjamins stamområde, 2,1–10,14, så är det knappast för att speciellt framhålla Benjamin såsom central stamenhet. I kap. 10,16–42 förs striderna på Juda stamområde utan att detta särskilt betonas.[14] Men Benjamin och Juda sammantagna utgör en i sammanhanget intressant konstellation. De kom att efter Salomos död utgöra Sydriket eller Juda rike, 1 Kon 11,31–32,36 och 12,20 (LXX). Det finns sålunda skäl att närmare granska erövringsrouten i geografiskt avseende för att se om den inte helt enkelt är tänkt att avgränsa Sydriket från Nordriket.

Utgångspunkten för krigståget är Gilgal. Dess läge är obekant, men under alla omständigheter låg kultplatsen just på gränsen mellan Nord- och Sydriket, att den utan svårighet kunde besökas från ''båda sidor''.[15] Ur stamhänsyn torde Gilgal närmast ha varit obelastad. Jeriko låg på Benjamins område men spelade såsom stad ingen ''politisk'' roll inte ens under kungatiden. Ai ca 2–3 km sydöst om Betel torde liksom Gilgal haft karaktär av ''gränsort'', ehuru den låg på benjaminitiskt område. På samma sätt låg Betel strax innanför Nordrikets gräns men räknas till Benjamin i Jos 18,22. Den slingrande dalgången strax söder om Betel och Ai var givetvis den enda förbindelsen ned mot Jeriko liksom västsydväst mot den viktiga vägknuten Gibeon[16] även på Benjamins område, Jos

[12] Se A. Alt, *BZAW* 66 (1936), 13 ff. och M. Noth, *comm.*, 11 ff.

[13] Se Jos 3,12; 4,2,4,5,8; 7,14; 12,7.

[14] Ur kompositionssynpunkt har denna enkla schematisering varit betydelsefull. Efter det att erövringen fullbordats på Benjamins område, Jos 10,14, återvände Josua till Gilgal, v. 15. Likaså efter striderna på Juda område återvände Josua till Gilgal, Jos 10,43. Metoden kan utgöra ett medvetetet avståndstagande från Benjamins stam. Detta har Dtr klart uttryckt i samband med fördelningen. Juda får arvedel i Gilgal, Jos 15-16, medan Benjamin tilldelas sitt område i Silo, Jos 18,11. Det kan emellertid föreligga ett historiskt faktum bakom Benjamins relation till Silo, nämligen sträckningen av Sauls rike såsom det tecknas i 2 Sam 2,9. Men topografiskt hör dock Benjamin till Juda och räknas naturligt dit under det delade riket, 1 Kon 12,21,23 (LXX även 1 Kon 12,20). Se Z. Kallai, *IEJ* 28 (1978), 256 f.

[15] Meningarna är delade om vilken stam, som kunde göra anspråk på Gilgal. A. Alt framhöll dess gränskaraktär, *PJB* 27 (1931),49, likaså Y. Kaufmann, *The Biblical Account of the Conquest of Palestina*, 1953, 69 not 59; M. Noth, *PJB* 37 (1941), 82. K.-D. Schunk, *BZAW* 86 (1963), 44, anser, att Gilgal legat mellan Benjamin, Efraim och Manasse. Jfr B.M. Bennet, *PEQ* 104 (1972), 111-122.

[16] Se G. Dalman, *PJB* 21 (1925), 58-89.

18,21,25; 21,17 (Gibeon). I den stora drabbningen vid Gibeon, 10,10 f. figurerar de två stadsnamnen Övre och Nedre Bet Horon, vilka enligt Jos 18,13 f. utgjorde gränsstäder åt Benjamin i norr. Topografiskt var Benjamins nordgräns s.k. naturlig gräns. Strax söder om densamma gick i väst-öst den viktiga vägsträckningen Jeriko-Gibeon, vilken Josua använde, 10,9 f. Under det delade rikets tid torde denna väg strategiskt sett ha varit livsviktig för Sydriket. Benjamins område utgjorde då utan tvekan en buffert mot norr.[17] Sydrikets gräns mot norr kan ha växlat under olika tider. Men de i Jos 2,1–10,14 omnämnda orterna ligger i ett gränsområde, som väl överensstämmer med i synnerhet Jos 16,1–3. Den där uppskisserade gränsen antas tillhöra Rehabeams tid.[18]

Efter slaget vid Gibeon fortsätter erövringen av viktiga städer på Juda område. Denna erövringsroute framställs såsom skild från den benjaminitiska genom att 10,15 låtit Josua återvända till Gilgal. Den sammanpressade och mestadels stereotypa skildringen i 10,28–39 återger striden om sju städer, ett tal, som markerar totalitet. Av dessa är fem belägna i Shepela väst-syd-väst från Gibeon räknat, nämligen Geser, Makkeda (lokalisering okänd), Libna, Lakish och Eglon. Hit kan också räknas Jarmuth, 10,3. Dessa städer låg utan tvekan i ett viktigt buffertområde emot filistéerna i väst.[19] De övriga två låg i Bergsbygden, nämligen Hebron och Debir, Jos 15,49,54, vilka representerade två viktiga replipunkter. Den kortfattade områdesbeskrivningen i 10,40 f., Bergsbygden, Negeb, Shepela och Ashedot, mynnar ut i en sydlig gränsbeskrivning från Kadesh Barnea och ända till Gasa, hela landet Gosen ända till Gibeon. Kadesh Barnea utgjorde enligt Jos 15,3 Judas sydligaste utpost.[20] Efter denna omfattande erövring återvände Josua till Gilgal 10,43. Sydriket var erövrat.

Till skillnad från denna oftast detaljerade skildring tecknas erövringen av Nordriket med endast några penseldrag i stil med krigsrapporterna i kap. 10. Dtr nöjer sig nämligen med att återge striden om Sydrikets absoluta motpol, det Övre Galiléen. I slaget vid Meroms vatten mötte Israel en koalition bland annat av fyra städer. Förutom kung Jabin av Hasor, kungarna av Akshaf på Akko-slätten, Shimron,[21] säkerligen beläget i nordvästra hörnet av Jisreelsslätten och Medon,[22] antagligen identiskt med Merom. Kungarnas flyktväg i 11,8 för dem

[17] M. Noth, *Geschichte Israels*, 1959^4, 214.

[18] Schunk, 1963, 146 ff. Se också relationen till Jos 15,2a-12 som brukar tillskrivas Davids tid, s. 144 f. Jfr Z. Kallai, 1960.

[19] Dessa städer återfinns bland dem, som tillföllo Juda, Jos 15,35 ff. Beträffande Jarmuth, se A. Ben-Tor, *Qedem* 1 (1975), 55-87. Namnet Makkeda, tidigare endast belagt i Josuaboken, återfinnes nu på ett ostrakon från Horvat 'Uza, J. Beit-Arieh, *Tel Aviv* 13-14 (1986-87), 32-37.

[20] De arkeologiska fynden i oasen vid Kadesh Barnea tyder på att här var en vägfästning som kan dateras till tidigast mitten av 800-talet f.Kr. M. Dothan, *IEJ* 15 (1965), 134-151. En kort grävning under ledning av R. Cohen våren 1976, *IEJ* 26 (1976), 201 f., stärker Dothans datering. I det sammanhanget kan tilläggas, att de brittiska utgrävningarna i Buseira, sannolikt Edoms Bosra ej kunnat uppvisa fynd, som är äldre än 800-talet f.Kr. C. M. Bennett, Buseirah (Transjordanien), *RB* 83 (1976), 63-67.

[21] Till Shimron se nu A. F. Rainey, *Tel Aviv* 2 (1976), 57 ff.

[22] Y. Aharoni, 1968^2, 206.

ända upp till Israels ''ideala'' nordvästgräns Sidon.[23] Sammanställningen av erövrat land, 11,16–23 omfattar såväl Nord- som Sydriket samt omnämnande av anakiterna i såväl ''Juda bergsbygd'' som ''Israels bergsbygd'', 11,21. Denna terminologi torde förråda att Dtr tänkt i det delade rikets kategorier.

Soggin skriver ''that the unitary conquest of the country under the sole command of Joshua is a fictional construction, which was perhaps already to be found, even before the Deuteronomic preaching, in the pre-exilic cult.''[24] Erövringsverket under Josuas befäl såsom det föreligger i den deuteronomistiska kompositionen har en klar ideologisk tendens, nämligen att framhäva Sydriket på bekostnad av Nordriket. Det visar inte minst det stora utrymme, som getts erövringen av Benjamin och Juda. Dessa stammars områden har kommit i första hand. Det torde vara ofrånkomligt att anta, att en sådan disposition av erövringsverket måste ha gjorts av en teolog och systematiker, vilken företrätt sydliga intressen. Det viktigaste för Dtr har varit att genom erövringsrouten avgränsa Sydriket från de nordliga stammarna och därigenom markera dess särställning i ideologiskt avseende. En sådan disposition förutsätter enligt min mening riksdelningen efter Salomos död. Ehuru flera av källorna säkerligen utgöres av benjaminitiska lokalsägner bör inte Benjamins roll som självständig stamenhet överbetonas. Benjamin nämnes inte en enda gång vid namn i Jos 1–12. Stammen liksom dess område förutsättes säkerligen helt vara integrerad med Juda, dvs. Sydriket.

Denna ideologiska (?) särställning av Juda synes ha existerat före den deuteronomistiska systematiseringen. Enligt Domarboken gick Juda först och lyckades även i alla sina militära företag, 1,1–20, medan de övriga stammarna, 1,22–26, med undantag av Josefs hus, vv. 22–26 inte alls förmådde driva undan landets befolkning. Dessa stamskildringar kan ju även vara historiskt betingade. Tendensen att prioritera Juda framkommer likaså vid fördelningen av Cisjordanien, Jos 14,6. Det torde således vara möjligt att anta, att denna prioritering utgjort bakgrunden till dispositionen av erövringen i Josuaboken. I jerusalemitisk — deuteronomistisk teologi har denna Judas roll förstärkts och ideologiskt förstorats upp. Det skulle inte förvåna om kap. 1–12 helt enkelt utgör en deuteronomistisk utläggning av stamsägnerna i Dom 1,1–2,5 och kap. 4. Jos 11 har således en del med Dom 4 gemensamt källmaterial. Det förra kapitlets ideologiska funktion är att föra erövringen till Landets, dvs. Davidsrikets ideala gränspunkt i nordväst, nämligen Sidon. Jfr 2 Sam 24,6; Gen 10,19.

Jos 1–12 är således ur historisk aspekt en disparat traditionssamling som fått fiktionens konturer. Den är helt präglad av Dtr:s teologi såsom den utformades i och för Juda. Eftersom Jerusalem inte definitivt erövrades och gjordes till huvudstad, förrän under Davids tid, 2 Sam 5, parerades svårigheten med Dom 1,8, (jfr även Jos 15,63 och Dom 1,21) genom att Adoni-Sedeq,[25] Jerusalems kung

[23] Se M. Ottosson, Elijah's Visit to Zarepath, 1984.
[24] Soggin, 1972, 17.
[25] Noth, *Gesammelte Studien*, 1960[2], 172, betraktar Adoni-Bezeq, Dom 1,5 ff. som det ursprungliga namnet. Jfr Soggin, 127, anser med de flesta *comm.*, att det rör sig om två olika personer.

besegrades vid Gibeon och slutligen dödades vid Makkedas grotta, Jos 10,22 ff.[26] De enda kultplatser, som spelar någon roll är Gilgal och Gibeon. Vid båda dessa platser bryts det sedvanliga krigsmönstret genom edsförbindelser med Rahab och gibeoniterna. Såväl Rahabs familj, 6,25, som gibeoniterna 10,22 bodde i Israels mitt, vilket enligt deuteronomistisk syn torde ha utgjort en början till avfall. Man skulle här kunna tillägga att båda platserna låg på benjaminitiskt område. (Gilgal dock tveksamt. Det Benjamin som införlivas i Juda rike, har förödmjukats, Dom 19–21, och fråntagits sin tidigare ledarställning, Dom 5,14; 1 Sam 9,1ff.) Anledningen till att Dtr inte levererade en erövringsberättelse av den centrala delen av landet måste säkerligen bygga på ideologiska motiv. Fördömandet av den nordisraelitiska kulten var under det delade rikets tid så kompakt, att det varit en ren ''hädelse'' att skildra en detaljerad erövring i Josuabokens kategorier. Nordisraeliternas avfall berodde givetvis på att kanaanéerna ej utrotats ur deras mitt.[27] Området kring Hasor, Jos 11,1–15, var emellertid ur kultisk aspekt traditionellt obelastat. Sydriket framstår såsom bäraren av deuteronomistisk ideologi. Härifrån företogs kultreformationerna under Asa, (Joshafat), Hiskia och slutligen Josia. Under den senares regeringstid hade Nordriket i mer än 100 år utgjort en assyrisk provins. Vid övergången mellan assyrisk och nybabylonisk dominans av Palestina lyckades emellertid Josia i stort återställa det ideala rikets gränser. Hans reformation börjar bl.a. mot höjdkulten i Sydriket, 2 Kon 23,4–14 samt fortsätter i Nordriket, 2 Kon 23,15–20. Det är enligt min uppfattning sannolikt att dispositionen av erövringsskildringen i Josuaboken har en del gemensamt med Josias reformationsresa.[28] Liksom Josua återvände till Gilgal efter varje expedition, återvänder Josia till Jerusalem, 2 Kon 23,20.

[26] M. Weinfeld, *VT* 17 (1967), 94 f. not 1, diskuterar relationen mellan Dom 1,8; 21 och Jos 15,63 och talar om en ''tendentiös revision'' till Judas fördel genom att tradenten överförde skulden, att inte driva ut jebusiterna från Jerusalem, från Juda till Benjamin.

[27] Den enda stad, som ''männen av Josefs hus'' lyckades erövra, var märkligt nog Betel, Dom 1,22-26. Det skedde genom list, jfr Jos 2. Detta avsnitt är klart fördeuteronomistiskt, då platsen efter Jerobeam I:s agerande, 1 Kon 12,27 ff., i deuteronomistisk historieskrivning framstod såsom det definitiva tecknet på avfallet från Jerusalem.

[28] Jfr R. D. Nelson, Josiah in the Book of Joshua, *JBL* 100 (1981), 531-540.

KAPITEL VII

De besegrade kungarna öster och väster om floden Jordan

I kap. 12 följer en koncentrerad sammanfattning av slagna kungar såväl öster om, vv. 1–6 som väster om Jordan, vv. 7 ff., varav vv. 7–8 är en områdesbeskrivning och vv. 9–24 en ortnamnslista, enligt schemat *maelaeḵ* ... *'aeḥāḏ* omfattande 31 städer.

Prosadelen, vv. 1–8, är klart redaktionell. Dtr gör i vv. 1–6 en sammanfattning av erövrat område under Moses ledning öster om Jordan. Såsom huvudmotståndare figurerar naturligt amoriterkungarna Sihon och Og, vilka är ett tematiskt anslag i Josuaboken, 2,10; 9,10 via Dt och Nu.[1] Jos 12,7 f. sammanfattar det västjordanska området genom att först nämna den norra delen och därefter den södra med uppräkning av sex folk. Likheten med Jos 9,1; 11,2f., 16 f., är påfallande. Jfr 13,5.

Sedd från erövringsskildringen erbjuder stadslistan i 12,9 ff. stora problem, då den knappast kan ha legat till grund för kompositionen av Jos 2–11. Noth antar, att listan, av obekant ursprung och betydelse stod till förfogande för "Bearbeiter", som anslöt den till sin skildring[2] och Y. Aharoni talar om "additional descriptions".[3] V. Fritz anser listan vara ett självständigt dokument, som tillfogades för att fastställa hela västjordanlandets erövring genom Josua.[4] Genom arkeologiska bevis antar Fritz, att listan inte kan vara en uppräkning av kanaaneiska stadsstater[5] utan kan tidigast tillskrivas Salomos tid. Angående listans ursprung antar Fritz, att den tecknar det strategiskt uppbyggda samfärdselsystemet under Salomos regering. S. Mowinckel har en originell och i vissa stycken tilltalande uppfattning om stadslistan. Den går tillbaka på en lärd traditionsbildning och skall tillskrivas P. "Die Eroberung des Landes hat P in der Form einer Liste über die 30, das ganze Land vertretenden und von Josua besiegten Könige gegeben."[6] Stadslistan skall enligt Mowinckel tillhöra samma *Gattung* som P:s genealogier och folkräkningar.

[1] Se M. Ottosson, *Gilead*, 91 ff. och senast J. van Seters, *JBL* 91 (1972), 182-197 samt M. Wüst, *Untersuchungen* .. 1975.
[2] Noth, 1953, 72.
[3] Y. Aharoni, *The Land of the Bible*, 1968, 208.
[4] V. Fritz, *ZDPV* 85 (1969), 132-161.
[5] Jfr Noth och Soggin, *comm.* S. Mowinckel, *BZAW* 90, 49, tillstår, att listans författare kan ha känt en säker tradition rörande kanaaneiska kungastäder.
[6] *BZAW* 90, 60. P är enligt Mowinckel ett senare traditionsskikt än Dtr. Mowinckel decimerar antalet kungar från 31 till 30, som uttrycker totalitet.

En viss form av disposition kan skönjas i listan. V. 9 omnämner kungarna från Jeriko och Ai. Jfr Jos 6;8. Sedan följer Jerusalem jämte 12 (15) städer i Juda bergsbygd. 12 städer belägna i Galiléen, västligaste delen av Jisreelsslätten och utefter kusten samt Tirsa i Efraims bergsbygd. Vissa städer går inte att identifiera.[7]

Det är både ur erövrings- och fördelningssynpunkt mycket belysande att jämföra stadslistan med uppgifterna i Jos 15–17 och 19. Här ges en erövringsöversikt, som har knappast något kvar av den benjaminitiskt accentuerade erövringsrouten i Jos 6,1 ff. Juda stams städer utgör praktiskt taget hälften av de uppräknade. Städerna nämns här i den ordning, som de uppträder i Jos 12:

Jeriko	fördelad stad	Benjamin	Jos 18,21
Ai	ej fördelad stad	(Benjamin)	—
Jerusalem	ej fördelad stad	(Benjamin/Juda)	15,63
Hebron	fördelad stad	Juda	15,13,34
Jarmut	fördelad stad	Juda	15,35
Lakis	fördelad stad	Juda	15,39
Eglon	fördelad stad	Juda	15,39
Geser	ej fördelad stad	(Efraim)	16,10
Debir	fördelad stad	Juda	15,15,49
Geder	fördelad stad	Juda	15,36,58,???
Horma	fördelad stad	Juda	15,30
Arad	ej fördelad stad	(Juda)	—
Libna	fördelad stad	Juda	15,42
Adullam	fördelad stad	Juda	15,35
Makkeda	fördelad stad	Juda	15,41
Betel	ej fördelad stad	—	jfr 1 Sam 30,27
Tappua	fördelad stad	Juda	15,34
Hefer	ej fördelad stad	—	jfr 1 Kon 4,10
Afek	fördelad stad	Juda	15,53
Lassaron	ej fördelad stad	—	stad eller slätt?
Madon	ej fördelad stad	—	jfr 11,1
Hasor	fördelad stad	Naftali	19,36; 11,1;jfr 15,23,25, 2 Sam 23,35
Simron-Meron	fördelad stad	Sebulon	19,15, jfr 11,1
Aksaf	fördelad stad	Aser	19,25
Taanak	fördelad stad	Manasse	19,25,17,11
Megiddo	fördelad stad	Manasse	17,11
Kedes	fördelad stad	Naftali	19,37,20,7
Jokneam	fördelad stad	Sebulon	19,11,21,34
Dor i Nafat			
Dor	fördelad stad	Manasse	17,11
Goim vid Gilgal	ej fördelad stad	—	jfr Jes 8,23 ?
Tirsa	ej fördelad stad	Efraim	— jfr 1 Kon 14–17

Summa 31 städer.

[7] Angående de identifierade städernas läge och övriga data hänvisas till V. Fritz, *ZDPV* 85, 144 ff.

Uppgifterna om Jerikos och Ais erövring har varit fast förankrade i israelitisk tradition. De står främst i stadslistan, Jos 12,9, och det erkännes allmänt, att predeuteronomistiskt textmaterial ingår i den deuteronomistiska kompositionen av Jos 2–8. Intressant är dock omnämnandet av Jerusalem före Hebron i 12,10. Jerusalem spelar eljest ingen roll i Josuabokens erövringsskildring. Jfr 15,63. Den var enligt Dtr Davids stad och således erövrad av honom själv, 2 Sam 5. Men det bör finnas ett samband mellan uppgifterna i Dom 1,8 ff. och Jos 12,10. Jerusalem och Hebron uppges i Domarboken vara erövrade av Juda söner just i den ordningen. I Jos 10,3 synes Jerusalem ha ledningen i den sydliga koalitionen av kungar men Hebron nämnes strax efter. Detta kan vara den israelitiska rangordningen av städerna under kungatiden. Annars slog sig såväl Abraham som David först ned i Hebron och därefter i Jerusalem, Gen 13,18; 14,13; 2 Sam 2,1. Jfr Kaleb-traditionerna i Jos 14;15 och Dom 1.

Även städerna Yarmut och Lakis nämnes parvis i Jos 12,10 och dessa följer också direkt på Hebron i Jos 10,3. Ordningen mellan Debir och Eglon synes inte vara fast. Jfr Jos 12,12 f. och Dom 1,11. Ehuru Jos 10 utgör en klar deuteronomistisk komposition baserad på en sydlig erövringsgeografi, går avsnittet om de sju städernas besegrande, Jos 10,28 ff., säkerligen tillbaka på en stadslista liknande den i Jos 12. Därigenom att Dtr av ideologiska orsaker är tvingad att arbeta inom vissa geografiska ramar, väljer han erövringsobjekt. T.ex. upptas Betel i Jos 12,16 såsom erövrad stad efter Makkeda, men det är knappast fråga om Betel i egenskap av nordisraelitisk kultplats. Jfr Jos 12,9. Dtr betraktade den såsom icke kultiskt acceptabel och en eventuell erövring av staden har medvetet utelämnats i Josuaboken, jfr Dom 1,22 ff. och 1 Sam 30,27.

På grund av att Jerusalem har en så framskjuten position i Jos 12 bör stadslistan vara jerusalemitiskt orienterad. Dess form kan karaktäriseras som liturgisk med enkel uppbyggnad och en efter varje halvvers återkommande refräng. Mowinckels antagande, att listan ursprungligen tillhört P ligger nära till hands. Den innehåller också endast städer belägna i Cisjordanien. De prästerliga traditionerna betraktade Transjordanien som ''orent land'', Jos 22,19. Liknande transjordanska stadslistor återfinnes annars i Nu 32,34 ff. Stilistiskt sett ligger också Jos 12 liksom delar av Jos 13 mycket nära Hes 48, etc. Se nedan. I princip är det här fråga om i stort samma typ av geografiska texter. Uppställningarna av de tolv stammarnas områden i Hes 48,1–7, 23–27 följer samma litterära mall som i Jos 12,9 ff. I båda fallen utgör ''ett'' avslutningsordet i varje mening.[8] I jämförelse med andra listor och uppräkningar såsom t.ex. Nu 33 eller 1 Sam 30,27 ff. är Jos 12 och Hes 48 något speciella. Det skulle rimma ganska väl med många traditioner i Josuaboken, om man daterade denna typ av uppräkningar till sen kungatid. Men det är inte alls otroligt, att t.ex. Jos 12,9 ff. ursprungligen är en davidisk eller snarare josiansk erövringskatalog. Kanske Dtr har haft den känslan och låtit dessa 30 ja, 31 kungar bilda persongalleri inom det ''återupp-

[8] Jfr även 1 Sam 6,17.

ståndna" davidiska rikets gränser, Jos 12,1–8.[9] Städerna omnämnda i erövringsskedet, av vilka ett fåtal är hapax-namn,[10] är ytterst få, om man jämför med det stora antalet städer i fördelningsskedet. Förhållandet är detsamma också i den östjordanska erövringen. På båda sidor av Jordan synes man i erövringsskedet nämna ett representativt litet antal städer i söder och norr. I dessa härskar kungar, som dristar sig att gå samman och utmana Israel.

På samma gång som "underverkskaraktären" i städernas erövring avtar — redan från Jeriko till Ai — höjs motståndarsidans potential genom koalitionsbildningar, en sydlig och en nordlig. I den sydliga figurerar först fem städer, Jerusalem, Hebron, Jarmut, Lakis och Eglon, vilkas kungar skulle "straffa" Gibeon för dess undergivenhet gentemot Israel, Jos 9,1 ff. Jarmut[11] och Eglon är endast nämnda i Josuaboken. Alla städer sägs vara amoritiska, jfr LXX, jebusitiska. Lakis, Eglon och Hebron ingår även i kedjan av sju städer tillsammans med Makkeda, Libna, Geser och Debir, som Josua attackerar. I utrotningskriget mot anakiterna återkommer Hebron och Debir nu tillsammans med staden Anab (hapax), 11,21. Tre filistéerstäder, Gasa, Gat och Ashdod nämns såsom icke-stridsobjekt i denna krigföring, 11,22. Jos 12,9 ff. har beträffande de sydliga städerna i stort sett samma erövringsordning, som Jos 2–11, ytterligare stadsnamn har dock tillkommit.

I den nordliga koalitionen, 11,1 f., ingår Hasor, Madon, Shimron och Akshaf, av vilka de tre sistnämnda endast är belagda i Josuaboken. Samma stadsräcka återkommer i Jos 12,19 f., men i ordningen Madon, Hasor,[12] Shimron-Meron,

[9] I de konkreta stridsskildringarna i Josuaboken figurerar alltid kungar, vilka dödas och därefter utsätts för den vanärande behandlingen att hängas upp på trä, Jos 8,29; 10,26 f. Denna markering av kungarnas behandling har sannolikt ideologisk bakgrund. Besegraren, Josua, titel "Moses tjänare", framstår i starkare relief ju mäktigare städernas kungar är, t.ex. Gibeons kung, Jos 9,2 och Hasors kung, 11,10. Uppmaningen till Josua i kap. 1 "var stark etc." återfinns också vid behandlingen av kungarna i Makkedas grotta, Jos 10,25. Samtliga kungar är knutna till städer. Konstellationen kung + stadsnamn är också mycket typiskt för Josuabokens erövringsskildringar med koncentration i Jos 12,9 ff. Endast Gen 14,2 ff. innehåller en liknande kung + stad konstellation. I Domarboken t.ex. strider Israel mot kungar över "länder" inte städer. Endast kungen i Hasor är särskilt nämnd, Dom 4,17. Nu kanske man inte skall överdriva skillnaderna i fraseologien kung + stad contra kung + land, ty "landbegreppet" återfinnes tillsammans med stad t.ex. i Jos 2,1; 7,2. Men det är ofrånkomligt, att i Josuaboken står Israel mot stad med kung men i Domarboken är det alltid Israel mot folk med kung. I utomgammaltestamentliga krigsberättelser är det inte ovanligt, att händelserna koncentreras till erövring och plundring av städer, t.ex. Mesha-inskriften och de assyriska kungarnas krigskataloger, *ANET*, 265 ff. Att som i Jos 12,9 ff. göra en lista på städer är inte heller så ovanligt. Såsom utomgammaltestamentlig parallell kan anföras de babyloniska och assyriska kungalistorna, *ANET*, 271 ff. Josuabokens erövringsdel har således stora likheter i synnerhet med de assyriska krigsskildringarna. Vi har tidigare i fråga om behandling av byte etc. refererat till Sennacheribs praxis. För egyptiska stadslistor, se *ANET*, 242 f. och M. C. Astour, Place-Names from the Kingdom of Alalah in the North Syrian List of Thutmose III: A Study in Historical Topography, *JNES* 22 (1963), 220-241. T. Parpola, *Neo-Assyrian Toponyms*, 1970.

[10] Se Fördelningens geografi, kap. XII.

[11] Jarmut återkommer i 15,35 såsom första namn i "kvartetten" Jarmut, Adullam, Soko och Aseka.

[12] I Jos 19,36 står Hasor tillsammans med Adama och Harama, båda hapax.

Akshaf. I 12,21 ff. tillkommer ytterligare städer, av vilka Joqneam endast är omnämnt i Josuaboken liksom det diffusa namnet Goim vid Gilgal, 12,23. Om med Tirsa, 12,24, menas den under några decennier från Jerobeam till Omri, använda huvudstaden, sannolikt identisk med tell el-Far'ah nära Sikem, faller den i Josuabokens erövringsberättelser helt ur ramen. Det är i så fall den enda mellanpalestinensiska stad, som erövras. Varför just Tirsa? Den behöver naturligtvis inte vara identisk med Simris ödesstad. Det bör ha funnits flera städer med samma namn.

Erövringsskedets övriga stadsnamn tar den israelitiska hären närmast till ideala gränser i syd och nord, se tabeller. Uppgiften ''ända till Gibeon'', 10,41, ger Sydrikets nordgräns.

KAPITEL VIII

Kapitel 13

Detta kapitel anses traditionellt inleda fördelningsavsnittet i Josuaboken. Den egentliga fördelningen av land åt stammarna inträffar dock först i kap. 14. Snarast är kap. 13 att betrakta såsom en avslutning till erövringen, då det närmast har till uppgift att komplettera det josuanska erövringsverket med uppgiften om återstående land vv. 1–5 samt att rekapitulera den mosaiska erövringen och fördelningen av land öster om Jordan, vv. 8–33.[1] Hela det område, som Dtr vill göra anspråk på för Israel återfinnes således i kap. 1–13. I redogörelsen för den mosaiska aktiviteten öster om Jordan återfinnes också Dtr:s program för behandlingen av leviterna vv. 14 och 33.

Kapitel 13 innehåller till största delen geografiska uppgifter i vissa fall återgivna med formeln *min -'aḏ*, vv. 3 ff., 9,26, endast *min* vv. 15,30 och endast *'aḏ* vv. 10,11,25 och 27.[2] I övrigt består de av områdesbestämningar och stadslistor. Därtill kommer även uppgifter om folkslag, som bodde i de uppräknade områdena. Samtliga låg utanför Josuas aktionsområde.

Stilistiskt ger kapitlet ett brokigt intryck. Dtr:s stil och även ideologi är klart skönjbara i v. 6, som skildrar behandlingen av de folk, som bor i den nordvästliga delen av det återstående landet; *raḳ*-satsen i v. 6b är typisk för Dtr:s penna. Kopulan *'aḏ hajjôm hazzāē*, v. 13, i anslutning till den historiskt verifierade uppgiften om araméerstaterna Geshur och Ma'aka är även att betrakta såsom redaktionell (Dtr) liksom v. 14, (*raḳ*-satsen) och sannolikt också v. 33. I övrigt ger den talrika förekomsten av perfektformerna i vv. 8–14; 32–33 ett annalistiskt stilintryck. Det finns ingen terminologi, som är karaktäristisk för Dtr, om man bortser från v. 14 (se ovan). De två amoriterkungarna Og och Sihon är dock skildrade i typiskt deuteronomistiska ordvändningar jfr Jos 12,1–6. Vv. 15–31, som skildrar den mosaiska fördelningen av amoriterkungarnas områden har en helt annan stil, *ipf. kons.*- former och ett ordval, som används i mönstrings- och fördelningstexter i Numeri, dvs. texter av P-karaktär. Men till innehållet är Jos 13 helt deuteronomistiskt.

[1] En anledning till att Dtr placerat *sin* "komposition" om den mosaiska fördelningen strax efter uppgifterna om "återstående land" är säkerligen att skapa en modell för den josuanska fördelningen i Jos 14,1 ff., dvs. Josua skulle göra såsom Mose hade gjort. Samma kompositionsprincip, för att understryka sambandet mellan öst och väst, återfinnes i Jos 1,12 ff., i avsnittets relation till Jos 2,1 ff.; Jos 12,1-6 följs av de besegrade kungarna i Cisjordanien.

[2] Y. Aharoni, *The Land of the Bible*, 251 ff. Vad avser ortnamnen hänvisas läsaren till kap. XII.

13,1–5

Dessa verser innehåller uppgift på det land, som återstår att erövra. Det finns inte något uttryck som direkt anger ursprunget till avsnittet. De formelartade geografiska sammanställningarna ger dock en ledtråd till det sammanhang, i vilket de förekommer i andra texter i GT.

Det återstående landet indelas i en sydlig del, vv. 2–3 och det första ordet i v. 4 och en nordlig del, v. 5.[3] Den sydliga delen omfattar filistéernas områden *gĕlīlōṯ*, Joel 4,4, och Geshur, ''från Sihor, som ligger mitt emot Egypten och ända till Ekrons område i norr''. Sihor betyder egentligen vattensamling eller kanal. Hos Jes 23,3 anses det syfta på Nilen och i Jer 2,18 står det som motpol till Eufrat.[4] I 1 Krön 13,5 utgör Sihor en sydlig gränsangivelse med nordlig motpol i Lebo Hamat, jfr Jos 13,3a–5b. I detta sammanhang bör också 1 Sam 15,7; 27,8 anföras och inte minst 1 Kon 8,65; 2 Krön 7,8, där dock gränsdragningen utgår från Lebo Hamat ända till ''Egyptens bäck''. Intressant är att filistéerstäderna räknas upp tillsammans med *hā'awwīm*, jfr Dt 2,23. Vv. 4–5 omfattar nordligt kanaaneiskt område. Uttrycket *hā 'āraeṣ haggiḇlī*, 13,5, utgör *hap. leg*. Filistéer och Sidonier förekommer endast här i Josuaboken liksom *gĕḇūl hā'aĕmōrī*. Det senare är sparsamt belagt i GT, Nu 21,13,31; Jud 1,36; 11,22. Det kan i denna text uppfattas som en östlig pendang till uttrycket *kål 'aeraeṣ hakkĕna'ănī*, som hittills i Josuaboken spelat en underordnad roll, 5,12, men förekommer i det följande P-inspirerade avsnittet, 14,1, jfr 7,9.[5]

Områdesbenämningarnas originalitet tyder givetvis på att vv. 2–5 är predeuteronomistiskt material. Vanligtvis brukar de hänföras till kategorien gränsformula för Davidsriket och fyller således en viktig ideologisk funktion i detta sammanhang. Men det är inte omöjligt, att de innehåller gräns- och områdesbeskrivningar, som ursprungligen använts om Kanaan. Filistéernas *pentapolis* tillhörde Kanaan, Jos 13,3 och *naḥal miṣrajim* är också dess gränspunkt, Nu 34,5. Uttrycket avser gränsen till Egypten, 1 Kon 5,1 (*gĕḇūl miṣrajim*). Hit gick också Juda område enligt Jos 15,4,47. Gasa är även använd som gränspunkt. Det gäller Kanaans gräns, Gen 10,19 och Salomos gräns, 1 Kon 5,4, jfr Amos 1,6f. samt

[3] Z. Kallai, Tribes, Territories of, *The Dictionary of Interpreter's Bible*, 922.

[4] M. Wüst, *Untersuchungen*, 33 f. konstaterar, att i egyptiska källor *s-ḥr* aldrig användes om Nilen utan snarare om vattendrag i den nordöstligaste delen av Nildeltat. Denna lokalisering är definitivt säkrad i Edfutemplets distriktslistor från tiden före Ptolemaios IV Philopators regering (221-204). Huruvida Dtr var medveten om lokaliseringen är osäkert. Han anslöt sig säkerligen till ett nedärvt formelspråk, i vilket Sihor förekom som en sydvästlig gränspunkt för Davidsriket och blivit identisk med ''Egyptens bäck''. Som vi nämnde i Inledning har LXX i Jer 2,18, i stället för *Sihor* läst *Gihon*, namnet på en av de fyra floderna i Paradiset, Gen 2,14. Det är utan tvekan ett visst stöd för vår uppfattning, att det ideala landets gränsvatten går tillbaka på skildringen av Paradisets fyra (gräns)floder.

[5] Till detaljer i fråga om geografien i Jos 13,1-6, se *comm.* och naturligtvis J. Simons, *The Geographical and Topographical Texts of the Old Testament*, 1959, *ad loc* och senast Z. Kallai, *Historical Geography of the Bible*, 102 ff. och N. Na'aman, *Borders*, 39 ff.

Hiskias erövring, 2 Kon 18,8. Det råder osäkerhet om den israelitiska hegemonien i filistéerområdet men den torde ha stabiliserats under Salomos tid. Några uttömmande segerbulletiner från det egentliga filistéerområdet hör vi inte talas om förrän under Hiskia.[6] Filistéerna torde långt ner i israelitisk kungatid ha utgjort en viktig buffert mot Egypten. De var snarare tributpliktiga än underkuvade av Israel, jfr Jos 15,45 ff. Alla historiska fakta om ''det återstående landet'' tyder på att det var lösligt knutet till Israel men idealiter räknades dit. Termen har närmast präglats av Dtr med avsikt att komplettera alla delar av Cisjordanien, som Israel gjort anspråk på. Jos 13,1–5 följer sålunda upp den områdessammanfattning, som börjar i Jos 11,16.

13,6

Denna vers har vi ovan tillräknat Dtr närmast av stilistiska skäl och vi kan även tillägga ideologiska. Om vv. 2–5 har skildrat det land, som återstår att erövra, återger v. 6 de folk, inneboende inom samma område, vilka Jahve själv skall fördriva. Versen är således analog till Jos 23, 4 f., där termen *haggōjīm hanniš'ārīm* används. Någon närmare definition av dessa ges inte i Jos 23 men enligt v. 4 är det folken i det område, som Josua själv inte lyckades eller rättare sagt hann att erövra. Jahve tar den uppgiften på sig. Jos 13,6 nämner generellt ''bergsbygdens invånare från Libanon ända till Misrefot majim, alla sidonier''.[7] Den uppgiften kan jämföras med den fullständiga uppräkningen i Jud 3,3, som i stort täcker befolkningen i ''det återstående landet'', Jos 13,2–5. Ehuru Jos 13,6 inte vid namn nämner alla folk i det land, som återstår att erövra, kan det utifrån Jos 23,4 f. och Jud 3,3 antagas, att Dtr i uttrycket *'ōrīšēm* dock avsett dessa. Filistéerna är t.ex. redan noterade i v. 2 f. delvis under samma beteckning som i Dom 3,3 (Dtr). Med en sådan tolkning står obj. suff. i formen *happīlāehā* med syftning på ''det återstående landet'' i kongruens med obj. suff. i *'ōrīšēm*, befolkningen i samma område. I Jos 23,4 är det också ''de återstående folken'' som är objekt i lottkastningen. Det hör givetvis ihop med den speciella tendens, som framträder i kap. 23, nämligen Israels förhållande till de kvarvarande folken. Med detta resonemang har vi således kommit till den slutsatsen att Jos 13,1–6 utgör en enhet och avslutas med lottkastningen om det återstående landet samt dess befolkning i analogi med Jos 23,4 och Dom 3,3.[8] Till lottkastningen skall vi återkomma i samband med genomgången av fördelningsterminologien i anslutning till 13,7.

[6] Jfr 2 Sam 21,15 ff.; 1 Krön 20,4 ff. Till utsträckningen av Davidsriket i sydväst, se A. Malamat, Aspects of the Foreign Policies of David and Solomon, *JNES* 22 (1963), 10 ff.; A. Carlson, Profeten Amos och Davidsriket, *RoB* 25 (1966), 62.

[7] Obs! att Josuas nordliga erövring sträckte sig ''ända till Sidon Rabba och ända till Misrefot majim och ända till Mispae-dalen österut.'' Jos 11,8. Det innebär, att Jos 13,6 åsyftar området norr om denna erövringsroute. Även fördelningen av land norrut sträckte sig till Sidon Rabba, Jos 19,28.

[8] Uttrycket *ka'ăšaer ṣiwwītīḵā*, ''såsom jag befallt dig'' måste syfta tillbaka på Jos 1,6, där uppgiften att fördela landet ges åt Josua. R. G. Boling, *Joshua*, 338, anser v. 6a ''reflect a mutilated ending in the old source used by Dtr 2''.

13,7

Medan t.ex. Soggin i sin kommentar låter denna vers höra ihop med 13,1–6,[9] tyder dock terminologien på att den delvis pekar framåt mot den stamfördelning, som tar sin början i kap. 14. Det som talar emot att den hör till 13,1–6 är, att här introduceras ett helt nytt begrepp nämligen de 9 1/2 stammarna. Jfr Nu 34,13. I 13,6 sker lottkastningen av återstående land åt (hela) Israel, en term som är förknippad med det tidigare skildrade erövringsskedet. Tolvstamsförbundets enhet är alltid underförstådd och någon gång klart uttalad t.ex. 3,12; 4,3. Först nu då Dtr skall binda ihop sin *erövrings*berättelse med fördelningstraditionerna i kap. 14–19 vill han understryka uppdelningen i en västlig, 9 1/2 stammar och en östlig grupp, 2 1/2 stammar, jfr Jos 1,12 ff. Det temporala uttrycket *wĕ'attā* följt av en imperativ synes enligt konkordansen alltid inleda ett nytt skeende eller episod, t.ex. Jos 1,2; 2,12; 3,12 etc. och synes inte kunna kombineras med lottkastningen i v. 6. Fördelningsverbet är *pi.* formen av *hālak̲* och objektsuttrycket *'aet̲ hā'āraeṣ hazz'ōt̲*. Det gäller först att definiera omfattningen av "detta land". Med syftning bakåt skulle det kunna inkludera hela Cisjordanien,[10] dvs. såväl det av Israel erövrade som det icke erövrade området. Det är emellertid knappast troligt, då "det återstående landet" inte fördelas av Josua i kap. 14–19 utan endast det som erövrats. På sätt och vis blir Dtr ganska diffus i sin landuppfattning, då den är beroende bl.a. av tre komponenter, dels det land, som lovats till fäderna, Gen 15,18; Jos 1,4 i dess största omfattning, begreppet Kanaan och enligt min mening Davidsriket. Det är endast de två sistnämnda, som får någon "praktisk" betydelse i Josuaboken och det på ett sådant sätt att Kanaan blir en del av Davidsriket. Kanaan nämns endast i förbigående, 5,12, under erövringsskedet men har naturligt större betydelse i det P-betonade fördelningsavsnittet. Rätten till landet legitimeras genom erövring. "Varje plats vilken er fot beträder", Jos 1,3; Dt 11,24; Jos 14,9, skall Jahve ge åt Israel. Hela det område, som Dtr på så sätt vill inkludera i erövringen är, förutom det av Mose erövrade Transjordanien, det av Josua intagna Cisjordanien, sammanfattat i Jos 11,16 ff., samt det återstående landet 13,1–6. Definitionen av uttrycket "detta land" i 13,7 syftar därmed *tillbaka* på områdesbeskrivningen i 11,16 ff., där just *kål hā'āraeṣ hazz'ōt̲* används som en sammanfattande term. En östlig och västlig summering av det mosaiska och josuanska erövringsverket i kap. 12 samt "återstående land", Jos 13,1–6 blir ur dispositionssynpunkt ganska naturligt. Därmed har Dtr nått målet för sina erövringsambitioner. Fördelning av västligt erövrat land kan anbefallas i 13,7. "Det återstående landet" blir föremål för lottkastning, 13,6;

[9] *Op. cit.*, 151 ff. Jfr senast M. Wüst, *Untersuchungen*, 222 f. Wüst betraktar v. 7 "als sekundäre Präzisierung von 6b mit Rücksicht auf 15-32 verstanden werden muss.", s. 226.

[10] Så C. Steuernagel, *Übersetzung und Erklärung der Bücher Deuteronomium und Josua und allgemeine Einleitung in den Hexateuch.* 1923^2, 257, medan H. Holzinger, *Das Buch Josua*, 1901, 49, ansåg att "detta landet" i v. 7 syftade på "det återstående landet".

23,4, dvs. ett renodlat gudomligt beslut, men ej fördelning. Ty det hade ännu inte erövrats, jfr Nu 34,1, och kom ej heller att fördelas, Jos 19,28. En sådan tolkning är baserad på innehållsliga aspekter i fråga om Dtr:s komposition. Men som vi skall se nedan har Dtr därigenom brutit upp det traditionella ordfältet, *hif.* av *nāfal* och *pi.* av *ḥālaḳ*.

Fördelningsterminologi

När Josua får Jahves uppdrag att fördela landet i Jos 1,6 användes *hif. jussiv*-formen av verbet *nāḥal*. *Hif.*-formen av verbet återfinnes endast i deuteronomisk text och med Joshua som subjekt i Dt 1,38; 3,28 och 31,7. Endast en gång, Dt 19,3, är Jahve subjekt till verbet. Objekt är det land, som Jahve lovat fäderna att ge åt deras efterkommande, 1,6. Det kan understrykas, att givandet av landet från Jahves sida alltid är beroende av och oftast identiskt med den snabba och lyckosamma erövringen. Jahve "står i begrepp att ge", *nōṯēn*, Dt 3,20; Jos 1,2,11, eller "har givit", *ḳal.pf.*, *nāṯan*, 1,3; 2,9; 18,3; 23,13,15,16. Och detta sammanfattas i 21,43 "och Jahve gav åt Israel hela landet, som han lovat fäderna att ge", jfr 1,6; 5,6. Men Dtr uttrycker en vidare syn på det land, som Jahve ger åt Israel, än den som t.ex. framträder hos P.[11] Så har Jahve även givit *landet* Transjordanien åt öststammarna, Dt 3,18; Jos 1,13. . . Obs! att Mose gav dem landet, Jos 1,14 f., och städerna, Dt 3,19. Endast hos P återfinnes uppfattningen, att Jahve slog (*hikkā*) de två amoritiska kungarna, Nu 32,4, jfr Jos 13,21 (Mose slog) men sedan gav *Mose* dem Sihons och Ogs riken, Nu 32,33.[12] I deuteronomiumprologen Dt 3,18 ff. finns inte någon antydan om den palaver som i Nu 32 leder fram till att Sihons och Ogs riken införlivas i den israelitiska bosättningen.[13] Detsamma gäller också Jos 1,12 ff., men där uttryckes klart, att först när Cisjordanien erövrats, dvs. när väststammarna fått *mĕnūḥā*, skall Jahve ge Transjordanien åt öststammarna. Men då Dtr framhäver Mose som den östliga erövringens dirigent, är det naturligt, att han samtidigt gav landet, Dt 3,20; Jos 1,14 f.; 12,6; 13,8,15,24,29; 14,3; 17,4; 18,7; 22,4,7 åt bestämda stammar. Endast verbet *nāṯan* användes i dessa sammanhang. Öststammarna säges ha tagit sin *naḥălā* 13,8 och Mose gav dem (*nāṯan*) deras *naḥălā*, 14,3. En slutsummering av den mosaiska delningen finns i Jos 13,32. Formen *niḥal* användes och platsen är Moabs hedar. Det är enda gången Mose är subjekt till verbet, och

[11] P ses här i en mycket vid aspekt, dvs. prästerliga traditioner, i vilka landet Kanaan dominerar. Denna prästerliga uppfattning framträder speciellt i Jos 22,19, där Transjordanien betraktas såsom "orent land". Jfr Hes 39,12 ff.; Amos 7,17. Hesekiels fördelningsprincip i fråga om stammarnas områden följer helt den, som finns i P avsnittet av Jos 22, dvs. han förlägger alla stammar till Cisjordanien, Hes 47,18 ff. Såsom vi sökt betona, gör Dtr i sin komposition av Josuaboken allt för att överbrygga motsättningarna mellan öst och väst.

[12] Obs! även den vaga termen *juttán*, Nu 32,5. Jfr Nu 21,54.

[13] Se den litterära analysen hos M. Ottosson, *Gilead*, 76 f.

en östlig fördelningsplats omnämnes. "Moabs hedar" blir den mosaiska motpolen till "landet Kanaan", 14,1. Språkligt sett är Dtr, såväl 13,32 som 14,1, beroende av Nu 34,29.[14] I Nu 32,39 ger emellertid Mose direktiv till Josua och Eleasar samt stamhövdingarna att ge Gilead *lĕ'ăḥuzzā* åt öststammarna. Här uppträder med andra ord samma gestalter, som blir ansvariga för fördelningen av Cisjordanien. I Josuaboken finns ingenting, som antyder, att Josua[15] och Eleasar haft någonting med öststammarnas fördelning att göra. Det är således Dtr, som låtit floden Jordan bli den strikt markerade gränsen mellan mosaisk och josuansk aktivitet. Jfr Jos 22,6. Kap. 12 är ju exakt disponerat enligt en östlig, mosaisk och västlig, josuansk erövring samt överlämnande av land till resp. stamgrupper. Såväl Mose som Josua företog även separata fördelningar till smärre grupper. Liksom Mose t.ex. gav Gilead åt Makir, Nu 32,40; Dt 3,15 först sedan området tagits, ger Josua arvedel åt Kaleb 14,13; 15,13 och en extra del åt Josefssönerna 17,14, men han ger även i Dtr:s sammanfattningar Cisjordanien åt Israels stammar, 11,23; 12,7.

De områden som Mose gav, kan benämnas *naḥălā*, 13,8; 17,4 (om leviterna *lo' nāṯan naḥălā*, 13,14;33;14,3) och *jĕruššā*, 12,6. Förekomsten av begreppet *naḥălā* antyder ett generellt fördelningsförfarande. Det visar inte minst sammanfattningen i 13,32. Termen saknas i den föregående mosaiska fördelningen, 13,15 ff., jfr Dt 3,12 ff. men är säkerligen underförstådd, se 13,33.

Josua gav *naḥălā*, 17,14, jfr 22,25 och *ḥelaeḳ*, 15,13 samt *jĕruššā kĕmaḥḇ lĕḳōṯām*, 12,7 "men i övrigt *lĕnaḥălā*, 11,23; 14,13; jfr Nu 32,29 *la'ăḥuzzā*. Språkbruket i såväl mosaisk som josuansk erövring överensstämmer. Det ger en antydan om, att en generell idé om fördelningsområden oftast är latent vid det givande eller överlämnande av land som direkt följer på erövringen. Man har en känsla av att denna form av givande är identisk med själva erövringen. Så är fallet när Jahve är subjekt till *nāṯan*, 1,2 etc. ofta följt av en *inf. c.* av *jāraš*, t.ex. 3,18.

Denna mångfald av exempel på givande av land(et) i direkt samband med erövringen återfinnes närmast i deuteronomistisk kontext och kan ge en antydan om att den senare vidtagna fördelningen såsom en från erövringsmomentet avskild företeelse, tillhör en Dtr egentligen främmande föreställning. Det kan ytterst bero på Dtr:s landkonception. Davidsriket i dess största utsträckning var knappast stamdirigerat. Det var en union av Israel och Juda, styrd från Jerusalem (se nedan till kap. 14).

Den följande fördelningsterminologin står P-språket nära men då Dtr använder den kan i något fall en nyansskillnad i uppfattningen noteras. Det sistnämnda visar sig inte minst vid lottkastningen i 13,6 och 23,4. I båda fallen används *hif.* av *nāfal* åtföljt av *bĕnaḥălā* jfr Nu 34, men utan annat fördelningsverb t.ex.

[14] Så även M. Wüst, *op. cit.*, 195, 211.

[15] Möjligen kan så vara fallet i Jos 17,14. Det är mycket troligt, att "skogsbygden", Jos 17,15 låg i Transjordanien. Så M. Noth, *comm. ad loc.*, se nedan.

ḥālaḳ, Jos 18,10, jfr dock 18,6,8 *jārā* resp. *šālaḵ gōrāl*. Lottkastningen innebär det gudomliga utslaget, att återstående land, 13,6, och återstående folk, 24,3 är Israels egendom, men kan inte fördelas, eftersom erövringen är lagd på framtiden. 13,7 med verbet *ḥālaḳ* (*pi. imp.*) har enligt vår uppfattning inget med 13,6 gemensamt objekt.

Hur i fördelningssammanhang *hif.*-formen av *nāfal* och *pi.*-former av *ḥālaḳ* förekommer utanför Josuaboken framgår av denna uppställning:

Hes 47,21	*wĕḥillaḳtaém 'aeṯ hā'āraeṣ hazz'ōṯ lāḵaém*
v. 22	*wĕhājā tappīlū 'ōṯāh bĕnaḥălā lāḵaém*
Hes 48,29	*z'ōṯ hā'āraeṣ 'ăšaer tappīlū minnaḥălā*
	lĕšiḇṭê Jiśrā'ēl wĕ'ellae maḥlĕḳōṯām
Hes 45,1	*ūḇĕhappīlĕḵáem 'aeṯ hā'āraeṣ bĕnaḥălā*
Ps 78,55	*wajgāraeš mippĕnêháem gōjīm*
	wajjappīlēm bĕḥaeḇael naḥălā
jfr Jos 13,6	*'ōrīšēm - - - - - happīlāēhā*
Jes 34,17	*wĕhū' hippīl lāháen gōrāl*
	wĕjāḏō ḥillĕḳattā lāháen baḳḳāw

Citaten från Hesekiels bok syftar på fördelningen av "landet", dvs. Kanaan. Terminologien är som synes identisk med den som Dtr använder i Jos 13,6 och 13,7. Hesekiel kan kombinera de två termerna *hippīl* och *ḥilleḳ* såsom i Hes 47,21 f. men synes ej vara bunden därav. Lottkastningen kan nämligen förekomma som enda fördelningsprincip, Hes 45,1; 48,29. Ps 78,55 är i linje med Jos 13,6 och 23,4 men har ett generellt objekt syftande på Kanaans befolkning. Lottkastningen i Jos 18,6,8,10 återges med en annan terminologi, men dess kontext visar klart, att den är den gudomliga bekräftelsen på företagen delning.[16] Samma tolkning föreligger säkerligen i Hes 47,21 f. Det visar ordningsföljden av verben. Jfr Jes 34,17 där förhållandet är omvänt, men Jahve är subjekt till båda verben.

Jos 13,7 med uppmaningen till Josua, att nu fördela detta land (*pi. ḥalleḳ*) med syftning på 11,16 ff. står helt isolerat mellan avsnittet om "det återstående landet", 13,1–6 och avsnittet om det östjordanska territoriet, 13,8 ff. Men inte desto mindre är detta en logisk konception utifrån Dtr:s landuppfattning. Genom denna disposition täcker kap. 13 hela det område, som är identiskt med Davidsriket. 13,7 bryts ganska hårdhänt genom att Dtr via "halva Manasse stam" i analogi med den västliga fördelningen även låtit Mose företa en fördelning av Transjordanien, vilken ägde rum på Moabs hedar, 13,32. Men intressant är att Dtr först, 13,8–14, känner sig tvingad att rekapitulera erövringen genom terminologien "de hade tagit" – "Mose hade givit" med undantag för Geshur och Ma'aka, 13,13. Det är endast erövrat land, som kan bli föremål för fördelning.

[16] Det kan knappast vara fråga om två med varandra konkurrerande lottningsprinciper, vilket M. Wüst, *op. cit.*, 191 ff.; 197, 199, vill göra gällande i sin litterärkritiska analys av Nu 26,52-56 och Nu 33,54. Jfr A. G. Auld, *ZAW* 90 (1978), 412-417, spec. 416 för texthistorisk analys och naturligtvis *Idem, Joshua, Moses and the Land*, 1980, 52 ff.

13,15–33

Som ovan nämnts knyter avsnittet an till det föregående. Perfektformerna av verbet *nāṯan* övergår med v. 15 i impf. konsekutivformer av samma verb. Enda undantaget utgör vv. 32 och 33, som har perfektformen av *nāḥal* (*pi.*), vilka antyder ett formelartat språk använt vid fördelning av väststammarnas områden, Jos 14,1; 19,51; Nu 34,29 (vv. 18 ff.). Detta språkbruk är av P-karaktär och liksom i 13,7, (*ḥālaḳ*, *pi. imp.*) tyder terminologien på att Dtr i kap. 13 söker anpassa sin komposition av erövringen till ett honom föreliggande textmaterial innehållande fördelningsuppgifter. En jämförelse mellan kap. 13 och Numeriavsnitt, som innehåller mönstring och fördelning av stammarna visar att ordvalet är i stort sett detsamma. Termen *lĕmišpĕḥōṯām*, vv. 15,23,24,28,29 och 31 återfinnes i övrigt endast i ''P-stil'' (I Nu 1: 13 ggr; Nu 3: 5 ggr; Nu 4: 10 ggr; Nu 26: 15 ggr och i Jos 13–21: 29 ggr; *wĕḥaṣrêhaén* förekommer endast i Jos 13,23 – 19,48). Slående är också hur ordet *maṭṭāe*, ''stam'', klart överväger i Josuabokens fördelningstexter. (Tidigare finnes det endast i 7,1,18, verser ingående i ett P-besläktat avsnitt.) Vv. 15,24,29 inleds på samma sätt *wajjítten mōšaē lĕ*. Enda motsvarigheten återfinnes i Nu 32,33,(40). Jfr Jos 11,23; 12,6,7. Frasen *wajhī lāháem gĕḇūl*, Jos 13,16,25 förekommer i övrigt endast i josuanskt fördelningsspråk, 15,2; 18,12; (19,2), jfr 13,30. Det bör vara en naturlig fras att använda vid områdesavgränsning, t.ex. Gen 10,19 och frasen *zāe jihjāe laḳáem gĕḇūl*, Nu 34,6 ff.; Jos 15,4,12.

Avsnittet är ''formelhaft'' och ansluter till den följande fördelningsterminologien. Men samtidigt är det synnerligen heterogent, då till områdes-, gränsbeskrivning och stadslistor även knyts uppgifter av historisk karaktär. Det gäller i synnerhet, 13,21 f. Till Rubens stadslista, som börjar med huvudorten Hesbon, v. 17 och fortsätter till och med v. 20, knyts en förklarande sats i v. 21 f. Den accentuerar Moses seger över Sihon och till denna knyts även de fem midjaniterhövdingarna samt Bileam. Innehållsligt är 13,21 f. ett sammandrag av Moses krigsaktivitet i det södra transjordanska området, besegrandet av Sihon, jfr Nu 21,21–31; Dt 2,26–36 och midjaniterna, jfr Nu 31. Till detta fogas även uppgiften, att israeliterna dräpte spåmannen Bileam med svärd, v. 22. Jfr Nu 24,25 och 31,8. Vv. 21 f. har tydliga drag av Dtr:s komprimerade stil med kungars nederlag som en ideologisk accent. Denna förstärks också genom omnämnandet av Bileams halshuggning. Primäruppgifterna om Sihon kan vara hämtade i Nu 21,21 ff. eller i Dt 2,26 ff. Midjaniterkungarna finns uppräknade i samma ordning i Nu 31,8.[17] I Jos 13,21 kallas de både *nĕsīḵê sīḥōn* och *nĕśī'ē miḏjān*, i Nu 31,8 *malḵê miḏjān*. Bileam kallas *haḳḳōsēm*, en titel som han inte har annorstädes.

[17] Relationen till Numeri är självklar, men frågan är, om Dtr hämtat uppgifterna från Nu 31 eller tvärtom. Litterärkritiken betraktade mestadels Nu 31 såsom mycket sent, t.ex. G. B. Gray, *Numbers*, 1903, 419; M. Noth, *Das Vierte Buch Mose*, 1966, 198. För mig framstår det som självklart, att Dtr är beroende av Numeri-materialet. Se Inledning. I detta fall se M. Ottosson, *Gilead*, 126.

Den kan vara en länkning till Nu 22,7 och uttrycket *ḳĕsāmīm*. Men utrotandet av spåmän var också viktigt inom deuteronomistisk ideologi, Dt 18,10,14. Jfr Nu 23,23. Frapperande är att Mose ensam är subjekt till *hikkā*. I Nu 21,24 är Israel subjekt, i övrigt Mose och Israel, Dt 2,32; 4,46; Jos 12,6. Jfr Jos 12,1,7.

Såväl språkligt som innehållsligt finns i Jos 13,15,33 klara associationer till Numeri. Men avsnittet är utan tvekan en deuteronomistisk komposition, som är helt fristående i förhållande till Nu 32. Där är områdesfördelnigen till de transjordanska stammarna helt annorlunda disponerad. I Jos 13 får Ruben den sydligaste delen av Transjordanien, medan Gad placeras norrut längs floden Jordan. I Nu 32 intar Gad den sydligaste platsen. De litterärkritiska analyserna av Nu 32 har alltid kommit till det resultatet, att kapitlet är sent,[18] ja, till och med mycket sent.[19] Eventuell relation mellan Jos 13 och Nu 32 måste naturligtvis påverkas av denna uppfattning. I Numeri är det mycket svårt att ange en princip för bokens komposition. Den är inte genomsyrad av samma ideologi som t.ex. Josuaboken. Men den senare är klart beroende av Numeri. I det föregående har vi kunnat notera hur många gånger viss fraseologi, i övrigt endast påträffad i Nu 32, förekommer i Josuaboken såsom Jos 1(Dtr), 2 och 7. Numeris placering av Gad söder om Ruben stöds av Meshainskriften, som omnämner ''Gads män'' i ''landet 'Atarot'' (line 9). Därmed ges ett kronologiskt *ad quem*! (ca 800 f.Kr.) för uppgiften i Nu 32. Klart är att Jos 13 har en helt annan indelningsprincip än Nu 32.[20] För Dtr måste Ruben såsom den äldste få område först och eftersom erövringen skedde från söder, tilldelas han den sydligaste och först erövrade arvedelen.[21] Gaditernas närvaro i Dibon-området är förknippad med Nordrikets hegemoni över Transjordanien. Jos 13 måste ses ur jerusalemitisk horisont. Kapitlets rollfördelning av stammarna öster om Jordan kan helt enkelt vara betingad därav. Åt Gad gavs arvedel i anslutning till Nordriket öster om Jordan.

Stadslistan i Nu 32,34–38 betraktas allmänt som gammal och dateras till slutet av Salomos tid.[22] Intressant är, att den står i ett kapitel av P-karaktär. I det föregående har vi flera gånger fått demonstrerat hur, i Josuaboken, gamla traditionsenheter alltid står i anslutning till P-influerat språk. Den företeelsen har lett till antagandet, att om det existerat någon ''Sammler'' (Noth's benämning) är denne/dessa att identifiera med P. Det är denne ''Sammler's'' material som Dtr synbarligen har använt. Anledningen till att Dtr i kap. 13 självsvåldigt har kastat om Rubens och Gads bosättningsområden torde antingen bero på att han inte kände till de historiska förhållandena eller också passade inte dessa hans ideologiska intentioner. Det kan bero på en diffus historisk uppfattning, ty Gads syd-

[18] Se en sammanställning i M. Ottosson, *Gilead*, 74 ff.

[19] Jfr M. Wüst, *op. cit.*, 213 ff., spec. 219, där Nu 32 redaktionshistoriskt anses vara ett av Numeris senaste stycken.

[20] Denna motsägelse kan bero på en mycket komplicerad traditionshistorisk process. Se M. Wüst, *Untersuchungen*.

[21] Jfr M. Wüst, *op. cit.*, 185.

[22] M. Wüst, *op. cit.*, 182. Städerna i Jos 13 kan ha utgjort vägstationer. M. Wüst, *op. cit.*, 180.

liga bosättning är förutom i Nu 32 också känd av Dt 33,21. Se även Dt 3,16. Sannolikt är att Dtr helt enkelt slår vakt om Rubens "förstfödslorätt"[23] gentemot Gad, som närmast var knuten till Nordriket. (Man kan även notera just Judas och Rubens gemensamma och närmast välvilliga inställning till Josef, Gen 37,12 ff.) Jfr Hes 48,7. Den östra halvstammen Manasses område fyller i 13,30 ut den nordliga och nordöstligaste delen av Davidsriket. Den sydliga utgångspunkten är Mahanajim, 13,30. Jfr 13,27. Inga städer nämns i övrigt vid namn utan endast omtalas Hawwot Jair i Bashan, sextio städer, det sistnämnda ett uttryck, som i övrigt endast återfinnes i Dt 3,4; 1 Kon 4,13; 1 Krön 2,23. Se vidare Jos 17.

I 11,16–13,31 har således Dtr rekapitulerat hela det land, som Israel behärskade under Davids och Salomos tid. Men i kompositionen betonas förekomsten av ett nordligt och sydligt "rike" genom begreppen *har Jiśrā'ēl* och *har Jĕhūḏā*, 11,21. Cisjordanien sammanföll i stort med begreppet Kanaan, Löftets land, men genom att — så starkt accentuera den mosaiska erövringen och fördelningen av Transjordanien, 12,1–6; 13,8–31, underordnas det förra begreppet den stora landkonceptionen, det s.k. Davidsriket. Med 13,32 f. avslutas sålunda den förra delen av Josuaboken med påståendet, att "dessa (var de områden) som Mose fördelade *niḥal* på Moabs hedar". Man kan göra en association till Nu 26,63, enligt vilken Mose och Eleasar mönstrade (*pāḵaḏ*) israeliterna på samma plats. 13,32 har samma fördelningsverb, som återkommer i Jos 14,1 och som i sin tur baseras på Nu 34,17,29, Dtr har sålunda rekonstruerat en mosaisk fördelning på Moabs hedar med begagnande av samma terminologi, som i ingressen till den josuanska fördelningen av Kanaan. Men formelspråket använt i samband med fördelningen har den gemensamma nämnaren i Numeris P-språk. Det kommer i det följande att visa sig att Dtr, trots det starka beroendet av P-material, ändock tvingar in detta i sin landkonception, ja, i Josuabokens slutkapitel markeras stammarnas sammanhållning vid förbundsdagen i Sikem såsom en garant för detta rikes enhet. Kap. 24 är helt enkelt programmet för de två rikshalvornas återförenande, i vilket Josua personifierar den ideale ledaren i klar kontrast till Rehabeams misslyckande, 1 Kon 12. Således börjar kap. 14 med ett omnämnande av Nordisraels område inkluderande Transjordanien, 14,1–5 och därefter Juda 14,6 ff.–15 samt åter Nordisrael inkluderande Transjordanien i kap. 16 och 17. Därefter vidtar fördelningen i Silo av de sju stammarna, kap. 18–21, och hemsändandet av öststammarna i kap. 22. Hela detta avsnitt består av P-material, sammanfogat med Dtr:s inskott och ramberättelser.

[23] Ruben nämnes konsekvent först i Dtr:s texter och därför torde den genealogiska principen ligga närmast till hands för att förklara skillnaden mellan Nu 32 och Jos 13,15 ff. Omdispositionen kan också ha sin grund däri att Dtr vill maskera förekomsten av Jahvekulten i staden Nebo enligt Mesha-inskriften. *Nebo* omtalas som en rubenitisk stad i Nu 32,38 men *är ej nämnd i Jos 13*. Jag förknippar nämligen traditionen om det östjordanska altaret i Jos 22 med den moabitiska traditionen. Angående relationen Ruben-Gad i Dt 33, se C. J. Labuschagne, The Tribes in the Blessing of Moses, *OTS* XIX (1974), 106 ff.

KAPITEL IX

Fördelningen av Kanaan

14,1–19,51

Detta textavsnitt utgör ur kompositionssynpunkt en klart avgränsad enhet. De båda ramverserna 14,1 respektive 19,51 anger med i stort sett samma terminologi fördelningens början och avslutning.[1]

Det torde inte råda några som helst tvivel om att avsnittet utgör en Dtr-komposition, i vilken hans landuppfattning såsom den framgått av kap. 1–13 är klart framträdande. Men största delen av textmassan är övertagen.[2] Fördelningen av landet var en institutionell företeelse av stor vikt. Såväl avgränsning av stamlotter som fördelning återges med ett ganska stereotypt formelspråk, som knappast är Dtr:s eget. Det är (allmänt) accepterat att P-influensen är stark i Josuabokens andra del och vi kan enkelt konstatera att såväl språkligt som innehållsligt föreligger här korrelation mellan Numeri och Josuaboken.[3]

I kap. 14–17 är den deuteronomistiska stilen dock markant och detta avsnitt framstår nästan som en separat del av fördelningen. I denna figurerar nordstammarna, Manasse och Efraim, Josefs söner, 14,1–5; 16,1–17,18 samt Juda 14,6–15 (Kaleb); 15. Det är således 21/2 stammar i väst och lika många i öst 13,14–33. Fördelningen i Silo 18,1 ff. berör 7 stammar. Denna gruppering av fördelningsproceduren följer fullständigt sammanfattningen av erövringen i 11,16–23, där landet delas i ett nordligt och ett sydligt block, Israels och Juda bergsbygd, 11,21. I princip avser fördelningen i kap. 14–17 Efraim och Juda.[4] Manasses arvedel i väst är helt inflätad i Efraims, kap. 17,7–13 men 17,14–18 torde knappast syfta på Adschlundområdet, dvs. Gileads bergsbygd. Kap. 14–17 avgränsar således i stort de två rikshalvorna under det delade rikets tid. "Josefs söner" 14,4; 16,1,14 står som nordlig representant gentemot "Juda söner", 14,6; 15,63. Gränsen till "Josefs söner" tecknas i 16,1. Jfr 18,5.

[1] Detta har starkt poängterats av M. Wüst, *op. cit.*, 187 ff. Jos 13 blir för Wüst sekundärt i förhållande till kap 14, *op. cit.*, 207. Vi ger honom helt rätt, om han med "sekundärt" avser redaktionsskiktet, dvs. Dtr.

[2] M. Wüst, 207 f. sammanfattar helt riktigt, att Jos 14-19 är beroende av Numeri, och i synnerhet, Nu 34,1-13. Detsamma gäller i viss mån Jos 13.

[3] Se diskussionen hos M. Wüst, 189 ff. M. Noth hamnade i svårigheter, då P för honom måste vara sent. Jos 13-19 var enligt honom av hög ålder, *Josua*[2], 73.

[4] C. H. J. de Geus, *The Tribes of Israel*, 1976, 81, har uppfattat denna delning helt riktigt. Se i övrigt hans rikhaltiga litteraturhänvisning sid 73, not 15 och slutsummering av hans genomgång av uttrycket "Josefs hus", sid 95 f. Den har lett till uppfattningen att de tidigaste traditionerna har "Efraim och Manasse".

Kap. 14

Vv. 1–2 utgör en ingress till fördelningen "i landet Kanaan", ett uttryck, som här uppträder för första gången i Josuaboken, jfr dock 5,12. Med termen Kanaan görs den klara avgränsningen mot öst. Det är nu fråga om 9 1/2 stammar. Leviterna står utanför 12-talet. Det markeras därigenom att de inte får något land, 13,14,33; 14,3. I vv. 3–4 omnämnes öststammarna och Josefs söner, Manasse och Efraim tilsammans. Enligt Dtr:s landuppfattning representerar dessa helt enkelt Nordriket contra Juda, 14,6 ff. Landfördelningen görs till "lag" genom det två gånger upprepade såsom Jahve hade befallt Mose, vv. 2,5.[5] Det är med smärre variationer ett återkommande uttryck i Josuaboken, då Dtr vill understryka den mosaiska auktoriteten bakom varje väsentlig handling.

Kommissionen

Vid skildringen av fördelningsförfarandet används i Josuaboken olika subjekt och verb i flera stamformer. I föregående kapitel berördes den mera generella terminologien, verbet *nāṯan lĕnaḥălā* samt den till synes deuteronomistiska termen, *hif.*-formen av *nāḥal.* Då fördelningen blir institutionell, dvs. sätts i samband med Jahves eller Moses befallning *ṣiwwā*, används andra former av *nāḥal* såväl *ḳal* som *pi.* samt *ḳal* av verbet *ḥālaḳ*. Jfr Jos 13,7. Samtliga dessa verb förekommer i Numeri just i samband med fördelning och det råder ingen tvekan om att Dtr är beroende av i synnerhet mönstrings- och fördelningsavsnitten i Nu 1;26;33 och 34;[6] de förstnämnda syntaktiskt och de övriga terminologiskt. Dessutom tillkommer lottkastningen såsom bekräftande princip — ej konkurrerande. Uttrycket i 14,2a *bĕgōrāl naḥălātām* antyder förekomsten av lottkastningen, se även 15,1;16,1;17,1;18,10;19,1 ff. i synnerhet 19,51. Denna princip går tillbaka på Nu 26,52–56.

I ännu ett avseende framträder Dtr:s terminologiska beroende av Numeri. Det gäller sammansättningen av en kommission, som har uppdraget att fördela landet.[7] Denna kommission består av Eleasar, prästen, Josua och stamhövdingarna *rāʼšê ʼăḇōṯ hammaṭṭōṯ*. Vid erövringen har Josua ensam varit den ledande och endast vid enstaka tillfällen har stamledare eller representanter för folket skymtat vid hans sida såsom *šōṭĕrê hāʻām*, 1,10;3,2;8,33, *ziḳnê Jiśrāʼēl*, 7,6;8,10;23,2;24,1 samt *nĕśīʼê hāʻēḏā*, 9,18 f. Prästerna (levitiska) har figurerat

[5] Men däremot får man inte uppfatta delningen av landet i ett sydligt och ett nordligt rike såsom lagstadgad. Liksom i erövringsskedet tar Dtr sin utgångspunkt i det Delade rikets situation. Enheten byggs upp successivt i det följande.

[6] Som vi ovan nämnt, anser M. Wüst, *Untersuchungen*, 210, att Nu 34,1-13 utgör den tidigaste landfördelningstraditionen och vidare Nu 26,52-56; 33,54; 34,16-29; men obs! att M. Wüst drar slutsatsen, att Nu 26,52-54 i sin tur kan härledas från Jos 18,1-10, s. 201.

[7] Se M. Wüst, 194 ff.

i samband med frambärandet av arken, kap. 3–6;8,33, jfr kap. 21 och 22 (aronitiska präster). En kommission bestående av folkledare, präst samt stamhövdingar förekommer i övrigt endast i Numeri och där alltid i samband med mönstring av folket Nu 1,3 f.;1,44; 4,34;7,2 (Mose, Aron och ett överhuvud för varje stam), vid strid Nu 7;31,13,26 samt vid fördelning av arvedel Nu 27;2;32,2,28;34,17. I samtliga Numeriställen utom 34,17 nämndes Mose eller Josua först. Där liksom i Josuaboken 14,1;19,51;17,4;21,1 står alltid Eleasar, prästen, först, jfr Jos 22,13,30,32. Benämningen på ''stamhövdingarna'' är inte enhetlig. I Jos 14,1;19,51;21,1 kallas de *rā'šê 'ăḇōṯ hammaṭṭōṯ* i Nu 31,26 *rā'šê 'ăḇōṯ hā'ēḏā* men i övriga texter, såväl Numeri som Josuaboken, kallas de *nĕśi'ê hā'ēḏā* förutom i Nu 1,44, *nĕśi'ê Jiśrā'ēl* jfr Jos 22,30 och 9,18 f. I Nu 7,2 görs de båda beteckningarna till synonymer, och de förekommer på liknande sätt i 1 Kon 8,1. Dessa stamhövdingars uppgift är svår att analysera. De snarare representerar (sin stam) än de agerar på egen hand. Närmast är det fråga om en sakral representation, vilket framgår av sammanställningen med *hā'ēḏā*. Termen bör också höra till P-språket. Fördelningen av land är en oerhört viktig handling. Därtill krävs den gudomliga sanktionen genom lottens hjälp. Fördelningen har karaktär av lagstadga, som direkt knyts till landet. I en sådan situation krävs närvaro av såväl ledare, präst som folkets representanter. Kommissionens sammansättning är naturligt övertagen av Dtr (från Numeri). Vilken text i Numeri det då rör sig om är omöjligt att avgöra. Nu 34,17 ligger närmast till hands, då liksom i Josuaboken Eleasar står först; (stamhövdingarna kallas *nāśī'*) men kommissionen har ett fördelningsuppdrag. I Nu 32,28 får kommissionen (under samma beteckning som i Jos 14,1; men Josua står först)[8] uppdraget av Mose att fördela Transjordanien. Den uppgiften har Dtr tillskrivit Mose ensam Jos 13,32. Klart är att kommissionen hör till den prästerliga tradition, som föreligger i Numeri och ur vilken Dtr hämtat sitt material till fördelningstexterna. Kommissionen står för hela Israel och den representerar således enligt Dtr den helhet, som *bĕnê Jiśrā'ēl*, 14,1,5, gett uttryck för även under erövringsskedet. Fördelningsverben *nāḥal* (*ḳal* och *pi*), 14,1 och *ḥālaḳ*, (*ḳal*), 14,5 hör likaså till P-vokabulären. De är synonyma verb och båda figurerar i samband med lottkastning, Nu 26,55. Jfr Jos 18,10. Tänkbart är att kommissionen med den i Josuaboken förekommande sammansättningen ursprungligen hört hemma i Silo.

14,6–15 Kalebs arvedel

Detta avsnitt av kapitlet behandlar ett arvedelsproblem inom Juda stams område. Uttrycket *bĕnê Jĕhūḏā* står här som den sydliga motsvarigheten till *bĕnê Jōsēf*, 14,4. De förra träder fram inför Josua i Gilgal. Det är sista gången denna

[8] Trots att Dtr gjort Josua till Moses jämlike i de typiskt deuteronomistiska avsnitten i Josuaboken ändras inte rangordningen i kommissionen på Eleasars bekostnad.

plats omnämnes i Josuaboken och enda gången den spelar någon roll vid fördelning av arvedel. Jfr 18,1. Liknande episoder omtalas i Nu 27,1 ff. och 36,1 ff., Jos 17,4 ff., (*ḳārab̲*) Selofhads döttrar, men Jos 21,1 ff. (leviterna) liksom i 14,6 ff. (*nāg̅aš*), även Nu 32,16. Endast i Jos 14,6 är Josua ensam avgörande instans, men i övrigt den kommission, som introducerades i 14,1. Anledningen till att denna ej träder i funktion redan i 14,6 ff. är svår att uttala sig om. En orsak kan vara att just Kaleb ingick i kommissionen, Nu 13,6;34,19, representerande Juda stam och i Jos 14,6 tänkes tala i egen sak. Då episoden är förlagd till Gilgal, och bär så tydliga tecken på Dtr-stil får vi dock förutsätta, att Juda stam här sätts i samma särställning, som den intog vid erövringsskedet. Även dess fördelnings- och arvedelsproblem behandlas separat (14,1–6 fortsätter närmast i 16,1) och endast inför Josua. Kaleb är tidigare inte nämnd i Josuaboken. (Erövringen av Hebron 10,36 ff. och utrotandet av anakiterna tillskrivs Josua, 11,21 f. Jfr 13,12.) Det är således fråga om en predeuteronomistisk tradition, vilken bearbetats av Dtr. Vv. 6–12 är lagda i Kalebs mun och han refererar till spejarepisoden, Nu 13–14, med uttryck och termer, vilka återfinnes i samband med den händelsen närmast såsom den är återberättad i Dt 1,23 ff. t.ex. uttrycket *millē' 'aḥărê YHWH*, 14,8,9/Nu 14,24; 32,11,12; Dt 1,36.[9] Som alltid i typiska Dtr-avsnitt är den mosaiska auktoriteten starkt understruken. Kaleb åberopar Jahves direktiv till Mose, 14,6,10,12 samt Moses ed, v. 9, i en mening, som innehåller en anakolut - *'im lō'* - satsen saknar fortsättning, jfr Nu 32,20–23,29–30. *'īš hā'aĕlōhīm* såsom benämning på Mose finns i övrigt endast i i Dt 33,1. *'aeb̲aed̲ YHWH* är däremot vanligt.

Josua välsignade Kaleb i 14,13. Det är en sällsynt gest från hans sida, omnämnd i övrigt endast i 22,6 f. (sannolikt Dtr). Jfr Dt 33,1 (Mose) men där är det fråga om hela Israel.

Den ideologiska vikt som lagts vid välsignelsen i detta fall är lätt att avgöra. I 17,14 och 22,33 är det Jahve resp. AElohim, som välsignar Josefs söner resp Israels söner. I 17,14 är välsignelsen satt i samband med innehavet av arvedel. Märkligt är att inte Pinhas har uppgiften att välsigna i kap. 22, då större delen av texten är P-besläktad.

Välsignelsen tillkommer egentligen den som hållit lagen, t.ex. Dt 28,2 f. och således är Josuas välsignelse av Kaleb och fördelning av land en logisk följd av den senares trohet mot Jahve. Löftet om land till Kaleb betraktades som lagstadga. Därmed följs givandet och välsignelsen åt. Vv. 14–15 hör till Dtr. Angående uttrycken *'al-kēn*, *'ad̲ hajjôm hazzāē*; *hā'ād̲ām haggād̲ōl* jfr 11,14. Även 14,15b och 11,23b.

[9] Se i övrigt M. Noth, *comm.*, 84 f.

Kap. 15 Juda stams arvedel

Kapitlet innehåller en beskrivning av Juda stams bosättningsområde, vv. 1–20. Där ingår även en Kaleb/Otniel-tradition, vv. 13–19 samt därefter i stort en uppräkning av 112 städer placerade i namngivna regioner. Hela kapitlet förutom v. 63 är fritt från Dtr:s stilelement. Möjligtvis kan v. 20 vara ett avrundande redaktionellt tillägg i samband med att Kaleb/Otniel-avsnittet insattes. Det torde knappast ha tillhört den i övrigt ganska strikt formerlartade gräns- och områdesbeskrivningen, vv. 1–12.

Vv. 1–12

Judas rangställning bland de israelitiska stammarna är i gammaltestamentlig tradition ofta understruken. Juda stam går först vid uppbrottet från Sinai, Nu 10,14, jfr Dom 1,1 ff. men är inte speciellt nämnd vid erövringsmomentet såsom det återges i Jos 1–10. Den första lotten tillfaller dock Juda här i kap. 15. Genom den nästan konsekventa användningen av ordet *haggōrāl* vid fördelningen markeras det gudomliga utslaget. Dtr gjorde denna princip till lagstadga, Jos 14,2;21,8. Nästan allmänt antages, att områdesbeskrivningarna har haft s.k. *Grenzfixpunktreihen* som förlagor och ett system har rekonstruerats av Noth.[10] Detta synsätt leder dock till mycket hårdhänt behandling av det föreliggande textmaterialet. Beskrivningarna varierar i en skala från detaljerat inprickade gränspunkter till konturteckningar av områden. Även de senare kan vara detaljerat återgivna. Noth's teori har också mött motstånd i synnerhet från Z. Kallai. "Instead of points, extended border regions are inferred and this naturally affects how the map is to be drawn."[11] Sannolikt föreligger ett nedärvt geografiskt formelspråk, som inte så enkelt låter sig sönderdelas. Vid erövringen kunde vi iakttaga en deuteronomistisk förkärlek att använda områdesbenämningar vid sidan av stadslistor, ibland även vid fördelning. I Jos 13,15–33 har Dtr självsvåldigt omfördelat de transjordanska stammarnas arvedelar, men han har dock bibehållit det nedärvda formelspråket.

Utan att gå in i detalj på beskrivningen av Juda område är det generellt möjligt att göra en iakttagelse. Det är "Stor-Juda" som här beskrivs.[12] Det gäller närmast den södra gränslinjen, vilken sammanfaller med den södra utsträckningen av erövringen, Jos 10,40 f. Den södra gränsen är också i Jos 15 tydligast markerad genom slutfrasen, "detta skall för eder vara sydligt område", 15,4. Benjamins arvedel fördelas först i Silo, 18,11–28. Dess norra gränslinje sammanfaller i stort med Josuas erövringsroute från Gilgal/Jeriko västerut. Det är inte sannolikt att Juda i Dtr:s källmaterial stått isolerat i förhållande till Benjamin och kan-

[10] *Comm. ad loc.*
[11] Tribes, Territories of, *IDB Suppl.*, 1976, 920.
[12] Så M. Noth, *comm.*, 89.

ske även övriga stammar. Att nu så är fallet i Jos 15 är i linje med Dtr:s tendens att framhålla Juda som den ledande stammen i synnerhet contra dess norra "moitié" Efraim/Manasse, kap. 16–17 (jfr kap. 14,4, Josefs söner och 14,6, Juda söner) såsom situationen gestaltat sig under det Delade rikets tid.

Endast 15,1,12,(20) ger en stilistisk antydan om i vilken "litterär krets" vi har att söka områdesbeskrivningen i 15,1–12. Orden *maṭṭāe* och *lĕmišpĕḥōṯām* är typiska P-uttryck. Det är också sannolikt att beskrivningen av stammarnas områden förelegat i prästerlig tradition. Sådana förteckningar eller listor har kanske en administrativ bakgrund. Svårigheten är att kunna bestämma den tidpunkt, då de ägde aktualitet. Den äldsta omvittnade administrativa stamorganisationen tillhör Salomos epok, 1 Kon 4, och mycket tyder på att denna kan ha tjänat som basis för en retrospektiv skildring av såväl erövring som fördelning av landet.[13] En sådan teori rimmar mycket väl med Josuabokens komposition. Men samtidigt utgör det Delade riket den realistiska bakgrunden för Dtr. Han söker i erövringsskildringens form lappa ihop det igen. Administrationsdokument från det Enade rikets tid kan i ett sådant sammanhang ha tjänat som både utgångspunkt och ideologiskt slutmål, Davidsrikets återupprättande i form av en retrospektiv skildring. Men dragningen av Judas sydliga gräns ner mot Kadesh Barnea tyder på att också Stor-Judas ställning särskilt framhävs. Davidsriket sträckte sig officiellt inte längre än till Beer-sheba, 2 Sam 24,1.[14] Först senare expanderade Juda söderut, eftersom det inte fanns något annat alternativ. I norr och öster härskade Josefsstammarna. Denna expansion medförde att andra administrationscentra uppstod. Vi kan således räkna med en organisationsutvecklingstrend inom Sydriket. Det är realistiskt att göra så, eftersom detta förblev intakt under 135 år efter Nordrikets fall. Det senares administrationsindelning var sålunda antikvarisk redan på 700-talet. Den övertogs inte av assyrierna, jfr Jes 8,23.[15] Därmed kan man realistiskt räkna med att listorna över de nordliga stammarnas områden kan ges en tidsgräns *ad quem*. Områdesbeskrivningen av Juda stam, Jos 15,21–63, bör ha formats efter expansionen mot söder, vilken säkerligen nådde sin kulmen under Hiskias tid.[16]

[13] Z. Kallai, *IEJ* 27 (1977), 104 ff. Jfr A. Alt, Das System der Stammengrenzen, *KS* I, 1953, 199 ff. som daterar stamgränserna enligt Josuabokens system till tiden mellan Landnama och israeliternas statsbildning och N. Na'aman, *Borders*, 37, 117, som anser vissa komponenter vara litterära skapelser.

[14] Uttrycket "från Dan till Beer-sheba" avser sannolikt nordligaste respektive sydligaste större centrala administrationscentrum. Jos 15,1-12 återspeglar säkerligen till största delen administrationen under Davids tid. Se J. A. Soggin, *comm.*, 174 f.

[15] För en ny tolkning av Jes 8,23 såsom syftande på hela Davidsriket. Se Inledning med referens till H. Kimura, *Is 6:1-9:6*, 1981.

[16] Ett sådant ställningstagande vilar på den arkeologiska situationen i Negeb och utefter de sydliga handelsvägarna. Vägfort fanns då uppförda på flera platser. Se Y. Aharoni, *IEJ* 17 (1967), 1 ff. Till datering av fästningen påträffad i tell el-Qudeirat/Kadesh se M. Dothan, Kadesh- Barnea, *Encyclopedia of Archaeological Excavations in the Holy Land. Vol III*, 1977, 697 ff. och R. Cohen, Excavations at Kadesh Barnea 1976-78, *BA* 44 (1981), 93-107. Resultatet av de senaste utgrävningarna ändrar inte den ovan återgivna historiska situationen. Jos 15,21ff. återspeglar administrationen i Juda rike, då den var som mest utvecklad. "Judah's town list displays characteristics of Hezekiah's

Kaleb-traditionen

Traditionen om Kaleb finns i ett mycket begränsat textmaterial. Enligt Jos 14,12 f. begär Kaleb ''denna bergsbygden'', dvs. det område han tidigare beträtt, Nu 14,24; Nu 13,23, varvid Josua ger honom Hebron. I Jos 14,6,12 refereras sannolikt till Josuaordet i Nu 14,24, men där står helt allmänt ''till det land dit han gått''. Det är således först med Jos 14,13 som Kaleb knytes till Hebron. Jos 14,6–15 bär tydliga spår av Dtr:s bearbetning av Numerimaterialet, men i 15,13–19 föreligger en predeuteronomistisk tradition om kalebiternas närvaro i det judeiska bergslandet. Samma tradition återfinnes nästan ordagrant även i Dom 1,10–15. Där är dock Juda stam subjekt vid erövringen av bergsbygden och Kaleb framträder först som den talande (jfr Jos 14,6) vid intagandet av staden Debir, varvid han utlovar sin dotter Aksa åt den som lyckas tränga sig in i staden. Det är på det sättet Otniel utmärker sig. Den episoden Dom 1,12–15, Jos 15,16–19 går säkerligen tillbaka på en gammal folkloristisk sägen av välkänt märke, där hjälten får ''prinsessan'' och med henne ''Sydlandet'' *'aeraeṣ hannaeḡaeḇ*, 14,19. Jfr 1 Sam 17,25. Jos 15,13 får betraktas som en redaktionellt bearbetad rubrikvers. Innehållsligt överensstämmer den med Jos 14,12. Det är Kaleb som i den bakomliggande traditionen är ''jättedödaren'' i Juda bergsbygd. I Dom 1,10 är det annars Juda och i Jos 11,21 Josua. Båda dessa textavsnitt tillhör Dtr:s ramberättelse respektive sammanfattning av landnama.

Kaleb är det ledande namnet i Juda stam under ökenvandringen och vid landnama. Såsom *haḳḳĕnizzī*, dock endast Nu 32,12; Jos 14,6,14, borde han betraktas som främling inom Juda stam. Kenizziterna tillhörde egentligen Edom, Gen 36,11,15,42. Otniel, Kalebs yngre broder kallas i samtliga texter, där han förekommer, för *baen ḳĕnaz*, Jos 15,17; Dom 1,13;3,9,11; 1 Krön 4,13. Denne blev den förste domaren, Dom 1,9–11. Det är således tänkbart att tillnamnet, kenizziten, förråder kalebiternas sydliga ursprung. Med de ofta krigiska relationerna mellan Juda rike och Edom i minne torde Kaleb av Dtr knappast ha uppfattats som ursprunglig edomit.

Frågan varför denna Kaleb-tradition fått en sådan framskjuten position i Juda stams provinslista saknar dock inte intresse, inte minst i samband med att Benjamins område först omnämnes i Jos 18,11.28. Benjamin hörde dock till Sydriket.

reign, perhaps updated under Josiah.'' Z. Kallai, *IDB Suppl.*, 923, med litt. Jos 15 delar in de uppräknade 112 städerna i 10 distrikt (LXX har ytterligare ett). Josuaboken är synnerligen rik på geografiska uppgifter. ''Almost no place-name in the rest of the Hebrew Bible falls outside the range of the Joshua listing.'' R. North S. J., *A History of Biblical Map Making*, 1979, 38. Det innebär att kartografien i Josuaboken är mycket sammansatt. Dtr var säkerligen ivrig att inte medvetet utelämna några ortnamn. Jfr Esra 2 = Neh 7. I det sammanhanget är det motiverat att använda uttrycket ''telescoped Geography'', dvs. den återgivna geografien återspeglar en lång tids utveckling inom administrationen från det Enade rikets tid till ''restaurationen'' under Josia. Angående termen ''telescoped Geography'' se M. Ottosson, *Gilead*, 114. Till lokaliseringsförslag rörande ortnamnen i Jos 15, se A. F. Rainey, *BASOR* 251 (1983), 6 ff. Till en översikt av Josuabokens ortnamn i relation till övriga delar av Gamla testamentet, se Fördelningens geografi. Obs! de många hapax legomena.

I den mån man kan följa Juda stams nordliga gräns i Jos 15,7 ff. så ligger Jerusalem strax norr om stamgränsen, dvs. på Benjamins område, Jos 15,8;18,16,28; Dom 1,21. Staden saknar på så sätt ännu ideologisk betydelse och den redaktionella slutversen 15,63 låter oss förstå att Jerusalem är intakt och att Juda stam! inte lyckats fördriva jebusiterna.[17] Jfr Jos 10,1 ff. Uteblivandet av Benjamins provinslista i Jos 15 samtidigt som kalebiternas position framhävs i Jos 15,13–19 kan rimligtvis endast ha den förklaringen att Juda rike byggdes upp med Hebron som centrum.[18]

Där lät David utropa sig till kung och därifrån förde han striden mot Sauls dynasti, som hade benjaminitiska anor, 2 Sam 3. Det är mycket frestande att i 2 Sam 3,8 följa Winckler, då han tolkade Abners ord till Ishboshet *hărō'š kaelaeḇ 'ānōḵī 'ăšaer līhūḏā* såsom ''månne jag är en kaleb(itisk) hövding'' som ''finns i Juda''.[19] Just situationen som den skildras i 2 Sam 3 kan utgöra bakgrunden till Jos 15,1–20,63 men i det sistnämnda fallet sett från Juda rikes aspekt. Däremot säger det ingenting om den tidpunkt, vid vilken Juda hade samma omfattning som i Jos 15. Den sydligaste gränsen har en helt annan sträckning än Davidsrikets ''till Beer Sheba'', 2 Sam 3,10.

Den diskussion som förts kring Juda stadslista i Jos 15,1–62 torde vi knappast kunna tillföra något nytt men hänvisar till kap XII, Fördelningens geografi. Jag följer närmast Kallai's datering av densamma, nämligen till kung Hiskias tid.[20] Stadslistan täcker även exakt det område som beskrivs i 15,1–20.

Jos 14,6–15,63 behandlar således Juda stams område och städer. Dess sydgräns markerar Juda rikes största omfattning. Kaleb-traditionernas förekomst förebådar Davidsdynastins upprättande i Hebron. Jfr Nu 14,24. Ännu är Jerusalem ej erövrat och Benjamin räknas till de sju stammar, vilka får sin arvedel i Silo. Men som nästa stamblock vid fördelningen följer Josefsstammarna, Manasse och Efraim. De kom att utgöra de ledande stammarna i Nordriket. Efraim gav namn åt detta och Manasse hade sina förgreningar även i Transjordanien.

Kap. 16–17

I stilistiskt avseende överensstämmer dessa kapitel med avsnittet 13,8–14,15. Områdesbeskrivningarna avbryts med erövringsnotiser, situationsbeskrivningar och detaljuppgifter om mindre klaners arvedelsanspråk med referens till mosa-

[17] I Dom 1,21 är det benjaminiterna som inte lyckats därmed. Jfr M. Weinfeld, *VT* 17 (1967). 93 ff.

[18] Så även Dom 1,20 f. Där berättas hur Hebron gavs åt Kaleb medan Jerusalem fortfarande var jebusitiskt. Jfr Z. Kallai, *VT* 8 (1958), 158.

[19] H. Winckler, *Geschichte Israels in Einzeldarstellungen. I.*, 1895, 25. Angående förgreningarna av Kalebs släkttavla fanns en prosaulsk mot David negativ gren, 1 Sam 25,3, men David gifte sig till lojalitet. A. Demsky, *Tel Aviv* 13-14 (1986-87), 57. Till *kaelaeḇ*, ''hund'', se D. W. Thomas, *VT* 10 (1960), 410-427.

[20] *VT* 8 (1958), 151 ff.; *VT* 11 (1961), 227. Se Fördelningens geografi. Beträffande Juda nord-

iska påbud såsom de återberättats i Numeri. Vi måste således förutsätta, att Dtr utnyttjat traditioner om arvedels- och förvaltningsförhållanden i det centrala Palestina; och när det gäller Manasse med en sidoblick på dess östliga gren. Orsaken till att liksom tidigare Juda, kap. 15, även Josefsstammarna, Manasse och Efraim, isolerats från de övriga stammarna, kap. 18–19, torde helt enkelt bero på att de är de tongivande och representerar Nordriket. Det gäller närmast Efraim, som i synnerhet i profetlitteraturen oftast blir benämningen på Nordriket, t.ex. Jes 7,17;11,13 för att inte nämna Hosea. Vi kan även här iakttaga, att gränserna mellan Manasse och Efraim är flytande i det att Efraim tillskrivs bl.a. städer på Manasses område, 16,19;17,8. Jfr 2 Sam 2,9.

Dispositionen av kapitlen är enkel. I 16,1–3 beskrivs Josefssönernas sydgräns, som i princip sammanfaller med Benjamins nordgräns, 18,11 ff. och vi kan också säga Josuas erövringsroute från Gilgal till Gibeon. Liksom Rubens genealogiska primärställning i förhållande till Gad observerades i kap. 13,15 ff. så är förhållandet detsamma i fråga om Manasse och Efraim, 14,4;16,4. Jfr 17,17. Men Efraims arvedel beskrivs dock först, 16,5–8, med en kort notis om städer, som egentligen låg på Manasses område, v. 9. Avsnittet har samma formelartade ingress *wajhī gěḇûl* och avslutning *z'ōṯ naḥălaṯ maṭṭē NN*, som återfanns i kap. 13,15 ff.; 15,(1),20 och som konsekvent återkommer i beskrivningen av de återstående sju stammarnas områden i kap. 18–19. Den efraimitiska stadslista, som eventuellt funnits, jfr 15,21 ff.; kap. 18–19, är ej använd. Orsaken kan bero på att Dtr saknade detaljerade uppgifter. Klart synes vara, att Efraim blivit den dominerande stammen i Nordriket, och ''efraimiterna'' övertagit stadsförvaltningen på ursprungligen manassitiskt område. 16,10 är en redaktionell vers, som anger att kanaanéerna bodde kvar inom Efraims område. Uppgiften är givetvis historiskt underbyggd men äger närmast en ideologisk udd mot den ledande nordstammen. Jfr även 17,12 f. se vidare Dom 1,27 f. Josuas *ḥeraem*-krig hade ej utsträckts till det centrala Palestina.[21] Avsnitten 17,1–6 och 17,14–18 utgör särtraditioner till vilka vi senare återkommer. Manasses område beskrivs i 17,7–11. Beskrivningen inleds med den traditionella formeln men saknar avslutning. Oklarheterna är flera. Liksom Efraim har ''infiltrerat'' Manasse, 17,8, jfr 16,9, så har Manasse inkräktat på Isaskars och Ashers arvedel, 17,11. Det gäller i det senare fallet de stora städerna på Jizreelslätten, vilka Manasse dock ej lyckades erövra från kanaanéerna. En sådan äganderättsglidning är inte alls ovanlig i Josuaboken och Domarboken. Det kan även röra sig om viktiga ''gränsstäder'' så-

gräns, se Y. Aharoni, *PEQ* 90 (1958), 27-31 och Z. Kallai. *The Northern Boundaries of Juda*, 1960.

[21] Uppgiften om Geser i Jos 16,10; Dom 1,29 är inte minst intressant i jämförelse med Jos 10,33. Där omtalas, att Josua väl slog Gesers kung, ''Honom och hans folk ända tills dess ingen fanns kvar'', men underlät att inta staden. Denna ''underlåtenhet'' överlastas på Efraim i Jos 16,10. Jfr Jos 12,12; 21,21. Geser låg på gränsen mellan Efraim och Benjamin, Jos 16,3. Även Davids krig västerut gjorde halt i Geser, 2 Sam 5,25; 1 Krön 20,4. Staden torde ha haft ett enormt strategiskt läge på vägen mot Gibeon-Jerusalem. Denna ''öppnades'' för Israel först sedan egyptierna intagit staden och överlämnat den till Salomo, 1 Kon 9,15 ff. Salomo befäste därefter Geser och nedre Bet Horon, även den sistnämnda en gränsstad, Jos 16,3.

som Jerusalem, Jos 15,63; Dom 1,8, jfr Dom 1,21 eller hela områden Jos 13,15 ff. Jfr Nu 32. Förhållandet kan bero på flytande gränser under tidens gång men också ha historie-ideologiska orsaker. I synnerhet gäller det negativa erövringsuppgifter, vilka präglas av Dtr:s stil.

17,1–6

Avsnittet, som inleder beskrivningen över västra Manasses område, vv. 7 ff., innehåller detaljuppgifter om smärre klaner inom västra Manasse med parentetiska utsagor, 17,1b,5b, om Makirs arvedel i Transjordanien. Ordval och fraser förråder att Dtr övertagit traditionerna från P och ett klart litterärt samband med Nu 26,30 ff.; 27,1 ff. och 36,1 ff., kan påvisas. Utsagor om de mönstrade manassiterna i Nu 26,29–33 utgör den bästa jämförelsen med Jos 17,2–3. Orsaken till att Dtr vill understryka Makirs och i synnerhet Selofhad-döttrarnas arvedel är densamma som i Kaleb-traditionen. Dessa fördelningar har mosaisk auktoritet, Nu 32,40; Dt 3,15; Nu 27,1–11; 36,1 ff. Åtgärderna har karaktär av lagstadga, ”Jahve befallde Mose (*ṣiwwā*) att giva åt oss”, 17,4.

Det märkliga är emellertid, att Gileads söner (enligt Nu 26,30–32 är de, Ieser, Helek, Asriel, Sikem, Semida och Hefer) i Jos 17,2 sätts i samband med västra Manasse, ehuru de logiskt borde hänföras till Transjordanien, Nu 32,39. Flera av dessa namn liksom även Noah och Hoglah återfinnes på de s.k. Samariaostraka och utgör där tydligen namn på distrikt inom Nordisrael. Dessa ostraka dateras till tiden strax före Nordrikets fall.[22] Dessa historiska och av Dtr kända förhållanden har således lett till att den östra Manasse-genealogien i 17,1 brutits och de enligt P, Nu 26,29 ff., östra gileadsönerna har i Jos 17,2 blivit *bĕnê mĕnaššāē hannōṯārīm*, ”de återstående manassiterna” i Cisjordanien. Jfr 7,6. Det kan bevisa, att makiriterna ursprungligen bott i väst.[23] Det kan också förklara varför beskrivningarna av östra Manasses arvedel i Gilead och Bashan är så generella, ja rentav gåtfulla, Jos 13,31, ”hälften av makiriterna”.[24]

[22] Se M. Ottosson, *Gilead*, 138 ff.

[23] Se J.A. Soggin, *comm.*, 181 f. Traditionshistorien av Jos 16,17 är svår att analysera. Det torde vara omöjligt att på litterärkritiskt manér nå ett ursprungligt gränssystem. Y. Kaufmann, *The Biblical Account of the Conquest of Palestine*, 28 ff., underkände alla rekonstruktionsförsök utan att själv kunna övertyga. Det är bara att konstatera: Dtr visste inte mera om Nordisraels administrationssystem.

[24] Uttrycket ”hälften av makiriterna” förekommer endast här i GT. Det är säkerligen format av Dtr, som alltid tänkte schematiskt i kompassens riktningar.

17,14–18

Avsnittet anses bestå av två varianter, vv. 14,15 och vv. 16–18, vilka innehållsligt löper parallellt med varandra.[25] Trots ofta återkommande uttryck i avsnittet utgör v. 18 den slutgiltiga upplösningen av palavern mellan Josua och Josefs söner. 17,14–18 bör betraktas som en enhet. Den situation, som skildras, är Josefs söners begäran om ytterligare land utöver den arvedel, de blivit tilldelade. Uppbyggnaden av avsnittet påminner något om 14,6 ff. där Juda söner träder fram inför Josua med Kaleb som talesman. Jfr även 17,4; 21,1 ff. Det är således fråga om separata arvedelsfall, vilka på detta sätt görs juridiskt bindande. I fråga om Kaleb, 14,6 ff., Selofhads döttrar, 17,4 ff. och leviterna 21,2 ff. refereras till mosaiska påbud men vad beträffar 17,14 ff. antydes inget sådant. Förutom stilen i avsnittet torde det bevisa att traditionen är övertagen och således predeuteronomistisk. Möjligtvis kan ingressen, 17,14a vara redaktionell i analogi med andra ovan anförda texter, eftersom v. 14b fortsätter i sing. (*lī*), jfr dock v. 16 (*lānū*). Uttrycket *běnê jōsēf*, vv. 14,16 växlar till *bêṯ jōsēf* i v. 17 med tillägget Efraim och Manasse. Jfr 18,5. Vv. 16 och 18 innehåller uttryck, som brukar karakteriseras såsom deuteronomistiska.[26] Trots skilda stamlotter behandlas Efraim och Manasse såsom en enhet, och det förhållandet kan kanske förklara svårigheten att dra separata gränser mellan dessa två i det föregående.[27] Accenten ligger på begreppet *Josef*(s hus), vars centrala arvedel utgöres av Efraims bergsbygd, v. 15. Avsnittets sammanhang med 17,1–12 är således påtaglig. Det visar inte minst v. 16, som åberopar samma situation som i vv. 11 ff. Slätternas centralorter kunde inte erövras på grund av kanaanéernas överlägsna krigspotential (*raeḵaeḇ barzael*), 17,16,18. Jfr Dom 1,19;4,3,13.[28] Folket var ändock välsignat av Jahve och benämnes ”ett stort folk”, *ʿam raḇ*, vv. 14,15,17. Jfr Gen 50,20. Här föreligger onekligen en gammal stamhistoria om intrikata bosättningsförhållanden. Josua uppmanar folket att dra upp till ”skogsbygden” (*hajjaʿrā*), som ligger i perizzéernas och refaiternas land, v. 15 och som i vv. 16 och 18 benämnes ”Bergsbygden”. Man får uppfattningen, att den ligger utanför Efraims bergsbygd, v. 15. Och kanaanéerna, som bor i ”slättlandet”, i Beth Shan och på Jizreelslätten utgör det svåra hindret för expansion, v. 16. Hela avsnittet 17,14–18 ger intryck av att vara sammansatt och fraseologiskt överlastat. Begrepp som Josefs söner, Josefs hus med markering av de båda stamgrupperna Efraim och

[25] J. A. Soggin, *comm.*; R. de Vaux, *The Early History of Israel. To the Period of the Judges.* 1978, 785; R. G. Boling, *Joshua*, 417 m. ref.

[26] Det gäller i synnerhet uppgifterna om kanaanéernas stridsvagnar samt verbformen *horiš*, vilken annars är negerad i sammanställningen liknande den i Jos 17,18. Jfr Jos 15,63; 16,10; 17,13; Dom 1,19 etc.

[27] Jfr K. Elliger, *ZDPV* 53 (1930), 265 ff.; J. Simons, *Orientalia Neerlandica*, 1948, 190 ff.; E. Danelius, *PEQ* 90 (1958), 122 ff.; E. Jenni, *ZDPV* 74 (1958), 35 ff.; N. Na'aman, *Borders*, 145 ff.

[28] Historikerna kallar detta ”den norra kanaaneiska Querriegel”. Senast finns uttrycket hos H. Donner, *Geschichte des Volkes Israel* . . .1984, 121.

Manasse, Efraims bergsbygd och Jizreelslätten behärskad av kanaanéerna gör texten till ett bra exempel på telescoped history.

Den mest framträdande fråga, som ställts till texten har gällt områdesbenämningen ''Bergsbygden'' tillika skogsområde i perizzéernas och refaiternas land, vv. 15 f. En teori är, att det syftar på Östjordanlandet.[29] Topografiskt är en sådan gissning mycket tänkbar. Gilead är till största delen ett långsträckt bergsområde, vilket var skogbevuxet.[30] Dit knöts begreppet ''Efraims skog'', 2 Sam 18,6 och under hela den israelitiska historien var Gilead nära lierat med Josefs hus. Det kallades också ''Refaiternas land'', Dt 3,13;2,11,20. Den association, som ovan gjorts till Josefs historia, Gen 50,20, skulle i detta sammanhang också kunna ges ytterligare tyngd genom hänvisning till Gen 48,17 ff. Denna text omfattar Jakobs välsignelse av Efraim och Manasse samt hans testamente till Josefs förmån, v. 22. Efraim sätts här före Manasse, vilket också är fallet i Jos 17,17. Dtr är annars noga med att framhäva förstfödslorätten, Jos 13,15 ff.;14,14;16,4. I sitt testamente till Josef ger Jakob honom en höjdsträcka utöver vad han gett de övriga bröderna. Den sätts i samband med en amoriterseger, som åtminstone hos Dtr kom att syfta på striderna mot Sihon och Og, Jos 24,12. Sålunda skulle uttrycket *šĕḵaem 'aḥaḏ* i Gen 48,22 syfta på det transjordanska bergsområdet.[31] Nu skulle det likväl vara egendomligt, om Dtr i Jos 17,14–18 avsåg en östjordansk arvedel för Josefs hus, då kapitlets förra del så demonstrativt överför ''gamla'' östjordanska traditioner att gälla Cisjordanien. Josua har ingenting öster om Jordan att göra!

Begreppet ''Efraims bergsbygd'' omfattade i dess största utsträckning området från Juda nordgräns ända till Jizreel-slätten, 2 Sam 2,9. Det utgjorde också ett eget förvaltnings-distrikt under Salomo, 1 Kon 4,8. Omnämnandet av kanaanéerna i Beth Shan och på Jizreelslätten i Jos 17,16 syftar säkerligen på den nordligaste gränslinjen av ''Efraims bergsbygd''. Detta slättlandskap tillföll Manasse stam, Dom 1,27. Även Sikem var en manassitisk stad, 1 Kon 12,25, men ändock belägen i Efraims bergsbygd. Namnet Efraim blev med tiden det ledande begreppet i Nordriket. Det är t.ex. omnämnt i Hoseas bok 27 gånger, medan Manasse inte ens förekommer. Även termen ''Josef'' är relativt vanlig t.ex. i Amos 5,6;6,6. Den omständigheten gör, det troligt, att hela Jos 17 beskriver bosättning och administration i Nordisrael under 700-talet f.Kr., och med största sannolikhet går traditionerna tillbaka på Salomos, ja, kanske rentav Sauls tid, 2 Sam 2,9. Efraim och Josef står här helt enkelt som begrepp för Nordisrael söder om Jizreelslätten. När Josua i Jos 17,18 ger sina direktiv till Josefs hus, ''en bergsbygd skall vara åt dig'' . . . . ''ty du (kan) skall fördriva kanaanéerna'' borde ''bergs-

[29] M. Noth, *comm.*; M. Ottosson, *Tradition and History with Emphasis on the Composition of the Book of Joshua*, 1984, 104.

[30] M. Ottosson, *Gilead*, 15f.

[31] M. Ottosson, *Gilead*, 72 f. Till tolkningen av *šĕḵaem* i Gen 48,22, jfr E. Nielsen, *Shechem*, 253 ff.; S. Tengström, *Die Hexateucherzählung*, 42 f. För en litterär analys av Jos 17,14-18 se H. Seebass, *ZDPV* 98 (1982), 70-76.

bygd'' avse området norr om Jizreelslätten, dvs. det galileiska bergslandskapet, som i Jos 18,1 ff. kommer att fördelas åt de sex nordstammarna.[32] Jfr Jos 16,1 ff.

Genom att avskilja Efraim och Manasse tillsammans med Judah i Jos 14–17 har Dtr velat betona dessa stamområdens dominerande roll under det Delade rikets historia. De resterande mindre stammarnas arvslotter återges från en annan horisont, nämligen från Silo. Denna förflyttning av händelserna från Gilgal till Silo har ibland ifrågasatts. Jos 18 är en deuteronomistiskt bearbetad text men geografiskt sett kommer den att täcka hela Sauls rike såsom det återges i 2 Sam 2,9. Tänkbart är, att åtminstone Jos 16–17 också kan ha tillhört Silo-materialet. Stammen Benjamins anknytning till nordstammarna förråder en predeuteronomistisk fördelningspraxis, vilken dock Dtr kunde acceptera. Ideologiskt sett hörde Benjamin till nordstammarna men också politiskt under Saul och det Enade rikets tid. Erövringen skedde dock på Benjamins och Juda område. Vår tolkning av Jos 17,14–18 såsom en tradition syftande på de sex nordstammarna, vilka utgjorde en del av Josefs hus skulle naturligtvis sättas i relation till Josuas krigståg mot Kanaans norra del, Jos 11,1–5. Den traditionen är klart deuteronomistisk och måste bedömas ur det sammanhanget. Jos 17 går utan tvekan tillbaka på det administrationssystem, som var knutet till det nordisraelitiska området. Geografiskt sett var dess gränsdragning av mycket hög ålder, åtminstone från Sauls och Salomos tid. Det är intressant att notera, att en ''motsägelse'' såsom den mellan Jos 11,1–5 och Jos 17–18 också föreligger mellan uppgifterna i Jos 11,21 och traditionen om Kalebs arvedelsrätt i Jos 14,6 ff.

Jos 18

Kapitlet inleder ett avsnitt av Josuaboken, som förlägger handlingen från Gilgal, 14,6, till Silo. Här fördelas land åt sju stammar 18,1–19,51, sex fristäder utses kap. 20 liksom leviterstäderna kap. 21 varefter de transjordanska stammarna avskiljes kap. 22. Prästerlig stil dominerar avsnittet men deuteronomistiska sektioner är lätta att känna igen och indelningen är gjord av Dtr. Anledningen till att fördelningen förlagts till Silo bör tyda på att materialet egentligen hört hemma där och förmodligen även de i kap. 14–17 omnämnda stamgränserna.[33] Uppdelningen i en Gilgal-sektion och en Silo-sektion vilar ytterst på Dtr:s historiedisposition. De ledande stammarna Juda och Josefs hus fördelas för sig i Gilgal.

[32] Denna tolkning är enkel och logisk ur geografisk aspekt, Jos 17,11. A. G. Auld, *Joshua, Moses and the Land*, 1980, 62, försvarar den nuvarande placeringen av Jos 18,1 ff. (mot Wüst, *op. cit.*, 233) genom att låta 18,3 följa upp situationen såsom den är återgiven i Jos 17,14-18.

[33] Till Silos centrala roll i Josuaboken se W.H. Irwin, *RB* 72 (1965), 161-184 och O. Eissfeldt, Monopol-Ansprüche des Heiligtums von Silo, *OLZ* 68/ (1973), sp. 327-333. Jfr M. Noth, *comm.*, 108. Till begreppet ''Tabernakel'' och dess tolkning, se M. Görg, *Das Zelt der Begegnung*, 1967 och R. J. Clifford, *CBQ* 33 (1971), 221-227 och naturligtvis M. Haran, *Temples and Temple Service in Ancient Israel*, 1978. Jfr T. N. D. Mettinger, *The Dethronement of Sabaoth*, 1982, 83 ff.

18,1–10

Den prästerliga stilen framträder klart i v. 1a.[34] Samma formulering används i 22,12. Även v. 1b återfinns ordagrant i Nu 32,29; jfr 32,22. Uttrycket i v. 1b "och där placerade de (*wajjaškīnū*) uppenbarelsetältet" må likaså betraktas som prästerligt. Deuteronomistisk stil låter Jahve "placera sitt namn" *lĕšakkĕn šĕmō*, Dt 12,11;14,23;16,2,6,11;26,2. Även Jer 7,12 använder samma uttryck om Silo. "Jahve edra fäders Gud" i v. 3 återfinns i Ex 3,13,15,16 med en uppräkning av patriarkernas namn. Frasen återkommer endast i Dt 1,11 och 4,1. På det sistnämnda stället i frasen "och ni skall ta i besittning det land som Jahve edra fäders Gud står i begrepp att ge åt eder", jfr Jos 18,3. *lāḇo' lāraešeṯ* är däremot en vanlig deuteronomistisk fras; *hāḇū lāḵaém*, v. 4, återfinns i en liknande situation i Dt 1,13, jfr Dom 20,7; 2 Sam 16,20. Frasen *lĕḵū wĕhiṯhallĕḵū ḇā'āraeṣ*, v. 8 återfinns i övrigt endast hos Sak 6,7; jfr därvidlag Sak 6,5; Job 1,7 och Gen 13,17.

Vissa av ovan angivna fraser och uttryck kan tyda på prästerlig influens. Det gäller givetvis också fördelningsterminologien, som vi behandlat på annat ställe.[35] Men i övrigt är det svårt att komma ifrån uppfattningen att avsnittet, vv. 1–10 är tillrättalagt av Dtr. Liksom tidigare finner vi även här den pedantiska ovanan att redovisa redan utförd fördelning av övriga områden, vv. 5 och 7. Det gäller också omnämnandet av leviterna. I 18,7 kommer dock ett icke tidigare använt uttryck *kĕhūnaṯ YHWH*. Det återfinns inte i någon annan GT-lig text, men *kĕhūnā* är en P-term, Ex 29,9;Nu 16,10;25,13; Ex 40,15;Nu 13,10;18,1,7. Och endast här står Gad före Ruben i Josuaboken. Jfr Nu 32.

I det tidigare har 2 1/2 stam öster om Jordan och 2 1/2 stam väster om floden tilldelats sina noggrant avgränsade områden. Det återstår således ytterligare sju. Leviterna står alltid utanför landfördelningen.[36] De sju stammarna anses helt enkelt ha försummat (*miṯrappīm*) v. 3 att ta sina arvedelar i besittning efter den gemensamma erövringen av landet. När tre män från varje stam skickas ut för att uppteckna (*kāṯaḇ*) landet, v. 4, skall Juda stå (*'āmaḏ*) på sitt område söderut och Josefs hus på sitt område norrut, v. 5.

Josuas direktiv, innan själva lottkastningen av de "sju delarna" äger rum, får betraktas som unika. De tre männen skall gå fram i landet, *hiṯhalleḵ*, vv. 4,8 och uppteckna därav de sju delarna, som skall fördelas, v. 6. En något annorlunda terminologi användes i v. 9. Där nämnes även städerna (*laē'ārīm*) och uppteckningen skall ske *'al sefaer*. Trots att äldre prästerlig terminologi använts vid Josuas lottkastning är det otvetydigt, att Dtr komponerat avsnittet. Att händelserna i kap. 18–22 förläggs till Silo beror helt enkelt på att fördelningstraditio-

[34] Ingen kommentator förnekar detta. Därmed gör man omnämnandet av Silo till en interpolation. Se J. A. Soggin, *comm.*, 189 med ref. till M. Noth och H. W. Hertzberg.

[35] Se min behandling av Jos 13. Jfr den utförliga diskussionen hos A. G. Auld, *Joshua*, 52 ff.

[36] Se vår undersökning av Jos 21.

nerna hört hemma där.[37] Dessa måste också karakteriseras som klart predeuteronomistiska och härrör från Israels (Sauls) konsolideringstid. Stamområdenas gränser har också säkerligen sammanfallit med Salomos förvaltningsdistrikt, 1 Kon 4.[38] Sjutalet stammar hör dock till kompositionen. Josuas förfarande andas emellertid mosaisk auktoritet. Det visar inte minst anslaget *hābū lākaēm*, v. 4, i en jämförelse med Dt 1,13 ff. jfr även 1,11. Ännu tydligare blir detta genom upptecknandet av landet *'al sefaer*, v. 9. Det kan ses som en fortsättning av Moses skrivande, t.ex. Dt 31,24 f.; Jos 8,32, "Boken" torde i detta fall ha förvarats såsom ett vittne. Att ett sådant förfarande förekom vid lottkastning av land framgår av Jes 34,16 f. Principen kan således vara av avsevärd ålder men stilen i Jos 18,9 röjer Dtr:s hand. Uttrycket *'al sefaer* gör fördelningen av de sju stamområdena till en lagstadga.[39]

Liksom i 13,6 f. (jfr 14,1;19,51) är Josua ensam agerande. I den förra texten fick han uppdraget att både fördela och kasta lott. I kap. 18 gör Josua endast det sistnämnda. I 18,5 förekommer dock en fördelningsterm, *hitpa.* av *hālak*, till vilken de tre utsända männen är subjekt. M. Wüst har gjort en mycket detaljerad undersökning av fördelningsterminologin i Numeri och Josuaboken och därvid på litterärkritiskt manér analyserat fram texternas relation till varandra. Det visar sig enligt honom, att Nu 26,52–54 (vv. 55–56 äro Zusätze och v. 54 "Zutat eines Ergänzers")[40] kan härledas ur Jos 18,1–10. Nu 33,54 är i sin tur avhängigt Nu 26,52 ff. Så redan M. Noth. Det är svårt att följa Wüst i hans resonemang. En stor roll spelar för honom spänningen mellan de två principerna, dvs. den kvantitativa fördelningen och lottkastningen. Den sistnämnda betraktas såsom tillägg i Nu 26,55 f. och anses ha "eine recht unbestimmte Rolle" i Jos 18,6,8b,10a.[41]

Den egentliga fördelningen i Jos 18,1–10 sker närmast efter förteckning av de sju delarna. Men ändock omnämnes Josuas lottkastning inte mindre än tre gånger. Av den anledningen är det omöjligt att förklara den såsom sekundär. Den kvantitativa fördelningen omnämnes endast flyktigt, men är naturligtvis underförstådd genom upptecknandet, vv. 4,6,8,9. *lĕfī naḥălāṭām*, v. 4, torde närmast motsvara uttrycket *'al pī haggōrāl*, Nu 26,56. Jfr formelspråket *wajjēṣē' haggōrāl*, 16,1 etc. Se även Nu 35,8. Lottkastningen markerar det gudomliga utslaget och stadfäster fördelningen. Jfr Jos 9,14;19,50. Enda parallellen till detta slag av upptecknande föreligger i Nu 33,2, där Mose *'al pī YHWH* upptecknar lägerplatserna.[42]

37 Denna uppfattning strider mot alla kommentatorers uppfattning. Man anser nämligen, att omnämnandet av Silo är en sen interpolation av P.

38 Så Z. Kallai, *IEJ* 27 (1977),103 f.; *IEJ* 28 (1978), 258 f.

39 Se vidare till Jos 24. M. Weinfeld refererar till grekisk kolonisering såsom en parallellföreteelse till israelitisk bosättning under Josuas ledning, *Das Land Israel in biblischer Zeit*, 1983, 63 ff.

40 *Untersuchungen*, 198. Jfr A. G. Auld, *Joshua*, 83 ff.

41 *Op.cit.*, 200.

42 Det kan således mycket väl vara fråga om en handling, som Dtr ansåg vila på mosaisk auktoritet.

Jos 18,1–10 är helt enkelt en Dtr-komposition byggd på äldre prästerligt material. Att bestämma det sistnämnda i detalj är inte möjligt. Endast 18,1 är i sin helhet ett P-anslag. Men fördelningsprinciperna är baserade på Numerimaterialet och har för Dtr lagkaraktär därigenom, att dessa återgår på Mose. Josua agerar ensam enligt mosaiska direktiv, 1,6. Det hindrar emellertid inte, att avslutningsfrasen i 19,51 liksom introduktionen i 14,1 är helt av P-karaktär. Där figurerar fördelningskommissionen. Det är otvivelaktigt att fördelningsmaterialet inkluderande gränsdragningen av de olika stamområdena ursprungligen varit annorlunda disponerat. Den nuvarande ibland något förvirrande kompositionen torde ha en verklighetsbakgrund, det Delade riket, vilket Dtr vill ersätta med Davidsriket. Silo hör i detta skede till det förgångna, liksom också de sju stammarna saknar historisk betydelse, i synnerhet Simeon och Dan. Jfr Gen 48,6. Alla hör till Josefs hus, Jos 17,14–18 och med Benjamin i täten kan man även anta en länkning till Sauls sönderfallna rike.

18,11–19,48

Stammarnas gränsbeskrivningar är formelartat uppbyggda. Ordet *gōrāl*[43] återfinnes i varje ingress föregånget av *wajja'al*, 18,11;19,10; *wajjēṣē'*, 16,1;19,1; 19,24; *wajhī*, 15,1;17,1; *jāṣā'*, 19,17;19,32;19,40. Avslutningen är ännu mer stereotyp *z'ōṯ naḥălaṯ NN lĕmišpĕḥōṯām*, 15,20;16,8;18,20,28;19,8;19,16;19,23; 19,31;19,39;19,48. Städerna noteras separat. För Simeons stam noteras endast städer 19,1–10 och detsamma kan sägas om Dan, 19,40–48.[44] I 19,10–48, dvs. Sebulon, Isaskar, Asher, Naphtali och Dan, avslutas alltid områdesbeskrivningen med *hāe'ārīm (hā'ellāē) wĕḥaṣrêhaén*. Som verb till *gĕḇūl*[45] förekommer alltid *wajhī* följt av *perf. kons.* av omväxlande *'ālāh*, *'āḇar*, *jāraḏ*, *tā'ar*, *nāsaḇ* (*nif.*), *jāṣā'*, *pāga'*, *šūḇ*, *hālaḵ*. Det är svårt att se något system vid användningen av verben. Några verb som *jāraḏ* och *'ālāh* kan ha valts av topografiska orsaker. Vid verbet *pāga'* stöter gränsen mot ett berg eller en flod. Dans arvedel är den sjunde. Daniterna överger den och beger sig upp till Leshem/Dan, 19,47. De tar sålunda en ny arvedel i besittning, vilken de inte fått sig tilldelad genom gudomligt utslag. Jfr Dom 18,1.[46] Det kan ha haft sin betydelse för den deuteronomistiska historieskrivningen.

[43] W. Donnershausen, *gōrāl*, *ThWAT. Bd* 1973, sp. 994.

[44] Till geografiska detaljer se speciellt Z. Kallai-Kleinmann, *The Tribes of Israel. A Study in the Historical Geography of the Bible*, 1967 (in Hebrew); *Id*, The Townlists of Judah, Simeon, Benjamin and Dan, *VT* 8 (1958), 134-60; *VT* 11 (1961), 223-227. *Id*, *IEJ* 28 (1978), 258 f. *Id*, *Historical Geography of the Bible*, 1986; H. Weippert, Das geographische System der Stämme Israels, *VT* 23 (1973), 76-89.

[45] M. Ottosson, *g^eḇûl*, *ThWAT. Bd I*, 1973, sp. 898 ff.

[46] Jfr J. Strange, The Inheritance of Dan, *Studia Theologica (Scandinavia)* 20 (1966), 120-139; A. Malamat, The Danite Migration and the Panisraelite Exodus-Conquest: A Biblical Narrative Pattern, *Bi* 51 (1970), 1-16 och *Idem* i *Festschrift für Georg Melin zum 75. Geburtstag*, 249-265, 1983 samt senast H.M. Niemann, *Die Daniten*. 1985.

19,49–50

Traditionen om Josuas arvedel förekommer förutom här ytterligare två gånger, Jos 24,30 och Dom 2,9 i samband med hans gravsättning. För M. Noth är de sistnämnda texterna i egenskap av gravtraditioner primära till Jos 19,49–50.[47] Intressant är att israeliterna gav åt honom arvedel, *'al pī YHWH*, nämligen den stad, som han begärt *šā'al*, v. 50. Liksom i fördelningssammanhang betonas det gudomliga utslaget, Jos 18,4,10. Ingenstädes omnämnes att Josua tidigare begärt någon arvedel. Tänkbart är att Josua får en stad Timnat Saerah liksom Kaleb fått Hebron, Jos 14,13;15,13. Obs! uttrycket *'al pī YHWH*. Traditionen om Kalebs arvedel har fått mycket stort utrymme i Josuaboken säkerligen på grund av ideologiska orsaker. I Hebron började nämligen den sydliga dominansen av riksbildningen ta form. Det kan således vara av deuteronomistiskt intresse att understryka Kaleb-traditionen. Jos 19,49–50 innehåller inte något Dtr-inslag och därför är avsnittet säkerligen gammalt. Genom att använda *šā'al* och *'al pī YHWH* som associationsord finner man en situation liknande den i 19,49–50 i Nu 27,21, som handlar om Josuas val till ledare efter Mose. I allmänhet anses Eleasar där vara subjekt till *šā'al*, och ehuru en sådan tolkning baseras på en hårddragen subjektväxling är den i en jämförelse med situationen i 1 Sam 22,10 att föredra. I Jos 19,50 är säkerligen Josua subjekt till *šāal*. Verbet får en dignitet liknande den i Nu 27,21, eftersom YHWH givit sitt samtycke *'al pī YHWH*. Liknande situationer, i vilka Saul och David begär gudomligt utslag, *wajjiš'al bĕ YHWH*, återfinnes i Samuelsböckerna. Saul får aldrig något svar, 1 Sam 14,37;28,6, medan däremot David alltid får positivt besked, 1 Sam 23,2;30,8;2 Sam 2,11;5,19,23. Det ges ingen uppgift om det gudomliga utslaget kommit genom en prästs medverkan såsom i Nu 27,21 och 1 Sam 22,10. Josuas stad lokaliseras till *chirbet tibne*, Thamna, *Onom* 70,20 f., i Efraims bergsbygd.[48] Uppgiften att ''han byggde upp den och bosatte sig i den'' kan jämföras med ordalydelsen i Nu 32,34 ff.

Fördelningens avslutning

19,51 avrundar fördelningen genom att använda samma ordalydelse som i 14,1a. Kap. 14–19 utgör således den sammanhållna fördelningstexten av ''landet Kanaan'', som är arvedel för 9 1/2 stammar. Genom särbehandlingen av Efraim + 1/2 Manasse och Juda, 14,1–17,18 och de sju övriga stammarna 18,1–19,50 hade Dtr möjlighet att ge fördelningen en tendentiös prägel. De ledande stammarna under det delade rikets tid behandlades för sig i Gilgal — de övriga i Silo. Den sistnämnda platsen hade för Dtr endast idéhistorisk betydelse, jfr Jer 7,12[49] och

[47] *Comm. ad loc.*
[48] M. Noth, *comm.*, 141.
[49] Se senast N. P. Lemche, Mysteriet om det forsvundne tempel, *SEÅ* 54 (1989), 118-126.

detsamma bör nog även sägas om Benjamin, som förs till de sju stammarna. Fördelningskommissionen, vilken torde tillhöra det av Dtr övertagna materialet har endast rubricerande betydelse, 14,1 ff. Josua ensam har fått den ledande rollen såväl i Gilgal 14,13 som i Silo 18,2 ff. Endast i avslutningsfrasen återkommer kommissionen och där förlagd till Silo. Dess parentetiska omnämnande kan tillskrivas det mosaiska påbudet i Nu 32,28–30.

Intressant är det upprepade omnämnandet av slutförandet av fördelningen i 19,49,51. Säkerligen är det ett medvetet stildrag för att accentura början av en ny fas, som inträder, då väststammarna fått sina arvedelar sig tilldelade. Liksom erövringskrigets avslutning ledde till den temporära vilan *šāḳaṭ* 11,23;14,15 så leder fördelningens avslutande till den slutgiltiga vilan *nūah*, 21,44 (jfr 1,15).[50] Liknande stildrag med upprepat avslutande återfinnes i övrigt i Gen 2,1 f.; 1 Kon 6,9,14 (1 Kon 6,38;7,1); i båda fallen ledde det till "Jahves vila".[51]

[50] Jfr 2 Sam 7,1.
[51] Jfr von Rad, *Theologie des Alten Testaments. Band I.* 1957, 147.

KAPITEL X

Jos 20

A. Asylstäder

Sedan fördelningen av stamlotterna avslutats, återstår egentligen endast utdelningen av städer till leviterna, vilka i Josuaboken står helt utanför det klassiska tolvstamsschemat. Men innan leviternas anspråk tillgodoses, kap. 21, introduceras asylrätten för oavsiktliga dråp, kap. 20. Denna institution omnämnes kortfattat i Ex 21,12 f., men ges stort utrymme i Nu 35, 9–34 och Dt 19,1–9. Medan i Förbundsboken en plats, *māḳōm*, allmänt tolkad som helgedom, anges som asylort har de övriga texterna sex städer, tre belägna väster om Jordan, Jos 20,7, och tre öster därom, Dt 4,41–43; Jos 20,8; Nu 35,6,13 f. Jfr Dt 19,3,9. De sex städerna namnges endast i Jos 20,7–9, medan Dt 4,41–43 nämner dem på östra sidan av Jordan. Jos 20,1–6 utgör en förklarande ingress till asylrätten och litterärt sett saknar den inte intresse i en jämförelse med Dt 19,1–9 och Nu 35,9–34. Språkligt sett har Jos 20,1–6 flera beröringspunkter med Nu 35 än med Dt 19. Det är endast 20,4–5 och Dt 19,4–6, som delvis har gemensamma uttryck, vilka ej återfinnes i Nu 35. Relationen till Nu 35 ger två möjliga tolkningar av Jos 20. Antingen är Jos 20 primärt till Nu 35[1] eller också beroende av Nu 35[2]. Numerimaterialet framträder starkt i övrigt i Josuaboken och att så är fallet i fråga om kap. 20 är ingen överraskning. Skillnaden mellan Jos 20 och Nu 35 är att Josuaboken gör en klar avgränsning mellan fristäder, Jos 20,2 och levitiska städer, medan Nu 35,6 f., visserligen delar upp dem (6 + 42) men klart säger, att även fristäderna skall ges åt leviterna. Jfr Jos 21,13,21,27,32,38, där fem av asylstäderna sammanfaller med de levitiska städerna (Bezer öster om Jordan, Jos 20,8, är undantagen). Uppgiften i Nu 35,6 f., kan således sättas i närmare relation till Jos 21 än Jos 20. Det som gör Jos 20 så speciellt i förhållande till de övriga texterna om asylstäder är, att samtliga sex städer nämnes vid namn, vv. 7–9, och det anses, att den stadslistan utgjort utgångspunkten för kapitlets uppbyggnad. Städerna benämnes i 20,9 *ʿārê hammūʿāḏā* (ett *hapax*-ord) och de är också avsedda för ''främlingen'', *laggēr*, ett sällsynt ord i Josuaboken, i övrigt endast i Jos 8,33,35. Vv. 1–6 kan sägas utgöra en komprimerad inledning till städerna men stil och ordval saknar helt deuteronomistisk prägel. Vissa uttryck återfinnes

[1] Så M. Noth, *comm.*

[2] M. David, Die Bestimmungen über die Asylstädte in Josua XX, *OTS* 9 (1951), 30-48. P-relationen gör institutionen till en efterexilsk företeelse *a priori*. Jfr J. A. Soggins frågeställningar i *Joshua*, 199, som leder till ett försiktigt antagande, att det finns en historisk bakgrund till asyllagen i fråga.

i Dt 19, t.ex. *biḇlī da'aṯ*, 20,3. Förutom 20,4–5 är stilen av s.k. P-karaktär. *hā'ēḏa* utgör rättslig instans, v. 6 och så omnämnes *hakkōhēn haggāḏōl* likaså i v. 6. Jfr Nu 35,25.

I synnerhet förekomsten av dessa två termer användes som exegetiska argument för att hävda en sen kompositionstid av såväl Jos 20 som Nu 35. Kapitlen tillhör exilsk, ja, efterexilsk tid. Utan att här ta ställning till Josuabokens avfattningstid försöker jag dock hävda, att den utgör en medveten komposition med Davidsrikets (åter)upprättelse som ledande tema. Häri utgör tydligen asylsystemet en så viktig institution, att det speciellt betonas genom uppräknandet av städerna såväl väster som öster om Jordan. Detta är helt i linje med Josuabokens övriga mycket detaljerade geografiska uppgifter och följer också samma princip att klart markera östligt och västligt men ändå se dem som en helhet. De västliga städerna lokaliseras enligt de geografiska benämningarna, Naphtalis bergsbygd, Efraims bergsbygd, Juda bergsbygd. De östliga städernas lokalisering görs utifrån vidsträckta geografiska termer, i riktning från söder till norr, vilka avgränsas genom stamtillhörighet. Därvid är att märka, att stamindelningen följer samma princip som i Jos 13, dvs. Rubens stam befinner sig längst i söder. Jfr Nu 32 och obs! Jos 18,7.[3] Samma ordningsprincip användes i Dt 4,43. Jfr Jos 21,36 (Bezer). Noth anser, att uppgifterna om stamtillhörighet i Jos 20,8 är ett senare tillägg,[4] men då den östliga stamgeografien överensstämmer med i synnerhet Jos 13 måste en sådan lösning betraktas såsom alltför enkel. Snarare hör uppgifterna till Dtr:s jerusalemitiskt orienterade stamgeografi med Ruben i söder och Gad i norr. Egentligen är det omöjligt att avgöra om denna är tidig eller sen. Gads sydliga bosättning kan beläggas till 850-talet f.Kr. (Meshastenen). Då denna kan sättas i samband med nordisraelitiskt framträngande öster om Jordan, kan det vara möjligt, att Rubens lokalisering till Mishor tänktes höra till jerusalemitisk horisont, det Enade rikets tid, och vara baserad på premonarkiska traditioner.[5] Geografiskt sett är det system i uppräkningen av asylstäderna. De västra räknas från norr till söder och de östra från söder till norr.

Asylinstitutionen torde ha varit gammal i Israel. Av hävd räknades templet, närmast altaret, såsom tillflyktsort, 1 Kon 2,28 f. Asylstädernas tillkomst skulle då tyda på ett slags sekularisering.[6] Noths tankegång, att omnämnandet av städerna skulle utgöra ett program för en framtida ''Wiederherstellung Israels'' är mycket plausibel.[7] Vi får då förutsätta att kultcentralisationen genomförts och Jerusalem är en ''helig stad'', där inga dråpare (även av misstag) får finnas. Men stadslistan Jos 20,7–9 är säkerligen komponerad av Dtr, eftersom Ruben är pla-

[3] Jos 18,7 har ordningen Gad — Ruben, vilket tyder på att Dtr övertagit den från prästerlig tradition.
[4] *Comm. ad loc.*
[5] Så S. Tengström, *Die Hexateucherzählung*, 88 f.
[6] N. H. Nicolsky, Das Asylrecht in Israel, *ZAW* 48 (1940), 146 ff.
[7] M. Noth, *comm.*, 124.

cerad längst i söder. Den platsen intar annars Gad, Dt 33,21, 2 K 10,22. Ramoth Gilead var dock en centralort i Salomos distriktsindelning, 1 Kon 4,13, och "Efraims bergstrakt", 1 Kon 4,8, samt Naphtali, 4,14, utgjorde separata förvaltningsområden.[8]

Översteprästens död

Till de svårlösta problemen kring asylinstitutionen hör uppgiften om översteprästens död, vilken tidpunkt framstår som befrielsens timme för den tillfällige dråparen, 20,6. Det är tre instanser, som påverkar den asylsökandes öde. Asylstadens äldste tar först upp hans fall, 20,4 och anvisar åt honom säker plats innanför murarna. I staden skall han bo "ända tills dess han stått inför *hā'ēḏā lammišpāṭ*, ända tills dess den dåtida "översteprästen", *hakkōhēn haggāḏōl*, har dött", v. 6. Den temporära gränsdragningen mellan församlingens sammankallande och översteprästens död förblir oklar. Jämförelsen mellan de olika texter, som behandlade asylinstitutionen, gav enligt vår mening det resultatet, att Jos 20,1–6 närmast är språkligt besläktat med Nu 35,9 ff.,[9] men visar klara spår av Dtr:s komprimerade stil. Detta visar sig inte minst i v. 6, där översteprästens död "hängts på" rättsförsamlingens sammankallande, (mot Noth). I Dt 19,12 nämns endast "hans (dvs. dråparen) stads äldste", som agerar i det fall dråpet har skett med avsikt. Varken *'ēḏā* eller överstepräst omnämnes där. Den kortfattade översikten av exempel på tillfälligt dråp, 19,4–6 och utökandet av asylstädernas antal, vv. 7–9 mynnar ut i påbudet att inget oskyldigt blod får utgjutas i landet, Dt 19,10.

Nu 35,13 känner sextalet asylstäder, tre öster om Jordan och tre i Kanaan, v. 13. Jfr Jos 20,7 f., där ordningsföljden är omvänd. Därefter följer en detaljerad redogörelse av exempel på avsiktligt dråp, vv. 16–21, oavsiktligt dråp vv. 22–23 och i vv. 24–29 skildras förfaringssättet med den oavsiktlige dråparen. Speciella situationer behandlas i vv. 30–32 och kapitlet avslutas med påbud att "inte ohelga", v. 33 och "inte orena" landet. Jfr Dt 19,10. Till Nu 35,30, jfr Dt 19,15; 17,6 f. Jos 20 behandlar endast den oavsiktlige dråparens situation. Ingen annan mordform kan tänkas i Dtr:s stat. Det är Josua ensam — såsom Jahve har sagt genom Mose — vilken ger order om asylstädernas tillkomst, 20,2. Dessa städer är med andra ord nödvändiga i Dtr:s ideala stat. Men institutionen såsom sådan — om ej i Dtr:s starkt idealiserade och schematiska återgivning — tillhör förmodligen det Enade rikets tid och stadslistan kan således mycket väl representera tidig kungatid.[10] Den komprimerade ingressen 20,1–6 är dock Dtr:s egen och

[8] Z. Kallai, *IEJ* 28 (1978), 260.

[9] A. G. Auld, *JSOT* 10 (1978), 26-40, har kommit till slutsatsen, att Jos 20 bygger på Jos 21, som i sin tur är baserat på material i 1 Krön 6. Nu. 35,9-15 är enligt Auld sekundärt i jämförelse med Nu 35,1-5, 7-8. *Idem*, *ZAW* 91 (1979), 194-206.

[10] Qaedaesh och Sikem omnämnes inte i texter, som behandlar det Enade rikets tid. Men ifråga om Sikem måste staden, inte minst genom sitt läge, ha utgjort ett både administrativt och religiöst centrum, 1 Kon 12,1. Se vidare till Jos 24.

materialet är utan tvekan närmast hämtat från Nu 35. Men Dt 19,4–5 har varit kända.

Termen *hakkōhēn haggāḏōl* brukar nästan allmänt betraktas såsom en efterexilsk P-term.[11] M. Noth låter den utan kommentar tillhöra Josuabokens grundtext,[12] dvs. vara deuteronomistisk. Men titeln "överstepräst" förekommer mycket sällan i sena klart efterexilska texter. Omnämnd 21 ggr i GT förekommer *hakkōhēn haggāḏōl* 8 ggr i Haggai och Sakarja, Hag. 1,1,12,13; 2,2,4; Sak 3,1,8; 6,11 samt i Kronistverket 4 ggr, Neh 3,1,20; 13,28; 2 Krön 34,9. I övrigt i Lev 21,10; Nu 35,25,28; Jos 20,6; 2 Kon 12,11; 22,4,8; 23,4. Vanligtvis hävdas att *hakkōhēn* är den pre-exilska termen.[13] Men det är en illa underbyggd hypotes, eftersom båda titlarna förekommer i Nu 35. V. 32 har *hakkōhēn*, jfr vv. 25,28. 2 Kon 12,3,8,10 och 2 Kon 22,10,12,14 kallar Jojada resp. Hilkia *hakkōhēn*, jfr 12,11 och 22,4,8. Detsamma är förhållandet i 2 Kon 23,24, jfr 23,4. Båda termerna förekommer således samtidigt och med anspelning på pre-exilska förhållanden, i synnerhet Joas' och Josias tid. Med undantag av Lev 21; Nu 35 och Jos 20 har alla texter, som nämner *hakkōhēn haggāḏōl*, det gemensamt, att översteprästen under denna titel leder restauration (pre-exilsk tid) eller återuppbyggnad (efter-exilsk tid) av Jerusalems tempel. Men det synes nästan alltid vara fallet att titeln *hakkōhēn* förekommer i 2 Kon 12 och 22 tillsammans med kungen eller när prästen fått direktiv av kungen medan däremot *hakkōhēn haggāḏōl* står direkt efter *sōfèr hammaélaek*, 12,11 och 22,3 f. (*hassōfèr bêṯ YHWH*) 22,8. Jfr 22,10,- 12; 23,24 där kungen nämnes. Enda undantaget utgör 23,4 där *hakkōhēn haggāḏōl* är följt av *wě'aeṯ kōhǎnê hammišnāē*. Jfr 2 Kon 25,18; Jer 52,24, där vi har konstellationen *kōhen hār'ōš — kōhen mišnāē*. Kap. 12 och 22 utgör genom deras speciella innehåll deuteronomistiska älsklingskapitel och det kan vara tänkbart att titeln *hakkōhēn haggāḏōl* liksom *kōhen hār'ōš* i 2 Kon 25 (jfr Esra 7,5; 1 Krön 27,5; 2 Krön 19,11; 24,11; 26,20; 31,10 samt i Qumran) vittnar om en kungadömet följande epok. Men nödvändigt är det inte att göra ett sådant antagande. Det kan nämligen tänkas att från och med Joas' dagar den prästerliga makten har ökat i Juda. Det var Jojada *hakkōhēn*, 2 Kon 11,9, som konspirerade mot Atalja och lät utropa Joas till Konung. Det är också från denna tid som den prästerliga dominansen betonas i Kungaböckerna och Jojada är "den förste", som bär titeln *hakkōhēn haggāḏōl*. Intressant är att ingen jerusalemitisk *hakkōhēn* mellan Sadok och Jojada är omnämnd i GT. Hiskia gör t.ex. sin kultrestauration utan prästerligt bistånd. Atalja kunde omöjligen ha blivit accepterad som YHWH-kultens främsta företrädare och utövare. Hon hade en egen präst, Mattan, som tydligen tjänstgjorde i ett Baal-tempel, 2 Kon 11,18. Det är således självklart att det jahvistiska prästerskapet under Jojadas ledning blev ett exklusivt maktcentrum, då man även hade kungasonen "i sina klor". Det kan

---

[11] T.ex. R. North, The Religious Aspects of Hebrew Kingship, *ZAW* 50 (1932), 21.
[12] *Comm.*, 10.
[13] Se t.ex. H. Ringgren, art. Överstepräst, *SBU II*, 1963, sp. 1514.

således finnas möjligheter, att den översteprästerliga titeln tillkommit under en tid, då den davidiska ätten representerades av yngligen Joas. Det innebär, att Jos 20 inte nödvändigtvis behöver ha komponerats under exilen endast för att *hakkōhēn haggāḏōl* är nämnd.

'ēḏā-begreppet brukar dessutom anföras såsom ett post-exilskt P-begrepp. M. Noth följer delvis logiskt den principen i Josuaboken, vilket onekligen ger ett intressant utslag i Jos 20,6. Två *'aḏ + inf. c.*-konstruktioner har där ställts efter varandra, nämligen *'aḏ 'åmdō lifnê hā'ēḏā lammišpāṭ* och *'aḏ mōṯ hakkōhēn haggāḏōl*. Det förstnämnda uttrycket återkommer ensamt i 20,9. I det senare fallet anses uttrycket av Noth tillhöra Josuabokens grundbestånd men inte i det förra.[14] Samma fras finns dessutom i Nu 35,12 men ej i Dt 19. Det får anses evident, att Nu 35 och Jos 20 tillhör samma texttradition. Därom vittnar såväl fraseologi som innehåll. Jos 20,6 är syntaktiskt sett en oerhört komprimerad vers genom att omnämnandet av översteprästens död står utan någon samordnande konjunktion eller närmare förklaring. Denna komprimerade stil är typisk för Dtr och det är ganska sannolikt att Jos 20,6 är en sammanfattning av innehållet i Nu 35, i synnerhet vv. 12 och 25. Det skulle tyda på att *'aḏ mōṯ hakkōhēn haggāḏōl* kan karaktäriseras som Dtr:s tillägg till den formelartade frasen ''ända tills dess han stått inför församlingen till doms''. Vi synes sålunda ha samma situation som i Jos 9, där traditionsavsnitt innehållande termen *'ēḏā* övertagits och använts av Dtr. Begreppet *'ēḏā* behöver inte notoriskt utmönstras som post-exilskt.[15]

Uppgiften att tillfällighetsdråparen skall vistas i asylstaden ''ända till översteprästens död'' i Jos 20,6 får sin aktualitet i den absolut sista versen i Jos 24,33. Där omtalas Eleasars död och begravning. Eftersom denne i hela Josuaboken — förutom i Jos 22 — figurerar som den ledande prästen är det inte svårt att associera till översteprästens död. Det innebär, att, när Josuaboken avslutats, har Dtr låtit varje israelit komma till sin respektive arvedel. De som deltog i förbundsslutandet i Sikem, gick var och en hem till sin arvedel på order från Josua, Jos 24,28. Alla tillfällighetsdråpare kunde likaså efter Eleasars död återvända till sin stad från asyltillvaron utan att behöva frukta blodshämnaren. Dtr har således med sin komposition av Josuaboken lyckats skapa ett program för en idealstat baserad på historiska pusselbitar, bland vilka även asylinstitutionen spelade en viktig och betydelsefull roll. Men hur den fungerat bakom den litterärt programmatiska fasaden är omöjligt att uttala sig om.

[14] *Comm.*, 122.

[15] Se t.ex. A. Hurvitz, *Tarbitz* 40 (1971), 261-267. (English Summary i *Immanuel* 1 (1972), 21 ff. och *Tarbitz*), som konstaterar, att ''. . . complete disappearance (of *'ēḏā*) from the literature *par excellence* of the exilic period and the period of the Second Temple (Ezekiel, Chronichles, Ezra and Nehemiah) attest to the fact that this term is in a continuous process of falling in disuse.''

B. Kap. 21. Leviternas ställning

I erövringsskedet omnämnes leviterna endast två gånger och i egenskap av präster, vilka bär Förbundsarken, Jos 3,3;8,33. Jfr Dt 17,9; 18,1; 24,8; 31,9,25; 1 Sam 6,15; 2 Sam 15,24. Uppfattningen att präster bär Förbundsarken är tidig, och de kunde även vara leviter, 1 Sam 4,3–11; 1 Kon 8,3,6. Kronisten gör leviterna till de enda tänkbara arkbärarna 1 Krön 15,2. De präster som bar in arken i Salomos tempel var leviter, 2 Krön 5,4. Hos P är leviterna arkbärare men inte i egenskap av präster, vilka de är underordnade, Nu 4,14,19 f. Det är således ganska sannolikt, att uttrycket "levitiska präster" i Josuaboken är präglat av Dtr,[16] som också understrukit den levitiska tillhörigheten i Jos 3,3 genom måttuppgiften *kĕ'alpajim 'ammā bammiddā* utan tvivel hämtad från Nu 35,5. I övrigt i Jos 3;4 och 6 omtalas endast "präster" såsom bärare av Förbundsark och trumpeter. Det är i dessa kapitel deras enda uppgift. När i kap. 18,1[17] Tabernaklet i Silo introduceras, nämnes överhuvudtaget inte några präster. Endast aroniterna bär titeln *hakkōhănīm* i 21,19 knutna till Juda arvedel. Denna underlåtenhet att i Josuaboken knyta leviterna såsom präster till någon plats utanför Jerusalem har säkerligen sin orsak i Dtr:s rädsla att bryta mot centralisationsprogrammet.

Under fördelningsskedet framställes leviterna som tillhöriga en stam *šebaeṭ hallēvī*, 13,14,33 eller såsom en separat grupp knuten till 12-stamsförbundet, *lĕvijjīm*, 14,3,4; 18,7. Vid alla dessa tillfällen betonas, att de inte skall erhålla "arvedel" som de övriga stammarna utan skall bo mitt i Israels stammar och få kultiska uppgifter.

13,14	Blott åt Levi stam gav han (Mose) inte någon *naḥălā, 'iššê YHWH 'ælohê Jiśrā'ēl hū' naḥălāṯō ka'ăšaer dibbaer lō.*
13,33	Åt Levi stam gav inte Mose någon *naḥălā*. YHWH, Israels Gud, han skall vara deras *naḥălā* såsom han sagt till dem.
14,3b	--- men åt leviterna gav han (Mose) inte någon *naḥălā* mitt ibland dessa (de 21/2 stammarna öster om Jordan).
14,4b	--- men inte gav man arvedel (*ḥelaeḳ*) åt leviterna i landet utan städer till att bo i med tillhörande utmarker för deras boskap och deras egendom.
18,7a	Se (*kī*) ingen *ḥelaeḳ* blev åt leviterna i deras mitt, *kī kĕhūnaṯ YHWH naḥălāṯō.*

Uppgifterna om leviterna i 13,14 och 13,33 är helt i överensstämmelse med dem i Dt 18,1 f. De följer den deuteronomistiska, pro-levitiska uppfattningen om leviterna såsom utgörande det egentliga prästerskapet. I Jos 18,7 sägs i klartext, att leviterna skall vara "YHWH:s prästerskap". Genom att levitiska präster uppträdde som bärare av förbundsarken i Jos 3,3: 8,33 har leviterna i Josuaboken tillskrivits samma uppgifter, som Mose gav dem under ökenvandringen, Dt 10,8 f. Det är helt i överensstämmelse med det övriga materialet i Josuaboken.

[16] Cody, *A History of Old Testament Priesthood*. 1969, 140.
[17] Eleasar benämnes givetvis *hakkōhēn*, Jos 14,1 etc.

Denna leviternas framträdande position är dock något överraskande, om man jämför med 2 Kon 23,9, där (i den josianska reformationen) ''landsortsleviterna'' spelar en mycket underordnad roll.[18] Pre-deuteronomistiska källor, t.ex. Dom 18–19, ger oss en föreställning om leviternas spridning i landet. Ur deras led hämtades YHWH-präster. Leviternas rätt till den prästerliga funktionen baseras sålunda på gammalt material.

Det s.k. P-materialet tillerkänner inte leviterna någon högre rang. De är underordnade funktionärer i anslutning till Tabernaklet, Nu 4,1 ff; 8,5 ff. Dessutom är de inte inmönstrade tillsammans med de övriga stammarna. De har sin plats ''mitt i lägret'' i anslutning till Tabernaklet, Nu 2,17. Enligt stamgrupperingen i Josuaboken fick leviterna ingen arvedel mitt ibland stammarna utan grupperas ut i 48 städer belägna inom de 12 stamterritorierna. Nu 35,1–8, som anger antalet till 42 leviterstäder jämte 6 asylstäder, ger även detaljerade uppgifter om leviternas områden, resp. stad, vv. 4 f. Tusen alnar utifrån stadsmuren runtomkring skall deras betesmarker sträcka sig samt därifrån ytterligare 2000 alnar i kompassens fyra väderstreck. Dessa exakta mätningar är typiska i P-språket, t.ex. Ex 27 och Hes 40–44. De här angivna måtten förekommer eljest endast i Hes 47,3 ff, resp. Jos 3,4. Förutom uppgiften om antalet städer har Nu 35,1–8 inte mycket gemensamt med leviter-materialet. I allmänhet anses Nu 35,1–8 vara beroende av stadslistan i Josuaboken, emedan Nu 35 förutsätter den sekundära interpolationen av asylstäderna i Jos 21.

Leviterstäderna

Enligt ingressen till kap. 21 fördelas städerna av ''kommissionen'' efter påstötning av ''leviternas huvudfäder'', *rā'šê 'ăḇōṯ halvijjīm*, 21,1–3. Dessa träder fram (*nāḡaš*), Jos 14,6; jfr Nu 36,1 (*ḳāraḇ*) i Silo i Kanaans land med sin begäran och åberopar YHWH:s befallning till Mose därom. Jfr Nu 35,2. Fördelningen sker sedan genom lottkastning. Det har kunnat iakttagas, att än uppträder Josua ensam såsom ''förmedlare'', Jos 14,6; 17,14; 18,2; 20,1, vid fördelning än ''kommissionen'', bestående av Eleasar, prästen, Josua, Nuns son och stammarnas huvudmän, Jos 14,1; 19,51; 21,1. Jfr Nu 32,28. Orsaken till denna växling kan vara redaktionellt betingad. Som ''ramuttryck'' till hela stamfördelningen (dit får vi då räkna leviterstäderna) förekommer ''kommissionen'' medan Josua endast företar partiella fördelningar. ''Kommissionen'' torde också tillhöra det övertagna materialet. Vad gäller kap. 21 kan Dtr:s stil observeras i vv. 43–45, vilka utgör ett logiskt slut på fördelningen, jfr Jos 1,15/21,44. Det (i övrigt) i Dtr-text så ofta förekommande *YHWH ṣiwwā ḇějaḏ mōšaē*, v. 2, jfr v. 8, kan tyda på att ingressen är av Dtr:s hand. Frasen ''städer till att bo i och deras utmarker för vår boskap'', v. 2 och i synnerhet *mīḡrāš* är av P-karaktär. ''Utmarker'' förekommer aldrig i deuteronomistisk text.

[18] A. Cody, *op.cit.*, 135.

Liksom listorna på städer och gränser i Josuaboken 13–20 är övertagna men ofta delvis bearbetade av Dtr synes samma situation råda i fråga om kap. 21. Geografiskt sett, det gäller såväl stamordningen som städerna, följs samma princip som i de tidigare kapitlen. En enkel indelning av kapitlet kan göras, nämligen, vv. 4–8, vv. 9–41. Juda, Simeon och Benjamin intar den första platsen i v. 4, följda av Efraim, Dan[19] och västra 1/2 Manasse. Därefter kommer Isaskar, Asher, Naphtali, till vilken grupp även östra grenen av Manasse räknas och så Ruben, Gad samt överraskande Sebulon. Denna ordningsföljd är delvis geografiskt betingad från Juda i söder och följd av de nordliga stammarna till Manasse i Bashan. Sebulons placering är originell, Ruben intar platsen före Gad och får sig tilldelad städer, 21,36, som ligger söder om Gad, helt i linje med traditionen i Jos 13,18. Juda, här tillsammans med Simeon och Benjamin, dvs. Stor-Juda, intar som alltid den första platsen. Till Aroniterna, som får det ''förnämsta'' området ur Dtr:s synpunkt, utgår den första lotten 21,10 och i inledningen till den stereotypa uppräkningen, vv. 13 ff., intar Hebron en särställning, vv. 11 f. Detta må vara ett Dtr-inskott, eftersom Kalebs arvsrätt tillmäts stor betydelse i det föregående, Jos 15, säkerligen av ideologiska orsaker. Hebron och Kaleb betecknar sannolikt incitamenten till Jerusalem och David i den följande historien. Simeon slås ihop med Juda, vv. 9–16, medan från och med Benjamin stammarna nämns var för sig. Dans leviterstäder ligger inom stammens ursprungligen tilldelade område, v. 23 f. Rubens städer i v. 36 f., är i texten interfolierade från LXX. Det torde knappast råda någon tvekan om att de ursprungligen funnits där, jfr 1 Krön 6,63. Ett liknande exempel på ''bortfall'' av text föreligger i den alfabetiska Ps 145,13. Där har en *nūn*-strof bevarats i LXX och dessutom i Qumran. De båda öststammarna, Ruben och Gad, intar samma positioner som i Jos 13, dvs. Rubens område ligger i söder. Sebulon, v. 34 f., har återigen ändrat position i förhållande till 21,7.

Stammarnas ordningsföljd i kap. 21 beror säkerligen på grupperingen av leviterna. kehatiterna, tydligen den största och betydelsefullaste gruppen får 23 städer belägna i Juda, Simeon, Benjamin, Efraim, Dan och västra Manasse. Det omfattar praktiskt taget området från och med Negeb ända upp till Jisreelsslät-

[19] Stammen Dans position i Jos 21 tas som bevis för att Jos 21 är tidigt premonarkiskt till ursprung, Y. Kaufmann, *The Biblical Account of the Conquest of Palestine*. 1953, 43 ff. även sid 16 ff., och samtidigt blir det ett av hans argument mot framför allt A. Alts datering av stadslistan till kung Josias tid, Bemerkungen zu einigen judäischen Ortslisten des Alten Testaments, *KS II*. 1953, 289-305. Stammen Dans område i Jos 21,23 f. överensstämmer med det som återges i Jos 19,40 ff.; dvs. det är området, som stammen fick, innan den begav sig till Laešaem, Jos 19,47. Det finns ingen anledning att betvivla, att daniterna först slog sig ned i området sydost om Jaffa, jfr Dom 13. Som vi ovan nämnt i relation till Jos 19,40 ff. grundar sig den arvedelen på mosaisk auktoritet. Denna följer Dtr konsekvent. Vi skulle kunna tillägga: på samma sätt som Dtr i Josuaboken ej låter Josua erövra Betel på grund av dess senare tvivelaktiga karaktär kultiskt sett, så kan man ej ge ''mosaisk'' sanktion åt Dan/Laešaem, som blev en tvillinghelgedom åt Betel, 1 Kon 12,28 f. Det är verkligen originellt, att Dan kilats in mellan Efraim och Manasse, Jos 21,20 ff. S. Tengström, *Die Hexateucherzählung*. 77, antar, att stadslistan återspeglar premonarkisk tid.

ten. Arons ättlingar var dock centrerade till Stor-Juda. Gershoniterna fanns i den allra nordligaste delen, östra Manasse, Isaskar, Asher och Naphtali medan Meroniterna finns till största delen i Ruben och Gad, dvs. den södra delen av Gilead samt i Sebulon, väster om Karmelmassivet.

Aroniterna är således en sub-grupp till kehatiterna men hör till Stor-Juda.[20] Såsom Cody klart har visat är figuren Aron såsom levit ganska sen men hör ändock till pre-exilsk tid.[21] I efterexilsk tid var aroniterna skilda från Kehatiterna och överlägsna de senare. Måhända Dtr såg i Kehatiterna den mer överlägsna gruppen av leviterna, då deras uppgift var att bära Förbundsarken enligt Nu 3,21–27; 4,2–33, en uppgift, som tillhörde levitiska präster, Jos 3,3; 8,33.

Det har diskuterats mycket från vilken tid den levitiska stadslistan hör. Något enhetligt svar har inte kunnat ges. Alt antog, att den josianska reformen skulle vara *terminus a quo*,[22] medan Albright föreslog det Enade rikets tid.[23] Aharoni ansåg organisationen med leviterstäder tillhöra Davids tid,[24] eftersom han baserade administrationen av sitt rike på det traditionella samfundet. Leviterstäderna utgjorde kungliga centra med kultisk beteckning i enlighet med egyptiskt mönster.[25] Det är mycket troligt, att denna Aharonis uppfattning är den riktiga, även om den josianska reformen aktualiserat den nuvarande ''rekonstruktionen''.[26]

Nyligen har leviterstäderna aktualiserats genom ett par amerikanska avhandlingar,[27] som tyvärr inte har publicerats. Kortfattade uppgifter kan hämtas hos G. W. Ahlström, vilken själv har ägnat problemet en del uppmärksamhet.[28] Av såväl textuella som arkeologiska skäl vill Ahlström förneka förekomsten av en institution av ''so called 'Levitical' cities'' från monarkisk tid eller tidigare. Den post-exilske historiografen härledde enligt Ahlström ''his concept of 'Levitical' cities'' från det gamla administrativa systemet att placera prästerlig och civil personal på vissa strategiska platser, dvs. det var ett sätt att israelitisera kanaaneiska områden. Stadslistan i Jos 21 har således till ändamål att rättfärdiga anspråket på landet.[29] Ehuru stadslistan är en sen företeelse kan systemet i teorien gå tillbaka på åtminstone Sauls tid.[30]

[20] A. Cody, *op.cit.*, 158 f.

[21] *Op.cit.*, 164 ff.

[22] A. Alt, *KS.II* 289 ff., 310 ff.

[23] The List of Levitic Cities, *Louis Ginzberg Jubilee Volume*. 1945, 49-73. Albright följdes i princip av B. Mazar, The Cities of the Priests and the Levites, *VTS* 7 (1959), 193-205. Jfr M. Haran, *JBL* 80 (1961), 45-54, 156-165.

[24] Y. Aharoni, *The Land of the Bible*. 1967, 269-273 och även Z. Kallai, *The Tribes of Israel*. 1967, 379-403, nu med en liten tidskorrigering till ''the second half of Solomon's reign'', The System of Levitic Cities, *Zion* 45 (1980), 13-34 med en kort English Summary. Se även *IEJ* 27 (1977), 108. Jfr M. Greenberg, *JBL* 78 (1959), 125-132; *Idem*, *IDB* (1962), s. 638-39.

[25] *ANET*, 260 f.

[26] Så J. A. Soggin, *comm.*, 204.

[27] J. L. Peterson, *A Topographical Survey of the Levitical ''Cities'' of Joshua 21 and 1 Chronicles 6*. 1979 and J.R. Spencer, *The Levitical Cities: A Study of the Role and Function of the Levites in the History of Israel*. 1980.

[28] *Royal Administration and National Religion in Ancient Palestine* 1982, 51 ff.

[29] *Op.cit.*, 55.

[30] *Op.cit.*, not 45. Z. Kallai, *Historical Geography*, 447 ff. vidhåller, att det enade riket är den

Den ursprungliga historiska bakgrunden är svår att gripa. Men Dtr har ansett, att leviterstäderna måste höra till det framtida Enade riket och för honom var det viktigt, att de gick tillbaka på mosaiska direktiv. Med Jos 21,43 ff. avrundar Dtr riksbildningen. Jahve har nu gett landet åt sitt folk enligt löftet till fäderna. Och med detta är en slutgiltig vila (*nūaḥ*) förknippad. Jfr Jos 1, 18; Dt 3,20. Alla fiender är besegrade eller skall besegras av Jahve, Jos 13,6. Jfr 2 Sam 7,1. Men detta erövringsverk har endast kunnat göras tack vare Israels hörsamhet och lydnad, Jos 21,45. Jfr negativt Dt 18, 22;1 Sam 3. Det programmatiska anslaget fortsätter i Jos 23–24 och samhörigheten med stammarna i öster om Jordan är så viktig, att Jos 22 har karaktär av fördragstext, vars intention är att betona den kultiska enheten mellan väst och öst, som dessutom understryker Davidsrikets sammanhållning. Den aktuella tidpunkten för en sådan litterär fixering bör vara Josias tid. Se vidare kap. XII Fördelningens geografi.

enda period, som kan utgöra bakgrund till systemet. N. A. Na'aman, *Border*, 203 ff. ger en kort översikt av problemställningarna och gör upp med Aulds uppfattning, *ZAW* 91 (1979), 194-206, att 1 Krön 6 skulle vara primärt till Jos 21 men accepterar hans idé, att de 13 aronitiska städerna i Juda är utgångspunkten och systemet med 48 städer är en fiktion. Se nu också G. Schmitt, citerad hos M. Kartveit, *Motive und Schichten*, 1989, 163, som antar systemet vara en litterär företeelse och inte historisk.

KAPITEL XI

Fördrag

A. Kap. 22

Stilistiskt är det relativt enkelt att dela upp kapitlet. Vv. 1–11 kan sägas utgöra en Dtr-ingress till vv. 12–34, vilka har en klar P-karaktär. Indelningen av kapitlet är densamma som i Nu 32.

'āz-anslaget följt av *ipf.*, 22,1, förekommer ofta i Josuabokens deuteronomistiska texter för att markera betydelsefulla händelser, t.ex. 8,30; 10,12. Vv. 1–6 innehåller uppmuntrande beröm för att öststammarna bl.a. fullgjort sitt löfte till Mose, Nu 32, varefter följer uppmaningar att de i fortsättningen skall hålla sig till YHWH. I v. 6 mottar stammarna, tydligen Ruben och Gad, Josuas välsignelse. Välsignelsen ges separat till 1/2 Manasse, v. 7. Öststammarna utgår från Silo, v. 9. Det första de gör är att bygga ett stort altare *'ael gĕlīlōṯ hajjardēn*, vv. 10,11.[1] Ehuru lokalangivelserna är flera och därmed något diffusa behöver det inte existera några tvivel om att altaret byggdes i området öster om Jordan. Uttrycket *'ăšaer bĕ'aeraeṣ kĕna'an*, v. 10, hör ursprungligen till staden Silo, v. 9, som får detta förtydligande tillägg, Jos 21,2; Dom 21,12. (Jfr Gen 33,18 om Sikem; Gen 35,6 om Luz). Enligt Dtr:s version sägs endast att "altaret var stort till utseendet", v. 10. Kanske epitetet är tänkt att väcka snabb reaktion bland väststammarna.

Med v. 12 inleds stilistiskt sett P-avsnittet. V. 12b är identisk med Jos 18,1a. Altarbygget betraktas som ett så stort brott, att krig är nära förestående, v. 12,(33). Men en deputation bestående av Pinhas, Eleasars son och tio *nĕśī'īm*, v. 13 f., sändes över till öststammarnas område, *'aeraeṣ haggil'āḏ*. I den palaver, som följer, typisk för text, som omfattar öststammarna, Nu 32, anges i upptakten brottet såsom *ma'al*, v. 16, dvs. det är förbundsbrott. Här refereras till Pe'or — och Akan-episoderna.[2] Jfr i Nu 32 referensen till spejarepisoden, Nu 14. I Pe'or ingrep Pinhas, Nu 25,6–13 och blev lovad *kĕhūnaṯ 'ōlām* genom sin något bryska rådighet. Pinhas är även deltagande präst i striden mot midjaniterna som utgör hämnd för Pe'or episoden, Nu 31,6. Jos 22 tillhör således samma prästerliga traditionskrets som de nämnda Numeri-traditionerna; och sannolikt har Gibeon-episoden, Jos 9 samt Akan-traditionen, Jos 7, hört dit. Vissa språkliga uttryck tyder därpå: *ma'al*, Nu 31,15; Jos 7,1; 22,16,20,22,31; *māraḏ*, Nu 14,9;

[1] Uttrycket *gĕlīlōṯ* kan användas om olika trakter, Jos 13,2/Jo 4,4 (filisteiska); Jos 18,17/15,7.
[2] Nu 31 resp. Jos 7.

Jos 22,16,18,19,22,29; *nāḡaf* (*naeḡaef*), Nu 14,42; Jos 22,17; jfr *maggēfā*, Nu 25,18,19; Nu 31,16; *ḳāṣaf*, *ḳaeṣaef*, Jos 9,20; 22,18,20.

Den prästerliga landkonceptionen betonas i 22,19. Kanaan benämnes där *'aeraeṣ 'ăḥuzzaṯ YHWH*, vilket är i överensstämmelse med utsagan i Lev 25,23.[3] Denna uppfattning ligger också bakom Moses tal i Nu 32,7 ff. Jfr Hes 47,15–20; 48,1–9. Där har YHWH placerat sin boplats *miškan YHWH*, varmed här avses Silo, Ps 78,60. Termen syftar egentligen på Tabernaklet, som även stod i Gibeon, 1 Krön 16,39;2 Krön 1,5. Likaså Jerusalem kan åsyftas med begreppet *miškan YHWH*, 2 Krön 29,6 och så även Hes 37,27 ff. Jahves boplats ansågs ligga mitt ibland israeliterna i Kanaan. Denna tanke gör annat land kultiskt orent, Am 7,17; Jos 22,19, dvs. icke jahvistiskt.[4] Inga offerhandlingar kan utföras utanför Jahves boplats. Av den anledningen betraktas altarbygget ur västlig aspekt såsom *ma'al*, förbundsbrott. Ehuru Dtr gärna skulle ha velat instämma i denna uppfattning, måste han försvara öststammarna, för att få sin landkonception att stämma, jfr Jos 1,12 ff.

Avsnittet, vv. 21–29, saknar stilistiskt sett inte intresse. Öststammarnas svar på anklagelsen i det föregående har karaktären av rättsspråk[5] formulerat i positiva och negativa konditionala utsagor. Exakt samma typ av schema kunde vi iakttaga i Nu 32,20–30. Där är det Mose som dikterar villkoren i positiva och negativa konditionalsatser.[6] I Jos 22 anklagar delegationen från Silo öststammarna för förbundsbrott på grund av altarbygget, 22,12 ff., medan öststammarna försvarar sig genom att bl.a. använda konditionalsatser, positiv, v. 22 f. och negativ, v. 24 ff. Situationen får fördragskaraktär genom invokationen av de båda parterna, som tvisten gäller, YHWH och Israel. Altaret framstår slutligen som vittne på sammanhållningen i YHWH mellan öst och väst, v. 27.

Schemat innehåller följande punkter:

a) Invokation av parterna, v. 22a[7]
'el 'Aĕlōhīm YHWH 'el 'Aĕlōhīm YHWH
hū' jōḏēa' wĕJiśrā'ēl hū' jēḏā'

b) villkoren i positiv konditional form, v. 22b f.
'im bĕmaeraeḏ wĕ'im bĕma'al bĕYHWH 'ēl, 'āśīnū[8] *hajjôm hazzāē* etc

V. 23b *YHWH hū' jĕḇakkēš*

c) villkoren i negativ konditional form, v. 24
wĕ'im lō' middĕ'āḡā middāḇār 'āśīnū 'aeṯ zō'ṯ
med de två gånger upprepade, vv. 25,27
'ên lāḵaém ḥelaeḵ bĕYHWH

[3] Se M. Ottosson, art. *'aeraeṣ*, *ThWAT. Bd I.*, 1973, sp. 432 ff.

[4] Jfr Z. Kallai, *IEJ* 27 (1977), 107, som poängterar detta i samband med Hesekiels gruppering av stammarnas arvslotter i Cisjordanien, Hes 47,15-20; 48,1-29.

[5] K. Baltzer, *Das Bundesformular*, 1964, 67.

[6] M. Ottosson, *Gilead*, 76 f. Jfr även 1 Sam 12,14-15.

[7] Jfr H. J. Boecker, *Redeformen des Rechtlebens im Alten Testament*, 1964, 31 ff.; G. André, *Determining the Destiny*, 1980, 58, som understryker den juridiska karaktären av Jos 22. Jfr Ps 50,1.

[8] MT:s uttryck *'al tōšī'ēnū* är restaurerat till *'ēl 'āśīnū* för att framhäva parallellismen till *'im lō'*-satsen, v 24. *YHWH 'el* är belagt i Ps 10,12. Jfr 2 Mos 34,6.

d) altaret är *'ēḏ* mellan öst och väst, vv. 27,28, att Jordan inte skall vara någon gräns stammarna emellan. Altaret skall inte användas såsom offerplats men är ändock byggt enligt *'aeṯ taḇnīṯ mizbaḥ YHWH*, v. 28.[9] Jfr Ex 25,9,40 och i synnerhet 2 Kon 16,10 (hedniskt altare). I Jos 8,30–35 tillåts offer, eftersom Förbundsarken är där. Jfr Jos 24,27, där stenen är vittne, *'ēḏā*, på sammanhållningen syd — nord.

Vv. 30–34 innehåller upplösningen av konflikten. Enligt v. 31 anses Jahve fortfarande vara mitt ibland Israels stammar, ty inget förbundsbrott har blivit påvisat och ingen plåga kan drabba folket för altarets skull. V. 34 anses ha innehållit en ortsetiologi.[10] Det är mycket sannolikt, att den versen tillhör Dtr. Samma dunkelhet har också uppstått i fråga om altaret i Gibeon, 9,27, en vers, som måste tillskrivas Dtr. Det som egentligen 22,34 bekräftar är, att Jahve är Guden även på östjordanskt område, ett resultat, som Dtr naturligtvis ville betona.

På sätt och vis har Jos 18–22 karaktären av ett Silo-komplex, dvs. traditionsmaterialet angående fördelning av stammarnas arvedelar har ursprungligen hört dit. Det är mycket sannolikt, att även kap. 14–17 har ingått där, obs! uttrycket *bĕ'aeraeṣ kĕna'an*, 14,1, som kan knytas till Silo. Se ovan! Men Dtr har disponerat materialet så att Juda och Josefsstammarna, dvs. täcknamnen för Syd- och Nordriket kom att fördelas från Gilgal. Erövring och fördelning kom sålunda att utgå från samma plats. Den sydliga dominansen får därigenom sägas vara total i det redaktionella stadiet.

Den ''historiska'' bakgrunden till kap. 22 angående Jahveh-altaret i Transjordanien torde ej vara möjlig att rekonstruera. Menes och Vink, vilka sökt förklara kapitlet såsom åsyftande post-exilska förhållanden,[11] gör knappast texten rättvisa, om vi nu skall betrakta Josuaboken som medvetet gjord komposition. Det av Franken aviserade men ännu inte påträffade templet i *deir 'allā* har även satts i samband med den jousanska altartraditionen.[12] Nu tillhör de diffusa uppgifterna om altarets lokalisering Dtr:s inledning till uppgörelsen med de tio väststammarna och kan därför knappast vara möjliga att använda såsom utgångspunkt.[13] Manasses, den östra grenens, roll i sammanhanget är mycket vagt uttryckt i kapitlet. Närmast är det Ruben och Gad, 22,25 ff., som är de agerande.

[9] Genom P-uttrycket *taḇnīṯ*, se S. Wagner, art *bānāh*, *ThWAT. Bd I*, 1973, sp. 704 ff., kan här refereras till mosaiska direktiv, vilket måste vara av stor vikt för Dtr.

[10] M. Noth, *comm.*, 134. J. S. Kloppenborg, *Bi* 62 (1981), 368 f.

[11] A. Menes, Tempel und Synagoge, *ZAW* 50 (1932), 268-276; J. G. Vink, The Date and Origin of the Priestly Code in the Old Testament, *OTS* 15 (1969), 77. Se M. Ottosson, *Gilead*, 135 not 83. Jfr J. Dus, Die Lösung des Rätsels von Jos. 22, *ArOr* 32 (1964), 529-546.

[12] Så J. G. Vink (not 11). Jfr N. H. Snaith, The Altar at Gilgal: Joshua XXII 23-29, *VT* 28 (1978), 330-335.

[13] Se diskussionen hos J. A. Soggin, *comm.*, 211. J. S. Kloppenborg, Joshua 22: The Priestly Editing of an Ancient Tradition, *Bi* 62 (1981), 347 ff., är den hittills bästa och mest sunda diskussionen. Jag kan instämma i det mesta av hans åsikter. Där vi skiljer oss åt, berör närmast landuppfattningen och kanske också den kronologiska relationen mellan P och Dtr.

Dessa har sina städer från Ramoth Gilead i norr till floden Arnon i söder. Jos 22 ger dock ingen lokalangivelse om Ruben eller Gad skall placeras i söder dvs. om vi skall följa Nu 32 eller Jos 13. Men eftersom Jos 22 liksom Nu 32 får tillskrivas prästerlig tradition, såväl i fråga om form som innehåll har kapitlen mycket gemensamt, bör de även ha samma uppfattning om Rubens och Gads bosättning. Åtminstone ''Gads män bodde i Atarot sedan urminnes tider'' enligt Mesha-inskriften och då denna uppgift är i överensstämmelse med Nu 32, har vi under alla omständigheter en *terminus ad quem* kronologiskt sett. Därtill kommer, att Mesha-inskriften likaså verifierar förekomsten av en jahvistisk ''kultplats'' i Nebo. Mesha tog Jahves ''kultföremål'' och deponerade dem i guden Kemosh' tempel. Dessutom nämner Meshainskriftens rad 12 ''Dods altarhärd i Ataroth''. Det är Rubeniterna och Gaditerna som är huvudaktörer i Jos 22. Meshainskriften antyder, att israelitisk kult observerades på Gads område. Det moabitiska ordet, översatt med ''altarhärd'', är *'r'l*.[14] Det är värt att nämna, att namnet *'ar'ēlī* återfinnes bland de Gaditer, som drog ned till Egypten i Gen 46,16 och återvände från Egypten i Nu 26,17. Satt i relation till Mesha-stelens uppgifter bör P-avsnittet i Jos 22 gå tillbaka på gamla traditioner. Det förekommer ingen lokalangivelse och Dtr har en mycket diffus uppfattning. Sannolikt, är att han söker ''mörklägga'' förekomsten av en nordisraelitisk Jahve-kult i Transjordanien. Men Dtr:s positiva syn på öststammarnas agerande hör naturligtvis samman med hans landuppfattning såsom den även demonstrerades i erövringsskedet. Sammanhållningen öst-väst bekräftas nu genom fördrag.

B. Kap. 23

Kapitlet är klart deuteronomistiskt. Det kan indelas i två avsnitt, som är likartat uppbyggda, nämligen vv. 1–13 och vv. 14–16.

I.	Vv. 1–4	situationsbeskrivning, antecedent history	
	Vv. 5–7	beskrivning av framtiden	
	(v. 6	förmaningen)	
	Vv. 8–13	konditionala satser, som behandlar framtiden	
	v. 8 *kī'im*	v. 9 följdsats	positivt
	v. 12 *kī'im*		negativt
II.	V. 14	situationsbeskrivning, antecedent history	
	v. 15–16	positiva-negativa satser,	
	(v. 16 har asyndetiska konditionalsatser som behandlar framtiden.)		

[14] Meshainskriften, rad 14 ff. Text och språkliga kommentarer finns hos A. H. van Zyl, *The Moabites*, 1960; Översättning av W. F. Albright i *ANET*, 3230 f. *KAI* II, 175 ff. Beträffande *'r'l*/ *'ar'ēlī*, se M. Ottosson, Tradition and History, with Emphasis on the Composition of the Book of Joshua, 1984, 102. Se dock W. F. Albright, *BASOR* 89 (1943), 16 not 55.

Denna uppdelning av kapitlet ger vissa antydningar om att *bĕrāḵā-* och *qĕlālā-*motiven, de förra refererande till Josuas tid och de senare till framtiden, med mosaisk lag som förebild, v. 6, har mycket gemensamt med fördragstexter. Men kapitlet är ingen fördragstext utan en predikan av Josua eller snarare en ledares avskedstal fyllt av förmaningar och varningar att ta avstånd från "de återstående folkens" gudar, v. 7.[15] Kapitlet refererar således innehållsligt till avsnittet Jos 13,1–6, som behandlar "det återstående landet". Även där är Josua gammal, 13,1/23,2. Han har inte hunnit besegra alla folk men får ändå Jahves uppdrag att kasta lott om deras land, 13,6/23,4 ty Jahve skall själv fördriva folken, 13,6/23,5,9 (negativt v. 13) inför Israel. De folk som det är fråga om är filistéer, alla kanaanéer, sidonier dvs. fenicier och hiwwiter (*'awwīm*, Jos 13,3), Dom 3,3. Dessa blir nu inte fördrivna på grund av Israels olydnad utan Jahve låter dem vara kvar *hinnīaḥ* för att fresta Israel, obs! ordleken *hinnīaḥ*, Dom 3,2, *hēnīaḥ*, Jos 23,1. Begreppet "de återstående folken" blir således mycket betydelsefullt för Dtr, eftersom i Josuaboken erövringsrouten har inneburit de besegrade folkens utrotning. Även de "återstående folken" måste besegras för att det uppsatta erövringsmålet skall sägas ha uppnåtts.[16] Detta "mål" görs nu till Josuas "testamente", vars fullföljande är absolut nödvändigt, för att "det goda landet" skall äga bestånd. Det kan inte ske utan lagens uppfyllande. Jfr Jos 1,3–9. Josuas tal tecknar därigenom (fortfarande enligt Dtr:s komposition) den situation, som folket befinner sig i enligt kap. 24, där just enheten i Jahve och hans lag bekräftas, främmande gudar avlägsnas. Men det är i kap. 24 närmast ett cisjordanskt problem; (kap. 22 bekräftade enheten öst-väst). Det gäller sammanhållningen av stammarna. Är vår teori riktig att Dtr genom sin komposition av textmaterialet i Josuaboken skildrat återerövringen/upprättelsen av Davidsriket, så skall den slutgiltiga enheten bekräftas i Sikem. Det var där som landet en gång gavs åt Abraham, Gen 12, men även delades, 1 Kon 12,1 ff.

C. Kap. 24

Slutkapitlet i Josuaboken har analyserats och tolkats på flera olika sätt. Undersökningarna har det gemensamt, att de knappast betraktat kapitlet ur bokens

[15] Josua uppträder som Mose. Jfr Baltzer, *op. cit.*, 68. Den deuteronomistiska vokabulären är synnerligen iögonenfallande i hela kapitlet. Jos 23,3 ff. är Dtr:s utläggning av *qĕlālā*-momentet med termer identiska med dem som finns i Lev. 26,38; Nu 33,52 ff.; Dt 11,17;12,2 f.; Dom 2,3. Till *'āḇaḏ*, se B. Otzen, *ThWAT. Bd. I*, sp. 22 f. Till kapitlets relation till de deuteronomistiska talen, se R. Boling, *Joshua*, 526. Jfr E. Hamlin, *Joshua*, 1983, 179 ff.

[16] Grundtanken är naturligtvis, att Israel måste sträva efter att uppnå det ideala landet. Det kan endast ske genom strikt lagobservans, varigenom Jahve skall besegra deras fiender. All annan gränsdragning och decimering av "det goda landet" är tecken på bristande lagobservans slutligen bekräftad genom kung Manasses antijahvistiska aktivitet, 2 Kon 21; 23,26. J. N. H. Wijngaards, *OTS* 16(1969) och N. Lohfink, *BZNF* 27 (1983), 14-33. Se även G. Mitchell, *The Nations in the Book of Joshua*. Diss., Heidelberg.

helhetsaspekt, dvs. den funktion det har enligt Dtr:s komposition.[17] Säkerligen har Sikem i mycket gammal tid spelat en stor roll som ett religiöst centrum kring *'el bĕrīṯ*, Dom 9 och där även nordstammarnas anfader Jakob begravde de gudar, som förts med från Aram Naharaim, Gen 31 och 35. Men ehuru det anspelas på en del av dessa händelser i Jos 24, framstår de närmast såsom ett led i en telescoped history-framställning, där patriarken Jakob har företagit sig någonting, som var förenligt med Dtr:s egen teologiska uppfattning, 24,14b. Jfr v. 12b/Gen 48,22.

Josua samlar alla Israels stammar till Sikem *kål šiḇṭê Jiśrā'ēl*, jfr Jos 3,12;12,7 samt deras "äldste, hövdingar, domare och tillsyningsmän" en gruppering, som ordagrant endast återfinnes i Jos 23,2 och nästan exakt i Dt 29,9 och Jos 8,30 ff. De ställde sig *wajjitjaṣṣĕḇū* inför Gud, jfr Jos 1,5. Därvid rekapitulerar Josua en stor del av frälsningshistorien från Tera till och med erövringen av Trans- och Cis-jordanien, vv. 2–13. K. Baltzer kallar denna sektion "*antecedent history*", vilket utgör en beståndsdel i fördragstexter.[18] Liksom i v. 1 Israels enhet betonas, "alla Israels stammar", öppnas historiereferatet i v. 2 med en referens till Israels gemensamme Gud, nämligen genom "budbärarformeln" "så säger YHWH, Israels Gud". Formeln förekommer i Josuaboken ytterligare en gång i Jos 7,13 liksom gudsbenämningen i Jos 7,13,19,20; 8,30; 9,18,19;10,40,42; 13,14,33;14,14; 22,24; 24,2,23. E. Nielsen har ingående diskuterat denna gudsbenämning och anser den ursprungligen härröra från Sikem med utgångspunkt i Gen 33,20, *'ēl 'aĕlōhê Jiśrā'ēl* och termens vidare förekomst i Sikemtraditionerna, Jos 8,30; 24,2,23.[19] Senare skulle den ha övertagits av de jerusalemitiska tradenterna. Gudsbenämningen är predeuteronomistisk, inte minst tyder dess förekomst i Dom 5,3,5 därpå. Uttrycket "YHWH Israels Gud" förekommer inte mindre än 15 ggr i Josuaboken. Evident är, att några texter är deuteronomistiskt präglade och på så sätt kan termen ha övertagits från dess sikemitiska ursprung, t.ex. 10,40,42; 13,14,33; 14,4 och naturligtvis 8,30. I Josuaboken förekommer

[17] M. Noth t.ex. anser, att Jos 24 är såväl traditionshistoriskt som litterärt starkare isolerat (i Josuaboken) än man vanligtvis antar, *comm.*, 137. Detta deuteronomistiskt redigerade kapitel har knappast hört till den ursprungliga deuteronomistiska Josuaboken, *ibdm*, 10. Det är obegripligt hur M. Noth kunde räkna "mit einem planvoll angelegten deuteronomistischen Josuabuche" till vilken därefter sekundärt deuteronomistiskt bearbetade avsnitt, såsom 13,1-21,4 och 24,1-33, tillagts. J. A. Soggin, *comm.*, 227, kan på grund av logiska svårigheter inte tänka sig den nuvarande relationen mellan Jos 23, Josuas avskedstal och händelserna i Jos 24. Men vi behöver bara jämföra Moses agerande i Dt 32-33, avskedssång resp välsignelse, varefter han från toppen av Pisga, Dt 34,1, får se hela det land, som är identiskt med det som i Josuaboken fördelas och vars enhet bekräftas i Jos 24. Ideologiskt saknar Josuaboken avslutning utan Jos 24. Att Dtr använt en gammal Sikem-tradition ligger i öppen dager. — M. Weinfeld, The Period of the Conquest and of the Judges as Seen by the Earlier and the Later Sources, *VT* 17 (1967), 93-113, spec sid 97, följer E. D'Oherty, The Literary Problem of Judges I, I-III,6, *CBQ* 18 (1956), 1-7, som anser, att Jos 24,28-31 har blivit överfört från Dom 2,6-9, efter det att Jos 24,1-27 och Dom 2,6-9 fogats till den deuteronomistiska historien. Jfr nu J. van Seters, *In Search of History*, 1983, 336, som betraktar 24,28-33 som ett P-tillägg.

[18] *Op. cit.*, 19.

[19] *Shechem. A Traditio-Historical Investigation*, 1955, 231 ff. Jfr uttrycket Jahve edra fäders Gud, Jos 18,3; Dom 21,2.

emellertid frasen i situationer, där förbundsbrott bevisats, Jos 7,13,19,20 eller tonats ned 9,18,19 och 22,24. Samtliga dessa texter är av icke deuteronomistiskt ursprung och har P-karaktär, vilket i dessa fall knappast bevisar, att de är sena och ej heller behöver tillhöra sikemitiska traditioner. Jos 7 är i en jämförelse med Jos 24 av speciellt intresse, då gudsbenämningen i båda fallen förekommer vid avlägsnandet av sådant, som är till hinders för ett riktigt förbundsförhållande. I Jos 24,23 är det avlägsnandet av de främmande gudarna och i Jos 7,13 är det avlägsnandet av *haḥeraem*. Avlägsnandet av "främmande gudar" kan utgöra en förbundsrit, som är knuten till Sikem men själva företeelsen, dvs. att avlägsna objekt, som bryter förbundet, kan gå tillbaka på en allmän men viktig förbundsvokabulär. Det torde i det fallet inte vara någon större skillnad på patriarkernas gudar och Akans *ḥeraem*. I båda fallen finns *hāsīr*-formeln och verbet *ṭāman*.[20]

Det torde vara riktigt att Jakobs avlägsnande av främmande gudar enligt Gen 35 utgör ett betydelsefullt led i kompositionen av Jos 24. Det ledde till att han fick fred för landets inbyggare, Gen 35,5. Jfr 34,30, vilket bör ha varit läroexemplet för auditoriet till Jos 24. Ehuru vv. 2–13 ej har sin direkta motsvarighet någonstans i GT har avsnittet en lätt deuteronomistisk touche, jfr Dt 29,9 ff.[21] Intressant är att namnet Tera inleder fäderneraden åtföljd av Abraham och Nahor, Jos 24,2. Tera förekommer i övrigt inte utanför Gen 11 och 1 Krön 1,26. Orsaken till att Tera nämnes först är nog, att tradenten ej direkt vill tillskriva Abraham, Sydrikets anfader, dyrkan av främmande gudar.[22] Tera bosatte sig och dog i Haran, Gen 11,31 ff. Dyrkandet av andra gudar tillhör för Abrahams del den tid, under vilken han bodde "på andra sidan floden". Det verkar vara viktigt för Dtr att poängtera detta. Abraham togs "från andra sidan floden" och så snart som han passerat denna kom han in på den YHWH-dirigerade delen av världskartan, vars jahvistiska centrum givetvis blev Kanaan, v. 3 och första anhalt var Sikem, Gen 12,6. "Floden" dvs. Frat blev på så sätt betraktad såsom östlig gräns för YHWH:s herravälde. På andra sidan floden härskade "andra gudar" och tilläts härska där. Då temat återkommer i Jos 24,14 finns också ett västligt område tillagt, i vilket fäderna dyrkat andra gudar, nämligen Egypten. Uppgiften följer tämligen logiskt på omnämnandet av den östligaste gränsen. Det ideala landet avgränsas enligt Gen 15,18 "från Egyptens flod ända till den stora floden, floden Frat". Jfr Jos 1,4. Det som närmast torde åsyftas är slaveriets tid enligt Ex. 1,1 ff. Israeliterna var då naturligtvis underordnade Egyptens gudar. Enligt Hes 16,26; 20,6 ff.; 23,3 ff. började då avfallets tid och böjelsen till Egypten och dess gudar fortsatte även i Kanaan. Däröver raljerar Rab-Sake i 2 Kon 18,21,24 och Jer 44,8 berättar hur judarna tände offereld åt gudarna i

[20] A. Phillips, Nebelah, a term for serious disorderly and unruly conduct, *VT* 25 (1975), 237-241. Jfr Dom 10,16 och M. Ottosson, *Gilead*, 149 ff. med litt. Jfr O. Keel, Das Vergraben der fremden Götter in Gen XXXV 4b, *VT* 23 (1973), 326 ff.

[21] E. Nielsen, *op. cit.*, 98. L. Perlitt, *Bundestheologie im Alten Testament*, 1969, 239 ff.

[22] Så även J. A. Soggin, *comm. ad loc.*

Egypten, sedan de flytt dit efter mordet på Gedalja, Jer 41,17. Huruvida denna händelse kan ligga bakom uppgiften i Jos 24,14 är svårt att uttala sig om. Troligare är, att omnämnandet av Egypten avgränsar det ideala landet i väster, och det blir ett område för främmande gudsdyrkan liksom landet öster om Eufrat. Men i området mellan de två floderna skulle YHWH ensam råda. Israel kunde inte ställa politiska anspråk inom detta väldiga område men väl ideologiska. Inga andra gudar än YHWH dirigerar där händelseutvecklingen. Enligt min uppfattning, kortfattat redovisad i Inledningen, är detta ideala område inget mindre än Eden, området mellan de fyra floderna, Gen 2,10 ff., vilket Dtr:s strävan är att återställa. Kain hade bosatt sig i landet Nod öster om Eden, Gen 4,16. Genom kallelsen av fäderna från andra sidan floden, dvs. öster om Frat, kommer Abraham och hans ättlingar in i den gamla gudssfären. Detsamma sker egentligen också vid Uttåget ur Egypten. Folket befinner sig åter inom det område, där YHWH dirigerar folkets och folkens historia.[23] De östliga och västliga gränserna enligt Gen 15,18 skulle sålunda återgå på Gen 2,10 ff. Erövringen tar sin början i kraft av förbundsföreställningarna och avslutas i Jos 24 med förnyelse av fäderneförbundet. Begreppet "andra gudar" har dock hos Dtr kommit att omfatta även folkens gudar i Kanaan, Jos 24,15 f. Men i Jos 24,2 avses endast gudarna på andra sidan floden; en idealsituation.

Rekapitulationen av frälsningshistorien i Jos 24,2 f. är säkerligen predeuteronomistisk. Josuas tal läggs i YHWH:s mun och i impf. kons.-former av 1 pers. sing. berättas hur YHWH dirigerade händelserna fram till förbundssituationen i Sikem. Liknande stildrag återfinnes i Dom 2,1 ff.; Mika 6,4 f. Endast i v. 7 agerar YHWH i 3 pers. sing., men då omtalas att "fäderna ropade på hjälp. I samband med den subjektväxlingen sker också en inkorporering av Sikem-generationen med ökengenerationens upplevelser i Egypten, "ja, edra ögon sågo det som jag gjorde i Egypten" v. 7, så även i v. 6. Förmodligen får detta ses som ett "liturgiskt" drag av inlevelse i recitationen av frälsningshistorien,[24] jfr Dt 6,22, eller bundenhet till Moseböckerna.

Vissa verb och nomina, som används i avsnittet ger en antydan om att det inte enkelt kan hänföras till traditionella "källor". Verbet *nāḡaf*, v. 5 med Egypten som objekt återfinnes likväl i Ex 12,23,27 i samband med den tionde plågan, dödandet av allt förstfött. Jfr Jos 22,17 om Beth Pe'or-massakern. Uttrycket *wajjāśaem ma'ăfēl*, v. 7, är emellertid *hap. leg.*, jfr 14,9 f.; Jes 45,19; Jer 2,31. Balak — Bileam-episoden ges en annan version än den i Nu 22–24. Enligt Jos 24,9 började Balak krig mot Israel (såsom Dom 11,25). Likaså används verbet *ḳillel*, Nu 22,6,12; 23,7; 24,9 *'ārar*.[25] Även v. 10 antyder, att influensen från Nu

[23] Som konkreta exempel på detta kan nämnas utskickandet av profeten Elia att smörja Hazael till kung över Aram, 1 Kon 9,15. Jona och Nahums bok har sprängt gränsen, då Nineve ligger öster om Eufrat. Jonas negativa attityd till sitt missionsuppdrag kan således bero på att staden låg på andra sidan floden.

[24] Jfr S. Steingrimsson, *Vom Zeichen zur Geschichte*, 1979, 219 ff.

[25] Bileams upprepade förekomst i Josuaboken tyder på att han representerade "de främmande

22 ej är självklar. I v. 11 talas om *ba'alê jĕrīḥō*, vilka stred mot Israel, jfr Jos 6.[26]

Vv. 11–13 visar delvis upp Dtr:s karakteristiska stil och man har en känsla av att de utgör ett komprimerat sammandrag av motiv från såväl Abrahamsförbundet, Gen 15,18 ff., Jakobs testamente, Gen 48,21 och Sinaiförbundet Ex 23,28 ff.,[27] och Dt 6,10 f.; 7,1 ff.,20. Uppräkningen av de stora folken, (10 till antalet i Gen 15,19 ff., 7 till antalet i Jos 24,11; 3,10; Dt 7,1), är i Ex 23,28, ehuru endast tre till antalet, förknippade med *haṣṣir'ā*, jfr Dt 7,20. Detta onomapoetiska uttryck bör betraktas som en synonym till fruktan,[28] (för Jahve) ett ofta upprepat motiv hos Dtr i Josuaboken. De två amoriterkungarna inträffar något överraskande i v. 12, eftersom de är underförstådda i v 8. Men deras nederlag utgör i Josuaboken ett bärande exempel på Jahves makt alltifrån Rahabs bekännelse i 2,9–11. Man kan även tänka sig att deras förekomst i v. 12 vill understryka Israels segertåg öster om Jordan, då de i v. 11 uppräknade folken får betraktas som cisjordanska. Uttrycket "icke med ditt svärd och icke med din båge" står som en omskrivning för den vanliga frasen, att Jahve ensam strider för Israel. Negationen av den fras, som återfinns i Jakobs testamente, kan i detta sammanhang naturligt ses såsom en udd riktad mot Nordisrael.[29]

V. 13 är till innehållet identisk med Dt 6,10 f. och hör alltså samman med förbundsföreställningarna. Jahve låter Israel överta folkens städer, vinberg och olivodlingar. I den josuanska krigföringen var annars tillspillogivningen av folk och städer en fundamental regel. Men den efterlevdes inte i alla stycken vad städerna beträffar, vilket framgår av Jos 11,13. Krigföringen såsom den återges i vv. 11–13 är emellertid skildrad såsom en fullbordan av förbundslöftet om landet ej såsom en resumé av erövringen i Jos 1–12 enligt Dtr.[30]

Vv. 14–24

Efter resumén av Jahves frälsningsgärningar följer så förberedelserna till förbundsslutandet. Förutsättningen för ett förbund mellan Israel och Jahve är, att Israel uttrycker absolut lojalitet till sin Gud.

Avsnittet har formen av en "inclusio". V. 14 inleds med *wĕ'attā* liksom v. 23

gudarna". Hans namn var väl känt öster om Jordan, norr om Jabbok, Nu 22,5. J. Hoftijzer och G. van der Kooij, Aramaic Texts from Deir 'Allā, 1976; H. Ringgren, *RoB* 36 (1977), 85 ff.; H.-P. Müller, *ZDPV* 94 (1978), 56 ff. och senare litt. ref. hos S. C. Layton, *BA* 51 (1988), 183.

[26] Till detaljer i övrigt, se *comm.*

[27] Bl.a. observerat av J. A. Soggin, *comm.*

[28] Begreppet *haṣṣir'ā* betecknar "the terror of God", E. Nielsen, *op. cit.*, 97 f. jfr L. Köhler, *ZAW* 54 (1936), 291.

[29] Till tolkningen av Jos 24,12 se M. Ottosson, *Gilead*, 72 f. Till frasen, jfr även Hos 1,7, där i relation till Juda.

[30] Den snabba erövringstakten med tillspillogivning är Josuas kännemärke, Jos 10,42, *pa'am 'aeḥāṯ*, "på en gång". Men Dt 7,22 liksom krigslagarna Dt 20 föreskriver en något lugnare krigföring, för att ej förödelsen skall bli så stor.

och verserna har likartat innehåll, uppmaningar från Josua att avlägsna andra eller främmande gudar och hålla sig till Jahve. Folket tänkes stå i en valsituation. Enligt v. 15 är det Jahve eller gudarna från andra sidan floden eller amoriternas gudar, dvs. närmast Kanaans gudar, vilka utgör alternativen. I vv. 16–18 ges folkets motivation för att tjäna Jahve. Denne har visat sig överlägsen Egyptens gudar, v. 14 och fördrivit ''alla folken och amoriterna'', v. 18 medan han bevarat Israel. Uttrycket *ḥālīlā lānū*, v. 16, avser ett bestämt avståndstagande. Situationen är densamma i Jos 22,29. Vid båda tillfällena följer bekännelsen, ''Jahve är vår Gud'', Jos 24,17,18; 22,29, jfr 1 Sam 2,30. Vv. 19–20 anger en klar stegring i palavern mellan Josua och folket genom Josuas yttrande ''ni kan inte tjäna Jahve, ty en helig Gud är han, en nitälskande Gud är han etc''. Avfaller folket skall han *åter* göra det ont och förgöra det efter det att han gjort det väl. Verserna uttrycker inte bara den traditionella gammaltestamentliga gudsuppfattningen utan också den historiska erfarenheten, att folket alltid brutit förbundet. Visserligen berättas inte om något kollektivt avfall i Josuaboken med undantag av Akans brott i Jos 7 men Jos 24,19–20 kan mycket väl tillhöra en ursprunglig förbundsvokabulär. Jfr 1 Kon 21,26.

I v. 15 ställs folket i en valsituation medan Josua deklarerar ''men jag och mitt hus skall tjäna Jahve''. Därpå följer folkets deklaration att tjäna Jahve, tre gånger, vv. 18,21,24, bekräftat genom ''eden'' i v. 22, där verbet *bāḥar* återkommer. Frasen ''jag och mitt hus'' är något originell, eftersom Josua tidigare uppträtt ensam, *bajiṯ* kan ha flera betydelser, men när det uppträder i samband med ett personnamn eller självständigt personligt pronomen bör det ha innebörden av det som personen ifråga representerar. Uttrycket ''jag och mitt hus'' återfinnes ännu en gång i GT i Gen 34,30. När Simeon och Levi dräpte de febersjuka männen i Sikem, avslutar Jakob sitt tal med orden: ''så skall jag och mitt hus förgöras''. Betydelsen av *bajiṯ* måste ligga i det som Jakob representerar antingen en klan eller folkgrupp. Jfr Gen 45,11.[31] Josuas ''hus'' måste tolkas utifrån hans ledarroll. Han är i hela Josuaboken framställd som den ideale ledaren, vilken alltid gjort som Mose befallt och i det sammanhanget är han framställd i ''kungliga kategorier''. Riktigast är således att jämföra med liknande uttryck och fördragssituationer i samband med de jerusalemitiska kungarna. De nordisraelitiska kungarna figurerar aldrig i någon förbundssituation.[32] Allmänt omtalas Jahves förbund med David och hans hus i 2 Sam 7,18;[33] 23,5; 1 Krön 17,16, och i Jer 38,17 f., återfinnes en sista ''valsituation'' i *'im — 'im lō'*-kategorier beträffande Sidkia och hans hus.[34] Genom uttrycket ''jag och mitt hus skall tjäna Jahve'' i

[31] Jfr Gen 7,1; Dt 14,26; 1 Sam 2,30; 25,6; 1 Kon 17,15. Men speciellt 1 Kon 12,16, ''nu se till ditt eget hus, David''. Jfr E. Nielsen, *op. cit.*, 172.

[32] Jfr 1 Kon 16,3; 21,21 f.

[33] Se A. Carlson, *David — The Chosen King*, 1964, 106 ff. och P. J. Calderone, S.J. *Dynastic Oracle and Suzerainty Treaty*. 1966, 41 ff.

[34] Jfr H. W. Gilmer, *The If-You Form in Israelite Law*, 1975. Tyvärr berör han ytterst flyktigt *'im lō'*-konstruktionen, s. 30.

Jos 24,15 åsyftas inte bara en josuansk deklaration utan ett självklart typexempel eller en ''stadga'', hur den jerusalemitiska kungen skall handla i en förbundssituation, där rikets enhet står på spel.[35] Ledarens garanti att tjäna Jahve är den givna förutsättningen, att folket skall följa honom.[36]

Efter den andra deklarationen från folket i v. 21 följer så vittnesbekräftelse i v. 22, ''vittnen (*'ēḏīm*) är ni mot eder (*bāḵaém*) — och de sade '*ēḏīm*. Med folkets försäkran ges den definitiva förutsättningen för förbundets ingående i Jos 24,25 ff. Det är på sätt och vis en försäkran inför Josua, att han kan sluta ett förbund (*lā'ām*) åt folket, 24,25. Men folket är vittnen mot sig själva. En liknande ''subjektiv'' situation finns i övrigt inte återgiven i GT. Folket är t.ex. vittnen i Rut 4,9 ff. men där är de utomstående precis som i rättssituationer. Jahve kan naturligtvis tas som vittne eller vara vittne, 1 Sam 12,5; Jer 42,5; Micha 1,2 och hans Smorde 1 Sam 12,5 men att edsavläggarna är vittne mot sig själva får betraktas som säreget. K. Baltzer har säkerligen rätt, då han antar, att folket härmed accepterar förbannelsen i den händelse de skulle överge Jahve.[37] Situationen kan jämställas med den i Dt 27,11 ff. Men även vid slutandet av Sinaiförbundet förekommer en dialogsituation mellan Mose och folket på samma sätt som i Jos 24. I Ex 19,8 deklarerar folket, ''allt vad Jahve sagt skall vi göra'', ja, även i Ex 24,3 och 24,7 med tillägget ''och vi skall höra'', dvs. likaså en trefaldig försäkran, varefter förbundet ingås i 24,8. Den litterära och även innehållsliga (delvis, Ex 23,23 ff.) relationen mellan Jos 24 och Ex 19–24 är ofrånkomlig. Det är endast ''lokalfärgen'' i Jos 24, som leder till Josuas konkreta förmaningar till folket att avlägsna de främmande gudarna enligt mönstret i Gen 35.

Vv. 25–28

Detta avsnitt har blivit mest uppmärksammat av textkommentatorerna och detaljexegeser saknas inte.[38] Josua är i avsnittet ensam agerande. Han sluter förbundet åt folket och sätter lag och stadga i Sikem, v. 25. Han skriver alla dessa orden i Guds lagbok, tar en sten och reser upp den på Jahves heliga område, v. 26. Han säger, att denna sten skall vara ''till vittne'' mellan oss och till ett vittne för folket, att det inte skall svika Jahve, v. 27. Därefter skickar Josua hem folket till dess respektive arvedelar, v. 28. Naturligtvis är vv. 25–28 det följdriktiga slutet av kap. 24, sett ur fördragsaspekt. Det har varit lätt att i de olika momenten finna paralleller till främreorientaliska fördragstexter. Inte minst i detta avsnitt betonas just lagbokens förekomst såsom en klar parallell.[39] Frågan är dock, om

[35] Jfr E. Nielsen, *Shechem*, 106.

[36] Jfr Rehabeams felaktiga agerande i 1 Kon 12,1 ff.

[37] *Op. cit.*, 25 f.

[38] T.ex. G. Schmitt, *Der Landtag von Sichem*, 1964, 13 ff.; 64 ff.; 81 ff. med litt. Den bästa översikten av detta avsnitt finns hos E. Nielsen, *op. cit.*, 108 ff. Nielsen kommer dock fram till den konklusionen, att Ex 15,25 går tillbaka på Jos 24,25. Efter det som skrivits i det föregående, har vi svårt att följa den ståndpunkten. Josua agerar här exakt såsom Mose enligt Dtr:s komposition.

[39] Se t.ex. Baltzer, *op. cit.*, 19 ff.

man inte ser på kap. 24 alltför snävt genom att generellt understryka dess litterära genre eller som Noth se det som ett i Josuaboken såväl litterärt som traditionshistoriskt isolerat avsnitt.[40] Kapitlet har en klar deuteronomistisk färg och dess fördragskaraktär är helt i linje därmed. Innehållsligt knyter det emellertid an till vissa accentuerade motiv i Josuaboken. Det gäller i första hand kap. 1 med landbeskrivningen i v. 4, som är det område, inom vilket Jahve tänkes dirigera historieförloppet enligt 24,2 ff. Till detta knyts karaktäristiken av Josua 1,7 ff., som når fullkomningen i kap. 24. Josua växer i 24,25–28 helt till mosaisk storhet. ''Guds lagbok'', v. 26. är i praktiken inte fullständig, förrän Josuas erövring och framför allt fördelning av landet, identiskt med det davidiska riket, skrivits in. Dessa handlingar vilar definitivt på mosaiska direktiv.[41] ''Och Josua skrev alla dessa ord i Guds lagbok och han tog en stor sten och reste den där –''. Att man läste i ''Guds lagbok'' vid fördragssammanhanget betonas i flera fall t.ex. Neh 8,18, men inte på något annat ställe omtalas i klartext att någon *skrev i Guds lagbok*, jfr Neh 10,1. Detta handlinggsätt torde därmed ha en speciell och viktig innebörd. Det är inte som i ''kungalagen'', Dt 17,18 eller i Jos 8,32 fråga om en kopia, *mišnāē*, av lagboken. Jag skulle vilja karakterisera det som en komplettering, i vilken nu efter erövring och fördelning, även *landet*, dvs. stammarnas arvedelar knyts till den mosaiska lagen.[42] Den tendensen kunde redan iakttagas i kap. 18, där förteckningen av de sju arvedelarna mycket starkt betonas, vv. 4,6,8,9. I v. 9 förekommer frasen *'al sefaer*, som med starka skäl kan sägas syfta på lagboken, omnämnd i 24,26. Jfr Dt 31,24. Som vi såg i Inledningen är också en sådan föreställning helt i linje med Josuas uppgift, att fullfölja de befallningar, som Mose givit honom. Fördelning av landet var *den* josuanska uppgiften, Dt 31,7; Jos 1,6. Det josuanska erövringskriget är aldrig omnämnt i en inledande gudomlig eller mosaisk befallning, eftersom Jahve står i begrepp att ge landet såsom han lovat.[43] Det är egentligen han själv, som strider för Israel.

De josuanska krigsföretagen är egentligen tillämpning av en lagstadgad jahvistisk-israelitisk krigföring enligt Dtr:s ideologi. Nordrikets avfall från Jerusalem och den davidiska dynastien ledde till en icke accepterad kult — i Josuaboken förklarad genom att kanaanéerna tilläts bo kvar. Där hade inget *ḥeraem*-krig tillämpats enligt Dtr. Därav tystnaden angående en centralpalestinensisk erövring. Erövringsgeografien i Jos 1–12 får betraktas som beroende av fördelningsgeografien. Uttrycket *'aeṯ haddĕḇārīm hā'ellāe*, 24,26 syftar således närmast på fördelningen. Det till fäderna utlovade landet och nu fördelat blir genom Josuas förbund lagstadgad israelitisk egendom, där varje stam har sin bestämda arvedel. Det framgår inte minst av v. 28, ''Josua sände folket, var och en till sin arvedel''.

[40] *Comm.*, 137. Det gäller även E. Nielsen och senast J. van Seters, 1984.
[41] Transjordanien fördelade Mose själv enligt Jos 13.
[42] Jfr Ex 24,12 f. Josua var där tillsammans med Mose.
[43] Jag betraktar den josuanska erövringen såsom Dtr:s egen komposition av lokala traditioner bl.a. från Davids tid, Jos 10,29 ff.

Vittnesstenen

Det förekommer ibland i GT, att såsom "vittne" till ett fördrag mellan två parter, man aviserar ett konkret föremål, som skall erinra om fördraget. I Jos 24,26 f. reser Josua en sten såsom vittne *mot oss*, ty den har hört Jahves alla ord och samtidigt skall den vara till vittne *mot eder* för att ni inte skall förneka er Gud. I Gen 31,44 f. är ett döse (*gal*) och en masseba vittne till uppgörelsen mellan Laban och Jakob; i Gen 21,30 ff. omtalas sju lamm i fördraget mellan Abimelek och Abraham. Altaret på andra sidan Jordan i Jos 22,27 ff. tolkas likaså som ett vittne i uppgörelsen mellan väst- och öststammarna. Kap. 22 innehåller tydliga förbundstermer och altaret blir det konkreta vittnet, ehuru till en början det betraktas såsom en tendens till avfall från Jahve, Jos 22,16 ff. I Dtr:s version blir altaret vittne mellan öst och väst, "att Jahve är Guden", v. 34. Därvid framträder likheterna med Jos 24. Stenen blir till vittne, för att stammarna inte skall förneka sin Gud, v. 27.[44] Den har hört alla Jahves ord.

De två framträdande förbund, som Mose sluter dels vid Sinai Ex 24 och dels strax före sin död Dt 31 utgör litterära paralleller till förbundet i Sikem. Vi har även i fråga om Jos 24,14–24 sett likheter i förberedelserna till själva förbundsslutandet. Det är samma situationsteckning i Dt 31 som i Jos 24. Mose skriver lagen, 31,9,24 men låter israeliterna även uppteckna en sång, 31,19 och såväl sången som lagen blir till vittne mot Israel. Detta sker strax före Moses död, jfr Jos 24,29, och i samband härmed insättes Josua i sitt ämbete, Dt 31,19. Josua däremot utser ingen efterträdare till sig. Måhända är det orsaken till att Josuas förbundsslutande, Jos 24,26, mera konkret kan jämföras med Moses förbund vid Sinai, Ex 24,4. I båda fallen görs nedskrivningar samt reses en sten respektive ett altare och 12 stoder. Det sägs ingenting direkt om de senares funktion, men nog ligger det nära till hands att anta, att dessa har en vittnesfunktion på samma sätt som den "stora stenen" i Jos 24,26.[45]

Sikem

Om antagandet är riktigt, att Josuaboken är en medvetet gjord Dtr komposition, måste naturligtvis frågan ställas, varför Josuas förbund sluts just i Sikem.[46] Bo-

[44] Verbet *kāḥaš* med Jahve som objekt betecknar förbundsbrott, Jos 7,11; Lev 5,21 f.; Hes 4,2. Ordfältet är i stort detsamma. I Jer 5,12 förnekar Juda och Israel YHWH, vilket leder till landets förstörelse. Jfr Jes 59,13, där Israel bekänner förnekelse av Jahve. Stenen som vittne kan jämföras med altaret i Jos 22,27. Jfr dock E. Nielsen, *op. cit.*, 133, som betonar stenens placering ovanför de nedgrävda främmande gudarna.

[45] Jfr E. Nielsen, *op. cit.*, 351 f.

[46] Obs! att LXX låter Josua sluta förbundet i Silo. Det visar, att man tidigt ifrågasatte Sikem som plats för fördragsslutandet och ville knyta Jos 24 till händelserna i Jos 18,1 ff. och Jos 22. Ehuru detta kanske skulle synas "logiskt" saknar namnbytet ideologisk förankring. Se E. Nielsen, *op. cit.*, 86 f., som söker analysera fram stamhistorien i Jos 24 och lokaliserar händelserna till en plats på gränsen mellan Efraim och Manasse, s. 123 ff. Med utgångspunkt i 1 Kon 12 anser vi, att Jos 24 har en väsentligt vidare aspekt, nämligen Davidsriket och dess sammanhållning av Syd- och Nordriket.

kens avgörande moment är centraliserade till tre orter, nämligen Gilgal, Silo och Sikem. Ehuru inga upplysningar ges om en centralpalestinensisk erövring, så har stammarna tilldelats sina arvedelar och bor där i trygghet, 21,43 ff. Sikem är tidigare nämnd i Josuaboken, 17,7; 20,7 och 21,21. I de två sistnämnda texterna är Sikem leviterstad och asylstad. Den har således en speciell kultisk karaktär, som ännu mer betonades under patriarktiden genom förekomsten av en kultplats. En idé kunde vara, att Josua genom samlingen av israeliterna i Sikem förs till sin egen arvedel, 1 Krön 7,27 f., för att där dö och begravas i Efraims bergsbygd, Jos 24,30. Men de allt överskuggande anledningarna är naturligtvis av ideologisk art.[47] Med Sikem förknippas i GT det först uttalade löftet om landet, Gen 12,6, dvs. fädernelöftet, som spelar så stor roll i Josuaboken men dessutom den tragiska episod, som ledde till Davidsrikets delning, 1 Kon 12,1 ff.

I Sikem fanns ett heligt område, vilket synes ha spelat en central roll i patriarktraditionerna. I Gen 12,6 benämnes det *mĕḳōm šĕḳaem* och i Jos 24,26 *miḳdàš* YHWH. Att ordet *māḳōm* inte användes i Dtr beror säkerligen på att det i deuteronomistisk text alltid syftar på den plats, som Jahve har utvalt, dvs. Jerusalem. På Sikems heliga plats byggde såväl Abraham, Gen 12,7, som Jakob ett altare, Gen 33,20. Men den mest omtalade ''installationen'' är annars en terebint, som benämnes med olika termer. I Gen 12,6 kallas den *'elōn mōrāeh* i Gen 35,4 *hā'ēlā*, i Dom 9, 6 *'elōn muṣṣāḇ* och i Jos 24,26 *hā'allā*. Det torde knappast råda någon tvekan om att samma träd avses. Under det trädet begravde Jakob ''de främmande gudarna'', Gen 35,4[48] och där reste Josua ''en stor sten'', Jos 24,26.[49] Vad nu än detta träd kan ha varit, så är det säkerligen ingen tillfällighet, att dessa aktiviteter såväl av patriarkerna som av Josua förläggs till samma plats.[50] Dtr ser ett klart ideologiskt samband i löftet om landet (Abraham), ned-

[47] I det fallet intresserar givetvis uppgiften om Josefs ben, Jos 24,32. Ingen kommentator vill tillräkna den versen någon större betydelse, t.ex. M. Noth, *comm.*, 141. S. Tengtröm, *Die Hexateucherzählung*, 40f. anser, att Gen 50,25; Ex 13,19 och Jos 24,32 hänger samman och härrör från samme författare och måste ha tillkommit ''gleichzeitig mit der literarischen Gestaltung der Grunderzählung des Hexateuchs'', s. 41. Det är nog svårt att dra så stora växlar på ''benen'' litterärt sett, men omnämnandet av dem i Jos 24 torde för Dtr ha haft en viktig ideologisk betydelse, nämligen att markera landlöftets uppfyllelse för Nordisraels vidkommande. Det är intressant att notera, att alla gravtraditioner i Jos 24 berör Nordisrael. Sydrikets representant, Kaleb, lever *ex silentio* vidare. Det är kanske en erinran om Juda rikes existens vid tiden för Josuabokens tillkomst?

[48] Se E. Nielsen, The Burial of the Foreign Gods, *StTh* 8 (1954), 103-122. För tänkbar lokalisering, se L. Wächter, *ZDPV* 103 (1987), 1-12.

[49] Stenen är enligt E. Nielsen, *Shechem*, 123 ff. närmast en *kudurru* vid en helgedom på gränsen mellan Efraim och Manasse.

[50] ''Jahves heliga plats'' i Sikem är naturligtvis ur Dtr:s aspekt av stort intresse. Vi är överens med E. Nielsen, *op. cit.*, 133, att uttrycket ''is the most undeuteronomistic one in the entire deut. literature.'' Det finns nämligen endast i Jos 24,26 i hela det deuteronomistiska historieverket. En konkordansstudie visar, att *miḳdāš* i övrigt är högst ovanligt som lokalangivelse på tempelområden förlagda utanför Jerusalem. Med direkt syftning på templet i Betel används ordet av prästen Amasja, Am 7,13, *miḳdaš maelaeḵ ūḇêṯ mamlāḵāh*. Parallellismen *miḳdāš — bajiṯ* tyder på att *miḳdāš* avser ett tempel. Det visar sig även i Am 7,9, där det är synonymt till *bāmāh* i uttrycket *bāmōṯ Jiśḥāḳ ūmiḳdĕšê Jiśrā'ēl*. Jfr Jer 51,51 *kī bā'ū zārīm 'al miḳdĕšê bêṯ YHWH*, som syftar på Jerusalem. Till tolkningen av *bāmāh*, se nu W. Boyd Barrick, What do we really know about ''high places''?, *SEÅ* 45

grävandet av de främmande gudarna (Jakob) och stammarnas trefaldiga förklaring, att endast tjäna YHWH, Israels Gud, vars bud *kål 'imrê YHWH*, v 26, ständigt bringas till erinran genom stenen (Josua). Stenen under terebinten i Sikem markerar folkets hängivna uppslutning inför sin Gud men också Abrahamslöftets definitiva uppfyllelse på samma plats som det en gång gavs.

Abrahamstraditionerna, i synnerhet Gen 14, anses ha betytt mycket för Jerusalems status som israelitiskt centrum alltsedan Davids tid, 2 Sam 5,6 ff. Staden blev också Jahves boplats vid sidan av de davidiska kungarnas palats.[51] Men trots detta var Sikems ideologiska betydelse så stor, att Rehabeam, Salomos son, måste bege sig till Sikem för att bli erkänd som kung över hela Israel. Eftersom han är den förste och ende davidisk kung, som gör så, skulle det tänkas vara en gest mot nordstammarna, eftersom dessa en gång begivit sig till Hebron för att erkänna David som kung, 2 Sam 5,1 ff.[52] Men Rehabeams åtgärd får nog ses djupare än så. Det gällde ideologiskt sett förnyelsen av Abrahamslöftet och såväl kungens som folkets uppslutning inför Jahve.

Det är ofrånkomligt att Davidsrikets gränser spelar en stor roll i Josuaboken. De etappvis skildrade erövringsfaserna leder fram till rikets "uppbyggnad" och fördelningen må antas vara definitivt baserad på salomonisk distriktsindelning. Jos 22–24 ger därefter ideologisk bekräftelse på rikets sammanhållning. Detta rike är egentligen det enda som ideologiskt godtas i GT. Det delade och decimerade riket är tecknet på folkets avfall. I 1 Kon 11–12 skildras uppluckringen och splittringen av det ideala tillståndet, det Enade riket, där nord-, syd- och öststammarna är förenade under en davidisk kung.[53] Delningen förklaras genom det sa-

(1980), 50-57. Det råder således ingen tvekan om att det funnits ett tempel i Sikem även under israelitisk tid. Dess existens kunde erkännas av Dtr, eftersom Abraham där byggt ett altare, Gen 12,6 och platsen var förknippad med landlöfte, Gen 12,7 och avsedd att vara ett kriterium för sammanhållningen mellan "Israels två hus", Jes 8,14. Om vi nu förutsätter, att Dtr — trots Jos 15,63 — *ex silentio* företräder idén, att Jerusalem är den enda legitima kultplatsen, så har han i Josuaboken tvingats att tumma på den regeln vid flera tillfällen. Här nämnes kultplatser såsom Gilgal, jfr Jos 5,15, Ebal, Gibeon, Silo, altaret i Transjordanien (Nebo?) och Sikem. Vi har i det föregående låtit påskina, att deras förekomst och utnyttjande kan sättas i samband med uppluckringen av den enda riktiga religionsformen. I princip börjar avfallet så snart israeliterna kommit över floden Jordan. Ett har emellertid alla dessa kultplatser gemensamt: ingen av dem ligger på Juda stams område. Gilgal och Gibeon var knutna till Jerusalem, men den förstnämnda låg på gränsen mellan Benjamin och Efraim, och Gibeon tillföll Benjamin, Jos 18,25. Det som för Dtr gör "YHWH-templet" i Sikem så betydelsefullt är händelserna i 1 Kon 12,1. Rehabeams liksom folkets agerande döms definitivt utifrån Jos 24, som ger kodexen för Davidsrikets sammanhållning. Jfr E. Nielsen, *op. cit.*, 187. Nielsens uppställning där visar också, att avlägsnandet av de främmande gudarna, 1 Kon 11,4 ff., förutsättningen för det Enade rikets bestånd, saknas i 1 Kon 12.

[51] M. Ottosson, *Temples and Cult Places in Palestine*. (Boreas 12) 1980, 111 ff.

[52] Man kan även notera, att Abraham kom från Sikem på sin väg till Hebron, Gen 12 och byggde ett altare på en plats "mellan Betel och Ai", Gen 13, dvs på gränsen mellan Syd- och Nordriket. Jfr Jos 7.

[53] Domen över Salomo kommer inte från Jerusalem utan från Silo, nämligen genom profeten Ahija, 1 Kon 11,30 ff.; 12,15. Skulle det kunna vara LXX:s "ideologiska" argument för att skriva Silo i stället för Sikem i Jos 24,1? Jfr M.A. Cohen, The Role of the Shilonite Priesthood in the United Monarchy of Ancient Israel, *HUCA* 36 (1965), 88 ff., som vid sin diskussion om Silos historiska roll sammanfattar på följande sätt "The United Monarchy in ancient Israel thus began and ended with the activity of the Shilonites", (s. 93).

lomoniska avfallet till andra gudar, 1 Kon 11,1 ff., de gudar, vilka folket i Jos 24 tagit avstånd ifrån. Salomos alla hustrur vände hans hjärta till andra gudar, 1 Kon 11,4. Jfr Jos 24,23; 1 Kon 11,3. Detta får till följd att Salomo med yttersta nöd lyckas hålla samman sitt välde och den definitiva olyckan kommer med Rehabeam. Denne lyssnar till fel rådgivare, 1 Kon 12,10 ff., och endast två stammar blir därefter honom trogna, 1 Kon 12,20 f., nämligen Juda och Benjamin. Det är just inom dessa två stammars områden, som *ḥeraem*-kriget närmast förs i Josuaboken. "Davidsriket" byggs upp igen från detta basområde. Men detta kan inte göras förrän kung och folk ångrat sitt avfall från Jahve. Den situationen inträffar i samband med Josias reformation, 2 Kon 22–24. För en mycket kort period har Davidsriket fått aktualitet i Israels historia. Josias systematiska utrotande av kultplatser, där andra gudar dyrkas, är för Dtr förutsättningen för en ny davidisk era. Det är i denna ideologiska våg av restauration, som Josuas bok är skriven och komponerad. Jos 24 ger helt enkelt den kodex, som skall användas för att riket skall äga bestånd. Men därtill krävs en ideal ledare och ett folk, som icke förnekar Jahve. Sikemförbundet enl Jos 24 är Dtr:s slutvinjett till skildringen av Davidsrikets uppbyggnad och utsträckning. Det innehåller det program, som skulle ha följts för att förhindra riksdelningen, 1 Kon 12,1 ff. I Jos 24 befinner sig alla israeliter hemma på sina arvedelar. Omnämnandet av Eleasars död i den absolut sista versen ger ytterligare belägg för detta idealtillstånd. I och med översteprästens död kan även asylstäderna tömmas på sina tillfällighetsdråpare, Jos 20,6. Men det ideala landet såsom det tecknades i Jos 1,4 var inte möjligt att uppnå.[54] Det skulle ha inneburit restaurationen av Paradiset.[55] Men jfr 1 Kon 5,1.

Det har endast varit mig möjligt att omnämna några arbeten, som behandlar Jos 24 vid min genomgång av kapitlet. Genom Gordon Mitchell, en ung "josuaforskare" från Heidelberg, vars kommande avhandling "The Nations in the Book of Joshua" jag har fått tillåtelse att läsa i manuskript, kom jag över T. C. Butler, *Joshua* (World Biblical Commentary 7, 1983). Denne ger en utmärkt och väl täckande genomgång av de viktigaste arbetena. Tolkningen av Jos 24 har hos de olika författarna fått de mest skilda dimensioner, i princip från upplevd stamhistoria till sen litterär fiktion.[56]

Min avsikt här har endast varit att söka förklara Jos 22–24 såsom logiska avslutningskapitel till de föregående händelserna. Jag kallar de tre sista kapitlen

[54] Jfr P. Diepold, *Israels Land*, 1972, 150f. men speciellt s. 131 ff.

[55] Det är inte utan att man får den uppfattningen, när 1 Krön 5 tecknar de transjordanska stammarnas områden, i synnerhet vv. 9 ff. Jfr Jos 13.

[56] E. Nielsen, *Shechem*, 1955; D. J. McCarthy, *Treaty and Covenant*, 1963; P. Buis, *VT* 16 (1966), 396–411; C. H. Giblin, *CBQ* 26 (1964), 50–69; J. L'Hour, *RB* 69 (1962), 5–36, 161–184, 350–368; V. Maag, *SupplVT* 16 (1967), 205–218; G. Schmitt, *Der Landtag zu Sichem*, 1964; H. Mölle, *Der sogenannte Landtag zu Sichem*, 1980; H. N. Rösel, *BN* 22 (1983), 41–46; J. van Seters, *JSOT-Suppl Ser.* 31 (1984), 139–158; L. Perlitt, *Bundestheologie im Alten Testament*, 1969; S. D. Sperling, *HUCA* 58 (1987), 119–136; S. Kreuzer, *Die Frühgeschichte Israels in Bekenntnis und Verkündigung des Alten Testament*, 1989.

fördragstexter, men denna term skall ses i litterär aspekt. Det är fråga om mer eller mindre deuteronomistiskt disponerade och omformade berättelser, som återgår på viktiga och ideologiskt betydelsefulla moment i israelitiska fördrag. Min teori är, att Josuaboken helt enkelt är det deuteronmistiska programmet för davidsrikets återupprättelse, skildrad med episoder ur Israels tidiga historia, konkurrensen om ledarskapet mellan Benjamin och Juda, vars bakgrund kan vara uppgörelsen mellan Saul och David. Vissa stridsskildringar kan återge den senares cisjordanska krig.

Att ur textmaterialet rekonstruera fram en daterbar landnama-period är helt omöjligt, då Dtr synes ha arbetat eklektiskt vid dispositionen av Josuaboken. Jos 24 skulle kunna erinra om Rehabeams uppgörelse med nordstammarna i Sikem enligt 1 Kon 12 men i dess absoluta motsats. Jos 24 återger det riktiga tillvägagångssättet och är således att betrakta som en litterär programmatisk produkt,[57] tillkommen (liksom Josuaboken i övrigt) vid tiden för den nationalistiska rörelsen under Josia.

[57] Jfr T. C. Butler, *Joshua*, 267.

KAPITEL XII

Fördelningens geografi

Med en lätt generalisering kan det sägas, att stammarnas geografiska fördelningsobjekt indelas i en oftast detaljerad gränsbeskrivning, i vilken både berg, floder och i synnerhet städer anges såsom gränspunkter. Till detta följer sedan för åtta stammar stadslistor, vilka i sju fall avslutas med en formelartad ihopsummering av antalet städer inom stamområdet. För Juda stams vidkommande är städerna distriktsvis uppräknade och summerade utan att någon totalsiffra är angiven. Benjamins och Simeons städer är indelade i två grupper och varje grupp avslutas med en hopsummering. En geografisk princip kan misstänkas. Det kan observeras, att denna form av distriktsvis indelning av städerna endast förekommer hos stammar, vilka räknats till Sydriket. För Dans stam föreligger ingen hopsummering utan endast en stadslista.[1]

De levitiska städerna, 48 till antalet, är namngivna och indelade i fyra grupper: Juda, Benjamin, Simeon ges 13 städer, Efraim och 1/2 Manasse 10 städer, Isaskar, Aser, Naftali, 1/2 Manasse (Basan) 13 städer och Ruben, Gad, Sebulon 12 städer.[2]

För Efraim och Manasse lämnas inga stadslistor utöver namnen i gränsbeskrivningen. Denna omständighet skall säkerligen sättas i samband med uppgiften, att Josefsstammarna ej alltid var lyckosamma i erövring av städerna, Jos 16,9 f.; 17,12. Josua intog inte ens Geser, Jos 10,33. Staden låg också på Efraims område. I Josuabokens erövringsskildring föreligger en lacuna vad gäller det

[1] Förutom klassikern J. Simons, *The Geographical and Topographical Texts of the Old Testament*, 1959, utgör Z. Kallai, *Historical Geography of the Bible. The Tribal Territories of Israel*, 1986 och N. Na'aman, *Borders & Districts in Biblical Historiography*, 1986, de senaste och mest detaljerade undersökningarna av stamgeografin. Dessa följer upp och analyserar tidigare resultat på ett överskådligt sätt t.ex. Y. Aharoni, *The Land of the Bible. A Historical Geography*, 1967, (revised edition 1979).

[2] Systemet med leviterstäderna bedöms naturligtvis mycket olika. En historisk bakgrund, den senare delen av Salomos regering, antas t.ex. av Kallai (1986), 447 ff. eller Josias regeringstid i, Na'aman (1986), 203 ff., 227 ff., som anser, att det historiska underlaget utgöres av de aronitiska städerna i Juda (13 till antalet), medan systemet med 48 städer är en konstgjord litterär kompositon. G. Schmitt anser den geografiska fördelningen av städerna sakna historiskt underlag och vara resultatet av en litterär process. Uppgiften hämtad från M. Kartveit, *Israels Land in I Chronik 1-9*, (diss.), Uppsala 1987, 199. Som framgår av denna boks huvudtes, att den är komponerad såsom ett deuteronomistiskt program för Davidsrikets restauration, där leviter- och i synnerhet asylstäderna spelar en viktig roll, innan alla stammarna har fått ''ro på alla sidor'', Jos 21,44, blir den josianska reformationen en logisk utgångspunkt för en systematisk litterär komposition. För en utmärkt sammanfattning av traditionella uppfattningar, se J. Gray, *Joshua, Judges and Ruth* (The Century Bible), 1967, 22 ff.

mellanpalestinensiska området. Den företeelsen har vi där tolkat såsom ideologiskt motiverad. Huruvida den också kan vara "historiskt" betingad, är det inte här aktuellt att ta ställning till.

Mångfalden av geografiska uppgifter i Josuaboken — det gäller i synnerhet namn på städer — är unik, om man jämför det totala antalet namn i den övriga delen av GT med dessa. Även om hänsyn måste tas till den litterära typen av texter, när en sådan jämförelse skall göras, visar dock en konkordansgenomgång av samtliga geografiska namn i GT, att Josuaboken är Gamla testamentets "kartbok". Med reservation för ett eller annat misstag i konkordansläsningen är siffrorna belysande.[3] Av totalt 746 nämnda ort- och stadsnamn i GT återfinnes 358 städer i Josuaboken. Av dessa är 198 namn endast belagda en gång i Josuaboken, dvs. hapax-ord eller på sin höjd återkommande två gånger i uppräkningarna[4] och 160 gemensamma med GT i övrigt. Detta skall jämföras med förekomsten av ort- och stadsnamn utanför Josuaboken. Där återfinnes 548 städer eller orter varav 243 är hapax-ord. Endast 145 stadsnamn nämns flera gånger utan att vara belagda i Josuaboken. 160 stadsnamn är gemensamma med Josuaboken. Koncentrationen av stadsnamn till Josuabokens texter beror utan tvekan på att begreppet "stad" representerar makt. Varje stad styrdes vid erövringsskedet av en kung. I erövringsskildringarna är kungarna och deras städer de mest omskrivna stridsobjekten. I sammanfattningar framgår detta av Jos 10,40 ff.; 11,17,19; 12,1 ff. Av den anledningen skall man förmodligen se författarens intresse för stadslistor. Antalet uppräknade städer synes också stå i proportion till stammarnas "renlärighet" och den därmed förknippade förmågan att göra sig till stadsherrar. Av Josuabokens (358) städer återfinnes 259 i de s.k. stadslistorna för åtta stammar. I några fall är det svårt att dra en skarp gräns mellan "Grenzfixpunktreihen" och stadslistor.[5] Juda stams städer dominerar bilden.[6] Av gränsbeskrivningen i Jos 15 att döma — där ytterligare 22 städer nämns som gränspunkter — rör det sig om "Stor-Juda" med sydlig sträckning till Kadesh Barnea, Jos 15,3; jfr Jos 10,41. Stammarnas stadslistor ser ut på följande sätt:

Juda: 122 städer, i gränsbeskrivningen 22, tillsammans 144 städer
Benjamin: 26 städer, i gränsbeskrivningen 12, tillsammans 38 städer
Simeon: 17 städer, det finns ingen gränsbeskrivning
Sebulon: 5 städer, i gränsbeskrivningen 14, tillsammans 19 städer. Jos 19,15 uppger 12 städer vid hopsummeringen

[3] S. Mandelkerns konkordans har använts.

[4] Beträffande terminologien ansluter jag mig till F. E. Greenspahn, *Hapax Legomena in Biblical Hebrew*, 1984. Även om ett namn någon gång uppträder två gånger, *dislegomenon*, inom Josuaboken men inte i övrigt klassificerar jag det som om det vore ett hapaxord. Intressant är att staden Eglon nämnes åtta gånger i GT men endast i Josuaboken.

[5] För diskussionen, se Kallai, *op. cit.*, 329 ff. och Na'aman, *op. cit.*, 75 ff. Båda hänvisar till Davidsrikets administration för att finna gränssystemets ursprung.

[6] Som framgår av följande tabell utgör Juda städer en nästan otrolig namnkavalkad. Vissa städer kan ha gemensamma namn, t.ex. Zanoah, 15,34;15,56 (hapax) och Soko, 15,35;15,48.

Isaskar: 16 städer, det finns ingen påtaglig gränsbeskrivning
Aser: 22 städer, det finns ingen gränsbeskrivning
Naftali: 21 städer, det finns ingen gränsbeskrivning
Dan: 18 städer, det finns ingen gränsbeskrivning
För Efraim och 1/2 Manasse saknas listor helt.

Juda städer är distriktsvis indelade.[7] Negeb, Sydlandet ges 37 städer. Enligt Jos 15,32 skall antalet vara 29. Shepela, Låglandet ges 40 städer. I denna siffra ingår filistéerstäderna Ekron, Ashdod och Gasa. Städerna Askelon och Gat saknas. Jfr Jos 13,3; 11,22. Bergsbygden ges 38 städer. Öknen ges 6 städer och sedan nämns Jerusalem såsom icke erövrad stad. Även Benjamins och Sebulons städer är indelade i två grupper, 12 + 14 respektive 13 + 4. Några distriktsnamn finns inte utsatta, men mycket tyder på att dessa indelningar går tillbaka på geografiska föreställningar.

Den formelartade ihopsummeringen av städer, vilken förekommer i samband med stadslistorna, stämmer inte alltid med antalet ortnamn i texten. Mycket kan naturligtvis hända vid traderingen av dessa namn. Det är möjligt att upptäcka dittografier, t.ex. 19,2,46. Några städer tillskrivs såväl Juda som Simeon, t.ex. Beer Seba, 15,28/19,28, Bor Ashan och Ashan 15,42/19,7, Neftoa 15,9/18,15, Hårma 15,30/19,4, 'Aetaer 15,42/19,7, Rimmon 15,32/19,7, jfr 1 Krön 4,32 (Juda), Siklag 15,31/19,5. Estaol tillfaller både Juda 15,33 och Dan 19,41 och Bet Hågla får såväl Juda 15,6 som Benjamin 18,19,21 liksom Kirjat Jearim 15,60/18,15. Ibland är det svårt att avgöra, om en namnform syftar på en stad eller något annat geografiskt begrepp.

A. Städer som är hapax legomena i Josuaboken

(Se Ortnamnsförteckning C)

Vid en genomgång av de geografiska uppgifterna i Josuaboken frapperas man av det stora antalet hapax-ord, dvs. namn som förekommer endast en enda gång i Gamla testamentet. Eftersom namnet ibland upprepas vid gränsdragningar och uppräkningar har orter, som endast förekommer i Josuaboken, samlats under hapax-ord. (Den största frekvensen har Eglon, som nämns åtta gånger men endast i Josuaboken.) Förekomsten av hapax-namn i gränsbeskrivningar och stadslistor hos de olika stammarna ser ut på följande sätt:

[7] Områdes- eller distriktsbenämningar förekommer mera utförligt i sammanfattningar av erövringen. T.ex. Jos 10,40 ''Och Josua slog landet, Bergsbygden Sydlandet, Låglandet, Bergssluttningarna och deras kungar''. Jfr 12,7 f. ''Och Josua gav det. . . . . . Bergsbygden, Låglandet, Hedmarken, Bergssluttningarna, Öknen och Sydlandet''.

Juda stam:	85 hapax av	144 städer	
Benjamin:	13 "	38 "	
Simeon	6 "	17 "	
Sebulon	14 "	19 "	
Isaskar	14 "	16 "	
Aser	16 "	22 "	
Naftali	20 "	21 "	(Jos 19,38 uppger 19 städer)
Dan	8 "	18 "	

Av de övriga stammarna, vilka saknar stadslistor, har

Gad	2 hapax
Ruben	2 "
Efraim	7 "
Manasse	5 "

Utan stamtillhörighet: 6 hapax
Tillsammans: 198 städer av 358

Det är ytterst svårt att kunna göra några kommentarer till den stora förekomsten av hapax-namn i Josuaboken, dvs. 198 av 358. Innan man yttrar sig bör man då också ha i minne, att i Gamla testamentet i övrigt föreligger 243 hapax-namn av 388 ej förekommande i Josuaboken. Av dessa hör 194 orter till det område, som intresserar Josuabokens tradent. Om mer än hälften av alla ortnamn i Josuaboken är hapax eller endast förekommande där, så är situationen densamma i de övriga böckerna sammantaget. Det är en stor mängd hapax-namn, som formar Israels historia. Räknar man samman alla hapax-orter inom gränserna för det davidiska riket, får man siffran 393. Den omfattar mer än hälften av alla gammaltestamentliga ortnamn.

Hapax-namnen i Josuaboken är till formen knappast originella vid en jämförelse med andra ofta förekommande namn.[8] Varför just dessa ortnamn nämnts en enda gång eller två gånger (dislegomena) är för mig omöjligt att avgöra.[9] De historiska inslagen i Gamla testamentet är oftast av ideologisk natur och de orter, som stått i centrum för händelserna är selektivt utvalda kanske ibland av en slump men oftast av den orsaken, att de utgör naturliga kommersiella eller strategiska platser i ett bestämt område. Någon form av historisk bakgrund bör de flesta namnen ha, t.ex. Bet Dagon, Jos 19,27 finns omnämnt på inskriften över Sanheribs tredje fälttåg mot "Hatti" (ANET, 287) liksom Elteke, annars endast belagd i Jos 19,44; 21,23 och Benei Beraq, endast Jos 19,45, Akko, Dom 1,31 (hapax), Akzib, Dom 1,31; Jos 19,29 för att inte glömma Sidon Rabba, Jos 11,8; 19,28. LXX B infogar Azor i 19,45. Det namnet står i Sanheribs inskrift mellan

[8] För en provkarta på namnformer, se W. Borée, *Die alten Ortsnamen Palästinas*, 1930.

[9] Det kan vara en ren tillfällighet. Som exempel nämnes Akko endast en gång i GT, nämligen i Dom 1,31, och det är ändå en stad, som bör ha haft stor betydelse under både bronsålder och järnålder. Det visar utgrävningarna på den s.k. Napoleon's hill, se rapporter från åtskilliga säsongers arbete av M. Dothan, 9th Season 1983, *IEJ* 34 (1984), 189 f. och de assyriska kungarnas inskrifter, se S. Parpola, *Neo-Assyrian Toponyms*, 1970,11.

Banai-Barqa och Ekron. Se nedan. Åtminstone på 700-talet f.Kr. bör flera av de josuanska hapax- och dislegomena ha haft historisk förankring. En textkritisk undersökning av ortnamnens konsonantbestånd skulle kanske också ge associationer till ytterligare platser, nämnda i andra texter och inskrifter.[10]

Man kan fråga sig varför just hapax-namnet Anab står tillsammans med städerna Hebron och Debir i Jos 11,21? Och varför har staden Eglon fått så fast förankring i Josuaboken, 10,3,5,23,34,36,37; 12,12; 15,39 men eljest blivit "bortglömd"? Dess namnfält är imponerande: Jerusalem, Hebron, Jarmut, Lakis och Eglon, 10,3–23; 12,12 ff. I det sistnämnda fallet följs staden av Geser, Debir, Geder, jfr 10,28 ff. och 15,39 ff.

Jag ser det knappast fruktbärande att försöka finna namnfält eller ortfält vad gäller hapax-städerna i Josuaboken och därigenom komma fram till något system vid uppräkningen av städerna. Däremot kan man av den ovanstående uppställningen att döma få en klar uppfattning om var de flesta hapax-namnen står att finna. Av Juda städer är drygt hälften hapax. Detta stamområde har också en imponerande stadsförteckning. Ser man uppställningen utifrån det Delade rikets situation får man i söder en markant stadstäthet inom stammarna Juda, Benjamin, Simeon, ja, även Dan bör räknas hit. Den stadslistan är oerhört intressant, eftersom området låg i anslutning till Via Maris. Antalet hapax-städer på Dans område är inte direkt iögonenfallande, och detta kan bero på att här utgjorde städerna viktiga kommersiella centra, vilkas namn bevarats i traditionen. Dans tidigaste stamområde låg i anslutning till filistéernas bosättning och därför är gränsdragningen ut mot Medelhavet något diffus.[11] Traditionen kan tolkas så, att David under sin flykt från Saul genom sin vistelse i detta område "legitimerar" detta som israelitisk arvedel. Filistéerna drivs aldrig bort från sitt område på samma sätt som israeliter och araméer men de har som dessa av Jahve "hämtats", i Kaphtor, Amos 9,7. De stadslistor, som förärats nordstammarna, uppvisar en imponerande hapax-frekvens, men antalet städer är sammantaget ytterst begränsat i jämförelse med sydstammarnas.[12] Den sydliga dominansen i Josuaboken är total. Fördelningstexterna följer därvid upp erövringsrouten.

[10] Så t.ex. är staden Arad i Josuaboken endast omnämnd såsom kanaanéerstad, Jos 12,14 men av inskrifterna att döma var staden ett viktigt centrum under järnåldern, se Y. Aharoni, *Arad Inscriptions*, 1975, 81, 114. Däremot förekommer stadsnamnet Eder i Jos 15,21. Den formen här kan bero på en omkastning av *r* och *d*, så att det egentligen skulle ha stått Arad. Men jämför namnen "Arad, Eder" sida vid sida i 1 Krön 8,15.

[11] Ideologiskt gäller det att ha i minnet, att det var detta område, som tilldelades stammen Dan genom lottkastning påbjuden av Mose, Nu 34,13 ff., Jos 19,40–48. Att daniterna sedermera tvingades vandra norrut, Dom 1,34, bortser tradenten ifrån. Formuleringen i Dom 18,1 tyder inte på någon kännedom om Jos 19,40 ff.

[12] Jämför samaritanernas hebreiska Josuabok, som uppvisar den motsatta tendensen. Stamlotterna i östra Palestina är kopierade ord för ord från den masoretiska texten men på den cisjordanska sidan återfinnes en egen samaritansk version. Endast städer med relation till Samaria tas upp och Sydrikets område, dvs Juda, Simeons, Dans och Benjamins stammar, tillskrivs endast ett fåtal städer. Se A. D. Crown, *PEQ* 96 (1964), 79–100.

B. Städer som är hapax legomena utanför Josuaboken

(Se Ortnamnsförteckning A)

Gamla testamentets övriga hapax-städer är ojämnt fördelade mellan de olika böckerna. Stadslistor i den omfattning, som finns i Josuaboken är sparsamt förekommande och i den mån sådana existerar, är de kortfattade. Vanligast är att städer namnges med anledning av att de förstörts i krig. Det har varit min strävan att söka sammanställa om möjligt någon form av synops och då har jag också tagit upp toponymer från utomgammaltestamentligt material. Följande texter är av särskild vikt vid en jämförelse med Josuabokens uppgifter, nämligen Nu 32,34 ff., Nu 33,5 ff., en förteckning över ökenstationerna, av vilka 15 är hapax. Dom 1;1 Krön 4,28 ff.; 1 Krön 6,54 ff. (leviterstäderna), 1 Sam 30,26 ff.; 1 Kon 4,7–14; 2 Krön 19,5–10; Neh 11,25 ff.; Jes 10,28 ff.; Jes 15 och 16; Mika 1,11 ff.; Jer 48; Hes 47,15 ff.

Hapax-städerna utanför Josuaboken fördelar sig på följande sätt. Siffran inom parentes avser städer utanför Josuabokens geografi.

Genesis	6 + (13)	Höga Visan	1 + (0)
Exodus	0 + (1)	Jesaja	7 + (2)
Leviticus	--	Jeremia	7 + (1)
Numeri	21 + (10)	Klagovis	--
Deut	0 + (4)	Hesekiel	5 + (11)
Josuaboken	198	Daniel	0 + (1)
Domarboken	31 + (0)	Hosea	2 + (0)
1 Sam	17 + (0)	Joel	--
2 Sam	13 + (0)	Amos	1 + (0)
1 Kon	4 + (0)	Obadja	--
2 Kon	8 + (1)	Jona	--
1 Krön	43 + (0)	Mika	3 + (2)
2 Krön	9 + (3)	Nahum	--
Esra	1 + (2)	Habackuk	--
Nehemja	8 + (0)	Sefanja	1 + (0)
Ester	0 + (1)	Haggai	--
Job	--	Sakarja	2 + (0)
Psaltaren	1 + (0)	Malaki	--
Ordspråksboken	--	Tillsammans:	191 + (52) = 243
Predikaren	--		

Som synes är det Numeri, Domarboken, Krönikeböckerna samt i någon mån Samuelsböckerna, som innehåller det iögonenfallande antalet hapax-namn. I Numeri tillhör dock 15 av dessa stationsförteckningen i kap. 33. Ofta uppträder de som dislegomena, dvs. de nämns i två på varandra följande verser men tas ändock med här.

Ehuru det är omöjligt att i detalj avgöra, var alla hapax-orter nämnda utanför Josuaboken kan ha legat, görs här dock en någorlunda säker förteckning över en stamvis lokalisering. Alla orter är inte upptagna, men listan ger i sin ofullkomlighet en uppskattning.

Juda stam	50	Dan	1
Benjamin	13	Efraim	7
Simeon	3	Manasse, västra	3
Sebulon	1	Manasse, östra	—
Isaskar	3	Ruben	
Aser	5	Moab	21
Naftali	2	Gad	

Det är också Numeri, Domarboken, Samuelsböckerna och Krönikeböckerna, i första hand 1 Krön, som har ett påtagligt intresse för städers stamtillhörighet. Dessa böcker avser också att skildra den förstatliga tiden med Sauls rike betraktat som en övergångsperiod, 1 Sam. Det stora antalet hapax-orter i Domarboken och 1 Krön kan ge en antydan om traditionsbildningen kring sådana namn. I synnerhet gäller det 1 Krön, som innehåller listor med städer på samma sätt som Josuaboken. I 1 Krön är det också området motsvarande Juda rike, som står i centrum. Som framgår av uppställningen är det Juda stam som även utanför Josuaboken har det största antalet hapax-orter. Och om man räknar in Benjamins och Simeons område, blir antalet städer ca 70, motsvarande siffra i Josuaboken är 104. Vad nordstammarna beträffar är det svårt att göra någon stamvis fördelning av hapax legomena, men påfallande är en koncentration av städer till området norr om floden Arnon, dvs. där Ruben och Gad hade sina boplatser och där dramatiska händelser under israelitisk kungatid skapade grogrunden till intressanta uppgifter om städerna och deras öden. I samband med att förteckningar över städer presenteras i det följande görs en kortfattad kommentar. Just denna koncentration av hapax-städer till ett speciellt område såsom Juda och Moab bör vittna om att tradenterna ägde en stor traditionsflora och att den var historiskt underbyggd vittnar inte minst assyriska toponyms i väster och moabitiska i öster. Gammaltestamentliga hapax-namn har faktiskt fått sitt nedslag i dessa traditioner. Ortnamnen är således koncentrerade till områden, där historien utspelades. Den ringa förekomsten av namn, det gäller även andra än hapax legomena, till nordstammarnas och araméernas områden, torde bero på att man inte kände till förhållandena i nämnvärd grad. Det ger också en fingervisning, att tidigast 700-talet, efter Samarias fall, kan vara det traditionsbevarande århundradet. I övrigt står Meshainskriften i särklass, (se nedan).

Varför vissa böcker i Gamla testamentet har en stor andel hapax-namn, medan andra inte har det, torde vara svårt att sia om.[13] Ibland kan tillfälligheter, såsom skrivfel, hörfel, minnesfel etc. skapa hapax-namn. En jämförelse med de båda LXX-versionerna av Josuaboken skulle ge många varianter. Problemet

[13] Vad traditionerna om nordstammarnas områden beträffar saknades säkerligen motivation att dokumentera flera episoder. Historien ''haltar'' och många namn på städer blir hapax-ord. Å andra sidan kan det stora antalet hapax-namn i Sydriket inte endast ha sin orsak i den ideologiska framtoningen utan även i tradentens stora kunskap om förhållandena i söder. Vi får räkna med att många ortnamn, som är hapax legomena, kan vara nybildade eller representera mycket unga bosättningar.

med hapax-namn kan t.ex. enklast betraktas genom att jämföra Jos 21 med 1 Krön som båda har det gemensamt, att de återger ett stadssystem med fyra leviterstäder förlagda till varje stamområde, dvs. tillsammans 48 städer. Ehuru listorna söker återge exakt samma ''institution'', innehåller båda hapax legomena och olika namnuppgifter, varav nedanstående städer endast är belagda i Josuaboken resp 1 Krön 6. 29 leviterstäder är gemensamma (för de perifera stammarna är överensstämmelsen total). För att påvisa, att det under traditionsförfarandet kan ha skett förvanskningar görs här en lista på de aktuella hapax-namnen. Vissa av Josuabokens leviterstäder kan vara dis- och tris-legomena men inom Josuaboken.

1 Krön 6		*Jos 21*		
Hilen	Juda	Holon	Juda	15,51:21,15
		Jutta	Juda	15,55;21,16
Alemet	Benjamin	Almon	Benjamin	21,18
		Elteke	Dan	19,44;21,43
		Qarta	Sebulon	21,34
		Dimna	Sebulon	21,35
		Jokneam	Sebulon	19,11;21,34:12,22
Qedesh	Isaskar			
Anum	Isaskar	En Gannim	Isaskar	19,21:21,29
Ramot	Isaskar	Jarmut (Remet)	Isaskar	(19,21)21,29
		Qisjon	Isaskar	19,20;21,28
Hukok	Aser	Helkat	Aser	19,25;21,31
Qirjataim	Naftali	Qartan	Naftali	21,32
Hamun	Naftali	Hammot Dor	Naftali	21,32
		Qibsaim	Efraim	21,22
		Gat Rimmon	Manasse	21,25
		Be'eshtera (sannolikt Ashtarot)	Manasse	21,27

De olika uppgifterna i fråga om leviterstädernas namn visar i ett nötskal, att namnformerna inte endast kan bedömas utifrån den ena listans litterära beroende av den andra. Hapax-namnen skulle då inte ha varit så många. Likaså är det svårt att tänka sig, att systemet med leviterstäder skulle ha haft någon fast långvarig tradition bakom sig med så växlande namnformer. Systemet kan knappast ha existerat vid listornas nedtecknande. Josuabokens komposition krävde levitersystemet i ett restaurerat Davidsrike.[14] Det är heller ingen tillfällighet, att leviterstäderna räknas upp före palavern med öststammarna i Jos 22. Transjordaniens samhörighet med Cisjordanien är konsekvent ur Davidsrikets aspekt. Jämför 1 Krön 6, där leviterstäderna nämns först efter uppgiften om öststammarnas exil, 1 Krön 5,26.

[14] Fiktion eller verklighet är den stora frågan kring leviterinstitutionen. Om den skulle gå tillbaka på salomonisk tid, jfr Kallai (1986), torde med empiriska medel vara omöjligt att bevisa. Däremot är det ofrånkomligt, att Josuabokens tradent *krävde* leviterstäderna i sitt Davidsrike. Om det var en senare tids institution, som applicerades på detta rike, eller om det är endast en litterär, fiktiv, produkt, går egentligen inte heller att avgöra. Det sistnämnda är dock troligast.

C. Städer i Josuaboken, vilka återfinnes i övriga delar av och utanför GT

(Se Ortnamnsförteckning D)

Vid en studie av stadsnamn i GT, gjord med hänsyn till städerna i Josuaboken, har det tidigt framgått, att det är Juda stamområdes städer, som utgör det stora flertalet. Inräknas därtill Benjamin, Simeon samt Dans ursprungliga stamområde, blir den ''sydliga'' dominansen mycket påfallande. Det är överhuvudtaget svårt att finna något markerat nordligt block av städer. Jag tänker därvid närmast på uppräkningar av städer i en eller annan textform. Eftersom sådana faktiskt förekommer, torde stadslistor för vissa områden ha varit aktuellt traditionsgods.[15] Då vår kunskap om städernas exakta läge är obefintlig många gånger eller ytterst begränsad, är det omöjligt att upptäcka en eventuell logik i ortnamnsfälten. De många hapax-namnen förstorar likaså problemen.

Med avsikt att försöka få tag i en möjlig Sitz im Leben för uppräkningarna av städer vill jag sätta Josuabokens stadslistor i relation till några likartade uppräkningar i GT.

Domarboken, kap. 1

Domarbokens ingress innehåller en klar hänvisning till Juda stams dominans i förhållande till de övriga stammarna. ''Jag har givit landet i hans hand'', 1,2. Detta orakulära påstående bestämmer på något sätt kapitlets uppbyggnad. Vv. 1–26 skildrar framgångsrika krigståg mot städer, lokaliserade till Juda/Simeons stammars område, Bergsbygden, Sydlandet och Låglandet, jfr Jos 15,21,33,48, med initialsegern över Jerusalem, Dom 1,5 ff. Ideologiskt är den segern en viktig markering mot Benjamin, 1,21, jfr Jos 15,63.

För den enda krigsframgången hos de övriga stammarna står ''männen av Josefs hus'', när de intog Betel genom list, 1,22 ff. Detta är i linje med den stamordning, som tecknas vid fördelning av land i Josuaboken.[16] Så ställs begreppet ''Josefs barn'' mot ''Juda barn'' i Jos 14,4 ff., och i samma kapitel framhävs också Kalebs arvedel, Hebron, 14,14; 15,13–19/Dom 1,12–15. Josefs hus, dvs. Manasse och Efraim har i övrigt ingen krigslycka, 1,27 ff. Deras särställning såsom de ledande stammarna i norr framhålls också i Jos 18,5. Josefs hus liksom Juda har där redan fått sina arvedelar, medan de övriga sju stammarna tilldelades sina i Silo. Nordstammarnas inklusive Benjamins oförmåga att med vapenmakt ta sina arvedelar i besittning understryks i Jos 18.

[15] T.ex. Jairs tältstäder, endast nämnda en gång i Josuaboken, 13,30. Argobs sextio städer, Dt 3,4 är inte omtalade i Josuaboken.

[16] Relationen Josuaboken — Domarboken 1 har nyligen diskuterats i ett par artiklar av A. G. Auld, Judges I and History: A Reconsideration, *VT* 25 (1975), 261-285 och allra senast av Z. Kallai, Territorial Patterns, ..., *ZAW* 93 (1981), 427-432, *Idem*, The Settlement Traditions of Ephraim, *ZDPV* 102 (1988), 68-74.

Stammarnas krigsobjekt i Dom 1,4 ff. är städerna. Gör man en indelning av dessa i Syd-Nord kategorier, så visar det sig, att kapitlet handlar om 10 erövrade städer (tre med dubbelnamn) inom ''Sydrikets'' område och 20 ej erövrade städer inom ''Nordrikets'' område.[17] Den negativa inställningen till Benjamin 1,21 och nordstammarna, 1,27 ff., kan liksom i Jos 18 tyda på att Dom 1 är ett underfundigt angrepp på Sauls kungadöme såsom det avgränsas i 2 Sam 2,9.

Josuaboken känner till 27 av de 36 stadsnamnen uppräknade i Dom 1. Besek och Sefat, två av Juda och Simeon erövrade städer, 1,4,17 och Palmstaden, 1,16, finns ej belagda i Josuaboken.[18] Tre städer inom Asers område är *hapax leg.*, nämligen Akko, Ahlab och Helba, 1 31. ''Dalbygden'', *'emaeḳ*, 1,19,34, finns ej såsom självständigt cisjordanskt begrepp i Josuaboken. I ''Dalbygden'' hade Juda och Dan inga krigsframgångar.[19] Däremot erövrades filistéerområdet, 1,18. Jfr Jos 11,22; 15,45 ff.

	Domarboken 1,1–2,5		*Josuaboken*	
	Erövrade städer	Stam	Erövring	Fördelning
v. 4	Besek	Juda o Simeon	--	--
v. 7,21	Jerusalem	Juda	10,1 ff;12,10	15,63
v. 10,20	Hebron	Juda	10,3 ff;12,10	15,13,54 etc.
''tidigare''	Qirjat 'Arba'		--	14,15 etc.
v. 11	Debir		10,3 ff;12,13	15,15 etc.
''tidigare''	Qirjat Sefer	--	--	15,15,16
v. 16	Palmstaden	--	--	--
	(Negeb) Arad	keniter	12,14	--
v. 17	Sefat	Juda o Simeon	--	--
''den kom att kallas''	Horma		12,14	15,30;19,4 etc.
v. 18	Gasa	Juda	10,41;11,22	15,47
v. 18	Askelon		--(13,3)	
v. 18	'Ekron		(13,3)	15,11,45;19,43
v. 22	Betel	Josefs hus	8,9;12,9	16,1;18,13
''tidigare''	Lus	--		16,2;18,13
(v. 26	Lus [Syria])		--	--
Ej erövrade städer				
v. 27	Bet-Sean	Manasse	--	17,11,16
	Taanak		12,21	17,11;21,25
	Dor		11,2;12,23	17,11
	Jibleam		--	17,11
	Megiddo		12,21	17,11
v. 29	Geser	Efraim	10,33;12,12	16,3,10;21,21
v. 30	Qitron	Sebulon	--	(19,15 Kattat)
	Nahalol		--	19,15;21,35

[17] Endast Betel intas av Josefs hus, Dom 1,22 ff. men det uppges, att Josefs söner så småningom gjorde sig till herrar över Har-Heres, 'Ajjalon och Shaalbim, 1,35.
[18] Vi bortser från Lus i Syrien.
[19] Se Kallai (1988), 69 f.

	Domarboken 1,1–2,5		*Josuaboken*	
	Erövrade städer	Stam	Erövring	Fördelning
v. 31	Akko (hapax)	Aser	--	--
	Sidon		11,8	19,28
	‘Ahlab (hapax)		--	--
	‘Aksib		--	--
	Helba (hapax)		--	--
	‘Afik		12,18(13,4)	19,30
	Rehob		--	19,28,30;21,31
v. 33	Bet Semes	Naftali	--	19,38
	Bet Anat		--	19,38
v. 35	Har-Heres	Josefs söner	--	--
	‘Ajjalon		--	19,42;21,24
	Shaalbim		--	19,42
2,1	Gilgal		5,9 etc.	--
	Bokim		--	--

”Ideologiskt” sett är det ingen skillnad på bedömningen av stammarna i Josua- och Domarboken. Det är ett sydligt och ett nordligt block. I det förra dominerar Juda över Simeon. Benjamins stam räknas till nordstammarna. Ehuru Josuabokens erövringskrig till största delen äger rum på Benjamins område, är bedömningen av Benjamin negativ. Som vi sett fördelas dess land tillsammans med de sex små nordstammarna i Silo, Jos 18–19. Denna Benjamins samhörighet med nordstammarna är förstärkt i Dom 1 och tradentens negativa syn på Benjamin framträder dessutom i Dom 19,1 ff. Källorna bakom tradentens komposition är som alltid svåra att bedöma. Samtidigt som det finns vissa överensstämmelser med Josuaboken förekommer det också ”nya” uppgifter om såväl Juda som nordstammarna. Den intressantaste är naturligtvis, att Juda tydligen lyckats inta Jerusalem, en uppgift som Benjamin enligt både Jos 15,63 och Dom 1,21 misslyckats med. Att Juda förmenas den bedriften i Josuaboken har vi tolkat såsom ett led i det antagna programmet för Davidsrikets restauration. Jerusalem var ”Davids stad” och erövrad av honom själv, 2 Sam 5,7. Om nu Josuaboken skildrade Davids rikes restauration såsom en ”sammanfogning” av de båda rikshalvorna med Sydriket som den dominerade parten och varje israelit boende i sin arvedel vid Josuas och i synnerhet vid ”översteprästens” död, Jos 20,6, inträffad i den absolut sista versen av Jos 24, så skildrar Domarboken ”detta rikes” sönderfall. Juda dominerar i Dom 1, medan riket i övrigt slits sönder.[20]

Den ovan gjorda tabellen över erövrade städer och ej erövrade städer i Dom 1 stämmer rätt väl med uppgifterna i Josuaboken. Begreppen ”Erövring” och ”Fördelning” skall uppfattas som termer för Josuabokens komposition. Landet och dess städer fördelades även om man inte lyckats inta sina arvedelar, t.ex. uppgifterna om Manasse i Dom 1,27 överensstämmer med Jos 17,11 men beträf-

[20] Det är nästan som om Israel efter Josuas död, Dom 2,8 ff. får börja en ”ny” ökenvandring; olycks- och lyckoperioder avlöser varandra.

fande Taanak och Megiddo utgör Jos 12,21 en märklig särtradition. Transjordanien är inte alls omnämnt i Dom 1, men denna "lacuna" behöver inte ha någon ideologisk bakgrund annan än den att Judas roll skall framhållas. Sålunda saknas även stammen Isaskar. Uppgifterna i Dom 1 verkar vara selektivt valda.

1 Samuelsboken

Förutom i 1 Sam 30,25 ff. finns det ingen iögonenfallande stadslista i 1 Sam. 72 städer nämns i olika situationer. Av dessa återfinnes 46 i Josuaboken. Således saknas där 26 av vilka 9 är hapax legomena. De flesta städerna kan mer eller mindre säkert lokaliseras till Sydrikets område. Inom Samuels "domsaga" nämnes några städer, vilka tydligen låg i gränstrakterna mellan Nordriket och Sydriket, nämligen Betel, Gilgal, Mispa och Rama, 1 Sam 7,16 f. I samband med skildringen av Sauls tragiska historia nämnes städer som En-Dor, Sunem, Bet-Sean och Jabes Gilead. Alla orter med ögonsamband mot Gilboa berg, Sauls dödsplats.

Enligt förteckningen av geografiska namn i 1 Sam uppgjord av J. Simons[21] får man en bra översikt av centra för händelserna. De orter, som saknas i Josuaboken bär knappast några ideologiskt laddade namn. Ehuru vi i analysen av Jos 7–8 ansett oss finna spår av uppgörelsen mellan Saul och David/Benjamin och Juda, en uppgörelse, som ligger i linje med Benjamins placering bland nordstammarna i Josuaboken, kan vi dock inte finna, att geografin utöver gränsdragningarna har betytt särskilt mycket därvidlag.

1 Sam 30,25–31

Förteckningen av de städer, till vilka David sänder krigsbytet taget från "Jahves fiender" har också tidigare berörts i samband med analysen av Jos 12. Ortnamnen, som alla kan hänföras till Sydriket, saknar inte intresse, om de sätts i relation till uppgifterna i Josuaboken. Vissa namn är gemensamma, medan inte mindre än fyra städer av 12 är hapax legomena. Detta är en slående tendens i Josuaboken. Det är från Siklag, som David sänder bytet, och den staden finns omnämnd i Jos 15,31 och 19,5, enligt det sistnämnda textstället tillhörig Simeon.

1 Sam	Josuaboken	
30,27	Erövring	Fördelning
Betel/Betul	--	19,4
Ramot Negev	--	19,8
Jattir (leviterstad)	--	15,48:21,14
30,28		
Aroer (hapax) jfr Simons,322	--	(15,22) Adda
Sifmot (hapax)	--	--
Estemoa	--	15,50:21,14

21 *Geographical and Topographical Texts*, 306.

1 Sam	Josuaboken	
30,29	Erövring	Fördelning
Rakal (hapax)	--	--
jerameeliternas städer	--	--
kaineernas städer	--	--
30,30		
Horma	--	15,30:19,4
Bor-Asan	--	15,42
Atak (hapax) jfr Eter	--	15,42)
30,31		
Hebron	10,3 ff.	15,54
"alla platser, dit David och hans män gick."		

Endast Hebron och Estemoa i Juda kan lokaliseras, men i övrigt torde städerna ha legat i Sydlandet. Det finns ett stort antal hapax-namn knutna till detta område. Grupperingen av tre städer i varje vers visar samma praxis som i Rehabeams befästningslista i 2 Krön 19. Det är ganska många städer, som återfinnes i Jos 15, Juda stams stadslista, och eftersom städerna är knutna till Davids gestalt, kan deras omnämnande i Jos 15 ha en viss ideologisk tyngd.[22] Horma, jfr Dom 1,17, följer direkt efter uppgiften om "kaineernas städer".

De salomoniska distriktsstäderna, 1 Kon 4,7–14

Avsnittet över Salomos organisation av sitt rike har senast behandlats av israelerna N. Na'aman och Z. Kallai.[23] Vi vill betona beröringspunkterna med Sauls och närmast Isbaals rike contra Davids område, som han behärskade från Hebron.[24] Benjamins område[25] hörde naturligtvis till Sauls rike och räknas också i 1 Kon 4,18 till nordstammarna. Vad Josuaboken beträffar sker största delen av erövringen på Benjamins område men när fördelningen görs, Jos 18, står Benjamin bland nordstammarna och har ingen samhörighet med Juda. Det tyder på att Sauls organisation var traditionellt fast. Dock har vi sökt visa i det tidigare, att tradenten var medveten om spänningsförhållandena mellan nord och syd och i Jos 7–8 har vi sökt finna vissa associationer och länkningar till uppgörelsen mel-

[22] Det skulle närmast vara Hebron och Estemoa, vilka är starkt förknippade med David. Även om den påträffade silverskatten i Estemoa inte kan tillskrivas David, vittnar fyndet ändock om att staden var ett viktigt centrum för skatteuppbörd under senare delen av järnåldern. Se Z. Yeivin, The Mysterious Silver Hoard From Esthemoa, *Biblical Archaeology Review* 13 (1987), 38-44. Hebron figurerar som administrativt centrum vid samma tid även i utomgammaltestamentligt material. Se nedan.

[23] N. Na'aman, *Borders & Districts*, 167 ff.; Z. Kallai, *Historical Geography*, 40 ff. Båda ger en utmärkt översikt av tidigare analyser och resultat beträffande det administrativa systemets avgränsning och relation till stamsystemet. Det råder skillnader, ehuru systemen i stort anses tillhöra samma tid. Det svåraste problemet är huruvida Juda var inkluderat i eller stod utanför Salomos skattesystem.

[24] Jfr Kallai, *op. cit.*, 283 och *Idem*, *IEJ* 28 (1978), 256 f.

[25] Benjamin utgjorde ett eget distrikt, det elfte.

lan Saul och David. Just denna medvetna nord-syd komposition i 1 Kon 4 gör det intressant att jämföra de nämnda administrativa replipunkterna med motsvarande städers eventuella omnämnande i Josuabokens stadslistor. Ordningen är den som förekommer i 1 Kon 4.

	1 Kon 4	*Josuaboken*
v. 9	Makas (hapax)	--
	Saalbim Dan	19,42 Dom 1,35
	Bet-Semes Dan 'Ir-Semes	19,41
	'Elon Bet-Hanan (hapax)	--
v. 10	Arubbot (hapax)	--
	Soko Juda	15,35/15,48
	Hefer(landet)	12,17
v. 11	Nafat-Dor Manasse	12,23/11,2
v. 12	Taanak	12,21/17,11/21,25
	Megiddo	12,21/17,11
	Bet-Sean	17,11,16
	Saretan	3,16
	Jisreel (stad el. slätt?)	15,56
	Abel-Mehola	--
	Jokmeam cf. Jokdeam (Jos 15,56)	--
v.13	Ramot Gilead	20,8;21,36
	Jairs byar	13,30
	Argob 60 städer	--
v. 14	Mahanaim	13,26,30;21,36

Därefter följer stamnanmen:
Aser, (Alot ifrågasätts), Isaskar, Benjamin, Gilead, ev. Juda.

Uppställningen ger inte stort underlag för en eventuell teori, att en förteckning av det Enade rikets städer skulle ha varit upphovet till stadslistorna i Josuaboken. Däremot är det intressant, att inte mindre än fyra namn från Jos 12, där betraktade som kanaaneiska städer, återfinnes i 1 Kon 4 samt att Nafat-Dor, Megiddo och Taanak står tillsammans i båda texterna. Samtliga städer är emellertid välkända i egyptiska och akkadiska källor. Saknas ändock traditionerna hur dessa städer blev israelitiska. De plötsligt finns i Salomos förvaltningssystem.[26] Om de skulle ha erövrats av David, är det egendomligt, att inte någon uppgift därom föreligger i GT. I ljuset av Josuabokens komposition såsom en ideologisk skildring av Davidsrikets restauration och kanske också till vissa delar "tillkomst", kan Jos 12 teckna en övergång till israelitisk hegemoni, men hur den historiskt skall bedömas, är svårt att avgöra. Även om Bet-Sean inte nämnes i Jos 12, så betraktas den staden tillika med Taanak, Dor, Jibleam och Megiddo såsom inte erövrad, Dom 1,27. Denna negativism har naturligtvis ideologisk bakgrund för att ringakta nordstammarna och deras brist på aktivitet, jfr Jos 18.

[26] T.ex. Bet-Sean. Angående den arkeologiska situationen, se M. Ottosson, *Temples and Cult Places in Palestine*, 1980, 66 f. m. litt. och senast Y. Yadin-Sh. Geva, *Investigations at Beth Shean. The Early Iron Age Strata*, 1986.

2 Krön 11,5–10

Efter delningen av det salomoniska riket säges enligt 2 Krön Rehabeam ha befäst 15 städer i Juda och Benjamin. Denna uppgift finns inte i parallelltraditionen, 1 Kon 12,21 ff. I stället sägs i 1 Kon 12,25, att Jerobeam befäste Sikem och Penuel, vilket må betraktas som ett skickligt taktiskt drag i sammanhanget. I den följande utvecklingen av motsättningarna mellan nord och syd är Kronisten bäst informerad och berättar, att Abia, Rehabeams efterträdare, tog ifrån Jerobeam Betel, Jesana och Efron samtliga med underlydande orter, 2 Krön 13,19.

Förteckningen över Rehabeams städer och eventuella förekomst i Josuaboken ser ut på följande sätt:

	Josuaboken Erövring	Fördelning
11,6		
Bet-Lehem	--	--
Etam	--	--
Tekoa	--	--
11,7		
Bet-Sur	--	15,58
Soko	--	15,35
Adullam	--	15,35
11,8		
Gat	11,22(13,3)	--
Maresa	--	15,44
Sif	--	15,24
11,9		
Adoraim (hapax)	--	--
Lakis	10,3 ff.	15,39
Aseka	10,10 f.	15,35
11,10		
Sorga	--	15,33;19,41
Ajjalon	10,12	--
Hebron	10,5 ff.	14,13;15,13,54;20,7;21,11,13

Som J. Simons riktigt påpekar, är det ingen av städerna, som ligger på Benjamins territorium.[27] Uppräkningen ger ingen antydan om att Rehabeams befästa städer hade gränskaraktär. Vissa av dem kan med säkerhet lokaliseras och tendensen i Rehabeams befästningstaktik är ganska klar. Det gällde för honom att skaffa sig en serie mycket starkt befästa replipunkter i det judeiska bergslandskapet. Av fördelningslistan i Jos 15 att döma ligger de flesta städerna på ''Låglandet''. Endast Sif ligger i ''Sydlandet'' och Bet-Sur och Hebron i ''Bergslandet''. Grupperingen av städerna i tre om tre påminner en del om principen i Jos 15, men det är ytterst svårt att finna ut huruvida det föreligger något beroende i detta fall. Nio städer finns dock upptagna i Jos 15 och de som återfinnes i Jos 10 är

[27] *Op. cit.*, 373.

säkerligen av tradition befästa städer. Såväl 2 Krön 11 som Jos 15 kan vila på uppgifter om försvars- och förvaltningscentra i Juda rike under det Delade rikets tid.

Rehabeams befästningssystem skulle så att säga få bekänna färg redan i hans femte regeringsår, då Egyptens farao Sisak gjorde ett omfattande plundringståg, bl.a. i Juda. Den egyptiska listan upptar drygt 150 namn,[28] som skulle ha varit aktuella på Rehabeams tid. Det hade varit en stor sensation, om någon av de befästningar, som nämns i 2 Krön 11, skulle ha återfunnits på Sisaks lista. Svårigheten att överföra de egyptiska ortnamnen till deras eventuellt hebreiska motsvarigheter är många gånger oöverstiglig. De namn, som kan karaktäriseras såsom säkra, och vilka också kunde ha varit aktuella på Rehabeams tid är Gibeon, Bet-Horon och Megiddo, men de finns inte upptagna i hans befästningssystem ej heller i hans skärmytslingar med kollegan i Nordriket.[29] Nr 26 i Shoshenqs (Sisaks) lista skulle kunna vara Ajjalon, 2 Krön 11,10. Men det är bara att slå fast, att såväl Jos 15 som 2 Krön 11 kan överhuvudtaget inte nämnas på samma gång som Sisaks lista. Det enda dessa dokument har gemensamt är formen av stadslista. V. Fritz' datering av listan till Josias tid är litterärt tänkbar, men som inte mindre än nio städer är belagda i Jos 15, så bör 2 Krön 11 ha något gemensamt med stadslistan där. Naturligtvis kan även denna härröra från Josias tid, men det som talar emot, är den företeelsen, att det uppträder inga nybabyloniska listor i propagandistiska krigstågstexter liknande dem, som assyrierna åstadkom.[30] Med avvaktan på de följande stadslistorna skulle jag vilja ifrågasätta Fritz' datering av 2 Krön 11. Se nu också N. Na'aman, *BASOR* 261(1986), 3–21.

Mika 1,10–16

I detta avsnitt förekommer ortnamn, vilka är gemensamma med flera namn i Josuaboken 15. Mika skildrar i sitt första kapitel hur straff och olycka drabbar Juda rike på samma sätt som Samaria och Nordriket har gått under. I en speciell stilart med flera ordlekar figurerar tretton städer, som blir representativa för förfallet i Juda. Texten är ganska komplicerad, och man kan misstänka att ur geografisk aspekt inf. abs. *bāḵô*, v. 10 säkerligen har varit ett ortnamn, som stått parallellt till versens inledning "i Gat". Det ortnamn, som infinitiven kan associera till, är "Kabbon", en stad på Låglandet, Jos 15,40.[31] För diskussionen om textens uppbyggnad och sammanhang hänvisas till kommentarerna.

[28] J. Simons, *Egyptian Topographical Lists*, 1937, 89 ff. och 178 ff.

[29] Ingen av de städer, som Salomo byggde och vilka finns omnämnda i 1 Kon 9,15 ff. ingår i Rehabeams befästningssystem. Detta utgör ett "motståndsområde" i riktning mot söder och väster. Se V. Fritz, The Lists of Rehoboam's Fortresses in 2 Chr 11:5-12 — A Document From The Time of Josiah, *EI* 15 (1981), 46-53.

[30] Vid en genomgång av de nybabyloniska texterna rörande Palestina i *ANET* finns inte en enda stadslista belagd. I krönikorna kunde städer nämnas, men beskrivningen av Asharhaddons (680-669) krigståg mot Syrien-Palestina namnger och räknar upp alla kungar, som han besegrat. Detta tillvägagångssätt påminner om Dtr:s segerskildringar i Jos 1-12. *ANET*, 291.

[31] Se olika förslag hos K. Elliger, *ZDPV* 57 (1934), 87.

Städerna i Mika 1,10–16 förekommer i följande ordning:

Gat	Jos 11,22;13,3
"Kabbon"	Jos 15,40
Bet-Leofra (hapax)	--
Safir (hapax)	--
Saanan	Jos 15,37
Bet-Haesel (hapax)	--
Marot	Jos 15,59
Jerusalem	Jos 15,63
Lakis	Jos 15,39
Moreset-Gat (disleg. i Mika)	--
Akzib	Jos 15,44
Maresa	Jos 15,44
Adullam	Jos 15,35

Av dessa 13 städer är åtta nämnda i Josuaboken och sju av dem är bevisligen belägna inom Juda stams område och närmast på Låglandet. Ordningsföljden i Jos 15 är annorlunda.

Den senaste kommentaren till Mika, författad av K. Jeppesen, låter listan över de olycksdrabbade städerna passa in på babyloniernas krigståg mot Juda 586 f.Kr.[32] Men texten kan också syfta på assyriernas plundring av Juda år 701 f.Kr. Sanheribs krigståg mot Jerusalem kom från sydväst, 2 Kon 18,17. Vid en genomgång och jämförelse av de assyriska och babyloniska kungarnas krigståg mot Palestina frapperas man av att de sistnämnda inte refererar till erövrade städer i samma omfattning som assyrierna.[33] Assyriernas härjningar ca 100 år tidigare var mycket omfattande. Jerusalem omtalas ej heller som plundrad stad i Mika 1,12. Enligt de arkeologiska undersökningarna i området var Sanheribs erövring av Lakis synnerligen förödande och detsamma gäller Låglandets städer i övrigt. Keramikfrekvensen i erövrade städer tyder på att den allmänna raseringen ägt rum på 700-talet f.Kr. och inte 600-talet.[34] Genom att jämföra stadslistan i Mika 1 med listan över Juda städer i Jos 15 och finna så många städer vara gemensamma bör det vara möjligt att hävda, att listorna har samma bakgrund och kanske rentav tillhör samma tid eller åtminstone bör ha haft aktualitet samtidigt.[35]

[32] K. Jeppesen, *Graeder ikke saa saare*, 1987, 163 ff. Jeppesen hänvisar till A. Alts datering av Jos 15 i *PJ* 21 (1925), 100–116, "Judas Gaue unter Josia". Genomgången av texter, som räknar upp flera städer och orter visar, att man kan inte göra en snäv datering. Mycket talar för att 700-talet f.Kr. är den tid, då administrationen, genom att skrivkonsten visar sig vara ganska allmän, upplever en högkonjunktur. Fynd av ostraka från denna tid visar detta och på dessa ostraka finns mycket ofta namnen just på de städer, som både Josuaboken och profeterna nämner.

[33] Se ovan not 30. Mikas hänvisning till hästar i 1,13 är intressant i ljuset av Amarnabrev 328, där kungen av Lakis kallar sig Faraos "stalldräng för dina hästar".

[34] Det visar modern analys av keramiken från flera platser i Juda. De äldre arkeologerna, t.ex. W. F. Albright satte förstörelseskikt i samband med nybabyloniernas angrepp 597–587, men dessa skikt representerar 700-talet. Se t.ex. G. J. Wightman, *Studies in the Stratigraphy and Chronology of Iron Age II–III in Palestine. Vols I–II.* Sydney 1985, (*Diss.*)

[35] En benjaminitisk lista är i Josuaboken knuten till Gibeon och innehåller de tre städerna Kefira,

Jes 10,28 ff.

Denna text påminner mycket om Mika 1,10 ff. till sin uppbyggnad och bör därför kommenteras i detta sammanhang. Mikatextens städer var alla förlagda till filistéerslätten och Låglandet, dvs. Juda stams område enligt Jos 15. Jesajatextens städer kan lokaliseras till Benjamins stams område. Även Jerusalem kan hänföras dit. Orterna uppträder i följande ordning:

Ajjat	Jos 7,2 (Ai)	Neh 11,31
Migron	--	1 Sam 14,2
Mikmas	--	1 Sam 13,11 etc.: Neh 11,31
Geva'	Jos 18,24:20,33:21,17	
Rama	Jos 18,25	
Sauls Gibea	Jos 18,28	
Bat Gallim		1 Sam 25,44
Lais	--	(hapax)
Anatot	Jos 21,18	Jer 1,1 etc.
Madmena	--	(hapax)
Gebim	--	(hapax)
Nob	--	1 Sam 21,2 etc.
Jerusalem	Jos 15,63	Dom 1,8 etc.

Listan uppvisar inte så många städer koncentrerade till ett enda kapitel i Josuaboken, men referenserna torde vara tillräckliga för att visa att det rör sig om en benjaminitisk lista. Jes 10,28 ff. skildrar en fiendes väg mot Jerusalem och det kan förmodas, att det är ett assyriskt krigståg, som åsyftas.[36] Huruvida texten formats efter en vägstationslista, är omöjligt att avgöra. Fiendens marsch går från norr till söder och mot Jerusalem. Tre ortnamn är hapax legomena.

Skildringar av krigståg kan sägas utgöra en särskild genre och de texter vi ovan kommenterat kan också enkelt jämföras med assyriska krigsrapporter över erövrade städer och besegrade folk. De som refererar till krigstågen mot Palestina härrör från 700-talet f.Kr., och det är i synnerhet Sanheribs fälttågsrapporter, som utgör ett jämförelsematerial av ofta förbluffande överensstämmelse med Josuabokens stadslistor.

Beerot och Qirjat Jearim, Jos 9,17, jfr Jos 18,25 f. Qirjat Jearim tillskrivs Juda enligt Jos 15,60 men Benjamin enligt 18,25. Jfr Neh 7,25,29. Angående Mika 1,10-16 och dess tolkning mera som en profetisk klagan över "födelseortens öde" än som en skildring av det assyriska krigståget, se N. Na'aman, *VT* 29(1979), 67 f.

[36] Flera tolkningar föreligger, se litt. hos J. H. Hayes — S. A. Irvine, *Isaiah*, 1987, 206. Ingenstans sägs det i texten, vem fienden är, men det har förmodats, att den återger något av de assyriska krigstågen mot Juda, antingen av Tiglar-Pileser III i samband med det Syro-Efraimitiska kriget, Jes 7 eller av Sanherib. Dennes tåg kom från syd-väst och passar bättre till skildringen i Mika 1,10 ff.

Sanheribs 3. fälttåg

De assyriska krigstågsberättelserna koncentrerar naturligtvis de geografiska uppgifterna till platser av kategorin vägstationer. Man kan alltså därav dra slutsatsen, att alla orter ligger utefter de stora handelsstråken och karavanvägarna. Erövringarna och kraven på tributbetalning drabbade de rika städerna. Dessa låg utefter Via Maris för att inte säga utefter hela kustremsan i Syrien, Libanon och Palestina. Inlandsstäderna var av mindre intresse för främmande härar så framt de inte utgjorde starka försvarscentra utefter de vägar, som ledde in i bergsbygden. Dessa var oftast små till ytan men med ett överdimensionerat försvar för att en belägring skulle bli så kostsam som möjligt för fienden i fråga om tid och resurser samtidigt som en slutlig erövring knappast skulle vara någon acceptabel lön för mödan. Städer som Lakis utgjorde dock undantag.

Om man skall göra en jämförelse mellan stadslistorna i Josuaboken och geografiska texter i GT och i utombibliskt material, så är det ytterst få områden som kan komma ifråga. Men ändock är varje möjlighet att genom de assyriska krigsberättelserna finna en tänkbar Sitz in Leben och inte minst tidpunkten för tillkomsten av Josuabokens stadslistor en stor händelse, om nu några associationer kan göras.

I den följande uppställningen är de geografiska namnen uppräknade i den ordning, som de förekommer enligt berättelsen om Sanheribs 3. fälttåg.[37] I den andra kolumnen nämns motsvarande städer i Josuaboken. Namntraditionerna utefter den östra medelhavskusten är som synes starka[38] och ehuru ordningsföljden av städerna i den assyriska texten är annorlunda än i Josuaboken, så finner man ändock i den senare ett koncentrerat ''ortfält'' i nära anslutning till den förra. Till och med förekommer två gammaltestamentliga hapax legomena, Bet Dagon och Bene Braq, 19,27,45 samt Azor, LXX B, 19,45 och eventuellt Hebel, LXX B, 19,29 i Sanheribs rapport. Jag ser denna överensstämmelse som en viktig kronologisk utgångspunkt vid bedömningen av Josuabokens stadsuppgifter. Det säger naturligtvis ingenting om städernas eventuella ålder men däremot är företeelsen, dvs. nedtecknandet av stadsnamnen mycket viktigt. 700-talet f.Kr. måste genom fynden av det stora antalet ostraka från denna tid, karaktäriseras som skrivkonstens renässansperiod. Det fanns nu förutsättningar och kanske framför allt kunskaper att på ett enkelt sätt åstadkomma förvaltningstexter etc. i stor omfattning.

Den assyriske skrivaren har varit väl informerad om stadsnamnen och denna information måste naturligtvis ha givits honom av de lokala administratörerna och skrivarna. Fem av städerna tillhör enligt Jos 19 Asers område och sex städer Dans först tilldelade arvedel. Det är intressant att finna två hapax legomena på

[37] Se *ANET*, 287 f. Sanherib var Assurs kung (704–681).

[38] För förekomsten av palestinensiska städer i assyriska inskrifter, se S. Parpola, *Neo-Assyrian Toponyms*, 1970.

den assyriska listan, nämligen Bet Dagon och Benei Braq. Att de inte i det följande blivit omnämnda någon gång beror säkerligen på att de befunnit sig i periferien för de historiska händelserna. Israeliterna var åtminstone under det Delade rikets tid ett typiskt inlandsfolk. Gränsen mot filistéerna i väster synes ha varit ganska obestämd, ehuru man idealiter inkorporerade dem i Israel. Uppställningen visar, att det är system i Josuabokens listor, i detta fall Jos 19. Och jämförelsen med skildringen av Sanheribs krigståg ger oss en klar utgångspunkt för en möjlig datering av denna typ av stadslistor.

Sanheribs 3. fälttåg	Josuaboken	Övrigt
Sidunu Rabu	Sidon Rabba, 11,8:19,28	
Sidunu Sehru		
Bit-Zitti		
Zaribtu		
Mahallib	Hebel (LXX B) 19,29	Dom 1,31
Usu	''Hosa'', 19,29	
Akzibi	Akzib, 15,44:19,29	Dom 1,31
Akku		Dom 1,31 (hapax)
Samsimuruna		
Sidunu	plur. form, 13,5	Dom 1,31
Arwad		Hes 27,8,11
Gubla	haggibli, 13,5	Hes 27,9
Asdudu	Ashdod, 11,22;15,46,47	
Bit-Amman		
Ma,ab		
Udumu		
Isqaluna	ha'aeshqeloni 13,3	Dom 1,18
Bit-Dagan	Bet Dagon 19,27 (hapax)	
Jappu	Jaffo 19,46	
Banajabarqa	Benei Braq 19,45 (hapax)	
Surru	Azor (LXX B) 19,45	
Amqarruna	Ekron 19,43	
Altaqu	Eltekeh 19,44:21,23	
Tamna	Timna 19,43;15,10	

46 ej namngivna städer tagna i strid med Ja'udu och överlämnade till kungarna av Asdudu, Amqarruna och Hazzat

2 Krön 28,18

Ehuru Krönikeböckernas stadsuppgifter kommer att beröras i det följande är dock 2 Krön 28,18 av sådant intresse vid en jämförelse mellan det assyriska materialet och Josuaboken, att den texten bör nämnas i detta sammanhang. Händelserna utspinner sig under kung Ahas' regeringstid och faktiskt är han ganska illa ute, eftersom han ansätts av fiender från alla sidor. Han tvingades begära hjälp från Assyrien, eftersom edomiterna hade anfallit från söder-sydöst och filistéerna från sydväst. De senare hade trängt in i Låglandet och i Negev och intagit städerna:

Bet-Semes, leviterstad	Jos 15,10:21,16
Ajjalon, leviterstad	Jos 21,23
Gederot	Jos 15,41
Soko	Jos 15,35,48
Timna	Jos 15,10:19,43
Gimzo (hapax)	--

tillsammans med underlydande orter.

Vi finner även här, att Kronisten känner det "ortfält", som förelåg i Josuaboken 15. Endast Ajjalon och Soko återfanns bland Rehabeams befästningar i 2 Krön 11, men ehuru dessa brukar tillskrivas Josias tid, visar ändock tendensen vad beträffar den korta listan i 2 Krön 28, att man utan svårighet kan placera den och besläktade listor på 700-talet f.Kr.

Gads, Rubens och Moabs städer

Speciellt i Jos 15, innehållande en uppräkning av Juda stams städer, kunde man finna en systematisk indelning av städerna, vilken var gjord på ett sådant sätt, att stadsnamnen knöts till en områdesbenämning såsom Sydlandet, Låglandet, Bergsbyden etc.[39] Dessa benämningar är topografiskt betingade, vilket kan sägas vara typiskt i gammaltestamentlig historiografi. I nordstammarnas stadslistor är områdesbenämningar sällsynta. Däremot kan namn på områden stå separata som samlingsnamn på arvedelar t.ex. "hela Basan" och "alla Jairs tältstäder, som är i Basan, 60 städer", Jos 13,30. Jfr Dt 3,4. Även om städerna inte nämns vid namn, framgår det nästan alltid, att dessa är de väsentliga erövrings- eller fördelningsobjekten.

För att om möjligt få en helhetsuppfattning av stadslistornas användning är det nödvändigt att också ta i beaktande profetiska textavsnitt med uppgifter på städer och dessa har formats på ett sådant sätt som om textförfattaren skulle ha haft kännedom om stadslistor. Vi har noterat Mika 1,10 ff. och Jes 10,28 ff. Dessa texter kan karaktäriseras som poem över fienders väg mot Jerusalem på Juda respektive Benjamins område. Ytterligare profettext med koncentration av stadsnamn återfinnes i Jes 15 och 16 samt Jer 48. Alla texterna innehåller orakelutsagor mot Moab och i dessa nämns särskilt, hur städerna skall bli utsatta för förstörelse. Det är svårt att säga vad som dikterat respektive profets val av städer.[40] I Jer 48 kan man kanske följa en från Nebo sydlig route med en koncen-

[39] Se Kallai, *Historical Geography*, 377 ff.

[40] Hayes-Irvine, *op. cit.*, 240 f. förutsätter, att Jes 15-16 återger en assyrisk attack på Moab under Salmanassar V. Valet av städerna, om det nu inte är tillfälligt, kan då bero på att den assyriska armén belägrade och intog flera städer samtidigt. Denna tolkning låter troligare än den som Albright föreslog i *JBL* 61 (1942), 119, att det skulle ha rört sig om arabiska stammar, som översvämmat Moab. A. H. van Zyl, *The Moabites*, 1960, 148 ff. låter Moab uppleva en lugn tid såsom assyrisk vassal på 700-talet, medan däremot de cisjordanska staterna blev attackerade av stormakten i öst, med andra ord sätter han inte in Jes 15-16 i en historisk situation.

tration av elva städer på ''Slättlandet'', 48,21–24.[41] Vissa städer är kända centralorter i Moab såsom Hesbon, Nebo, Eleale, Sibma, Dibon och Jaeser. Både Jesaja och Jeremia hade god kännedom om Moabs geografi. Liksom Jeremia namnger Jesaja 21 städer, men de är inte alla identiska. Båda visar upp 4 hapax legomena. Endast 13 städer är gemensamma. Av Mesha-inskriftens 17 städer återfinnes 10 hos Jeremia men endast 5 hos Jesaja. Många episoder i Israels historia förläggs hit, t.ex. striderna mot amoriterna och i synnerhet kung Sihon, som bodde i Hesbon, Rubens och Gads bosättning, Nu 32; Jos 13; stammarnas lägerslagning ''från Bet-Hajesimot ända till Abel-Hassittim på Moabs hedar'', Nu 33,49; Jeftas strider, Dom 11,26 etc. Davids folkräkning börjar vid Aroer, 2 Sam 24,5. Omnämnas bör också den omridiska dynastins dominans enligt Mesha-inskriften,[42] samt kungarna Jorams och Josafats krigståg mot Moab enligt 2 Kon 3,4 ff. Särskilt poängteras där förstörelsen av områdets städer, men endast Qir Hareset nämns vid namn.

Det finns knappast några städer, som är så väl dokumenterade som Moabs. Denna dokumentation i så skilda texter som Mesha-inskriften, Jes 15 och 16, Jer 48, Nu 32 och Jos 13 är en betydelsefull utgångspunkt, när man skall försöka göra en bedömning av stadslistorna i Josuaboken. Texter som Nu 32,3,34–38, Jer 48,21–24 visar, att även Moabs städer ingått i någon form av listor. I profettexterna förekommer annars både namn på berg, slätter och floder. Städerna är förödda, floderna torkar ut och naturen i övrigt sörjer. Det är typiska ordvändningar i profetiska folkorakel. I Jesajas och Jeremias orakel om Moab spelar städerna den framträdande rollen. Det bör tyda på ett i området dramatiskt historiskt skeende, vilket dessutom varit allmänt känt. Här har traditionerna rörande äganderätten till det moabitiska området innehållit israeliternas uppgörelser med amoriter och moabiter. I Nu 21,25 ff. erövrar Israel ''alla städerna''. I Nu 32 och Jos 13 bygger och delar Ruben och Gad samma städer. I Mesha-inskriften är det moabiternas kung, som bl.a. med hjälp av israelitiska krigsfångar bygger upp städerna, erövrade från ''Gads män''. Mesha var från staden Dibon, som i Nu 33,45 emellertid kallas Dibon-Gad.

De namngivna städerna var säkerligen administrativa centra utefter vägnätet i området. Somliga namn såsom Hesbon har spelat en stor roll i traditionsbild-

[41] Jer 48,29,30,33 är varianter till eller utvecklar Jes 16,6,10, vilket vittnar om att texterna inte endast behandlar samma område utan tillhör samma kategori av text med hundra års mellanrum. Till Jeremia 48, se komm. Det behöver inte vara ett fientligt angrepp på Moab som har utlöst dessa profetorakel. Eftersom Israel gjorde anspråk på den del av Moab, som låg norr om Arnon, torde varje form av moabitisk självständighet utsättas för en innerlig israelitisk önskan om moabitiskt förfall.

[42] Mesha-inskriften är för området ett unikt dokument. Det gäller i synnerhet tidsmässigt, då den bör dateras mellan ca 850 f.Kr. se KAI, vol. 2, 168 och 800, se A. Lemaire, *Syria* 64 (1987), 205-216. Jfr S. Segert, *Archiv Orientálni* 29 (1961), 197-268 och M. Miller, *PEQ* 106 (1974), 9-18. Såväl innehållsligt som språkligt ligger inskriften mycket nära Gamla testamentet. B. Isaksson, *Studies in the Language of Qoheleth*, 1987, 47 ff. har särskilt understrukit inskriftens kungligt självbiografiska stil. Konung Mesha räknar upp flera företag från erövring och förstörelse av städer till uppbyggnadsprojekt. Jfr senast G. van der Kooij, The Identity of Trans-Jordanian Alphabetic Writing in the Iron Age, *Stud. in the Hist. and Arch, of Jordan III*, 1987, 107-121.

Mesha-inskriften	Jes 15 o 16	Jer 48	Nu 32,3	Nu 32,34-38	Jos 13,16-21
	Ar-Moab				
	Qir-Moab +				
	Habbajit +				
11. Dibon	Dibon	Dibon	Dibon	Dibon	Dibon
		(Nu 33,45)			
9. Nebo	Nebo	Nebo	Nebo		
2. Mahdeba				Nu 21,30	Medba
	Eleale	Eleale	Eleale	Eleale	
10. Jahas	Jahas	Jahas			Jahas
	Soar	Soar			
	Eglat-Selisa	Eglat Selisa			
	(Halluhits höjd)	(Halluhots höjd)			
17. Hawronan	Horonajim	Horonajim			
	Nimrims vatten	Ninrims vatten	Nimra	Bet Nimra	Bet Nimra
	Eglajim				
	Beer Elim +				
	Dimon(s) vatten +				
	Jes 16				
	Sela				
	Qir-Hareset				
	(2 Kon 3,25)				
	Sibma	Sibma	Sebam	Sibma	Sibma
	Jaeser	Jaeser	Jaeser	Jaeser	Jaeser
	Qir-Heres	Qir Heres			
	Hesbon (äv. 15,4)	Hesbon	Hesbon	Hesbon	Hesbon
4. Qirjatan		Qirjatajim		Qirjatajim	Qirjatajim
		Madmen +			
12. Aroer		Aroer		Aroer	Aroer
		Holon +			
		Mofaat		Nofah (Nu	
				21,30)	Mefaat
15. Bet Diblatan		Bet Diblatajim			
		(Nu 33,46f.)			
		Bet Gamul +			
3. Baal Meon		Bet Meon		Baal Meon	Bet Baal Meon
Bet Baal Meon				Beon	
6. Qeriot	Amos 2,2	Qeriot			
14. Beser		Bosra +			Jos 20,8
1. Qeriho					
7. SRN					
8. MHRT					
13. Bet Bamot					Bamot Baal
					Qedemot
					Seret Hassahar +
					Bet Peor
				Nu 33,49	Bet Hajsimot
					Aroer (vid Rabba)
					Ramat Hammispe +
					Betonim +
					[från] Mahanajim
					[till] Lidebir
				Bet Haran	Bet Haran
					Suckot
				Atrot Safon	Safon
5. Atarot			Atarot	Atarot	
				Jogbeha	

Ordningen av städerna följer Jes 15 och 16 till och med Hesbon, därefter Jer 48 till och med Bosra och sedan Jos 13. Siffrorna framför Meshainskriftens stadsnamn anger den ordningsföljd, i vilken de förekommer. + efter en stads namn betyder hapax legomenon.

ningen, Nu 21,27 ff., Jer 48,45 f. och således varit ledande orter. Men vilka regler, som gällt vid urvalet av stadsnamnen är svårt att säga. En sammanräkning av städerna i Moab gjord från samtliga texter i GT visar på en stor stadstäthet. Antalet städer överstiger siffran 40.[43] Mesha-inskriften nämner 17 städer vid namn, samt ytterligare ''100''.

Denna synops av städer inom ett begränsat område än kallat Moab än Gilead och ibland satt i relation till stammarna Rubens och Gads bosättning, ger en provkarta på sammanhang, där stadsuppgifter tillämpades i olika typer av text. Hos Jesaja och Jeremia är det fråga om orakel, som uttalas över Moabs städer. Stadstätheten och speciellt kännedomen om så många städers namn förråder, att det moabitiska området inte var någon östlig avkrok på den palestinensiska kartan. Liksom ''Via Maris'' ledde härarna och karavanerna på den cisjordanska sidan, så var också ''Kungens väg'' den centrala leden på den transjordanska sidan.[44] Många av städerna här uppräknade torde ha varit beroende av samfärdseln på denna led.

Meshastelen representerar den äldsta inskrift, som vi har på traditionellt gammaltestamentligt område. Innehållsligt är den en rapport om kungliga bedrifter återgivna i *auto louange*-stil. Händelserna kretsar kring städer, som antingen erövras, förstörs eller återuppbyggs och förses med installationer av olika slag. Gudarna dirigerar händelserna och israelitiska kultföremål placeras i ett moabitiskt tempel. I krigföringen ingår den tillspillogivningsprincip, som israeliterna var mäktiga att utöva i Josuaboken. Det är således inte bara en krigsrapport, men ändock måste man nog säga, att Mesha-inskriften med byteskatalog och stadsuppgifter bör räknas in i den genren.

Förödelsen av flera av de på Meshastelen nämnda städerna, återges hos Jesaja och Jeremia i folkoraklets kategori. Det är ett gudomligt straff, som drabbar Moab på grund av att landet har förhävt sig mot Jahve. Hos Jesaja och Jeremia har folkoraklen genom deras koncentration till förödelsen av Moabs städer delvis fått formen av ''krigsrapport''. Den genren kan också ha föresvävat profeterna i deras utbrott mot Moab.[45]

Vår ''synoptiska'' uppställning kan också ge en fingervisning angående kronologien på uppgifterna. Texterna representerar tre århundraden. Svårare är att

[43] A. H. van Zyl, *op. cit.*, 61 ff. uppger 64 belagda ruinkullar inom området, vilka var bebodda under gammaltestamentlig tid.

[44] Se M. Ottosson, *Gilead*, 1969, 186 ff.

[45] H. M. Barstad, *The Religious Polemics of Amos*, 1984, 97 ff. kopplar ihop begreppen ''Jahves dag'' och ''Heligt krig'' hos profeterna, eftersom ''Jahves dag'' alltid skildras i krigets kategorier. Oraklen mot främmande folk skulle således ha sin Sitz im Leben i dessa samverkande begrepp. På Jahves dag tänktes Jahve gå ut till strid mot sina fiender, och vid hans framfart kan ingenting, som står emot honom bestå. Barstad tänker sig också ett samband med officiell klagan. Dessa aspekter väger tungt, när man skall bedöma formen av folkoraklen. Den kultiska bakgrunden är sannolik och vid själva utformningen av oraklen har säkerligen Tammus-liturgin, där naturen skälver vid Jahves framträdande spelat en viss roll. Ordstriden med förbannelse av fienden hörde även till förberedelsen av krig. Jfr Nu 23-24. ''Profeternas krig'' i folkoraklen var litterära skapelser.

förklara varför vissa städer tas upp medan andra inte; t.ex. nämner inte Mesha staden Heshbon, ej heller Jaeser eller Sibma, vilka alla betraktas som välkända centra i israelitisk tradition. Relationen israeliter-moabiter i området strax norr om floden Arnon är naturligtvis svårbedömd. Kung Mesha berömmer sig av en omfattande byggnadsverksamhet i de städer, som han tydligen nu intagit. Israeliterna kallas ''fångar'', som används till arbetskraft. Eftersom Mesha förbigår vissa kända orter får vi säkerligen förutsätta, att dessa vid tillfället för hans martiala verksamhet mot Israel var i moabitiska händer. Jes 15 och 16 liksom Jer 48 förutsätter alla nämnda städer såsom moabitiska. Numeri och Jousaboken förutsätter å andra sidan en mosaisk erövring och fördelning, men en erövring från amoriterna, som antogs ha fördrivit moabiterna, Nu 21,26. Meshas erövring är således logiskt sett en återerövring av förlorat moabitiskt territorium. Så ser han också själv på sin uppgift även om han inte nämner ''det amoritiska skedet''. Detta betonades dock i kontroverserna om området, Dom 11,12 ff. Jfr också Dom 11,26 och Meshas uppgift, ''och Gads män hade bott i landet Atarot sedan mycket lång tid''.

Med utgångspunkt i profetoraklen Jes 15 och 16 samt Jer 48, tyder uppgifterna på att Moab lyckades återta sitt område för att därefter utsättas för det profetiska ''raseriet''. En israelitisk återerövring skulle således ha varit otänkbar. Men från floden Arnon sträckte sig det davidiska riket norrut, 2 Sam 24. Starka, ideologiskt känsloladdade traditioner synes ha varit knutna till detta område. Jos 13,16–21 nämner 24 städer på en yta, som i stort sträcker sig från Arnon till Jabboq. Hälften av dessa kan förläggas till det område, som Mesha nu har bemäktigat sig. Jos 13 och Mesha-inskriften har 7 städer gemensamma. Inom samma område uppvisar Jes 15 och 16 namn på 21 städer varav sju är gemensamma med Jos 13 och 5 gemensamma av Mesha-inskriftens 17 städer. Fyra namn är hapax legomena, Qir Moab, Habbajit, Beer Elim, Dimon. Jer 48 upptar 22 städer varav 10 städer är gemensamma med Jos 13 och lika många med Mesha-inskriften. Uppgifterna i Numeri och Jos 13 synes gå tillbaka på samma traditionsgods och 13 städer är gemensamma. Mesha-inskriften nämner tre städer, som inte återfinnes i israelitisk tradition. Jer 48 har fyra hapax legomena på området norr om Arnon, nämligen Madmen, Holon, Bet Gamul och Bosra. Jfr dock Beser i Jos 20,8.

Orsaken till att det finns så många namnuppgifter knutna till området norr om Arnon (från området söder därom finns i detta sammanhang inga uppgifter överhuvudtaget) beror säkerligen på den gammaltestamentliga accentueringen av Davidsättens relationer till Moab. Men det är närmast i egenskap av konfliktområde som det har fått detaljerat nedslag i både moabitisk och israelitisk tradition. Premisserna är i stort sett desamma som för filistéerområdet utefter ''Via Maris''. Om man vill vidhålla, att ''Kungens väg'', Nu 21,22 fortsätter norrut på östra sidan av Jordan, så tecknar Jos 13,25 ff. de viktigaste städerna ''utefter'' denna ända in i Syrien. Hos såväl Jesaja som Jeremia nämnes filistéerna strax före Moab, därefter följer utsagan mot Damaskus hos Jesaja och utsagorna mot Ammon, Edom och sedan Damaskus hos Jeremia.

Administrationstexter

Kungasigill

Arkeologiska fynd av inskrifter ger ibland indicier på förekomsten av förvaltningssystem, där vissa ofta upprepade städer figurerat såsom centra. De äldsta förvaltningstexterna, i de flesta fall ganska fragmentariska är från 700-talet f.Kr. Tack vare de senaste utgrävningarna i Lakis kan de olika typerna av kungasigill på krukhandtag dateras mycket exakt ca 700 f.Kr.[46] Annars har många fynd gjorts i debris. I fråga om det arkeologiska materialet står det likaså klart, att de i inskrifterna belagda namnen på städerna liksom själva fyndplatserna återfinnes inom Sydrikets område.[47] Ett stort antal krukhandtag med inskriften ''till konungen + ett ortnamn'' har påträffats under årens lopp, särskilt i Lakis. De platsnamn, som konsekvent förekommer, är:

Hebron		Jos 15,13,54
Zif	anses vara namn på två städer i Juda	Jos 15,24,55
Soko	anses vara namn på två städer i Juda	Jos 15,35,48
mmst	ej belagt i GT	--
''obestämd''		--

Det ortnamn, som förekommer mest på tell ed-Duweir/Lakis är Hebron.[48] Det kan bero på fyndplatsens närhet till den staden, vilket i sin tur bevisar täta handelsförbindelser mellan Lakis och Hebron. Krukhandtagen har tillhört förrådskrukor, som rymde mellan 40–50 liter av någon produkt.

Arad-ostraka

Ytterligare en homogen samling förrådstexter har påträffats i Arad, söder om Hebron. I detta fall rör det sig om inskrifter på lerskärvor från olika typer av kärl.[49] Inskrifterna kan betraktas som brev eller rent av beställningar av förnödenheter. De flesta av de i Arad påträffade texterna dateras till 600-talet f.Kr. Följande ortnamn uppträder:

Beer-Seba	Juda	Jos 15,28:19,2
Gilgal	Benjamin?	Jos 15,7
Zif supplerat	Juda	Jos 15,55
(Hasar) Susa ( ) supplerat	Simeon	Jos 19,5
(J)agur ( ) supplerat	Juda	Jos 15,21 endast här
Jagam i övrigt okänd		--

[46] Se D. Ussishkin, BASOR 223 (1976), 1-13; *Idem*, Excavations at Tel Lachish 1978-83, *Tel Aviv* 10 (1983), 160 ff. Jfr P. Welten, *Die Königs-stempel*, 1969.
[47] 80 ''inscribed jar handles'' påträffades i Gibeon. Se J. B. Pritchard, *Hebrew Inscriptions and Stamps from Gibeon*, 1959.
[48] Ussishkin, *op. cit.*, 164, redovisar 240 handtag.
[49] Y. Aharoni, *Arad Inscriptions*, 1975.

Ma'on	Juda	Jos 15,55
'Anim tahtonim	Juda	Jos 15,50 endast 'Anim
('Anim) 'Aeljonim		
Arad		Jos 12,14 kanaanéerstad
Qina	Juda	Jos 15,22 endast här
Ramat negev	Simeon	Jos 19,8

Som synes är det inga direkta sensationer i fråga om de ortnamn, som hade anknytning till fästningen i Arad. Alla utom "Jagam" är kända platser i Sydriket och de låter sig med lätthet inordnas i Jos 15. Dessutom är ostrakon 18 intressant, ty där förekommer frasen *bjt YHWH*, "Jahves hus", dvs. tempel. Sammanhanget är något oklart men kanske åsyftas Jerusalems tempel. Då ett tempel fanns i Arad och under alla omständigheter betjänades av israeliter, måste tolkningen då bli den, att Arad-templet hade sanktionerats av prästerskapet i Jerusalem. Men frasen *bjt YHWH* kan också syfta på templet i Arad. Egendomligt är att Arad inte tagits upp såsom en av Juda städer i Jos 15. De arkeologiska fynden visar, att orten var synnerligen blomstrande under senare delen av Järnåldern. En anledning kan vara, att den "renlärige" tradenten av Josuaboken utelämnade Arad såsom en bland Juda städer på grund av dess tempel. Men den troligaste orsaken är ändock ett trivialt skrivfel, så att stadsnamnet 'Eder i Jos 15,21 egentligen skall vara 'Arad. Det följande stadsnamnet i samma vers är Jagur, också belagt i Arad-ostraka. Den geografiska angivelsen "mot Edoms gräns i Sydlandet" ger också stöd för den hypotesen. Jfr Dom 1,16.

Lakis-ostraka

I ovanstående benämning ingår de 18 ostraka, vilka påträffades under utgrävningarna på tell ed-Duweir år 1935 samt ytterligare tre, s.k. ytfynd.[50] Såväl fyndskikt som innehåll låter med stor säkerhet förmoda, att dessa ostraka är skrivna strax före Jerusalems fall år 586 f.Kr.
Tre ortnamn förekommer i dessa texter.

Bet-Harrapid	--
Lakis	Jos 15,39
Aseka	Jos 15,35

Kronologiskt är dessa tre texter från Lakis jämförbara med dem från Arad. Även om endast två identifierbara namn återfinns, är dock dessa att betrakta såsom centralorter i norra delen av Negev och kända av Josuabokens tradent. Namnen smälter således väl in i det administrativa mönstret i Juda rike.

[50] *KAI,* I, 189 ff.

Samaria-ostraka

Under denna benämning återfinnes de 75 ostraka, som påträffades vid Reisners utgrävningar 1908–10.[51] De har karaktär av administrationstexter och anger ett bestämt år för försändelsen av olja eller vin. Dateringen är omtvistad men 720-talet f.Kr. anses vara mest sannolikt.[52] Några namn antas vara ortnamn, såsom Be'erim, jfr Dom 9,21, 'Azah, Qsah, Jst och Kerem Hattel men inga av dem går att belägga i Gamla testamentet. Dessutom förekommer namnen på fyra av Gileads söner, Abieser, Helek, Sikem och Semida[53] samt två av Selofhads döttrar, Noa och Hogla, Jos 17,2 f. Dessa namn är således rotade i aktuell historia och kan utgöra benämningar på orter eller distrikt. Det är dock klart, att Josuabokens tradent inte har haft någon kännedom om det administrativa system, som Samaria-ostraka representerar.[54]

1 Krön 2 och 4 och 7

Dessa kapitel innehåller en blandning av person- och ortnamn. Vissa gånger är det ytterst svårt att avgöra, när det är fråga om en plats eller en person. I *1 Krön 2* leder t.ex. Kalebs genealogi över i rena ortnamn och namn på boplatser.[55] Dessa hör till Juda stams område. Det rör sig om 20 städer, av vilka 6 återfinnes i Josuaboken. 4 är *hapax legomena*. Kalebs släktregister avseende såväl person- som ortnamn följs direkt av ''Davids barn'', 1 Krön 3,1 ff.

1 Krön 4 innehåller Juda och Simeons släkttavlor och här står det klart, att mycket av materialet är gemensamt med det som finns i Josuaboken. Det gäller i synnerhet Simeons boplatser, 1 Krön 4,28 ff. 36 städer är nämnda, varav 11 är hapax legomena, dvs. närmast 1/3. 24 städer återfinnes i Josuaboken, kap. 15 och 19, som säkerligen utgjort källan till 1 Krön 4.[56] Det är endast staden Etam i Juda, som jämte hapax legomena namnen inte finns i Josuaboken. Det stora antalet ortnamn, som är hapax legomena kan dock tyda på att Kronisten med ''nya'' (?) namn vill framhäva Juda stams befolkningstäthet. Huruvida ''Kronisten'' har hittat på dem eller de är historiska bosättningar går inte att avgöra. Men om vi tänker oss ortnamnen i ljuset av restaurationen efter Exilen, bör nya namn på bosättningar realiter ha tillkommit, och det är dem som han sätter in. Men här måste vi räkna med största ovisshet. Det är svårt att få något grepp om den kronistiska historiesynen kronologiskt sett. Hela framställningssättet tyder på att det är fråga om *telescoped history*. Tiderna är sammanvävda.[57]

[51] *KAI*, I, 183 ff.

[52] Y. Yadin, *Scripta Hierosolymitana* 8 (1961), 9 ff.

[53] Hefer, Jos 17,2; 1 Kon 4,10 saknas. Se N. Na'aman, *op. cit.*, 158 ff. och en omfattande diskussion hos Kallai, *Historical Geography*, 50 ff.

[54] Arameiska inskrifter från olika fyndplatser ger föga hjälp för analys av ortnamn förekommande i GT.

[55] För litterärkritik, se M. Kartveit, *op. cit.*, 33 ff.; 191 ff.

[56] Jfr J. Simons, *op. cit.*, 154 ff. Jfr M. Noth, *ZDPV* 58 (1935), 185-255.

[57] Se S. Japhet, *JBL* 98 (1979), 205-218. Se även Kartveit, *op. cit.*, 163, ''An historischen Informationen an sich lag es für den Ergänzer nicht viel, an ihrer aktuellen Bedeutung lag alles.''

1 Krön 7 innehåller sex nordstammars genealogier och verserna 24–31 nämner därvid vissa ortnamn knutna till Efraim, Isaskar och Aser. Det är inga större sensationer i förhållande till Josuaboken 16–17, men tre hapax legomena återfinnes, nämligen Ussen-Seera och Aja i Efraim och Birsait i Asers genealogi 1 Krön 7,31.[58]

Det Enade rikets städer

I detta avsnitt utnyttjar jag J. Simons tabell över geografiska namn aktuella under det Enade rikets tid enligt uppgifterna i 2 Sam; 1 Kon 1–11; 1 Krön 11 ff.; 2 Krön 1–9.[59] Avsikten är att se hur många stadsnamn, som är gemensamma med Josuaboken och att eventuellt finna någon geografisk trend, dvs. ett sydligt eller nordligt accentuerat händelseschema.

I J. Simons tabell över det Enade rikets städer finns 110 stadsnamn varav 60 återfinnes i Josuaboken. Av dessa kan 46 städer lokaliseras till Sydrikets område, dvs. Juda, Benjamin, Simeon och Dan (den sydliga bosättningen) samt filistéerområdet. Endast 14 städer hör till Nordrikets område. Om dessa uppgifter sätts i relation till det Enade rikets tid får vi följande översikt:
Till Sydrikets område kan lokaliseras 46 + 19, tillsammans 65 städer.
Till Nordrikets område (inkl. Aram, Syria) 14 + 31, tillsammans 45 städer.
Endast fem städer är *hapax legomena*, nämligen Giah, Gob, Pas-Dammim inom Sydriket och Maqas, Misobajah inom Nordriket.

Det bör observeras, att stadsnamnen i texterna, som skildrar det Enade rikets tid, är spridda mellan Eufrat och Egyptens bäck. Trots associationen till detta enorma område, är de nämnda Sydrikets städer flera än Nordrikets och Syriens tillsammas, 65 respektive 45. Sydrikets område betraktades naturligt som politiskt centrum. I en jämförelse med stadsuppgifterna i Josuaboken, tillkommer också endast 19 ”nya” namn. Däremot för Nordrikets del kan Josuabokens tendens genomskådas i uppgifterna om det Enade riket. Här tillkommer i förhållande till Josuaboken 31 nya städer. Jämför vi siffrorna 65 för Syd och 45 för Nord med de siffror på städer, vilka finns i Josuaboken för samma områden, blir skillnaden påtaglig. I Josuaboken nämns ca 205 städer för Syd och 118 för Nord. Av de senare är ca 10 städer att lokalisera utanför Josuabokens intressesfär. Den intressantaste siffran i jämförelse mellan Josuaboken och de texter, som skildrar det Enade rikets historia, är närmast talet 31, de ”nytillkomna” städerna för Nord. Den kan möjligtvis ge en antydan om att traditioner lokaliserade till Nordrikets område ur enhetens perspektiv kunde nämnas utan någon ideologisk tendens. Förmodligen har de i sammanhanget ett historiskt underlag.

[58] Se J. Simons, *op. cit.*, 169 och Z. Kallai, *op. cit.*, 156 ff.
[59] *Op. cit.*, 324 f.

Det Delade rikets städer

Den följande uppställningen utgår från J. Simons tabell, vars uppgifter är hämtade ur 1 Kon 12 ff.; 2 Krön 10 ff.[60] Enligt dessa texter är 103 städer aktuella efter Salomos död. Av dessa återfinnes 50 i Josuaboken, 37 kan lokaliseras till Sydriket och 13 till Nordriket. I övrigt ter sig siffrorna enligt följande:
Till Sydrikets område kan lokaliseras 37 + 17, tillsammans 54 städer.
Till Nordriket, Syrien, Mesopotam, etc 13 + 36, tillsammans 49 städer.
16 städer är hapax legomena. 7 tillhörande Syd- och 9 tillhörande Nordriket. Det är knappast fråga om någon större differens i fördelningen av städer vid en jämförelse med uppgifterna från det Enade rikets tid. Tendensen är emellertid att ju längre från Josuabokens "tid" vi kommer ju färre blir antalet städer i såväl Syd som Nord och ändock är det en intensiv historia, oftast väl lokaliserad, som rullas upp. Förvånansvärt kan det då sägas vara, att Nordriket förses med nästan lika många stadsnamn som Sydriket. Det är således inte fråga om någon ideologisk tendens för att framhäva Sydrikets position. Men ändock är det i viss mån en tendentiös historieskrivning, emedan man så detaljerat skildrar Nordrikets sönderfall. Stadsnamnen förekommer ofta i detta sammanhang. Jämförelsen med Josuabokens mångfald av städer är emellertid inte så enkel att bedöma, ty städerna där visar sig oftast vara administrativa centra (i jämförelse med utomgammaltestamentligt material) och det är skillnad på innehållet i ostraka och GT:s historiska texter. Relationen Syd-Nord är 37 respektive 13 städer, vilka är gemensamma med Josuaboken. I dessa siffror framgår klart tendensen i den kända stadsbilden.

Hur städerna nämnda i Josuaboken stamvis förhåller sig till samma städer nämnda utanför Josuaboken framgår av följande tabell. Sydrikets dominans är påtaglig och därnäst kommer intressant nog det moabitiska området norr om Arnon.

I Josuaboken stamvis förekommande städer, som är gemensamma med GT i övrigt

Juda:	54	
Benjamin:	15	
Simeon:	9	
Dan:	*9*	*= 87*
Sebulon:	6	
Isaskar:	2	
Aser:	5	
Naftali:	*6*	*= 19*
Efraim:	10	
Manasse, Cis:	7	
Manasse, Trans:	*4*	*= 21*
Ruben:	8	
Gad/Moab	*16*	*= 24*
Utan stam:	9	

Summa: 160 städer. Se Ortnamnsförteckning D.

[60] Simons, 354 f.

Stadslistorna i Esra och Nehemja

Då vi i de tidigare stadslistorna har funnit en klar accentförskjuting till Sydriket och i synnerhet till Juda stams område, är det följdriktigt att jämföra dessa med de listor, som refererar till restaurationstiden, dvs. tiden efter den s.k. Babyloniska fångenskapen. Simons har gjort överskådliga uppställningar och en synops av Esra 2,20–35 och Neh 7,25–38.[61] Den i stort sett enda skillnaden mellan dessa är, att Esra 2,20 använder Gibbar, ett familjenamn, medan Neh 7,25 har Gibeon samt att Esra 2,30 nämner Magbis, säkerligen ett familjenamn, vilket saknas i Nehemjaboken. Ytterligare familjenamn i Esra är Elam och Harim. Varför dessa står bland stadsnamnen är inte klarlagt. Men såväl Esra 2,3–19(20) som Neh 11,4–24 innehåller uppräkningar av familjenamn. Det är en tendens i israelitisk historieskrivning att låta städer uppkallas efter erövrare eller klanledare.[62] En liknande tanke kan här föreligga, då från exilen hemvändande fäder har bosatt sig i "sina" städer och begreppsmässigt blivit ett med dessa. Av de 21 namnen i Esra 2,20 ff. och de 20 i Neh 7,25 ff. förekommer 9 i Josuaboken, varav endast en stad representerar Juda, nämligen Kirjat Jearim och de övriga åtta Benjamins stamområde. Ytterligare stadsnamn förekommer i Neh 3,2 ff. Det är sammanlagt 9 städer, vilkas befolkning byggde upp delar av Jerusalems försvarssystem. Sex av dessa städer återfinns i Josuaboken, tre tillhörande Juda och tre Benjamin. Sångargillen höll tydligen till i 4 städer, Neh 12,27–30. Av dessa är två omnämnda i Josuaboken såsom tillhöriga Benjamins stam.

Den utförligaste stadslistan återfinns dock i Neh 11,25–36.[63] Här räknas de orter upp, i vilka nio tiondelar av folket bosatte sig, en tiondel slog sig frivilligt ned i Jerusalem, Neh 11,2. Neh 11,25 ff. tar upp 33 ortnamn, av vilka 21 förekommer i Josuaboken. 4 namn är *hapax*, nämligen Jesua, Ananja, Neballat och Dibon, 11,25. Detta namn antas dock vara en felskrivning för Dimon, Jos 15,22, av den anledningen, att städerna i övrigt kan lokaliseras till Negeb. Det är möjligt att indela städerna i olika grupper, en Negeb-grupp, en Shefela-grupp, vad gäller Juda städer och två grupper för Benjamins område. 15 städer i Juda, dvs. alla utom tre återfinns i Jos 15 medan endast sex av de benjaminitiska städerna är gemensamma med dem, som finns i Josuabokens lista. Jos 18. Neh 11,25 ff. är väl annars den lista, som mest liknar Jos 15. Den senare grupperar städerna på samma sätt. Även Benjamins stams städer är i Josuaboken indelade i två grupper. Några distriktsnamn finns inte i Neh 11,25 ff. Om nu nästan alla av Juda stams städer i Neh 11 återfinns i Josuaboken är det endast tre städer av Benjamins stam, som Neh 11 och Jos 18,21 ff. har gemensamt. Anledningen härtill är kanske svårt att uttala sig om. Jos 15 måste dock ha varit aktuellt för "Kronisten" på ett helt annat sätt än Jos 18. Men vi kan också nämna, att av de 21 ortnamn, som finns i Esra 2,20–35/Neh 7,25–38, är endast 10 inkluderade i Neh

[61] *Op. cit.*, 378.
[62] Se t.ex. Nu 32,38 etc.
[63] Simons, 395.

11,25 ff. Vi bör dock utan svårighet kunna anta, att författarna till Esra 2/Neh 7 och Neh 11 har var och en på sitt sätt hämtat stoff ur Benjamins och Juda stadslistor i Josuaboken. Esra 2/Neh 7 har varit ''Benjamin orienterad'' medan Neh 11 har varit ''Juda orienterad''. Vi fann en liknande tendens i Josuaboken. I erövringsdelen, förutom Jos 12, framstod Benjamins område som det centrala, medan i fördelningsdelen Juda stam dominerade kartan. Benjamin var i praktiken hänvisad till nordstammarna, Jos 18. I Josuaboken var denna tendens säkerligen ideologiskt motiverad. Det är knappast fallet i Esra och Nehemja utan här skildras olika bosättningsområden.

Områdesindelning med en stad som centrum anges i ett flertal fall i Neh 3,9,12 ff. Den hebreiska termen är *paelaeḵ*. Ehuru ett sådant administrativt system endast omtalas här, kan det vara gammalt. Josuabokens listor antyder ingenting i den vägen. Däremot kan en stad ha underlydande bosättningar. Men just vad gäller Simeon, Benjamin och i synnerhet Juda kan grupper av städer inom ett område räknas samman. Inom Juda stam är några av dessa områden namngivna.

Distrikt i Juda

I Josuaboken används ofta en topografiskt betingad vokabulär, vilken tyder på en traditionell indelning av landet väster och öster om floden Jordan. I Jos 9,1 förekommer t.ex. ''på andra sidan Jordan, Bergsbygden, Låglandet och Kustlandet vid Stora havet upp emot Libanon'' och i 10,40, ''Bergsbygden, Sydlandet, Låglandet och Bergssluttningarna''. Dessa begrepp tillhör erövringens geografi och de återkommer vid sammanfattningen i 12,7 f. såsom ett slags ingress till stadslistan: ''Andra sidan Jordan, på västra sidan, Bergsbygden, Låglandet, Hedmarken, Bergssluttningarna, Öknen och Sydlandet''. Det nämns särskilt att Josua gav detta land i besittning till stammarna och just denna fördelningsuppgift kan vara orsaken till, att stadslistan, 12,9 ff., placerats här. Även om ''landet'' avgränsas ''från Baal-Gad till Halakberget'', v. 7[64], är det dock närmast till Juda stam, som distriktsindelningen hör. I Jos 15,21 ff. hängs Juda städer upp på områdesbenämningar, Sydlandet, 15,21, Låglandet, 15,33, Bergsbygden, 15,48, Öknen, 15,61. Filistéernas område räknas för sig, 15,45 ff.

Huruvida dessa områden utgjort självständiga administrativa enheter, går inte att avgöra. Mest sannolikt är, att benämningarna representerar en topografiskt betingad indelning av landet. I Negeb, Sydlandet, torde Beer-Seba ha utgjort ett självklart administrativt centrum, kanske också En-Gedi av städerna i ''Öknen'', 15,61 f. Soko är från inskrifter känt såsom ett administrativt begrepp, men i Josuaboken är en sådan stad förlagd till både Låglandet, 15,35 och Bergsbygden, 15,48.

Lokaliseringen av städerna är inte vår huvudsakligaste uppgift i detta kapitel

[64] Kallai, *VT* 37 (1987), 443 ff.

utan vi vill närmast söka finna ut varifrån och varför Josuaboken för Sydrikets område har en så omfattande stadsförteckning. Vill man förklara stadslistorna såsom administrativa dokument från tiden för "hemkomsten" från exilen stämmer de dåligt med de kronistiska listorna både vad gäller antal och namn. Såsom den uppmärksamme läsaren kan finna blir antalet stadsnamn färre och färre ju längre ned i tiden historien återges. Naturligtvis beror det på att "Riket" decimeras i en form av *inclusio*. David erövrar Jerusalem, 2 Sam 5, Salomo härskar över området mellan Eufrat och Egyptens bäck, riket delas efter hans död, Nordriket går under och till sist Juda och Jerusalem. Vi har sökt driva den tesen, att Josuabokens komposition är medvetet gjord för att litterärt gestalta en restauration av Davidsriket såsom det kan avgränsas speciellt genom 2 Sam 24. Men varifrån har då tradenten eller redaktören hämtat alla stadsnamnen? De följande sidorna söker ge vissa antydningar till svar.

Gränsbeskrivningar

Relationen mellan stadslistor och gränsbeskrivningar i Josuaboken har varit föremål för viss spekulation. Den djupaste diskussionen har gällt huruvida stadslistorna är förutsättningen för gränsbeskrivningarna eller om de skall hållas åtskilda. Med den senare uppfattningen poängteras, att de inte överensstämmer i ett flertal fall. Stadslistorna antas vara samtida med gränsbeskrivningarna och kompletterar avgränsning och beskrivning av de olika stamområdena. Tidpunkten för uppkomsten av dessa litterära system kan naturligtvis diskuteras. Z. Kallai menar, att de återspeglar den historiska situation, som rådde i slutet av Davids regeringstid och särskilt under första hälften av Salomos regering.[65] Det är dock stora skillnader mellan beskrivningarna av de sydliga och de nordliga stammarnas område. Det gäller såväl gränsbeskrivningar som stadslistor. Noggrannheten i gränsdragningarna liksom stadstätheten dominerar för de sydliga stammarna. Om man som Kallai vill tillskriva gränsdragningarna tidig kungatid, måste man antaga, att redaktören för Josuaboken kompletterat med stadslistor av senare datum.

Likaså ger N. Na'aman flera sakskäl för att gränssystemet i Josuaboken skall tillskrivas det Enade rikets tid. Emellertid torde gränsdragningarna enligt Na'aman inte ha tjänat något administrativt syfte utan hela systemet skall ses såsom en litterär skapelse, tillkommen för att legitimera Israels innehav av Davids nyerövrade territorier men baserad på verkliga förhållanden.[66] Källorna till gränssystemet är enligt Na'aman, Davids folkräkningslistor. Eftersom inte några sådana har blivit bevarade, och 2 Sam 24 inte antyder andra skäl för folkräkningen än rent militära, måste Na'aman söka indirekta bevis. Mönstringslistor finns

[65] *Historical Geography*, 415.
[66] *Borders & Districts*, 87 ff.

i Nu 1 och 26 och i 26,53 omtalas verkligen fördelning av land. Josuabokens författare bör ha haft kännedom om Numeri-traditionerna, så ingenting behöver tala däremot att mönstringsförfarandet skulle ha använts även i Josuaboken. Närmast en sådan tanke kommer man i Jos 18. Där sändes emellertid kommissioner bestående av tre man ut och det är bara landet, som skall förtecknas — inte folket såsom i Nu 1 och 26 samt 2 Sam 24. Dessutom är det endast sju stamområden, som mäts ut i Jos 18. Nord- och Sydgrupperingen, Efraim, västra Manasse och Juda är redan ”utstakad”, Jos 18,5. Enligt Na'aman återspeglar såväl Nu 26 som Jos 18 förhållanden under monarkisk tid. Förekomsten av stamvis uppträdande patruller såsom i Jos 18 är naturligtvis fullt möjlig, men man kan knappast komma ifrån att vi har här en litterär fiktion med 12-talet stammar som bakgrund. 9½ stammar i Cisjordan och 2½ stammar i Transjordan samt Levi stam utan besittningsrätt ger en uppidealiserad bild av ett enat davidiskt rike. Men detta framgår i synnerhet genom de yttre gränsdragningarna i kompassens riktningar.

Vad den östra gränsen beträffar, så är hela Gilead från Arnon i söder och norrut samt Basan införlivade med det ideala rike, som Josuaboken tecknar. De transjordanska områdena har erövrats och fördelats av Mose och därför är det av vikt att ständigt understryka detta faktum, som givetvis får lagkaraktär.[67] Det saknas detaljerade uppgifter om den norra delen, men däremot inte om Rubens och Gads områden i söder. De innehas tidvis av Moab, som här söker frigöra sig från nordisraelitisk dominans. Här slår israeliterna läger sista gången, innan de går över floden Jordan, Nu 33,48 ff. Här hade också davidssläkten sina rötter på mödernet, Rut 1,1 ff.

I norr har gränsen till Josuabokens erövrade område samma sträckning som Davidsriket, om man följer censuspatrullens väg i 2 Sam 24. Jämförelsen mellan Jos 11,8 och 19,28, som skildrar det område i norr, där Josuas trupper gjorde halt respektive Asers nordgräns, med 2 Sam 24,6 f. är övertygande. Det är samma område. Däremot är begreppet ”landet som återstår att erövra” väsentligt större. Dess nordgräns återspeglar Salomos ideala rike, Jos 1,4. Uppgifterna i Jos 13,3–5 skall jämföras med texter som Dom 3,3;1 Kon 8,65; Nu 13,21; 34,8; Hes 47,16 f., 20. Beträffande filistéernas område, Jos 13,2, se nedan.

Gränsen i väster är inte helt problemfri. Medelhavet kan synas vara en lättförståelig gränslinje. Det blir så generellt sett, t.ex. Nu 34,6. Kuststräckan norr om filistéerområdet, dvs. i princip norr om floden Jarkon och ända upp till Sidon tillskrivs Israel. De stora städerna i området betraktas som både erövrade och fördelade. När det gäller filistéerområdet skär sig uppfattningarna. Enligt Jos 13,2 f. ingår detta i begreppet ”landet som återstår”, men i Jos 15,45–47 tillhör de filisteiska städerna Juda stam. Även här synes således Medelhavet och Egyp-

[67] Enligt ”prästerlig syn” (P) och Hes 47 är floden Jordan östlig gräns. Detta framgår också av Jos 22. Jfr M. Weinfeld, The Extent of the Promised Land — the Status of Transjordan, *Das Land Israel in biblischer Zeit*, 1983, 59-75.

Östgränsen

Nu 34,10-12	Hes 47,18
Hasar Enan	
Sefam	
Haribla	
(öster om Ain)	
Kinneretsjön	
(bergssluttningen)	
Jordan	Jordan
Salthavet	Östra havet
	mellan Hauran
	och Damaskus
	mellan Gilead
	och Israels land

Nordgränsen

		Erövring	Fördelning		
Gen 10,19	Nu 34,7-9	Jos 11,8	Jos 13,4-5	Hes 47,15-17	Hes 48,1
	Stora havet			Stora havet	Havet
	berget Hor		Bergsbygden?		
	Lebo' Hamat		Lebo' Hamat	Hamat	Lebo' Hamat
	Sedad			Sedad	
	Hasar Enan			Hasar Enan	Hasar Enan
				(vid Damaskus)	(Damaskusomr)
Sidon		Stora Sidon	Stora Sidon		
			(Jos 19,28)		
		Misrefot Majim	Misrefot Majim		
		Mispedalen			
			Meara		
			Afek		
			amoreernas område		
			gabaleernas land		
			Libanonstrakten		

				Sibrajim (mellan Damaskus o Hamat) mellersta Haser (invid Hauran)	
	Sifron		Jfr Sakarja 9,1-8		
			Västgränsen		
Gen 10,19	Nu 34,6	Jos 10,41	Jos 13,3	Hes 47,20	Jos 15,45 f.
	Stora havet			Stora havet	
Sidon					
Gerar					
Gasa		Gasa			
			Sihor		
			Ekron		
					Egyptens bäck
			Sydgränsen		
	Nu 34,3-5	Jos 10,41	Jos 15,2-4	Hes 47,19	Hes 48,28
	öknen Sin		Sin		
	utmed Edom				
	ändan av Salthavet		ändan av Salthavet		
	Skorpionhöjden		Skorpionhöjden		
	Qades Barnea	Qades Barnea	Qades Barnea	(vid) Qades	(vid) Qades
	Hasar Addar				
	Asmon		Asmon		
	Egyptens bäck		Egyptens bäck	Bäcken	Bäcken
	Havet		Havet	Stora havet	Stora havet
			Hesron		
			Addar		
			Qarqa		
		Gasa			
				Tamar	Tamar
				Meribots vatten	Meribas vatten

tens bäck vara betraktade som gränser i väster.[68] GT:s syn på filistéerområdet är svår att analysera. Förmodligen skall Judas innehav av filistéerstäderna i Jos 15,45–47 närmast ses ur ideologisk aspekt. Filistéerna ingår i Jahves frälsningsplan enligt Amos 9,7. De har tillsammans med araméer och israeliter av Jahve förts till sina respektive landområden och de två sistnämnda folken fördes också ut igen — israeliterna tillfälligt. Men ingenting sägs om filistéernas slutgiltiga öde. David erbjöds deras gästfrihet, när han förföljdes av Saul, 1 Sam 30. Det skulle kunna tänkas, att just detta uppehåll hos kung Akis i Gat och Siklag tolkades såsom ett slags legitimering av området som israelitiskt. Enligt 1 Krön 18,1 erövrades Gat av David. I parallellversionen 2 Sam 8,1 står ''landets tygel''[69] översatt med ''huvudstaden'' i 1917 års översättning. Det är svårt att nå historisk klarhet. Den ideologiska aspekten, som betonar Jahves makt och därmed Israels överhöghet över filistéerområdet, är dock klar. Vi behöver bara erinra om Förbundsarkens tillfälliga förvaring i de filisteiska städernas tempel, 1 Sam 5 och 6 och om de profetiska oraklen med straffdom över filistéerna och deras städer, varefter området tillfaller Juda, Sef 2,4–7.[70] I davidsrikets avgränsning betonas samma tendens i Ps 60 och 108. Enligt den gammaltestamentliga historieversionen dominerar filistéerna totalt hela Cisjordanien under Sauls tid och det är först David, som lyckas besegra dem i två avgörande drabbningar, 2 Sam 5,17 ff.

Juda stams gräns i söder enligt Jos 15,1 ff. blir desslikes även sydgräns för det av alla stammarna sammanhållna området och den bör sålunda ses som pendang till nordgränsen av ''landet som återstår'', Jos 13,5. Liksom den sistnämnda var det ideala rikets nordgräns,[71] så måste även sydgränsen ses ur den aspekten. Vid två tillfällen dras sydgränsen i Josuaboken. Först vid sammanfattningen av Josuas sydliga erövring, 10,40 f., dras gränsen på följande sätt ''från Kades Barnea och ända till Gasa och hela landet Gosen och ända till Gibeon''. Här är det Stor-Judas gräns som dras. Denna sydgräns har egentligen ingenting att skaffa med begreppet Davidsriket, vars sydgräns är Beer-Seba enligt frasen ''från Dan till Beer-Seba''. Det som anger den geografiskt gripbara sträckningen, är omnämnandet av Kades Barnea, såsom allmänt antages, identiskt med den nuvarande oasen Ain el-Qudeirat, drygt 10 svenska mil söder om Beer-Seba. I övrigt är den gränslinjen belagd i ett flertal texter, som innehåller en nedärvd gränsterminologi med ett stelnat formelspråk.[72] Gränsorterna kan variera, men mönstret är nästan alltid detsamma. Den ideala sydgränsen med Kades Barnea som do-

[68] Jfr Kallai, The Reality of the Land and the Bible, *Das Land Israel in biblischer Zeit*, 81.

[69] Se R. A. Carlson, *David, the Chosen King*, 116 not 1.

[70] Sefanjas domsord påminner mycket om de folkorakel, i synnerhet Jes 15-16, vilka vi tidigare kommenterat. Man kan även observera, att utsagan mot filistéerna följs av ett liknande utfall mot Moab och Ammon. Associationerna har således gått i väst-öst. Jfr skildringen av Sanheribs 3. fälttåg (se tabell ovan) med samma associationsprincip. Till Sefanjas bok, se A. S. Kapelrud, *The Message of the Prophet Zephaniah*, 1975.

[71] Jos 13,5 är förutom Jos 1,4 det enda belägget i Josuaboken för det ideala rikets nordgräns, jfr Dom 3,3 och 1 Kon 8,65 etc.

[72] Kallai, *EI* 12 (1975), 27-34; *Idem*, *ZAW* 93 (1981), 427-432; *Idem*, *VT* 37 (1987), 438-445.

minerande ort förekommer även i texter som Nu 34,4 och Hes 47,19; 48,28. Dessa texter anses teckna Kanaans sydgräns, men hos Hesekiel är den också kombinerad med den ideala nordgränsen, ända till Lebo Hamat, ''Där vägen går till Hamat'', 47,20. Jfr Jos 13,5 f. och Dom 3,3. Det är möjligt att se samma sydliga gränslinje i Gen 10,19, ehuru Kades Barnea inte är omnämnt. De bäst jämförbara texterna är utan tvekan Jos 15,1–4 och Nu 34,1–4. Flera av ortnamnen är desamma och man kan också notera inte bara den vanliga frasen ''från — till'' jämte ortnamn utan även påtaglig noggrannhet i uppgifterna. T.ex. ''utmed Edom'', ''vid ändan av Salthavet'', Nu 34,3 och ''längst ned i söder'', *miḳṣē ṯêmān*, Jos 15,1. Avgränsningen till Edom betonas särskilt, dvs. att man inte kränker Edoms område. Jfr Dt 2,5.

Ehuru inte Nu 33, ett kapitel, som skildrar israeliternas lägerplats under ökenvandringen,[73] brukar citeras vid diskussioner om Israels södra gräns, anser jag det dock vara tilllämpligt. Trots att nästan ingen plats i Nu 33 kan lokaliseras, innehåller kapitlet många av de geografiska begrepp, som knyts till Israels sydligaste gräns. Här finns samma namn på öknar, berg, hav, floder etc.

I annat sammanhang har jag sökt visa, att den öken, som israeliterna vandrar i, är egentligen ''Landet'' men under ''förbannelsen''. På grund av deras ständiga brott mot sin Gud, är folket inte värdigt att ta emot ett land ''som flyter av mjölk och honung''.[74] Situationen i Mara, Ex 15,22 ff., utspelas direkt efter ''gränsövergången'' av Sävhavet, varefter Mose förelade folket lag och rätt, en handling, som förutsätter möjligheten att ta landet i besittning. Denna möjlighet försitter folket genom deras ständiga upproriskhet mot Jahve och Mose. Laggivningen i Mara är i det stora sammanhanget endast en liten episod, helt övertrumfad av laggivningen på Sinai. Sävhavet som gränsvatten till Egypten förekommer endast en gång i Ex 23,31. I övrigt finns det flera benämningar på gränsen till Egypten.[75] Texterna om Uttåget ur Egypten och den följande vandringen ger talrika anspelningar på gränsområden.[76] Sålunda tar folket ej vägen genom filistéernas land, Ex 13,17. Det motiveras med att folket kunde ångra sig och vända tillbaka till Egypten, ''när de fick se krig hota'', Ex 13,17. Här har vi ett exempel på hur kungatidens politiska situation och synen på filistéerna som ett krigiskt folk blandas med Jahves underverk. Om nu vid Sävhavet Faraos hela armé hade besegrats, så borde ett fältslag med filistéerna endast ha varit en förpostfäktning. Eftersom det ligger i Jahves plan, att folket skall komma in i Landet österifrån, torde det vara logiskt att tänka sig, att ökenvandringen från Egypten till Moabs hedar följer Landets sydligaste gräns, dvs. den gräns, som till-

[73] Se M. Noth, *PJ* 36 (1940), 5-28; L. E. Axelsson, *The Lord Rose up from Seir*, 1987, 113 f.

[74] Eden and the Land of Promise, *VTSuppl*, Vol. 40, 1987, 182 f.

[75] N. Na'aman, The Brook of Egypt and Assyrian Policy on the Border of Egypt, *Tel Aviv* 6 (1979), 68-90; *Idem*, The Shihor of Egypt and Shur that is before Egypt, *Tel Aviv* 7 (1980), 95-109. Jfr M. Wüst, *Untersuchungen* till Jos 13 och till Jer 2,18 (LXX), S. Olofsson, *SJOT* 2 (1988), 169 ff. Beträffande ''Sävhavet'', se M. Ottosson, *jam sûp̄*, *ThWAT*, Band V, sp. 794-800.

[76] L. E. Axelsson, *op. cit.*, 121 ff.

skrivs det ideala landet. Fraseologien i Nu 33 associerar ganska ofta till gränspunkter. Således befinner sig folket ''vid ändan av öknen'', Nu 33,6;Ex 13,30, ''vid gränsen till Edom'', Nu 33,37, ''vid gränsen till Moab'', Nu 33,44.

Kades, Nu 33,36 är dock den viktigaste gränsangivelsen, vilken som vi sett återkommer i flera sammanhang. När folket under ökenvandringen vistas där, så har man Lagen och kanske just därför ligger då Landet öppet för dem. Det är då ett land ''som flyter av mjölk och honung'', Nu 13,28. Under israelitisk kungatid fanns det en gränsfästning i Kades.[77] Det kan tänkas, att vissa av namnen på ökenstationerna representerar liknande replipunkter utefter det vägnät, som torde ha funnits på Sinai halvön. Den naturliga gränsdragningen blir givetvis endast aktuell, när man närmar sig bebodda trakter i synnerhet gränsen till andra folk som egyptier, filistéer, edomiter och moabiter. Sinai i övrigt torde ha varit Ingen mans land.

Om man vill vidhålla, att Josuaboken är en medvetet komponerad programskrift för återupprättelsen av Davidsriket med utgångspunkt i Löfteslandet, Jos 1,4, identiskt med Salomos imperium, 1 Kon 5,1, så är hela historien i Josuaboken en litterär produkt baserad på Davidsrikets geografi och idén om det Delade rikets återförening. Redaktören har känt till stamtraditioner från olika tider och sammanvävt dessa till ett historiskt mönster utifrån den komprimerade historieskrivningens princip. Samma princip har också gällt geografien, i synnerhet den som är dokumenterad i stadslistorna. Med största sannolikhet har han skrivit ner alla för honom bekanta städer i respektive stamområde. Där historien har varit ''tätast'' ur jerusalemitisk aspekt, där förekommer också de flesta geografiska begreppen. Stora frågetecken måste göras för det omfattande antalet städer av typ hapax legomenon. Mer än hälften av alla städer i Josuaboken tillhör denna kategori. Skall dessa namn betraktas som ''tillverkade'' eller har de verkligen spelat någon historisk roll? Tendensen är likartad även i övriga böcker av Gamla testamentet. Där är 243 städer av 548, hapax legomena. Josuaboken har 160 städer gemensamt med GT i övrigt. Det måste betraktas som ett litet antal i sammanhanget, och städerna återkommer med jämna mellanrum under såväl det Enade som det Delade rikets tid. Hur städer egentligen får sina namn är svårt att uttala sig om. Flera namn är nedärvda men nya tillkommer[78] och hapaxstäderna, om inte alla, bör tillhöra den senare kategorien. Just koncentrationen av stadsnamn till Juda område väcker misstanken, att ideologiska motiv ligger bakom.

[77] R. Cohen, *Kadesh-barnea. A Fortress from the Time of the Judaean Kingdom*, 1983.
[78] N. Na'aman and R. Zadok, *JCS* 40 (1988), 44 ff.

De gammaltestamentliga städerna i egyptisk kontext

Det återstår att undersöka i vad mån de gammaltestamentliga stadsnamnen och i synnerhet de förekommande i Josuaboken eventuellt var kända i egyptiska källor. Jag försöker använda samma indelningsprincip som tidigare, dvs. försöka avgöra vilka städer, som är "sydliga", dvs. belägna inom Sydrikets område och vilka som är nordliga. S. Ahituvs utmärkta genomgång och uppställning av kanaaneiska toponymer i egyptiska texter täcker i princip det område, som här är av intresse.[79] Dessutom har jag sökt göra en uppdelning i bronsåldersnamn och järnåldersnamn för att få någon diakron aspekt på uppgifterna. Osäkerheten är mycket stor i de flesta fall och eftersom jag i min följande uppställning slaviskt följer namnförslagen men ofta med flera frågetecken, bör läsaren vara kritisk. De nordligt belägna städernas dominans är procentuellt mycket tydlig. I Amarnabreven är den mindre framträdande. Det kan dock bero på tillfälligheter, då de påträffade "breven" torde utgöra en bråkdel av det ursprungliga Amarnaarkivet.

Vad gäller det gammaltestamentliga materialet har jag inte försökt att göra någon uppdelning i städer och mindre orter eller boplatser utan behandlat alla förekommande namn, som i konkordansen betecknas som ortnamn, på samma sätt. Många av de gammaltestamentliga namnen har kanske genom att de är hapaxlegomena och genom att de representerar små, endast lokalt kända orter, ingenting att skaffa i en undersökning av kanaaneiska toponymer i egyptiska texter. Men tydligen är det svårt att avgöra vad som är en liten ort och vad som är en stad. Det är också svårt för att inte säga ofta omöjligt att avgöra hur namnen tillkommit. Omflyttningar var säkerligen mycket vanliga på grund av naturkatastrofer, krig, eldsvåda och farsot. Med en ny bosättning uppstod nya namn. Kanske det i de GT-liga listorna föreligger flera namn, som egentligen syftar på samma plats.

De stora genom århundraden kända centralorterna har bibehållit sina namn, som de med sannolikhet fick, när stadssystemet uppstod i Palestina ca 3000 f.Kr. Vi får således förutsätta att de namn, som återfinnes i de egyptiska listorna, i många fall gavs städerna under Tidig bronsålder.

Enligt Ahituvs uppställning är det möjligt att ur de egyptiska texterna få fram 251 ortnamn i Palestina och Syrien. Av dessa är 179 "nordliga" och 72 "sydliga". Enligt O. Webers geografiska namnförteckning i EA:2, ca 126 ortnamn, kan mer eller mindre 79 ortnamn lokaliseras till Palestina. Av dessa är 46 "nordliga" och 33 "sydliga".[80] Amarna-korrespondensen har givetvis varit större än vad det påträffade antalet tavlor ger vid handen.

Av de kanaaneiska städerna nämnda i de egyptiska texterna antas ca 93 åter-

[79] *Canaanite Toponyms in Ancient Egyptian Documents*, 1984.
[80] J. A. Knudtzon, *Die El-Amarna-Tafeln*, 1915.

Egyptiska toponyms i Palestina

	Bronsålder						Järnålder		
Namn	Ex. Thutm. III	Amarna	Haremheb	Seti I	Raamses II	Raamses III	Shishak	Josua	Övrigt
Abel (1)	x								Abel beth-maachah
(N)									
Acco	x	233:5		x	x			—	Dom 1,31
(N)		234;3,28							
Achshaph	x							19,25-26	Jos 12,20
(N)									
Adam							56	3,16(?)	
(N)									
Adar (1)	x								Tigl. Pil. III,
(N)									ANET 283(a)
Adar (2)	x	256:24							
(N)									
Adumim	x							19,36(?)	
(N)									
Aijalon		273:20					26	21,24	Jos 10,12
(S)		287:57							
‘Ain (2)	x							19,37	
(N)									
Altaku			x	x	x	x		21,23 +	Sanherib
(S)									
Anaharat	52							19,19	
(N)									
’Anan							140	—	1 Krön 2,26
(N)									(Onan)?
Aphek (1)	x							15,53 +	Jos 12,18
(S)									
Aphek (2)	x				30 (?)	80		19,30	??
(N)									
Alammelek	x							19,26	??
(N)									
Arad (rabba)	x						108-109	12,14	Nu 21,1-3
(S)									
Ashdod	x							11,22	Ug. Onomasticon
(S)									
Ashkelon	x	320-326				x		13,3	Merneptah
(S)									
Ashtaroth	28	197:10						12,4	Tigl. Pil. III

(N)							19,19 (LXX)	
Beth-Anath (N)	111?		x	x			19,38	Dom 1,33
Beth-Dagan (N)					72		19,27	
Beth-Horon (N)						24	18,14,21,22	
Beth-Sb. . . (N)		274:15				45		Neh 11,34 (Seboim)???
Beth-Shean (N)	110	289:20	x	x		16	17,11	Dom 1,27
Beth-Shemesh (N)	E 60						19,38	???
Beth-Tappua (S)						39	15,53	???
Damascus (N)	13	107:28 197:21		x			—	
Diban (N)	98(?)						13,9,17	Tibunu, se Kitchen
Dor (N)				x				
Dothan (N)	9						—	Gen 37,17; 2 Kon 6,13
Edrei (1) (N)	x						12,4	Der'ā i Bashan
Edrei (2) (N)	91						19,37	
Elmattan (S)						126	—	(Samaria ostraka?)
Emeq (N)	107					65	17,16	Jizreelslätten
Esem (S)						66	15,29;19,3	1 Krön 4,29
Gath (S)	63						19,45-46	1 Krön 6,54 Gath Rimmon
Gaza (S)	x					11	11,22;15,47	
Geba (N)	114						18,24;20,33; 21,17	
Gebath (S)	103						21,23	1 Kon 15,27;16,15

Gezer	104						12	10,33	Merneptah
(S)									
Gibeon							23	10,1	
(S)									
Hagar-Hanan					94-95	—		—	1 Krön 4,20 ???
(S)									
Hagar-Tolon							101-102	—	1 Krön 4,20 ???
(S)									
Hamath (3)								19,35	
(N)									
Hazor	E 15	227:3,21		64				11,1ff	Mari
(N)	32	228:15,23							
Helkath	112							19,25	???
(N)									
Husa		x?						x	?? jfr Jos 19,29
(N)									
Ibleam	43							17,11	Dom 1,27;
(N)									2 Kon 9,27
Ijon (2)	95							—	
(N)									
Jaffa	62							19,46	
(S)									
Jahu, Sasw	x				x			—	
(S)									
Jarmuth				x				21,29	
(N)									
Jerusalem	E 45							15,63	
(S)									
Jokneam	113							12,22	Jos 19,11;21,34
(N)									
Jordan (River)	x							1,2 etc	
(—)									
Kadesh	1		28		x		x?	12,22	???
(N)									
Kana		x			x			19,28;17,9	???
(N)									
Kinneret	34							13,27	
(N)									
Kelti		289:28						15,44	Qeila ??
(S)									
Kiriathaim							25	9,17 etc	Kirjat Jearim
(S)									

Laish (Dan) (N)	E 59					19,47	Lesem
Lebo (hamath) (N)	E 31			x		13,5	
Mahanajim (N)					22	13,26 etc	???
Makkeda (S)	30				?	10,10 etc	se Kitchen
Megiddo (N)	2	242–244	x		27	12,21	
Maromim (N)	85					11,1	???
Migdal (2) (S)					58	—	Gen 35;21; 1 Sam 10; 1 Krön 8,15
Mukrashti (N)		335:17				—	Moreshet Mika 1,1,14
Mishal (N)	E 13					19,26	
Moab (—)				x		13,32	
Negeb (—)	x					11,2 etc	???
Negeb-ashuhat (S)					92-93	—	(1 Krön 4,11 Shuha)
Ono (S)	x					—	1 Krön 8,12
Penuel (N)					53	—	Gen 32,31; 1 Kon 12,25
Qanu (N)	E 32					—	id. m. Kenath ??
Qisun (N)	x					19,20;21,28	
Rehob (1) (N)	E 14			x		19,30	södra Rehob i Asher
Rehob (2) (N)	x					19,28	norra Rehob i Asher
Rehob (3) (N)	87		x		17	—	Taanach brev 2:22
Rabba/Rubute (S)	x	290:5-18			13	15,60	

Sharon (S)	x						—	1 Krön 5,16
Sharuhen (S)	x					125	19,6	
Shechem (N)	E 6						24,1ff	
Shemesh-Edom (N)	x						19,22	jfr Jos 19,35-36,38
Shunem (S)	x					15	19,18	
Sidon (N)	x						11,8	Wenamun
Socho (S)	x					38	15,35	
Succoth (N)						55	13,27	??
Sera'im (N)	x						—	Zorah? The Ladder of Tyre
Samu'na (N)	E 55	225:4					—	
Taanach (N)	42	248:13				14	12,21	
Tipun/Tibun (N)	x			x			13,17	jfr Kitchen/Weippert
Tirzah (N)						59	12,24	1 Kon 14,17; 16,15
Tob (N)	x	205:3					—	Dom 11,3 ??
Tubihi (N)		179:15					—	(2 Sam 8;8); 1 Krön 18,8
Tyre (N)	E 35		x	x	x		—	
Usu (N)			x				19,29	2 Sam 24,7
Yaham (S)	x					35	—	1 Krön 7,2 (Jahmai)?
Yanu'am (N)	x	197:8	x	x	x		—	
Zarephath (N)	x						—	1 Kon 17,9-10; Ob v. 21
Zemaraim						57	18,22	

finnas i GT. Av dessa är 29 ''sydliga'' (S) och resten ''nordliga'' (N).[81] Se den följande uppställningen. Ett ''kryss'' eller siffra i kolumnen markerar ett omnämnande av staden. Kolumnen ''Bronsålder'' omfattar texter från Mellersta bronsåldern och Sen bronsålder, dvs. närmast Execration Texts, Thutmose III:s krigståg och texter från Amenhotep II:s och III:s tid samt Haremheb (aktuell endast i två fall). Ett omnämnande i Amarna-breven uppges med både brevnummer och rad. Omnämnandet i Execration Texts markeras med ett E jämte siffra, dvs. stadens nummer.

Enligt statistiken skall 63 städer ha existerat under bronsåldern, av vilka endast 19 är ''sydliga''. Uppgifterna från Seti I:s, Raamses II:s och III:s listor ligger kronologiskt i den viktiga övergångsperioden mellan brons- och järnålder.

De egyptiska krigshärarna följde under bronsåldern de stora vägarna såsom Via Maris och sedermera Kungsvägen öster om Jordan. Den trenden höll i sig även under järnåldern, men då begav sig härarna längre upp i bergsbygden för att få tag på ''fienderna''. Shishaks lista från järnåldern skulle vara av utomordentlig betydelse för en stadsstudie i Josuaboken, då hans krigståg i viss omfattning synes ha varit förlagt till den sydliga delen av Palestina. Ahituv tar upp 51 namn på Shishaks lista och gör så vissa förslag till lokalisering. Av Shishaks 17 ''sydliga'' städer existerade emellertid 11 under bronsåldern. Det skall dock poängteras, att flera luckor måste finnas. T.ex. är inte Jerusalem nämnd hos Shishak, jfr 1 Kon 14,25. Av det egyptiska stadsmaterialet återfinnes 60 namn i Josuaboken varav ca hälften är ''sydliga''.

Vilka listor vi än har jämfört med Josuabokens uppgifter, visar det sig, att de förra har ett procentuellt större antal ''nordliga'' städer än Josuaboken. Negeb och norra Sinai-halvön var föga bebodda under Sen bronsålder.[82] Det fanns knappast några stadscentra. Den ''sydliga'' stadsexplosionen måste vara en järnåldersföreteelse dock knappast inträffad tidigare än 900-talet f.Kr. Josuabokens listor skall ses utifrån den verkligheten och de flesta namnen tillhör närmast 700–600 talen f.Kr. Tystnaden i Josuaboken beträffande de nordliga förhållandena är uppenbar i jämförelsen med utomgammaltestamentligt material. Den tystnaden torde bero på okunnighet parad med ideologisk motvilja. Den arkeologiska survey-bilden ger ett helt annat stadsmönster inom Nordrikets område och i Transjordanien. Och allteftersom de arkeologiska expeditionernas antal ökar, rapporteras ytterligare stadsliknande bosättningar från både bronsålder och järnålder.

[81] Ahituvs uppställning har följts med ett öga på K. A. Kitchens recension i *Chronique d'Egypte* 63 (1988), 102-111, se givetvis klassikern J. Simons, *Handbook for the Study of Egyptian Topographical Lists Relating to Western Asia*, 1937 och *ANET*, 242 f.

[82] Y. Aharoni, *BA* 39 (1976), 55-76.

Ortnamnsförteckning

A. Städer, hapax legomena utanför Josuaboken

'Abel Haggedola	i Filistéerland	1 Sam 6,18
'Abel Keramim	Ammon	Dom 11,33
'Abel Majjim	Nordriket	2 Krön 16,4
'Abel Misrajim	Transjordan	Gen 50,20
'Abel Hashittim	Moab	Nu 33,49
'Eben Ha'ezel	nära Jerusalem	1 Sam 20,19
'Eben Haggedola	nära Gibeon	2 Sam 20,8
'Eben Hazohelet	nära Jerusalem	1 Kon 1,9
'Eben ha'ezer	nära Mispa (Syd)	1 Sam 4,1:5,1:7,12
'Eglajim	by i Moab	Jes 15,8
'Adorajim	Juda	2 Krön 11,9
'Uzzal	Jemen	Hes 27,19
'Awaen	(Betel)	Hes 10,8
'Uzzen se'era	By i Efraim	1 Krön 7,24
'Ahlab	Aser	Dom 1,31
'Ahmeta'	Persien	Esra 6,2
Ajjalon	Sebulon	Dom 12,12
'Akkad	Sinear	Gen 10,10
'Elon Me'onanim	nära Sikem	Dom 9,37
'Elon Mussab	nära Sikem	Dom 9,6
'Elon Tabor	nära Mispa	1 Sam 10,3
'Alush	ökenstation	Nu 33,13,14
'Efes Dammim	i Juda	1 Sam 17,1
(Pas Dammim	Juda	1 Krön 11,13)
'Asel	Juda	Sak 14,5
'Arrubot	Juda	1 Kon 4,10
'Aruna	nära Sikem	Dom 9,41
'Erek	Babylon	Gen 10,10
'Atarim	söder om Arad	Nu 21,1
		Summa: 28
Be'era	ökenstation	Nu 21,16
Be'er	nära Sikem	Dom 9,21
Be'er Elim	i Moab	Jes 15,8
Beerot Beja'akan	ökenstation	Nu 33,31,32;Dt 10,6
Bor Hassira	nära Hebron	1 Sam 3,26
Betah	i Syrien	2 Sam 8,8
Bet Ha'esel	i syd	Mika 1,11
Bet 'Arbe'el	Galileen	Hos 10,14
Bet Bi'ri	Simeon	1 Krön 4,31
Bet Bara	vid Jordan	Dom 7,24
Bet Gemul	Moab	Jer 48,22
Bet Haggan	i nord	2 Kon 9,27
Bet Diblatajim	Moab	Jer 48,22
Bet Hanan	Juda	1 Kon 4,9
Bet Le'ofra	i syd	Mika 1,10
Bet Kar	filistéerstad	1 Sam 7,11
Bet Hammerhak	vid Kidron	2 Sam 15,17
Bet 'Eker	nära Samaria	2 Kon 10,12,14

Bet Rehob	Aser	Dom 18,28
Bet Hashitta	nära Jordan	Dom 7,22
Bet Shemesh = Heliopolis		Jer 43,13
Bokim	nära Gilgal	Dom 2,1,5
Bilha	Juda	1 Krön 4,29
Bela'	i Kanaan	Gen 14,2,8
Baal	Simeon	1 Krön 4,33, cf Jos 19,8
Baal Hamon		HV 8,11
Baal Hasor	Efraim	2 Sam 13,23
Baal Shalisha	nära Gilgal	2 Kon 4,42
Baal Tamar	i Benjamin	Dom 20,33
Baale -Juda	nära Jerusalem	2 Sam 6,2
Bosra	Moab	Jer 48,24
Be'on	Juda	Nu 32,3
Beser	Aser	1 Krön 7,37
Bered	plats i öknen	Gen 16,14
Birzawit	Aser	1 Krön 7,31
Berim		2 Sam 20,14
		Summa: 36
Gob	på gränsen till filistéerland	2 Sam 21,18,19
Gebim	nära Jerusalem	Jes 10,31
Gebal =	Byblos	Hes 27,9
Gid'om	Benjamin	Dom 20,45
Gedud		1 Krön 12,7
Gedor	Simeon	1 Krön 4,39
Gur	Manasse	2 Kon 9,27
Gur Baal	Arabien?	2 Krön 26,7
Gizoni/Gizo		1 Krön 11,34
Gej' Sefata	Juda	2 Krön 14,9
Giah	nära Gibeon	2 Sam 2,24
Gelila		Hes 47,8
Gimzo	Juda	2 Krön 28,18
Go'ata	nära Jerusalem	Jer 31,38
Garmi/Gerem		1 Krön 4,19
Goren Ha'atad	Transjordan	Gen 50,10,11
Goren Kidon	Juda	1 Krön 13,9
Goren Nakon	Juda	2 Sam 6,6
		Summa: 18
Dibla		Hes 6,14
Dura'	Babylon	Dan 3,1
Di Zahab	Sinai	Dt 1,1
Dibon	Juda	Neh 11,25
Dan Ja'an	Dan	2 Sam 24,6
Dofka	ökenstation	Nu 32,13:33,12
		Summa: 6
Habbajit		Jes 15,2
Hadar-Rimmon	nära Megiddo	Sak 12,11
Hoddu	Indien	Ester 1,1:8,9
Ham	Transjordanien	Gen 14,5

Hamona	Gogs stad	Hes 39,16
Haheres	Egypten	Jes 19,18
		Summa: 6
Wedan	Arabien	Hes 27,19
Waheb	Moab	Nu 21,14
		Summa: 2
(Inga städer på zajin)		
Hadid	Benjamin	Esra 2,33:Neh 7,37: 11,34
Hoba	nära Damskus	Gen 14,15
Huqoq	Aser	1 Krön 6,60
Husha	Juda	1 Krön 4,4
(hushati 2 Sam 21,18:23,27:1 Krön 11,29:20,4:27,11)		
Helam	nära Eufrat	2 Sam 10,16,17
Hilen	Juda	1 Krön 6,43
Helba	Aser	Dom 1,31
Helbon	nära Damaskus	Hes 27,18
Holon	Moab	Jer 48,21
Helqat Hassurim	nära Gibeon	2 Sam 2,16
Hammon	Naftali	1 Krön 6,61
Hamat Soba		2 Krön 8,3
Hamat Rabba		Amos 6,2
Hanes	Egypten	Jes 30,4
Hasor	Benjamin	Neh 11,33
Hasar 'Addar	Juda	Nu 34,4
Haser Hattikon	Syrien	Hes 47,16
Harada	ökenstation	Nu 33,24,25
Horsha	öknen Sif	1 Sam 23,15,18,19
Haroshet Haggojim		Dom 4,2,13,16
Hasmona	ökenstation	Nu 33,29,30
Hetlon	Syrien	Hes 47,15:48,1
		Summa: 22
Tibhat	Syrien	1 Krön 18,8
Tabbat	Efraim	Dom 7,22
Tela'im		1 Sam 15,4
		Summa: 3
Jabne	filistéerstad	2 Krön 26,6
Jotba		2 Kon 21,19
Ja'bes	Juda	1 Krön 2,55
Jeqeb ze'eb		Dom 7,25
Jeqabse'el	Juda	Neh 11,25
Jorqe'am	Juda	2 Krön 20,16
Jeshu'a	Juda	2 Krön 13,19
		Summa: 8
Kun	Syrien	1 Krön 18,8
Kozeba'	Juda	1 Krön 4,22
Kezib	Juda	Gen 38,5
Kelah	Assyrien	Gen 10,11,12
Kemohan	Juda ?	Jer 41,17
Kanne	Assyrien	Hes 27,23

Kasifja'	Babylon	Esra 8,17 (2 ggr)
		Summa: 7
Lebona		Dom 21,19
Laban	plats i öknen	Dt 1,1
Libna	stad i öknen	Nu 33,20,21
Lehi		Dom 15,9,14,17,19
Laish	nära Jerusalem	Jes 10,30
Leka	Juda	1 Krön 4,21
Lesha'		Gen 10,19
		Summa: 7
Migdal 'eder		Gen 35,21
Madmen	Moab	Jer 48,2
Madmena	Benjamin	Jes 10,31
More	en plats	Ps 84,7
Moreshet Gat		Mika 1,11,14 (gent. Jer 26,18)
Makbena	Juda	1 Krön 2,49
Mekona	Juda	Neh 11,28
Mahawim		1 Krön 11,46
Mekera		1 Krön 11,36
Maktesh	i Jerusalem	Sef 1,11
Mof		Hos 9,6
Mesobaja	Transjordan	1 Krön 11,47
Maqhelot	ökenstation	Nu 33,25,26
Maqas	Efraim	1 Kon 4,9
Meroz	i norr	Dom 5,23
Marot	nära Jerusaelm	Mika 1,12
Mesha'	Arabien	Gen 10,30
Mishra'	okänd	1 Krön 2,53
Mattana	ökenstation	Nu 21,18,19
Meten		1 Krön 11,43
Mitqa	ökenstation	Nu 33,28,29
		Summa: 21
Neballat	Benjamin	Neh 11,34
Nehelam	okänd	Jer 29,24,31,32
Nahash	Juda	1 Krön 4,12
Neta'im	okänd	1 Krön 4,23
Nofah	Moab	Nu 21,30
		Summa: 5
Sibrajim	Syrien	Hes 47,16
Suf	plats i öknen	Dt 1,1
Sin	(stad (Egypten)	Hes 30,15,16
Silla'	nära Jerusalem	2 Kon 12,21
Sela'	Moab	Jes 16,1
Sela'	Idumeen (Petra)	2 Kon 14,7
Sela'	amoritisk	Dom 1,36
Sela' Hammahleqot	nära Ein Gedi	1 Sam 23,28
Sefar	Arabien	Gen 10,30
		Summa: 9

‘Abrona	ökenstation	Nu 33,34,35
‘Awwa	Assyrien (?)	2 Kon 17,24
‘Atarot	Gad	Nu 32,3,34
‘Atrot bet Jo’ab	Juda	1 Krön 2,54
‘Atrot Shofan	Gad	Nu 32,35
‘Ai	stad i Ammon	Jer 49,3
‘Etam	Simeon	1 Krön 4,32
‘Ain	i Kanaan	Nu 34,11
‘Ain	nära Gibeon	1 Sam 29,1
‘En Mishpat	plats i öknen	Gen 14,7
‘En Haqqore‘		Dom 15,19
‘En Rimmon	Juda	Neh 11,29
‘En Hattanin	nära Jerusalem	Neh 2,13
‘Enaim	Juda	Gen 38,14,21
‘Akko	/OBS endast här/	Dom 1,31
‘Almon Diblatajim	ökenstation	Nu 33,46,47
‘Ananja	Benajmin	Neh 11,32
‘Anem	Isaskar leviterstad	1 Krön 6,58
‘Efron	Benjamin	2 Krön 13,19
‘Ashterot Qarnaim		Gen 14,5
‘Atak	Juda	1 Sam 30,30
		Summa: 21

Punem	ökenstation	Nu 33,42,43
Pi Beset	Egypten	Hes 30,17
(Pesilim	nära Gilgal	Dom 3,19,26)
Pitom	Egypten	Ex 1,11
Parwaim		2 Krön 3,6
		Summa: 5

Sis	nära Teqoa’	2 Krön 20,16
Salmona	ökenstation	Nu 33,41,42
Selsah	Benjamin	1 Sam 10,2
Sa‘ir	okänd	2 Kon 8,21
Serara	Manasse	Dom 7,22
		Summa: 5

Qedesh	Isaskar	1 Krön 6,57
Qehelata	ökenstation	Nu 33,22,23
Qamon	Gilead	Dom 10,5
Qirjat Husot	Moab	Nu 22,39
Qirjataim	Naftali	1 Krön 6,61
Qarqor	Transjordan	Dom 8,10
		Summa: 6

Ra’mot	Isaskar	1 Krön 6,58
Rehobot ‘ir	Assur	Gen 10,11
Reka	okänd	1 Krön 4,12
Rakal	Juda	1 Sam 30,29
Rimmon Peres	ökenstation	Nu 33,19,20
Rissa	ökenstation	Nu 33,21,22
Resen	Assur	Gen 10,12
Ritma	ökenstation	Nu 33,18,19
		Summa: 8

Seko	nära Rama	1 Sam 19,22
Se'ira	Efraim	Dom 3,26
Suka	okänd	1 Krön 2,55
Sifamot	Juda	1 Sam 30,28
		Summa: 4
Shamir	Efraim	Dom 10,1,2
Shen	Juda	1 Sam 7,12
Shafir	Juda	Mika 1,11
Shefer	ökenstaton	Nu 33,23,24
		Summa: 4
Tahat	ökenstation	Nu 33,26,27
Tahtim Hodshi		2 Sam 24,6
Tis	okänd	1 Krön 11,45
Token	Simeon	1 Krön 4,32
Tel 'Abib	Babylonien	Hes 3,15
Timnat Heres	Efraim	Dom 2,9
Tamar		Hes 47,19:48,28
Tofel	plats i öknen	Dt 1,1
Terah	ökenstation	Nu 33,27,28
Torma	nära Sikem	Dom 9,31
Tir'a	okänd	1 Krön 2,55
		Summa: 11

B. Städer - icke hapax legomena - ej nämnda i Josuaboken

'Abel Bet Ma'aka	i "norr"	2 Sam 15,20,1 Kon 15,20
'Abel Mehola	i "norr"	Dom 7,22, 1 Kon 4,12,19,16
'Eben ha'ezer	nära Mispa	1 Sam 4,1:5,1:7,12
'Obot	ökenstation	Nu 21,10 f.,33,43 f.
'Addan	i Babylonien	Esra och Nehemja
'Adma	vid Sodom	Gen 14,2,8:10,19 Dt 29,22, Hes 11,8
'On /Heliopolis/		Gen 41,45,50: 46,20, Hes 30,17
'Ono	i Benjamin	Esra 2,33, Neh 6,2: 7,37:11,35, 1 Krön 8,12
'Ur Kasdim		Gen 11,15, Neh 9,7
'Elim	ökenstation 6 ggr	
'Elat	hamnstad 7 ggr	Dt 2,8, 1 Kon 9,26
'El Betel	i nordriket	Gen 35,7,15, 1 Sam 10,3
'Elon More		Gen 12,6, Dt 11,30
'Elon Mamre		Gen 13,18: 14,13: 18,1
'El'ale	i Ruben	Nu 32,37: Jes 15,16: Jer 48
'Afek	öster om Gennesaret	1 Kon 20,26,30
'Efrat	i Juda	Gen 35: Gen 48 etc 8 ggr
'Arwad	Libanon	Hes 27,8,11
'Arpad	i Syrien 6 ggr	
'Askelon		jfr Jos 13,3 Askeloni
'Etam	ökenstation 4 ggr	
		Summa: 21

Be'er Lahai Ro'i	3 ggr	
Babel	flera ggr	
Bezek		Dom 1,4 f.: 1 Sam 11,8
Bahurim	i Benjamin	2 Sam: 1 Kon
Bet Kerem	i Juda	Jer 6,1: Neh 3,14
Baal Hermon		Dom 3,3: 1 Krön 5,23
Baal Perasim	i Refaimdalen 4 ggr	2 Sam 5,20: 1 Krön 4,11
Baal Safon		Ex 14,2,9: Nu 33,7
Bosra	i Idumeen	Gen 36,33 (9 ggr), Jer 48,24;49,13,22; Amos 1,12, Mich 2,12, Jes 34,6;63,1; 1 Krön 1,44
Berotaj	i Aram nära Hamat	2 Sam 8,8; Hes 47,16
		Summa: 10
Gedor	i Benjamin	1 Krön 8,31;9,37
Gai	plats i Moab	6 ggr 1 Sam, 17,52; Nu 21,20; Dt 3,29;4,46;34,6; Jer 2,23; 1 Krön 4,39
Gai	nära Jerusalem	Neh 2,13,15: 3,13
Gallim	i Benjamin	1 Sam 25,44;Jes 10,30
Gerar	Filisteerstad	Gen 2 Krön
Gittajim	stad i Benjamin	2 Sam 4,3: Neh 11,33
		Summa: 6
Damaskus	ca 39 ggr	
Dinhaba	stad i Idumeen	Gen 36,32: 1 Krön 1,43
Dotan	stad i Samarien	Gen 37,17: 2 Kon 6,13
		Summa: 3
Hena'	stad i Mesopotamien	2 Kon 18,34: 19,13: Jes 37,13
Harrari	en bergsby	2 Sam 23,11: 1 Krön 11
		Summa: 2
Hasason-Tamar		Gen 14,7: 2 Krön 20,2
Hasar 'Enan	stad i Syrien	Nu 34,9: Hes 47,17;48,1
Haseron	ökenstation	Nu 11,35: Dt 1,1
Hor Haggidgad	ökenstation	Nu 32,33 f.: Dt 10,7
Haron	nära Gilboa	Dom 7,1: gent. 2 Sam 23,25
Horonajim	stad i Moab	Jes 15,5: Jer 48,34
Haran	stad i Mesopotamien	9 ggr
		Summa: 7
Jabesh Gilead	Transjordanien	flera ggr
Jotbata	ökenstation	Dt 10: Nu 33
Jogbeha	stad i Gad	Nu 32,25: Dom 8,11
Joqme'am	stad i Efraim	1 Kon 4,12: 1 Krön 6,53
Jeshana	stad i Juda	2 Krön 13,19
		Summa: 5
Kaleb	stad nära Hebron	1 Sam 30,14; 1 Krön 2,24

Kalne	stad i Assur	Gen 10,10, Jes 10,9, Amos 6,2
Kerub	plats i Babylon	Esra 2,59: Neh 7,61
Karkemish		Jer 46,2, Jes 10,9, 2 Krön 35,20
		Summa: 4
Lo' Debar	stad i Gilead	2 Sam 9-17
Luhit	stad i Moab	Jes 15,5: Jer 48,5
Laish = Dan		Dom 18,7,14,27,29: 2 Sam 23,11
Lod		Esra 2,33, Neh 7,37; 11,35; 1 Krön 8,12
		Summa: 4
Migdol	vid Egypten	Ex 14,2: Nu 38,7: Jer 44,1,46,14: Hes 29,10,30,6
Migron	stad i Benjamin	1 Sam 14,2: Jes 10,28
Mosera	ökenstation	Nu 33,30,31: Dt 10,6
Mahane Dan		Dom 13,25,18,12
Mikmas	stad i Benjamin	11 ggr
Minnit	ammoniterstad	Dom 11,33: Hes 27,17
Massa	ökenstation	5 ggr
Mara	ökenstation	5 ggr
Meriba/Meribat Kadesh		Nu 20,13,24, 10 ggr, Nu 27,14: Dt 32,51: 33,8, Hes 47,19; 48,28
Meronot	stad i Benjamin	Neh 3,7, 1 Krön 27,30
Masreqa	stad i Idumeen	Gen 36,36, 1 Krön 1,47
		Summa: 11
No' Thebe		Hes 30,14 ff.; Jer 46,25, Neh 3,8
Nob	stad i Benjamin	1 Sam 21,2,16: 22,9,11, Neh 11,32, Jes 10,32
Nebo	i Juda	Esra 2,29, Neh 7,34
Nebi	stad i Moab	12 ggr
Nobah	stad i Gilead	Nu 32,42, Dom 8,11
Netofa	stad i Juda	2 Sam 23, Esra 2,22, Neh 7,26 etc.
Newajot	stad	6 ggr, 1 Sam 19 o 20
Nineve		16 ggr
Nimrim	stad i Moab	Jes 15,6, Jer 48,34
Na'mati		3 ggr Jobsboken
Nof = Memphis		7 ggr
		Summa: 11
Sodom		flera ex
Sukkot	stad i Gilead	1 Kon 7,46, 2 Krön 4,17
Sukkot	ökenstation	4 ggr
Sena'a	stad i Juda	Esra 2,35, Neh 3,3,7,38
Sefarwajim	stad i Assur(?)	flera ex
		Summa: 5

‘Awwit	stad i Idumeen	Gen 36,35, 1 Krön 1,46
‘Azmawet Bet	stad i Benjamin	Esra 2,24, Neh 7,28,12,29
‘Ijjon	stad i Naftali	1 Kon 15,20, 2 Kon 15,29, 2 Krön 16,4
‘Etam	stad i Juda	Dom 15,8,11: 1 Krön 4,3: 2 Krön 11,6
‘Ijjim	ökenstation	Nu 33,44 f., Nu 21,11
‘En ’Eglajim		Jes 15,8: Hes 47,10
‘Emeq ha‘ela	plats i Juda	1 Sam 17,2,19,21,10
‘Amora	Gomorra	flera ggr
‘Ofra	stad i Manasse	Dom 6-9
‘Esjon Geber		7 ggr
‘Ar	i Moab	6 ggr
‘Aro’er	stad i Juda	1 Sam 30,28: 1 Krön 11,44
		Summa: 12
Pi hahirot	i Egypten	Ex 14,2,9, Nu 33,8
Palon	okänd plats	1 Krön 11,27,36,27,10
Pa‘i	stad i Idumeen	Gen 36,39, 1 Krön 1,50
Pe‘or Baal	i Moab	7 ggr
Pir‘aton	stad i Efraim	Dom 12,15, etc.
Peres ‘Uzza	nära Jerusalem	2 Sam 6,8, 1 Krön 13,11
Petor	stad ???	Nu 22,5, Dt 23,5
		Summa: 7
Seboim		5 ggr
Sebo‘ im	stad i Benjamin	Neh 11,34: 1 Sam 13,18
Sedada	i norra Palestina	Nu 34,8: Hes 47,15
Sur ‘Oreb	plats	Dom 7,25: Jes 10,26
Sidon		flera ex
So‘an		7 ggr
So‘ar		Gen 19,23 ff. (10 ggr), Jes 15,5, Jer 48,34
Sefat		Dom 1,17, 2 Krön 14,9
Sor	Tyrus	flera ex
Sereda	stad i Manasse	1 Kon 11,26, 2 Krön 4,17
Sarefat	vid Sidon	Ob 20, 1 Kon 17,9 f.
		Summa: 11
Qibrot hatta‘wa	ökenstation	5 ggr
Qir Heresh	stad i Moab	6 ggr, Jes 15-16, Jer 48
Qenat	i Gilead	Nu 32,42, 1 Krön 2,23
Qerijjot	i Moab	Jer 48,24,41, Amos 2,2
		Summa: 4
Rabba / Amman		2 Sam 11:12,27 ff., 1 Krön 20,1
Ribla	stad i Syrien	2 Kon 23-25, Jer 52 (Nu 34,11?) 10 ggr
Rogelim	stad i Gilead	2 Sam 17,27,19,32
Rehob	stad i Dan	Nu 13,21, 2 Sam 10,8
Rehobot Hannahar	i Idumeen	Gen 36,37, 1 Krön 1,48
Rama	i Efraim	12 ggr, 1 Sam 15,34 etc.

Rama	i Gilead	2 Kon 8,29, 2 Krön 22,6
Rimmon	stad i Benjamin	Dom 20-21, 1 Sam 14,2
Resef	mellan Palmyra ochEufrat	2 Kon 19,12, Jes 37,12
Ra'amses		5 ggr
Refidim		Ex 17:19,2, Nu 33,14 f.
		Summa: 11

Shur	plats i öknen	1 Sam 27,8, Ex 15,22, 6 ggr
Shushan	stad i Persien	Esters bok
Shomeron	Samaria	flera ggr
Shefam	plats i Palestina	Nu 34,10 f. gent. 1 Krön 27,27
		Summa: 4

Tab'era	ökenstation	Nu 11,3, Dt 9,22
Tebes	stad nära Sikem	3 ggr
Tadmor	Palmyra	2 Krön 8,4 (1 Kon 9,18 Tamar)
Tahpanhes	stad i Egypten	Jer 43,7 etc, Hes 30,18
Tell Harsha	stad i Bab	Esra 2,59, Neh 7,61
Tell Melah	stad i Bab	Esra 2,69, Neh 7,61
Tifsah	i norr	1 Kon 5,4, 2 Kon 15,16
Teko'a	i Juda	flera ggr
Tishbi	Elias hemstad	5 ggr
		Summa: 9

C. Städer, som är hapax legomena i Josuaboken

	Stam	*Erövring*	*Fördelning*
'Eben Bohan			15,6; 18,17
'Adam		3,16	
'Adama	Naftali		19,36
'Aznot Tabor	Naftali		19,34
'Addar	Juda		15,3
'Edrei	Naftali		19,37
'Aksaf	Aser	11,1; 12, 20	19,25
'Alammelek	Aser		19,26
'Elteke	Dan leviterstad		19,44; 21,23
'Eltekon	Juda		15,59
'Amam	Juda		15,26
'Anaharat	Isaskar		19,19
'Afeka	Juda		15,53
'Arab	Juda cf 2 Sam 23,35		15,52
'Asna	Juda		15,33,43
'Es'an	Juda		15,52
'Aser	(nära Sikem)		17,7
		Summa: 17	

Beten	Aser		19,25
Betonim	Gad		13,26
Bet Dagon	Juda		15,41

Bet Dagon	Aser		19,27
Bet Hogla	Benjamin		15,6; 18,19,21
Bet Horon (övre)			16,5
Bet Leba'ot	Simeon		19,6
Bet Ha'emek	Aser		19,27
Bet 'Anot	Juda		15,59
Bet Ha'araba	Juda-Benjamin		15,6,61; 18,22
Bet Pisses	Isaskar		19,21
Bet Shemesh	Isaskar		19,22
Bet Tappuah	Juda		15,53
Balah	Juda		19,3
Bene Berak	Dan		19,45
Baal Gad	i Libanon	11,17; 12, 7	13,5
Baalat Be'er	Simeon		19,8
Be'eshtera	Manasse, leviterstad		21,27
Bizjotja	Juda		15,28
		Summa: 19	
Giba'	Juda		15,57
Gelilot	Benjamin		18,17
Gosen	Juda	11,16	15,51
Gat Rimmon	Manasse, leviterstad		21,25
Gederotajim	Juda		15,36
Gojim le Gilgal?		12,23	
		Summa: 6	
Debir	Juda		15,5
Dabbeshet	Sebulon		19,11
Dil'an	Juda		25,38
Dimna	Sebulon, leviterstad		21,35
Danna	Juda		15,49
Duma	Juda		15,52
		Summa: 6	
Zif	Juda		15,24
Zanoah	Juda		15,56
		Summa: 2	
Hadasha	Juda		15,37
Halhul	Juda		15,58
Hali	Aser		19,25
Holon	Juda, leviterstad		15,51; 21,15
Helef	Naftali		19,33
Helkat	Aser, leviterstad		19,25; 21,31
Hammon	Aser		19,28
Humta	Juda		15,54
Hammat	Naftali		19,35
Hammot-Dor	Naftali, leviterstad		21,32
Hannaton	Sebulon		19,14
Hosa	Aser		19,29
Hafaraim	Isaskar		19,19
Hasor	Juda		15,23
Hasor	Juda		15,25

Hasor Hadata	Juda		15,25
Hasor Gadda	Juda		15,27
Hesron	Juda		15,3
Hesron	Juda		15,25
Hukoka	Naftali		19,34
Harem	Naftali		19,38
Hesmon	Juda		15,27
		Summa: 22	
Telem	Juda		15,24
		Summa: 1	
Jabne'el	Juda		15,11
Jabne'el	Naftali		19,33
Jagur	Juda		15,21
Jid'ala	Sebulon		19,15
Jehud	Dan		19,45
Jisreel	Juda		15,56
Jutta	Juda, leviterstad		15,55; 21,16
Janum	Juda		15,53
Jafia	Sebulon		19,12
Jiftah	Juda		15,43
Jokde'am	Juda		15,56
Jokne'am	Sebulon, leviterstad	12,22	19,11; 21,34
Jokte'el	Juda		15,38
Jir'on	Naftali		19,38
Jarmut	Isaskar, leviterstad		21,29
Jitla	Dan		19,42
Jitnan	Juda		15,23
Jirpe'el	Benjamin		18,27
		Summa: 18	
Kabul	Aser		19,27
Kabban	Juda		15,40
Kesil	Juda		15,30
Kesullot	Isaskar		19,18
Kislot Tabor	Sebulon		19,12
Kitlish	Juda		15,40
Kesalon	Juda		15,10
Kefar Ha'ammona	Benjamin		18,24
		Summa: 8	
Leba'ot	Juda		15,32
Lidebir	Gad		13,26
Lahmas	Juda		15,40
Lakkum	Naftali		19,33
Lesem	Dan		19,47
Lassaron		12,18	
		Summa: 6	
Migdal El	Naftali		19,38
Migdal Gad	Juda		15,37
Madon		11,1;12,19	

Middin	Juda		15,61
Makkeda	Juda	10,10,16,	15,41
	17,21,28,29; 12,16		
Me Hajjarkon	Dan		19,46
Mikmetat	Efraim		16,6; 17,7
Me'ara			13,4
Ma'arat	Juda		15,59
Mispa		11,3,8	
Mispe	Juda		15,38
Merom	Naftali	11,5,7	
Mar'ala	Sebulon		19,11
Misrefot Maim		11,8	13,6
Mosa	Benjamin		18,26
		Summa: 15	
Nibsan	Juda		15,62
Ne'a	Sebulon		19,13
Ne'i'el	Aser		19,27
Na'ama	Juda		15,41
Neftoah (me)	Benjamin		15,9; 18,15
Nesib	Juda		15,43
		Summa: 6	
Sekaka	Juda		15,61
Sansannah	Juda		15,31
		Summa: 2	
'Ebron	Aser		19,28
Eglon	Juda	10,3,5,23,	15,39
	34,36,37; 12,12		
'Aditaim	Juda		15,36
'Ad'ada	Juda		15,22
'Eder	Juda		15,21
'Awwim	Benjamin		18,23
'Atarot	Efraim		16,2,7
'Atrot 'Addar	Efraim		16,5; 18,13
'Ijjim	Juda		15,29
'En Gannim	Juda		15,34
'En Gannim	Isaskar, leviterstad		19,21; 21,29
'En Hadda	Isaskar		19,21
'En Hasor	Naftali		19,37
'En Shemesh	Juda		15,7; 18,17
'En Tappuah	Manasse		17,7
'Enam	Juda		15,34
'Ir Hammelek	Juda		15,62
'Ir Shemesh	Dan		19,41
'Almon	Benjamin, leviterstad	21,18	
	(jfr Alaemaet	1 Krön 6,45)	
'Umma	Aser		19,30
'Am'ad	Aser		19,26
Ha'emek	Ruben (en ort)	13,19	
'Emek Qesis	Benjamin		18,21
'Anab	Juda	11,21	15,50

‘Anim	Juda		15,50
‘Ofni	Benjamin		18,24
‘Et Qasin	Sebulon		19,13
‘Eter	Juda		15,42: 19,7
		Summa: 28	
Para	Benjamin		18,23
		Summa: 1	
Siddim	Naftali		19,35
Sidon Rabba		11,8	19,28
Si‘or	Juda		15,54
Ser	Naftali		19,35
Seret Hashahar	Ruben		13,19
		Summa: 5	
Qibsaim	Efraim, leviterstad		21,22
Qedesh	Juda		15,23
Qajin	Juda		15,57
Qina	Juda		15,22
Qana	Aser		19,28
Qerijjot	Juda		15,25
Qirjat	Juda		18,28
Qirjat Baal	Juda		15,60: (18,14)
Qirjat Sanna	Juda		15,49
Qarqa’	Juda		15,3
Qarta	Sebulon, leviterstad		21,34
Qartan	Naftali, leviterstad		21,32
Qisjon	Isaskar, leviterstad		19,20: 21,28
		Summa: 13	
Rabba	Juda		15,60
Rabbit	Isaskar		19,20
Rama	Naftali		19,36
Rama	Aser		19,29
Remet	Isaskar		19,21
Raqqon	Dan		19,46
Raqqat	Naftali		19,35
Reqem	Benjamin		18,27
		Summa: 8	
Sarid	Sebulon		19,10,12
		Summa: 1	
Sheba’	Simeon		19,2
Shahasima	Isaskar		19,22
Shi’on	Isaskar		19,19
Shikkaron	Juda		15,11
Shilhim	Juda		15,32
Shamir	Juda		15,48
Shema‘	Juda		15,26
Shimron	Sebulon	11,1; 12,20	19,15
Sharuhen	Simeon		19,6
		Summa: 9	

Ta'anat Shilo	Efraim		16,6
Timnat Serah	Efraim		19,50; 24,30
Tappuah	Juda	12,17	15,34
Tappuah	Manasse		16,8; 17,8
Tar'ala	Benjamin		18,27
		Summa: 5	

D. Städer — icke hapax legomena — i Josuaboken och förekommande i GT i övrigt

			Erövring	*Fördelning*
'Edrei	i Bashan	Nu + Dt	12,4	13,31
'Ajjalon	i Dan	1 Krön 6,54		21,24
'Ajjalon	i Benjamin(?)	1 Sam 1 o 2 Krön	10,12	
'Akzib	i Aser	Dom 1,31		19,29
'Akzib	i Juda	Mika 1,14		15,44
'Elon	i Dan	1 Kon 4,9		19,43
'Elon besa'anim	i Naftali	Dom 4,11		19,33
'Eltolad	i Simeon	1 Krön 4,29		13,4, 15,30
'Afek	i Aser	1 Sam 29,1; 1 Kon 20,30	12,18	19,30
'Arab	i Juda	2 Sam 23,35		15,52
'Ashdod	filistéerstad		11,22	13 o 15
'Askeloni	-"-			13,25
'Aesta'ol	stad i Dan/Juda	15,33; 19,41		
'Aestemoa'	i Juda	1 Sam 30; 1 Krön 21,24		21,14

31 städer på *'ālaef* i Josuaboken
14 städer gemensamma
17 hapax

Beer Seba	Gen	1 Sam 3,20 1 Kon, 2 Kon	15,28; 19,2	
Beerot	i Benjamin	2 Sam 4,2; 23,37	9,17	18,25
(Bor) 'Ashan	i Simeon	1 Krön 4;6		15,42;19,7
Bet 'Awaen	i Benjamin	1 Sam 13;14; Hos 4,15;5,8	7,2; 8,9,12,17	16,1;18,13,22
Betel	Efraim	1 Kon 12 etc	12,9,18,22	
Betel	i Juda	1 Sam 30,27	12,16?	
Bet Gader	i Juda	1 Krön 2,51; 27,28	12,13	
Bet Haram	i Gad	Nu 32,36		13,27
Bet Horon	(två städer i Efraim)	1 Kon 9,17	10,10,11	16,3,5; 18,14, 21,22
Bet Hajshimot	i Ruben	Nu 33,49; Hes 25,9	12,3	13,20
Bet Lehem	i Sebulon		19,15	
Bet Markabot	i Simeon	1 Krön 4,31		19,5
Bet Nimra	i Gad	Nu 32,3,36		13,27

Bet ‘Anat	i Naftali	Dom 1,33		19,38
Bet Paelaet	i Juda	2 Sam 23,26;		15,27
		Neh 11,26		
Bet Pe‘or	i Moab	Dt 3,29;4,46;		13,20
		34,6		
Bet Sur	i Juda	Neh 3,16;		15,58
		1 Krön 2;		
			2 Krön 11	
Bet Shean	i Manasse	1 Kon 4;		
		1 Sam 31;		17,11,16
Bet Shaemaes	Leviterstad	1 Sam 6 etc.		15,10; 21,16
Bet Shaemaes	i Naftali	Dom 1,33		19,38
Bala	i Juda	Bilha 1 Krön		
		4,29	19,3	
		1 Krön 4,29		
Bil‘am/				
Jibleam	i Naftali	2 Kon 9,27;		17,11
		Dom 1		
Bet Ba‘al	i Ruben	Nu 32,38;		13,17
Meon		Jer 48,23		
Ba‘ala	i Juda	1 Krön 13,6		15,9–11,29
Be‘alot	i Juda	1 Kon 4,16		15,24
Ba‘alat	i Dan	2 Krön 8,6		19,44
Båskat	i Juda	2 Kon 22,1		15,39
Baesaer	i Ruben	Dt 4,43;		20,8
		1 Krön 6,63		
Betuel	i Simeon	1 Krön 4,30		19,4

48 städer på *bēṯ* i Josuaboken
29 gemensamma
19 hapax

Gebal/	Phoenicia	(1 Kon 5,32)		13,5
Gibli		Hes 27,9		
Gaeba‘	leviterstad	1 Sam 14,5;		18,24; 20,33;
				21,17
	i Benjamin	1 Kon 15,22 etc.		
Gibea‘	i Benjamin	Dom, 1 Sam,		18,28
		2 Sam		
Gibeon	i Benjamin	2 Sam,	9-11	18,25, 21,17
		1 Kon etc.		
Gibbeton	i Dan	1 Kon 15 o 16		19,44; 21,23
Gedor	i Juda	1 Krön 4,4,18		15,58
Gedera	i Juda	1 Krön 4,23		15,36
Gederot	i Juda	2 Krön 28,18		15,41
Gojim	”	(Gen 14,1,9 ?)	(12,23)	
Golan		Dt 4,43;		
		1 Krön 6,56		21,27; 20,8
Gezer	leviterstad	1 Kon 9	12,12;10,33	16,3; 21,21;
				16,10
	i Efraim			
Gilgal		1 Sam 10-15;	9,6;10,7,9	15,7
		2 Sam etc		
Gilo	i Juda	2 Sam 15,12		15,51

Gat	filistéer	i övrigt flera ex	11,22	13,3
Gat Hefer	i Sebulon	2 Kon 14,25		19,13
Gat Rimmon	i Dan	1 Krön 6,54		21,24; 19,45

22 städer på *gīmael* i Josuaboken
16 gemensamma
6 hapax

Dor/Do'r	i Manasse	1 Kon 4,11	11,2;12,23	17,11
		Dom 1,27;		
		(1 Krön 7)		
Debir	två städer	(15,15+)	11,21;12,13	15,7, 9,49
	i Juda	Dom 1,11	10,38,39	21,15
Dåbrat	i Isaskar	1 Krön 6,57		21,28,19,12
Dibon	i Moab	Jer 48; Jes 15;		13,9,17
		Nu 32-33		
Dimon		Jes 15,9		15,22

11 städer på *dālaeṯ* i Josuaboken
5 gemensamma
6 hapax

Det finns ingen stad i Josuaboken på *hē* och *wāw*
(Harama, 19,36, återfinnes på Rama (hapax).

Zif	nära Hebron	1 Sam 23;		15,55,(15,24 hapax)
		1 Krön; 2 Krön		
Zanoah	i Juda	Neh 3,13;11,30		15,34,(15,56 hapax)
		1 Krön 4;18		

4 städer på *zájin* i Josuaboken
2 är gemensamma
2 (trots samma namn) är hapax

Hebel	cf.	Zeph 2,5,6;	19,29	
	Habal Hajjam	Zach 11,7		
Hebron	i Juda	2 Sam etc.	10,3ff.	14-15, 20-21
Hamat	'ad Lebo'	Am 6,14;		13,5
		Hes 47,15-20		
Hefaer	i Sebulon	1 Kon 4,10	12,17	
Hasor	i Naftali	Dom 4,17;	12,19	19,36
		1 Kon 9,15;	11,1 ff.	
		2 Kon 15,29		
Hasar Susa	i Simeon	1 Krön 4,31		19,5
Hasar Shu'al	i Simeon	1 Krön 4,28;		15,28
		Neh 11,27;		19,3
		Nu 14,45		
Hårma		Dom 1,17;	12,14	15,30
		Dt 1,44;		19,4
		1 Sam 30,30;		
		1 Krön 4,30		
Hesbon		flera ex.	9,10	13,10 ff; 17,26
			12,5	21,3;

30 städer på *ḥēṯ* i Josuaboken
21 hapax
9 gemensamma

Jahsa	i Moab	Nu 21,23; Dt 2,32; Dom 11,20; Jer 48,21		13,18
Janoah	i Manasse	2 Kon 15,29		16,6,7
Ja'zer	i Gad	Nu 32; 2 Sam 24,5; Jes 16; Jer 48		13,25 21,37
Jafo	i Dan	Jona 1,3; Esr 3,7; 2 Krön 2,15	19,46	
Jerusalem			10,1ff. 12,10	15,63; 18,28
Jeriko			c. 2-6;7-8 10,28;12,9	13,32;16;18;20;24
Jarmut	i Juda		10,3ff.,12,11	15,35
Jattir	i Juda	1 Sam 30,27; 1 Krön 6,42		15,48; 21,14
Jizreel	Isaskar	1 Kon 18,45,46; 2 Kon 8,29		19,18

26 städer på *jōḏ* i Josuaboken
8 gemensamma
18 hapax

(Kabul	i Aser +	1 Kon 9,13 20 städer		19,27)
Kinneret	i Naftali	1 Kon 15,20? Dt 3,17?	11,2	19,35
Kefira	i Benjamin	Esra 2,25; Neh 7,29	9,17	18,26
Karmel	stad i Juda	*1 Sam 15,12*;	12,22	*15,55*

11 städer på *kaf* i Josuaboken
3 gemensamma
8 hapax

Libna	stad i Juda	Jes 37,8 2 Kon 8,22; 19,8;23,31; *24,18*	10,29;12,15 10,32,31,39	15,42; 21,13
Luz		Gen 35,6;48,3		16,2; 18,173
Lakis		2 Kon 14-19, Jes 36-37	10,3 ff. 12,11	15,39

9 städer på *lāmaeḏ* i Josuaboken
3 gemensamma
6 hapax

Megiddo	i Manasse	1 Kon 4,12; 9,15; 2 Kon 23,29f.; etc.	12,21	17,11
Madmena	i Juda	1 Krön 2,49		15,31
Molada	i Juda	Neh 11,26; 1 Krön 4,28		15,26; 19,2
Mahanajim	i Gad	2 Sam 2;17; 1 Kon 4		21,38; 13,26,30

Mêdba	i Ruben	Nu 21,30; Jes 15,2; 1 Krön 19,7		13,9,16; 15,2
Mofa'at	i Ruben	Jer 48,21; 1 Krön 6,64		13,18
Ma'on	i Juda	1 Sam 23,24f.; 25,2		15,55
Maresa	i Juda	1 Krön 4; 2 Krön 11;14;20		15,44
Mashal	i Aser	1 Krön 6,59		21,30;19,26
Mispa	i Benjamin	Dom 20–21 1 Sam 7;	Jer 41	18,26
Mispe Gilead		Dom 11,8,29,34 1 Sam 22,3		13,26

26 städer på *mēm* i Josuaboken
11 städer gemensamma
15 hapax

Nahalal	i Sebulon	Dom 1,30		19,15;21,35
Na'aron	i Efraim	1 Krön 7,28		16,7

8 städer på *nūn* i Josuaboken
2 gemensamma
6 hapax

Sukkot	i Gad	Dom 8, Gen 33; Ps 60,8/108,8		13,27
Salka	i Basan	Dt 3,10; 1 Krön 5,11	12,5	13,11

4 städer på *sāmaeḵ* i Josuaboken
2 gemensamma
2 hapax

'Abdon	i Aser	1 Krön 6,59		21,30
'Abullam	i Juda	1 Sam 22,1; 2 S 23,13, Mika 1,15, etc.	12,15	15,35
'Azza	filist.	1 K 5,4; Dom 1,18;6,4; 2 K 18,8, etc.	10,41 11,22	13,3 15,47
'Azeka	i Juda	1 Sam 17,1; Jer 34,7; Neh 11,30; 2 Krön 11,9	10,10,11	15,35
'Ai ('Ajja)		Gen 12,8; Esra 2,28; Neh 7,32; (1 Krön 7,28; Neh 11,31; Jes 10,28)	7-8 + 9 10-12	
'Ajin	leviterstad	1 Krön 4,32		15,32 19,7 21,16
'Ein Gedi		1 Sam 24,1f.; Hes 47,10		15,62
'Ein Dor	Manasse	1 Sam 28,7; Ps 83,11		17,11

‘Ein Rogel		2 Sam 17,17; 1 Kon 1,9		15,7 18,16
Anatot	Benjamin	1 Kon 2,26; Jes 10,30; Jer 1,1, etc.		21,18
Åfra	Benjamin	1 Sam 13,17; Mika 1,10		18,23
‘Aesaem	i Simeon /Juda?/	1 Krön 4,29	19,3	15,29
‘Asmona	*OBS*	Nu 34,4f.		15,4
‘Aekron		1 Sam 5 o 6; Zef 2,4; Sak 9,5, etc.		13,3 15,11,45 f 15,46 19,43
‘Arad		Dom 1,18; Nu 21,1;33,40	12,14	
‘Aroer I	vid Arnon	Dom 11,33; Dt 2,36, etc.	12,2	13,9,16
‘Aroer II	vid Amman	Jes 17,2		13,25
‘Astarot		Dt 1,4; 1 Krön 6,56; 11,44	9,10; 12,4	13,12,31

45 städer i Josua på *‘ájin*
17 städer gemensamma
28 städer hapax

Senan	Juda	(Mika 1,11 Se’anan)		15,37
Sela‘ ha’aelaef	Benjamin	2 Sam 21,14		18,28
Semarajim	Benjamin	2 Krön 13,4		18,22
Sapon	i Gad	Dom 12,1; Hes 47,17		13,27
Siklag	filist.	1 Sam 27,6;30 2 Sam 1,1;4,10		15,31 19,5
Såra‘ah	Juda	Dom 13,25;16,31; 18,8;Neh 11,29		15,33 19,41
Saretan		1 Kon 4,12; 7,46	3,16	

12 städer på *ṣaḏē* i Josuaboken
7 städer gemensamma
5 städer hapax

Qabse’el	i Juda	2 Sam 23,20; 1 Krön 11,22		15,21
Qedemot	i Ruben	Dt 2,26; 1 Krön 6,64		13,18; 21,37
Qaedaes	i Naftali	Dom 4; 2 K 15,29; 1 Krön 6,61	12,22?	19-21
Qades Barne‘a		Gen; Nu; Dt; Dom; Ps 29,8		14,5-7 15,3

Qitron/Qatat	Sebulon	Dom 1,30		19,15
Qe'ila	i Juda	1 Sam 23; Neh 3,17; 1 Krön 4,19		15,44
Qirjat 'arba (Hebron)		Gen; Neh 11,25		14-15: 20-21
Qirjat Je'arim	Juda	Dom 18; 1 S 6-7; Jer 26 etc.		15 o 18
Qirjat sefaer (Juda)	Dom 1,11f.		15,15f.	
Qirjatajim	Ruben	Jer 48; Hes 25; Nu 32,37		13,19

23 städer på *qōf* i Josuaboken
10 städer gemensamma
13 städer hapax

Rabba	(Ammon)	2 S 11 + 12 + 17; Jer 49;Hes 21 + 25		13,25
Ruma	i Juda	2 K 23,36		15,52
Rehob	Aser	Dom 1,31;1 Krön 6,60		19 + 21
Rama	Benjamin	1 Kon 15;2 Krön 16; Jer 31,15		18,25
Ramot i Gil'ad	Gad	1 Kon 22 etc.		20,8; 21,36
Ramat Negeb		1 S 30,27		19,8
Rimmon	Simeon/Juda	1 Krön 4,32		15,32; 19,7
Rimmon	Sebulon	1 Krön 6,62		19,13

16 städer på *rēš* i Josuaboken
8 städer gemensamma
8 städer hapax

Sebam/Sibna		Nu 32; Jes 16; Jer 48		13,19
Soko	2 städer i Juda	1 S 17,1;1 K 4,10; 1 Krön 4,18		15,35,48

4 städer på *śīn* i Josuaboken
3 städer gemensamma
1 stad hapax

Shunem	Isaskar	1 S 28,4; 2 Kon 4,8		19,18
Shittim		Nu 25,1; Mika 6,5; Joel 4,18	2,1;3,1	
Shilo		Dom + 1 Sam + Jer 26 etc		18 + 19 + 21 + 22
Shikem		flera ex		17 + 20 + 21 + 24
Sha'albim	i Dan	Dom 1,35;1 K 4,9		19,42

Sha‘arajim	i Juda	1 S 17,52;1 Krön 4,31		15,36

15 städer på *shīn* i Josuaboken
6 städer gemensamma
9(8) städer hapax

Tabor	leviterstad i Sebulon	Dom 8,18; 1 Krön 6,62		19,22
Timna	i Juda	Gen 38; 2 Krön 28,18		15,57
Timna	i Dan	Dom 14		15,10; 19,43
Ta‘anak		Dom 1,27;5,19; 1 Kon 4,12; 1 Krön 7,29	12,21	17,11; 21,25
Tirsa		1 Kon 14-16; 2 Kon 15		12,24

10 städer på *tāw* i Josuaboken
5 städer gemensamma med GT i övrigt
5 städer hapax

358 städer och orter i Josuaboken
160 städer är gemensamma
198 städer är hapax

E. Summering av städerna i Gamla testamentet

	Städer ej nämnda i Josuaboken			Städer i Josuaboken		
	Antal	Hapax	Differens	Antal	Hapax	Differens
'ālaef	49	28	21	31	17	14
bēṯ	46	35	10	48	19	29
gīmael	24	19	5	22	6	16
dālaeṯ	9	6	3	11	6	5
hē	8	6	2	—	—	—
wāw	2	2	—	—	—	—
zájin	—	—	—	4	2	2
ḥēṯ	29	22	7	30	22	8
ṭēṯ	3	3	—	1	1	—
jōḏ	13	8	5	26	18	8
kaf	11	7	4	11	8	3
lāmaeḏ	11	7	4	9	6	3
mēm	31	21	10	26	15	11
nūn	16	5	11	8	6	2
sāmaeḵ	14	9	5	4	2	2
'ájin	33	21	12	45	28	17
pē	12	5	7	1	1	—
ṣāḏē	16	5	11	12	5	7
qōf	10	6	4	23	13	10
rēš	19	8	11	16	8	8
śīn	3	3	—	4	1	3
shīn	9	5	4	15	9	6
tāw	20	11	9	10	5	5
	388	243	145	358	198	160

Summa städer i Gamla testamentet:	746	
Summa hapax legomena:	441	Tabell A + C
Summa städer i Josuaboken:	358	
Hapax legomena:	198	Tabell C
Gemensamma med GT i övrigt:	160	Tabell D
Övriga städer *ej* nämnda i Josuaboken:	145	Tabell B

KAPITEL XIII

Erövringen och arkeologien

Allmänt antages att den israelitiska invandringen ägt rum i början av järnåldern, dvs. ca 1200 f.Kr. Antagandet baserar sig närmast på den raseringssituation, som framträder i flera av Kanaans tellar vid övergången mellan Sen bronsålder och Tidig järnålder. Namnet Israel är då också för första gången förknippat med palestinensiskt område.[1] Man kan nästan ana en viss exegetisk otålighet gentemot arkeologerna för att de inte bättre lyckats presentera en någorlunda klar situationsbild av israeliternas bosättning och erövring. De arkeologiska resultaten har lett till många generaliserande tolkningar. Arkeologien kan emellertid inte arbeta utifrån de data, som ges i Josuaboken utan har till uppgift att presentera den kulturella situationen utifrån de strukturer och den keramik, som eventuellt påträffats. Dessa skall sedan placeras in i ett kronologiskt schema, vilket endast med utnyttjande av största möjliga jämförelsematerial, kan göras något så när tillförlitligt. Stadsbebyggelse av lertegel utgrävd mellan två brandskikt kan ganska exakt dateras. Men en förstörd stad, som sedan dess blivit övergiven och i århundraden varit ett ''stenbrott'', ger givetvis en gräns *a quo* men mera osäkert en gräns *ad quem*. De bronsåldersstäder som är namngivna i Josuaboken, hör i allmänhet till den sistnämnda kategorien. Det är således svårt att göra en tidsavgränsning, som därtill skall rymmas inom Josuas aktiva ledartid. Arkeologien kan inte räkna med så korta tidsperspektiv och i synnerhet inte, då det gäller en övergångstid mellan två kulturepoker såsom Sen bronsålder och Tidig järnålder. Arkeologen har också på varje tell en mycket begränsad yta till sitt förfogande, när han skall teckna ruinkullens historia. På sin höjd når han med några trencher ner till bronsålderskikten.[2] Det är nästan ekonomiskt omöjligt att gräva ut en hel tell och det är också oförsvarligt. Metoderna kan i framtiden bli ännu bättre.

[1] Se M. Ottosson, *Gilead*, 191 f. Se nu G. W. Ahlström, Merneptahs Israel, *JNES* 44(1985), 59 ff. Jfr A. Lemaire, *VT* 23 (1973), 239 ff. I sin monografi *Who Were the Israelites?* (1986:40) utvecklar Ahlström teorin, att Israel på Merneptahs stele snarast är att betrakta som en geografisk term och syftar på bergslandskapet väster om floden Jordan. Ehuru den geografiska associationen är högst tänkbar, går det dock inte att komma ifrån att hieroglyftexten använder folkdeterminativet vid omnämnandet av ''Israel''. Tanken på en möjlig geografisk precisering har emellertid föresvävat en del forskare. B. Mazar, *Biblical Archaeology Today*, 1985, 16-20, anser att inskriften refererar till israelitiska stammar öster om floden Jordan, närmare bestämt i området kring floden Jabbok, Gen 32,29. Se i övrigt M. Weinfeld, *VT* 38 (1988), 327. I sin artikel ''The Early Israelite Settlement in the Hill Country'', *BASOR* 241 (1981), 75-85, kommenterar inte B. Mazar Merneptah' stele.

[2] Den s.k. ''Nedre staden'' i Hasor utgör emellertid i detta fall ett undantag. Den senaste bebyggelsen härrör där från Sen bronsålder. Y. Yadin, *Hazor. The Schweich Lectures 1970*. 1972, 27 ff.

För att få en uppfattning om ett möjligt tidsperspektiv vid övergången mellan två kulturepoker såsom Sen bronsålder och Järn I skall jag här såsom jämförelse skissera övergången mellan Tidig bronsålder och Mellersta bronsåldern, här förkortad TB-MB. De två övergångsperioderna torde ha mycket gemensamt. Tidig bronsålder = TB var de första starkt befästa städernas epok i Palestina.[3] Mellan ca 2700–2400 gick bevisligen de flesta av dem sin undergång till mötes.[4] Arad antas ha förstörts ca 2650, Ai ca 2400, Megiddo ungefär vid samma tid etc. Arad och Ai byggdes aldrig upp igen och vad de övriga beträffar dröjde det ända till ca 1650, innan det uppstod en högtstående stadskultur på de forna TB-ruinerna, dvs. det dröjde mer än 600 år. Under denna långa period kännetecknas Palestina av en mycket sparsamt dokumenterad kultur. Fynd av dolmens och schaktgravar innehållande speciella gravgåvor såsom fyrvekig lampa eller dolk utgör de spektakulära lämningarna från perioden. Däremot har ett stort antal enkla bosättningar påträffats i Negeb.[5] De är av nomadkaraktär. Husen är ovalt eller elliptiskt grupperade runt en stor gård. I Palestina är situationen svårbedömd. De stora stadscentra avfolkas. Tempel 4040 i Megiddo synes då ha byggts om i form av en mörk bredrumscella med kultnisch.[6] Folk synes ha levt ett pastoralt liv. Några bostäder i det inre av Palestina har inte rapporterats. Stratum H på tell Beit Mirsim liksom samtida strata i Jeriko visar tecken på en raseringskultur. Denna sattes i samband med ”amoriter”-vandringar över hela Främre Orienten. En annorlunda keramik, den s.k. ”caliciform” accentuerades såsom ett tidens tecken bland de traditionella TB-formerna.[7]

Det diskuterades livligt vad som egentligen hände under TB-MB eller MB IA, som synes bli den nya formeln. Att raseringen skulle bero på att nya folkslag uppenbarade sig, har man ingen förståelse för längre. Trenden inom forskningen är, att man söker en lokal lösning. Under perioden uppstod en lång och svår torka.[8] Det har av någon orsak skett en skiftning från stadsliv till en mera blandad pastoral-lantlig existens. Det har skett ett gradvist förfall av stadskulturen

[3] R. de Vaux, Palestine in the Early Bronze Age, *CAH*. Vol. I. 1971, 208-237.

[4] Tidsgräns för raseringen brukar traditionellt bestämmas genom fynd av chirbeth Kerak-keramik. Den spreds till Palestina under slutet av TB III. Finjustering av perioderna sker konsekvent, och nya benämningar används utan att dock någon enighet ännu har uppnåtts.

[5] M. Kochavi, *BIES* 27 (1964), 284-292; *Idem*, *The Settlement of the Negev in the Middle Bronze (Canaanite) I Age*, 1967; R. Amiran, *IEJ* 10 (1960), 204-225; W.G. Dever, *BASOR* 237 (1980), 35-64; *Idem*, *Biblical Archaeology Today*, 1985, 11-135; I. Finkelstein, *Levant* 21 (1989), 129-140.

[6] M. Ottosson, *Temples in Palestine*, 1980, 23 ff.

[7] Denna period innehåller fortfarande flera frågetecken, som endast kan rätas ut genom ytterligare utgrävningar. Försök har gjorts att torpedera amoriterhypotesen, T. L. Thompson, *The Historicity of the Patriarchal Narratives*. 1974, 144 f; *Idem*, *The Settlement of Palestine in the Bronze Age*. 1979. K. Kenyon, *Digging up Jericho*, 1957, 186 ff. betonade det nomadiska inslaget mycket starkt. Samma typer av keramik har påträffats såväl väster som öster om Jordan. Se S. Helms, *BASOR* 273 (1989), 17-36. Beträffande möjlig samhällsstruktur i Jeriko under TB-MB, se T. Shay, *Tel Aviv* 10 (1983), 26-37 och *BASOR* 273 (1989), 84-86, som förordar ”egalitarian”. Jfr G. Palumbo, *BASOR* 267 (1987), 43-59.

[8] H. Ritter-Kaplan, *ZDVP* 100 (1984), 2-8.

och det har orsakats av inre processer, deurbanisering eller nomadisering. Men alla blev inte nomader. Det existerade ett fåtal bondesamhällen i Transjordanien och Jordandalen men även i Cisjordanien. Det är högst troligt, att TB I-III-kulturen, ehuru den närmast var agrar och givetvis beroende av handel även ägde ett pastoralt inslag i synnerhet i Palestinas randområden. Men beduinerna från den tiden har kommit att bli arkeologiskt osynliga. I och med att städerna förföll i kulturlandet blev de pastorala grupperna större och samtidigt nomaderna i periferin synliga. Det finns ingen anledning att tänka sig en förflyttning av folk från centrum till perifera trakter. I det multimorfa samhälle, som städerna utgjorde, fanns en självklar symbios mellan bönder, producerande brödet och de pastorala grupperna producerande köttet. Den bosatta befolkningen var alltid självförsörjande vad gäller de flesta produkter men knappast nomaderna. I tider av överflöd fungerade samverkan säkerligen utan problem, men när nomadgrupperna inte fick sitt ''bröd'' måste de antingen ta det med våld eller odla det själva. I och med att de tvingades ägna sig åt sädesodling blev de stationära på ett annat sätt än tidigare. Livet för dem som praktiserade åkerbruk och någon boskapsskötsel kom emellertid inte att te sig annorlunda än för dem som praktiserade boskapsskötsel och något åkerbruk. Det är troligare, att de pastorala grupperna sökte sig mot centrum av kulturlandet än att de agrara grupperna sökte sig till periferin. Men de förstnämnda blev stationära på den plats, där de kunde finna sin utkomst, t.ex. genom handel. Så hände i Negeb under TB II och förmodligen också i ett tidigt bosättningsskede av järnåldern. TB-MB-folkens gravar och gravskick är kända men inte deras bostäder i själva Kanaan. Det kan bero på att de bodde kvar på stadskullarna och deras hus ligger då djupt förborgade. Vissa tecken tyder på att man bodde i grottor. I Transjordanien bodde man i stadsliknande samhällen såsom Chirbet Iskander[9] och Bab Edh-Dhra.[10]

I början av det andra årtusendet f.Kr. återgick livet till det normala, dvs. städerna började byggas upp igen och denna gång med befästningar, som ingen fiende kunde förstöra men väl forcera. Samverkan mellan bosatta agrarer och nomader torde ha återupptagits på de tidigare villkoren och de senare återgick då till sin arkeologiska anonymitet, om de inte föredrog, att bosätta sig i kulturlandet.

När vi i det följande skall bedöma övergången mellan Sen bronsålder och järnålder är det intressant att göra en jämförelse med det som hände under TB-MB. Mönstret kommer att kännas igen. SB II-städernas kungar rapporterade till Egyptens farao och bad om hjälp mot Chabiru, som på 1300-talet f.Kr. uppehöll sig i Palestina. Chabiru, som är en benämning på ett speciellt socialt befolknings-

[9] S. Richard, *Expedition* 28 (1986), 3-12. Nyligen har ett stort gravområde från perioden, här benämnd TB IV, påträffats i Jordandalen öster om Beth-Shean. G. J. Wightman, *Levant* 20 (1988), 139-159. Se vidare S. W. Helms, *ADAJ* 27 (1983), 55-85, som likaledes har grävt ut flera gravar från perioden i Tiwal Esh-Sharqi söder om Deir Alla.

[10] *ADAJ* 27 (1983), 643 f. Jfr K. Prag, *Levant* 6 (1974), 69-116.

skikt eller på individer, utgjorde ett irriterande hot mot bosättningarna. Dessa var vid denna tid utan starka försvarsmurar. Egyptens undsättningsexpeditioner synes mestadels ha varit dirigerade till några platser utefter handelsvägarna. I övrigt var alla ''städer'' utom Hasor helt värnlösa mot eventuella fiender. Labaja, kungen av Sikem, och hans söner lierade sig med Chabirugrupper och gjorde raider ända till Yarkonfloden, ja, ner mot Jerusalem och Hebron. Då den 19:e dynastin i Egypten slutade i anarki fick Palestinas stadskungar klara sig själva och de flesta städer torde ha varit avsevärt reducerade och till större delen ödelagda. Beth-shan VI byggdes snabbt upp efter det tidigare skiktets förstörelse. Megiddo var bebott,[11] men Taanach låg öde. På 1100-talet f.Kr. grundades bosättningar av filistéerna på medelhavskusten och samtidigt dokumenteras tillkomsten av enkla bosättningar närmast inne i Palestinas centrala bergsbygder mestadels långt från stadskullarna, vilkas försvarssystem och bostäder ersatts av förrådsgropar.[12]

Det arkeologiska intresset för dessa bosättningar har under senare år fått stora proportioner och därmed har det uppstått en ''reaktion'' mot den sociologiskt och antropologiskt inriktade exegetikens oftast mycket kritiska inställning till den gammaltestamentliga historieframställningen rörande Israels invandring i och erövring av Kanaan. Denna kan i sin tur ses såsom en reaktion mot den ensidiga uppfattningen att Kanaans städer raserats av de från öknen kommande israeliterna såsom t.ex. W. F. Albright framställde resultaten av sina utgrävningar och ytforskningar i *The Archaeology of Palestine* och i ett stort antal monografier och artiklar.[13] Albright dominerade nästan helt förkrigsarkeologien. Trots nya och förbättrade grävningsmetoder, närmast lanserade på jordanskt område (K. M. Kenyon), kunde man inte direkt utmana de tidigare arkeologiska resultaten utan dessa underströks ytterligare genom Y. Yadins utgrävningar i Hasor från år 1955 och framåt. Det var i stort endast Kenyons negativa besked om ''Jerikos murar'', som ej kunde bekräfta Josuabokens uppgifter, om nu Josuas erövring av Jeriko skall dateras till 1200-talet f.Kr. Det var närmast israeliska arkeologer och då givetvis inom dåvarande Israels gränser fram till 1967, som var mest intresserade av att finna lämningar från den s.k. landnama-tiden. Genom surveys, ytforskning, och sondering på mindre ruinkullar lyckades t.ex. Y. Aharoni skaffa bevis för israelitisk invandring i Övre Galileen.[14] Fyndplatserna var dock ganska fåtaliga.

Exegeterna syntes i stort ha accepterat teorien om israelitiska bosättningar i de cisjordanska bergsbygderna och det nomadiska ursprunget vad beträffar israeli-

[11] R. Gonen, *Levant* 19 (1987), 83-100.

[12] Se en sammanställning av ett flertal tidigare befästa och till synes tättbefolkade orter, i M. Ottosson, *Palestinas arkeologi*, II. Se nu senast J. D. Currid och A. Navon, *BASOR* 273 (1989), 69 ff. Grävandet av förrådsgropar i städers raseringsskikt är mycket vanligt.

[13] Enklast är att hänvisa den intresserade till den stora bibliografin i festskriften till Albright, *The Bible and the Ancient Near East*, 1961, 363 ff.

[14] *Antiquity and Survival* 2 (1957), 131-150.

terna var knappast ännu ställt under debatt. Men redan år 1962 hävdade G. E. Mendenhall[15] i en artikel, att Israels uppträdande i Kanaan (av lämningarna att döma) inte kunde vara föranlett av en invandring utan utgjorde en intern cisjordansk bonderevolt mot det kanaaneiska stadsstatssystemet. Det var inte många som höjde ögonbrynen för denna radikala idé. Men förslaget hade diskuterats och år 1973 ställde N. K. Gottwald frågan på en kongress i Jerusalem, ''Were the Early Israelites Pastoral Nomads?'' och besvarade den själv nekande. Och i en stor monografi år 1979 framlade han bevis för att Israels tillkomst i Kanaan var ett utslag av en revolution mot det rådande ''feodala'' stadsstatssystemet.[16] Begreppet Israel kom i forskningen att analyseras alltmer utifrån antropologiska och sociologiska aspekter[17] och i samband med en tillika revolutionerande och radikal uppfattning av den gammaltestamentliga textens tillkomst sökte några forskare rasera de hävdvunna premisserna för exegetiskt tänkande. Begreppet ''historia'' gjordes mycket snävt och det var ytterst få om ens något av de gamla vedertagna historiebevisen, som accepterades. Mycket av invandringstidens textmaterial består av sena legender. Texterna har präglats av sin tillkomsttid och kan därmed inte appliceras på det historiska skeendet vid bronsålderns slut eller i början av järnåldern. Därom visste de gammaltestamentliga tradenterna praktiskt taget ingenting.[18] De spröda arkeologiska bevisen i Palestinas jord och samtidigt den avtagande tilltron på de gammaltestamentliga historiska uppgifterna på grund av deras sena tillkomsttid (Exil och efter Exil), gjorde, att vi har fått en ganska omfattande litteratur om det tidiga Israels sammansättning i klaner, ''lineages'' etc. med diskussion om samhällsstrukturen var ''egalitarian'' eller ''stratified'' etc. Därigenom har man i princip lämnat den traditionella exegetiken, ja, även arkeologien, ty jämförelserna görs med moderna samhällsföreteelser med nomadiska inslag, om nu israeliterna skulle ha varit nomader.

Förkrigstidens arkeologi liksom fältarbetet under 1950- och 1960-talen var till största delen koncentrerat till de stora ruinkullarna och därmed kunde man hjälpligt utforska och beskriva städernas historia. De skikt som skulle beskriva israeliternas närvaro var i allmänhet tunna bosättningsskikt, som följde på de mera imponerande raseringsskikten. Det var i sanning inte mycket till bevis. Men Albright, som var en mästare i att analysera keramik och finna dittills inte observerade typer, påträffade vid en survey av Tell el-Ful, Sauls Gibea, år 1922 en ''ny typ'' av förrådskärl, som utmärktes därigenom att krukans övre kant, ''rim'' ser ut som en krage, ''collar''. Denna typ av keramik gavs benämningen *collared-rim*. Snart iakttogs denna keramik på flera platser (se nedan) och Albright var övertygad om att dessa förrådskärl hade tillverkats av de israelitiska krukmakarna. Keramikens förekomst blev ett självklart diskussionsämne och den knöts

[15] The Hebrew Conquest of Palestine, *BA* 25 (1962), 66–87.
[16] *The Tribes of Yahweh*, 1979.
[17] T.ex. W. Thiel, *Die soziale Entwicklung Israels in vorstaatlicher Zeit*, 1980.
[18] T.ex. J. van Seters, *In Search of History, Historiography in The Ancient World and the Origins of Biblical History*, 1983; N. P. Lemche, *Det Gamle Israel*, 1984 och *Early Israel*, 1985.

till israeliterna även om man måste tillägga, att de inte hade infört den i Kanaan och att den också kunde ha använts av andra folkgrupper. Något övertygande bevis för Israels närvaro ansågs den inte ha.

I Palestina hände omvälvande ting med bl.a. två krig år 1967 och 1973. När krutröken hade lagt sig, var Israel herre över ett väsentligt större område än tidigare. Allt land väster om floden Jordan behärskades och sjön Gennesaret var ett inomisraelitiskt vatten. Stora delar av Golan behärskades i norr liksom Sinai i söder. Erövrare synes alltid ha haft arkeologer i trossen. Samtidigt med att de arkeologiska resurserna kraftigt utökades bedrev man i synnerhet ytforskning och gjorde en och annan utgrävning inom de annekterade områdena. Det arkeologiska materialet från Israels invandringstid kunde nu ses ur en bredare geografisk aspekt än tidigare. Det man närmast inriktade sig på var de små och oftast kortvariga bosättningarna i bergsbygden och i Negeb. Genom de moderna städernas tillväxt görs och har gjorts snabba arkeologiska räddningsaktioner för att utforska lämningar, vilka annars knappast skulle ha blivit föremål för vetenskaplig uppmärksamhet. Det arkeologiska mönstret inom Israel är således uppenbart. Och snart strömmade rapporter och artiklar till tidskrifternas redaktioner, och en och annan monografi med övergripande resultat har författats. Enklaste tillvägagångssättet att i korthet redovisa den arkeologiska situationen för närvarande torde vara en geografisk indelning av Cisjordanien från söder, med början i Sinai och Negeb.

Sinai och Negeb

Israeliska arkeologer har genomkorsat Sinai och Negeb detta väldiga och oftast ogästvänliga område under ett flertal år och när större delen av Sinai lämnades tillbaka till Egypten, hade man säkrat intressanta och betydelsefulla resultat. I Negeb har man under flera år gjort utgrävningar och stora insatser har gjorts för att rädda arkeologiskt material undan grävskopornas käftar. De spridda kulturlämningarna i södra Sinai under TB II (ca 2850–2650 f.Kr.) tyder på, åtminstone i fråga om bostadshusens arkitektur, att bosättningarna i sin enkelhet var utlöpare av den kanaaneiska stadskulturen, t.ex. Arad.[19] I norra Sinai kan egyptisk influens från samma tid[20] påvisas. De platser, som är av intresse under gammaltestamentlig tid ligger närmast i Negeb och utefter handelsvägarna. I särklass står Kadesh Barnea, som utgjorde den mest kända replipunkten under israeliternas ökenvandring. Men i det centrala Negeb, närmast norr om Ramonbarriären och upp mot Dimona har ett stort antal fästningar och fort upptäckts. De synes ha uppförts på 1100-talet f.Kr., för att efter en kort tid överges. Den enda fästning,

[19] H. R. Amiran, *IEJ* 23 (1973), 193-197; I. Beit-Arieh, *BASOR* 243 (1981), 31-55.

[20] E. D. Oren, *IEJ* 23 (1973), 198-205. För en geografisk-topografisk indelning av Sinai och Negeb, se A. G. Baron, *BASOR* 242 (1981), 51-81.

som återuppbyggs under två skeden är den i Kadesh Barnea. Den används till järnålderns slut, ca 550 f.Kr.[21] Det finns inte det minsta spår från landnamatiden. Det stora antalet fästningar, 45 stycken, förlagda utan till synes något logiskt vägsystem har föranlett I. Finkelstein att ifrågasätta funktionen av fästning. I stället menar han, att de är exempel på temporär bosättning av den lokala nomadbefolkningen. Genom uppförandet av dessa bosättningscentra har nomaderna kunnat skaffa skydd åt sig själva och sin boskap. Denna tolkning är utan tvekan mycket sannolik. Liksom under TB II befolkningen i Sinai knutits till den sydkanaaneiska stadskulturen, så ledde under 1100-talet f.Kr. den egyptiska kopparbrytningen i Timna-området till välmående och därav följande bosättning.[22] Nomader lämnar annars föga efter sig till arkeologerna, och det kan kanske vara en del av förklaringen till det norra Negebs ödslighet under Sen bronsålder. Jag hänvisar endast till Y Aharonis klassiska artikel, i vilken han demonstrerar avsaknaden av sen bronsåldersbosättning i norra Negeb, dvs. området kring Beersheba och ca 50 km österut.[23] Men omkring 1150 f.Kr. ändrar sig bilden och det uppstår obefästa bosättningar, vilka har grävts ut på några platser, bl.a. Tell Masos.[24] Lämningarna här är synnerligen intressanta, eftersom vi befinner oss vid en övergångstid mellan Sen bronsålder och Tidig järnålder. Husstrukturerna har formen både av det s.k. israelitiska Fyrarumshuset, Trerumshuset och andra typer kända från bronsåldern. Keramiken uppvisar en fortsättning av den kanaaneiska tillverkningen och formgivningen och mycket tyder på att man har haft en tät kontakt med det kanaaneiska kulturlandet. Bosättningen på Tell Masos är kortvarig. Vilka människor, som utgjorde invånarna i dessa Negebs ''städer'', är omöjligt att säga. De kan ha varit israeliter eller andra halvnomadiska folkgrupper, vilka enligt utgrävningsresultaten kan ha levt i ett slags symbios med kanaanéerna. Varför bosättningen uppstår omkring 1150, ger utgrävarna inget svar på. Men vi har i korthet sökt återge utvecklingen i Sinai och Negeb (ovan) och därvid funnit, att bosättningar har uppstått, då det funnits ekonomiska möjligheter därtill. Folkgrupperna i Negeb var beroende av Egyptens intresse för kopparn i Timna och den handel, som därmed följde och när man byggde hus, så använde man modellerna från kulturlandet.[25] Mönstret i Negeb är således detsamma som i Sinai under TB II, och om inbyggarna är israeliter eller Shasu är omöjligt att avgöra. Men det är spännande att tänka sig, att enligt både Shasu- och israelitiska traditioner kan YHWH-tron beläggas i dessa trakter och just i slutet av Sen bronsålder enligt Shasu-texterna. Jfr Dom 5.[26] Men från den tid vi skulle ha väntat oss lämningar i Arad enligt Nu 21,1–3 finner vi ingenting.

[21] R. Cohen, *BASOR* 236 (1979), 61-79; C. Meyers *BA* 39 (1976), 148-151. R. Cohen, *BA* 44 (1981), 93-107; *Idem*, *Kadesh-Barnea* (Israel Museum Catalogue 233), 1983.

[22] I. Finkelstein, *Tel Aviv* 11 (1984), 189-209. Jfr Z. Herzog, *BASOR* 250 (1983), 41-49.

[23] Nothing Early and Nothing Late: Re-Writing Israel's Conquest, *BA* 39 (1976), 55-76. Till frågan om nomaders arkeologiska anonymitet. Se E. B. Banning och I. Köhler-Rollefson, *ADAJ* 27 (1983), 379, vilka hävdar, att beduiner inte alls är anonyma.

[24] V. Fritz, *BASOR* 241 (1981), 61-73. Jfr G. W. Ahlström, *ZDPV* 100 (1984), 35-52, som starkare än Fritz understryker det kanaaneiska arvet på Tell Masos.

[25] Till arkitekturen skall vi återkomma i det följande.

[26] Se L. E. Axelsson, *The Lord Rose up from Seir*, 1987, 56 ff.

Södra Kanaan

Det sannolikaste är, att de sporadiska bosättningarna i Sinai och i Negeb har tillkommit genom influens från Egypten och Kanaan. Och vi skall se i det följande, när det gäller bosättningsförhållandena i det inre av Cisjordanien, att antalet Järn I-bosättningar ökar markant norrut för att nå sitt största antal i Efraims område. Trots en mycket intensiv ytforskning i det judeiska bergslandskapet har ytterst få boplatser från övergångstiden mellan bronsålder och järnålder påträffats. Omkring 10–12 bosättningar har rapporterats och de flesta av dem är lokaliserade norr om Hebron.[27] Under bronsåldern fanns förutom Jerusalem högst två stadscentra. I den judeiska öknen var inte någon bosättning från Järn I. Västerut på sluttningarna av det centrala bergslandet och på Låglandet, Shefelah, hade funnits ett tättbefolkat område med kanaaneisk stadskultur. Endast ett par bosättningar av Järn I-typ hade inregistrerats. Detta område kom att bli filistéernas tummelplats.[28]

Området mellan Jerusalem i söder och Betel i norr utgjorde stammen Benjamins domän, och där var under Israels tidiga historia replipunkterna för händelserna. Flera platser namnges, t.ex. Betel, Mispa, Rama, Gibeon, Gibea etc. Några av dem har blivit utgrävda, åtta har blivit föremål för ytforskning. De flesta av ruinkullarna ligger öster om vägen mellan Jerusalem och Nablus, och de antas ha varit israelitiska boplatser, medan städerna väster om vägen och nära Gibeon varit bebodda av hivéer. I båda dessa antaganden stöder man sig på bibliska uppgifter.[29]

Mellersta och norra Kanaan

Strax norr om Benjamin ligger Efraims stamområde. Här har en mycket omfattande arkeologisk forskning företagits. Nio platser har grävts ut och som den i särklass betydelsefullaste framstår Silo. I områdets sydligaste del ligger Betel och Ai. Enligt I. Finkelsteins mycket detaljerade redogörelse för utforskningen av Efraims arvedel får man en klar uppfattning om befolkningsutvecklingen alltsedan Mellersta bronsålderns andra hälft, ca 1600 till Järn II, ca 800 f.Kr. Medan det fanns 60 MB-orter, så hade antalet drastiskt sjunkit till endast 5–6 under Sen bronsålder, varefter antalet orter under Järn I var 115 och under Järn II, 190. Det var alltså en stor befolkningsökning under järnåldern och den tillskrivs israelitiska bosättare.[30]

[27] Mest känd är Giloh, nära Jerusalem. Se A. Mazar, *IEJ* 31 (1981), 1-36. Mazar anser Giloh vara en typisk tidig israelitisk bosättning. Jfr G. W. Ahlström, *IEJ* 34 (1984), 170-172. Längre sammanfattning finns hos I. Finkelstein, *The Archaeology of the Israelite Settlement*, 1988, 47 ff. Se också R. Greenberg, *BASOR* 265 (1987), 55-80.

[28] Jfr *Tel Aviv* 5 (1978), 192-198.

[29] I. Finkelstein, 1988, 56 ff.

[30] I. Finkelstein, 1988, 121 ff. Om Silo, se s. 205 ff. Jfr S. Holm-Nielsen, *SEÅ* 54 (1989), 80-89.

Bosättningstendensen i det norr om Efraim belägna Manasses stamområde är annorlunda än Efraims vad gäller Sen bronsålder. 22 tellar representativa för den sistnämnda epoken avlöses av inte mindre än 96 Järn I-bosättningar. På tellarna framträder kontinuitet mellan brons- och järnålder. Järn I-bosättningen i Efraim och Manasse tillsammans bildar som synes ett imponerande bosättningsblock under järnålderns början och det är sannolikt israelitiskt.

På Jisreel och Sarons slätt antas den israelitiska bosättningen vara sen på grund av ett massivt kanaaneiskt motstånd. Det är först sedan Megiddo och Beth-shan kommit i israelitisk ägo som det funnits möjligheter att penetrera slätterna. Det gäller även områdena utefter medelhavskusten.

Nedre Galiléen betraktas numera som det nordligaste spridningsområdet för den låghalsade collared-rim jar. 18 kända Järn I-bosättningar har inregistrerats, men de synas tillhöra den senare delen av perioden. Under Sen bronsålder fanns här en omfattande kanaaneisk befolkning.[31]

Övre Galiléen blev redan under 1950-talet föremål för ytforskning och 17 bosättningar undersöktes noggrant.[32] Aharonis survey och tolkning därav ledde till en intressant konfrontation med Yadin beträffande tidpunkten för Hasors fall. Inträffade det före (Yadin) eller efter (Aharoni) bosättningen i Övre Galiléen? Yadin hade sannolikt rätt men beträffande dateringen hade båda fel. Efter Hasors fall, Stratum XIII, var det en lucka i bosättningen. Hasor XII innehöll keramik, som var identisk med den Aharoni påträffat vid sin ytforskning, men den bör dateras till ca 1050 f.Kr. Det fanns mycket få Sen bronsålderscentra i södra Libanon och Övre Galiléen, men det var först efter Hasors fall, som den nya tidens bosättare slog sig ned här. Antalet bosättningar från Järn I uppskattas till 11.[33]

Även Golan-höjderna är sedan 1973 ockuperade och annekterade av Israel, och dessa omständigheter har gett tillfälle till ytforskning av ett ganska omfattande område norr och öster om Gennesarets sjö. Redan 1968 företogs en avgränsad ytforskning[34] men det är först nu som man samtidigt med utforskningen av det centrala Israel gör en stor satsning i norr. Preliminärrapporterna är försiktiga så långt, men bosättningsutvecklingen kan skönjas i stort. Under Tidig bronsålder låg på Golan-platån ett flertal befästa städer på en halv dags gångavstånd från varandra. Dessa avlöstes av små, öppna bosättningar under övergångstiden till Mellersta och Sen bronsålder, som såg små städer byggas upp på lättförsvarliga platser. Under Järn I kom en ny bosättningsvåg. I lämningarna efter boplatserna, vilka antas ha förstörts omkring 1000 f.Kr. återfanns fragment av keramik, typ collared-rim. Det intressanta är, att dessa förrådskärl inte hade — vilket man skulle kunna vänta — någon släktskap med den galileiska kerami-

[31] Z. Gal, *Tel Aviv* 9 (1982), 79-86; I. Finkelstein, 1988, 94 ff.

[32] Y. Aharoni, *Antiquity and Survival* 2 (1957), 131-150.

[33] I. Finkelstein, 1988, 107 ff.

[34] *Judea, Samaria and the Golan*, Archaeological Survey 1967-68, 244 ff. Rörande södra Syrien, se F. Braemer, *Syria* 61 (1984), 219-250 och *Syria* 65 (1988), 99-137.

ken utan med den typ av collared-rim, som användes på det centrala höglandet väster om Jordan och i Transjordanien.[35] Förmodligen kommer här en araméerkultur att framträda om området i södra Syrien tillåts bliva utgrävt.

*

* *

Denna översikt av de nya bosättningarna under Järn I är ytterligt kortfattad och följer de israeliska arkeologernas survey-rapporter. Kronologiskt uppstår de tidigaste befolkningscentra i mellersta Palestina, och därifrån har bosättarna sökt sig söderut. Det är inom parentes sagt det område, som inte blir föremål för någon josuansk erövring enligt Josuaboken. Kulturtrenden i Palestina har emellertid av tradition åtminstone sedan Tidig bronsålder varit nordlig-sydlig. Vi har funnit, att ytforskningen i de olika stamområdena fått till resultat, att endast få städer eller orter uppvisar kontinuitet från Sen bronsålder. Manasses stamområde utgör ett undantag med 22 orter enligt I Finkelstein.[36] Just detta kulturmöte mellan Sen bronsålder och Tidig järnålder är av största intresse, ty man brukar generellt säga, att järnålderns bosättningar avlöste bronsålderns städer. Och enligt någon exeget uppstod järnåldersbosättningarna på så sätt, att vissa folkgrupper lämnade städerna för att slå sig ned i bergstrakterna.[37] För att ta ställning till en sådan teori är det viktigt att kunna definiera begreppet ''stad'' under Sen bronsålder.

I synnerhet genom egyptiska källor får man uppfattningen, att det fanns en hel kedja av befästa städer i Palestina, som under bronsåldern upplevde en högkonjunktur såväl merkantilt som kulturellt. Men ser man på R. Gonens mycket noggranna analys av det arkeologiska materialet, blir man betänksam.[38] Gonen har undersökt i princip allt som skrivits om 77 utgrävda bronsåldersstäder i Palestina och sökt rekonstruera deras öden och utvecklingen från MB II till och med Sen bronsålder. Medan MB II-städerna utmärktes genom sina oftast enorma ramparts och glacises, vilka utgjorde de starkaste befästningar som någonsin byggts i området, så kommer de flesta SB-städerna att sakna befästningssystem överhuvudtaget, trots att de är belägna på samma kullar som tidigare städer. Såväl Megiddo som Lakis har visat sig ha fina stadsportar men ingen försvarsmur. Endast 17 av de 77 städerna uppvisade kontinuerlig bosättning och de flesta hade decimerats avsevärt. Alla andra hade övergivits under Sen bronsålder. Av de största MB II-städerna bibehöll endast Lakish, Tell Jerisheh och Hasor sina stadsarealer. Hasor var särklassigt den största staden under hela perioden och då användes också de starka MB II-befästningarna. Några få nya bosätt-

[35] M. Kochavi, *IEJ* 39 (1989), 1-17.

[36] *Op.cit.*, 89 ff. Finkelstein refererar till A. Zertals survey, redovisad i den senares doktorsavhandling, *The Israelite Settlement in the Hill Country of Manasseh*, 1986.

[37] N. P. Lemche, *Early Israel*, 1985.

[38] *BASOR* 253 (1984), 61-73.

ningar tillkom under SB. Det var tre små hamnar utefter den nordliga delen av medelhavskusten samt egyptiska stödjepunkter såsom Tell el-Far'ah (S), Tell Jemmeh, Aphek, Beth-shan och några till utefter de mest trafikerade handelsvägarna.[39] Gonens beskrivning gäller senare delen av SB II, då den arkeologiska bilden visar ett stadssystem i upplösning. Eftersom praktiskt alla SB II-städer var obefästa, så kan man fråga sig vari skillnaden till de under Järn I nytillkomna bosättningarna bestod. Avsaknaden av befästningar i såväl bronsåldersstäderna som i de tidigaste järnåldersbyarna tyder knappast på något krigstillstånd vid de senares tillkomst. Den kanaaneiska befolkningen kan inte ha gått upp i rök. Men dess eventuellt sporadiska bosättningar på slätterna eller på de raserade städerna har inte bevarats på samma sätt som boplatserna i bergsbygden. Vi vet ytterst litet hur de hade ordnat sin tillvaro efter de befästa städernas fall. Kanaanéerna bör ha bott i bredrumshus med tillhörande gård, vilka var typiska för bronsålderns arkitekter. Men långhusarkitekturen kom att utvecklas genom takförsedd utbyggnad framför bredrumshuset. Husen kunde ligga elliptiskt i en form av ''försvarsnäste'',[40] som snarare var en öppen bosättning än en befäst stad. Bosättningarna i bergsbygden hade uppenbarligen en liknande layout.

Utmärkande drag i de tidigaste järnåldersbosättningarna

Samtidigt som I. Finkelstein redovisar arkitekturen i de nya bosättningarna ger han oss också en fingervisning om var vi skall finna bosättarnas ursprung. Utmärkande för den tidigaste bosättningen, t.ex. Izbet Sartah, är ett elliptiskt band av rum kring en stor gård försedd med silos och sedermera ett bälte av hus, de flesta av Fyrarums- eller Trerumsmodell som med det bakre rummet (ett bredrum) formade en kasematt, dubbelmur, i en yttre försvarskedja med utrymme för boskapen i bosättningens centrum. Invånarna i dessa ''courtyard''-bosättningar skulle ha haft pastoralt eller nomadiskt förflutet. Den elliptiska boplatsen har sin upprinnelse i nomadlägret.[41]

Detsamma gäller beträffande Fyrarumshuset. Det har sitt ursprung i beduintältet. Kärnan är husets bredrum. Ehuru Finkelstein knappast kan vara ovetande om att bredrummet sedan hävd återfinns i bronsålderns arkitektur, bortser han därifrån och hävdar, att beduintältet är prototypen. Vad gäller bruket av pelare är han mera försiktig, men konstaterar att det var mest framträdande i bergig terräng.[42]

Det är endast den oerhörda koncentrationen av arkeologiska insatser i det cis-

[39] R. Gonen, 69. Se också H. Weipperts uttömmande analys *Palästina in vorhellenistischer Zeit*, 1988, 317 ff.
[40] Jfr situationen i Megiddo, Stratum V B. Se Y. Aharoni, *JNES* 31 (1972), pp. 302-311.
[41] I. Finkelstein, 1988, 73-80; 237 ff.
[42] I. Finkelstein, 1988, 254 ff.

jordanska bergsområdet, som säger att Finkelstein kan ha rätt i sina premisser, men den förblindar läsaren. Han gör dock inga försök att väga ett eventuellt kanaaneiskt inflytande på bosättningarna och deras arkitektur emot det nomadiska inslaget. Vad gäller den elliptiska bosättningsformen är den säkerligen intuitivt inbyggd hos människan. Det bevisas av den äldsta stadsbebyggelsen under Neolitisk tid i Syrien och säkerligen genom formen av tellarna, som alla under årtusendena vuxit elliptiskt. Denna princip gör det lättare att organisera försvaret av boplatsen. Man måste under alla omständigheter undvika ''murhörn'' i ett yttre försvar. Den elliptiska formen för bosättning skulle ha valts av vilken folkgrupp som helst.

Fyrarumshusets ursprung har diskuterats mycket under snart två årtionden. Men ingen har så intensivt som Finkelstein sökt försvara dess nomadiska ursprung. Orsaken är närmast hustypens förekomst i den cisjordanska bergsbygden och i Negeb. Han hämtar stöd framför allt hos Y. Shiloh, som benämnde denna husarkitektur israelitisk.[43] Det är starkt av Finkelstein att hävda Fyrarumshusets såväl nomadiska som israelitiska ursprung, då så många ickeisraeliska forskare har kommit till ett helt annat resultat. Hustypen med dess stenpelare är knappast ett utslag av ökennostalgi[44] utan har givetvis sitt ursprung i tradition och praktisk erfarenhet hos ett agrart kollektiv. Hustypen kan beläggas under SB II på Tell el-Far'ah (N)[45] och Sahab,[46] sydöst om Amman i ammonitisk kontext, Järn I. Fyrarumshusets tillkomst kan inte ses så snävt som Finkelstein gör.[47] I fråga om tempelarkitekturen är det en tendens under Sen bronsålder att övergå från bredrumstyp till långhustyp[48] och det skulle inte vara alltför avlägset att se Fyrarumshuset i den utvecklingen. Och den behöver uppenbarligen inte vara etniskt betingad.

Kultplatser

Kultisk rekvisita är det alltid svårt att uttala sig om och särskilt, när fynden är spröda. A. Mazar, Benjamin Mazars brorson, rapporterar fynd av en öppen kultplats av kanaaneisk typ inom Manasses område.[49] Den beskrivs såsom ellip-

[43] Y. Shiloh, *IEJ* 20 (1970), 180-190; *IEJ* 28 (1978), 36-56; *BASOR* 268 (1987), 3-15.

[44] L. E. Stager, *BASOR* 260 (1985), 17.

[45] R. de Vaux, *RB* 64 (1957), 574 ff.

[46] M. Ibrahim, *ADAJ* 20 (1975), 69-82. Jfr också den stora byggnad med ''träpelare'' i två rader från 1300-talet f.Kr., som har grävts ut på Tell Batash (Timnah). Se G. L. Kelm och A. Mazar, *BASOR* 248 (1982), 1-36.

[47] Jfr redan H. K. Beebe, *BA* 31 (1968), 50 ff. Under 1980-talet har flera böcker och artiklar om orientalisk arkitektur i relation till den anförda hustypen skrivits. F. Braemer, *L'architecture domestique du Levant à l'age du Fer*, 1982. G. W. Ahlström, *ZDPV* 100 (1984), 35-52; M. D. Coogan, *PEQ* 119 (1987), 1-8. Ett monumentalt arbete utgör G. R. H. Wright, *Ancient Building in South Syria and Palestine*. Vol. 1-2, 1985.

[48] M. Ottosson, *Temples and Cult Places in Palestine*, 1980.

[49] A. Mazar, *BASOR* 247 (1982), 27-42. Jfr R. Wenning—E. Zenger, *ZDPV* 102 (1986), 75-86; G. W. Ahlström, *Studia Orientalia*, 1984.

tisk 21x23 m inramad av en mur bestående av stora stenar. En stor sten ansågs ha karaktären av en masseba, stenstod, inför vilken offer hade placerats. Det som föranledde utgrävningen var ett tillfällighetsfynd av en bronsstatyett 17,5 cm lång och 12,4 cm hög, föreställande en tjur. Platsen kallas sålunda ''Bull Site''. Om det är en israelitisk kultplats, så bevisar den, att manassiterna utövade kanaaneisk kult. Det kunde å andra sidan vara fråga om en kanaaneisk kultplats. Men troligast är, att den elliptiska anläggningen utgjorde ett förrådscentrum av en typ vanlig bl.a. i södra Syrien och norra Jordanien från samma tid.

Man behöver ännu mera fantasi för att följa A. Zertals bevisföring beträffande kultplatsen på berget Ebal.[50] Ett ganska stort område, 4 dunam, omgavs av en mur, innanför vilken var en spektakulär struktur 7x9 m stor. I dess närhet var flera lager av aska och djurben, således stöd för offerteorin. Zertal anser det vara ett altare och har hämtat sin idé från beskrivningen av brännofferaltaret i Jerusalems tempel hos profeten Hesekiel och i Mishnah Middot. Visserligen utgör berget Ebal en altarplats enligt Jos 8,30–38, men trots att keramik och andra fynd daterar anläggningen till tidigare delen av 1100-talet skall nog inte Josua tas in i bilden. De flesta bedömare anser, att det rör sig om ett vakttorn[51] med fålla för får.

När I. Finkelstein återupptog utgrävning på Siloh 1981, var det säkerligen inte utan spänning som han gav sig ut på jakt efter det heliga området. Finkelstein anser, att det redan under MB fanns en kultplats i Siloh och den användes under SB såsom en vallfartsort för befolkningen i dess närhet. Bevisen är platsens isolering och fynd av en hel del kärl med ben av offerdjur, kärl, vilka slagits sönder efter användandet och samlats ihop på en bestämd plats. Sålunda skulle vi i Siloh ha ett exempel på hur israeliterna övertog en kanaaneisk kultplats. Den slutgiltiga rapporten får bevisa, om han verkligen funnit prästen Elis och Samuels tempel.[52] De arkeologiska bevisen på förekomsten av tidiga israelitiska kultplatser är så långt mycket svaga för att inte säga obefintliga.

Transjordanien

Den östra sidan av floden Jordan har arkeologiskt varit ganska åsidosatt under de år, då de stora tellarna grävdes ut i Cisjordanien. Detta kan bero på att de gammaltestamentliga texterna inte så ofta refererar till platser och händelser i Gilead som i Kanaan. Men det har också varit stora svårigheter att organisera expeditioner dit. Ännu kommer det att dröja åtskilliga årtionden, innan den jordanska arkeologin hinner ifatt, och detta gäller naturligtvis också utforskningen av den tid, när Transjordanien i Gamla Testamentet omskrivs såsom uppmarsch-

[50] A. Zertal, *Tel Aviv* 13-14 (1986-87), 105-165.
[51] A. Kempinski, *BAR* 12 (1986), 42, 44-49. Jfr M. Menéndez, The Iron I Strucutres . . . (Smakieh), *ADAJ* 27 (1983), 179-183.
[52] I. Finkelstein, *Tel Aviv* 12 (1985), 169; Idem, *The Archaeology*, 1988, 219 f.

område för de israelitiska stammarna, dvs. SB II-Järn I. Nelson Gluecks ytforskning frånkände stora delar av Transjordanien SB-lämningar. Den bosättningsluckan har genom flera surveys och utgrävningar täppts till, speciellt i norra Jordanien. Ur klimathänseende är de södra delarna av Jordanien påfrestande och har ett begränsat regnfall, varigenom befolkningen mestadels har varit halvnomadisk. I anslutning till naturliga källor fanns dock förutsättningar för bosättning.

Det finns surveyprojekt, som i storlek kan mäta sig med de israeliska. Aktuell för SB-Järn I är ytforskningen av wadi El-Hasa i södra Jordanien. 214 platser undersöktes och ytfynden av keramik fördelade sig på följande sätt. SB I-keramik hittades på 5 platser, Järn I-keramik på 22 platser, Järn I-II-keramik på 6 platser, Järn II-keramik på 9 platser och diffus järnålderskeramik på 5 platser. Där är flera SB-Järn I platser än man skulle ha väntat sig. Nelson Glueck fann ingen SB-keramik på någon av dessa platser. Tendensen är dock, att området var övergivet en längre tid under bronsåldern men blev bebott under den senare delen av SB II och under Järn I-II, men speciellt under den tidigare delen av järnåldern.[53]

J.M. Millers ytforskning söder om wadi Mujib, floden Arnon, är inte lika omfattande som MacDonalds. Man samlade keramik från 30 platser. På 5 påträffades SB-keramik och Järn I-keramik på 3 platser.[54] L. Jacobs ytforskning söder om wadi Kerak på 90 tellar renderade endast Järn II-keramik på 24 platser. Ingen Järn I keramik påträffades.[55]

Khirbet Medeinet al-Mu‘arradjeh

Denna rubrik är namnet på den kanske mest intressanta fyndplatsen i det gamla Moab. Det är en muromgärdad bosättning eller snarare fästning ca 150x50 m vid wadi Mujib. Den har varit använd under endast en period, Järn I och en mycket kort tid. Den har en utdragen elliptisk form såsom ett beduinläger, men murarnas sträckning beror helt på topografin. De är nästan 5 m tjocka. Fem rektangulära torn är uppförda på strategiska platser mot den södra sidan, där porten finns och den västra, som är mest utsatt. På den senare sidan har man en dubbelmur. Den yttre muren sträcker sig drygt 100 m mellan två av tornen. Torn 3 ligger något avsides och kallas ett ''albarrani''. Det skyddade vägen upp mot porten i söder. Ett hus har grävts fram inne i fästningen och det ligger alldeles innanför porten. Det består bl.a. av en gård med separat rum, men från gården når man två rektangulära rum, som är åtskilda genom tre pelare. Bakom dessa rum finns ett

[53] B. MacDonald, *BASOR* 245 (1982), 35-52; *ADAJ* 27 (1983), 311-323. *Midian, Moab and Edom*, 1983, 18-28.
[54] *ADAJ* 23 (1979), 79-92; *BASOR* 234 (1979), 43-52.
[55] *ADAJ* 23 (1979), 79-92; *BASOR* 234 (1979), 43-52.

triangulärt rum, vars långsida vetter mot fästningens port. Detta torde vara det första exemplet på ett moabitiskt *Fyrarumshus*. Det är under alla omständigheter samtida med de s.k. israelitiska Fyrarumshusen i Cisjordanien. Och datum går inte att ta miste på. Keramiken är från Järn I, 1100-tal och tidigt 1000-tal f.Kr. Traditionen från SB II-keramiken är påtaglig. Det finns ingen dekorerad keramik. Men det som är mest intressant är, att förrådskrukor av typ *collared-rim* har påträffats. Den äldsta krukan har hög hals och påminner om en av de höghalsade typer som påträffats bl.a. i Galiléen. Olávarri refererar emellertid till fynden i Betel och Ai.

Ytterligare en typ av förrådskruka inträffar något senare såväl kronologiskt som typologiskt. Den har en mycket kort hals, som nästan tenderar till att försvinna. Denna förrådskruka liknar mycket den, som påträffats i Cisjordanien och fått benämningen ''israelitisk''.[56] Om rapporten talar riktigt, har de spanska arkeologerna kommit med en större sensation. Det är väl knappast troligt, att varken den höghalsade eller låghalsade krukan i Moab kan ha påverkat den ''israelitiska'' eller tvärtom. I stället visar fynden i Medeinet al-Mu'arradjeh, att det inte är etniskt betingat hur keramiken ser ut, utan praktiskt betingat. I den fästning, som det här är fråga om, krävdes förvaringskärl av stor volym. Det märkliga är dock att finna såväl höghalsad som låghalsad kruka i två fyndregister på samma plats. Det stöder R. Amirans uppfattning, att den förstnämnda är äldre utifrån den arkeologiska kontexten i Hasor (se nedan). Men hon hade endast cisjordanska fyndplatser att utgå ifrån. Förrådskrukornas halslängd kan vara lokalt betingad.

Det transjordanska området norr om wadi Mujib har varit föremål för stora surveyprojekt och lämningar från SB och Järn I saknas inte men omfattningen är ringa. Fem säsongers grävningar på Heshban har gett negativa resultat.[57] Tell el-Umeiri har inom akropolen uppvisat SB II-keramik och en kasemattmur, daterad till senare delen av Järn I.[58] Situationen är något bättre i det s.k. större Amman-området, flera tecken på verksamhet under de här aktuella perioderna har framkommit, såsom det s.k. Square Temple vid den civila flygplatsen i Amman, på Tell Sahab och i Gerash. S. Mittmann gjorde en omfattande ytforskning i norra Jordanien. Under några år har P. McGovern gjort utforskningar av Baq-'ah dalen i Umm¡Dananir.[59] De flesta fynden härrör dock från gravar. I Jordandalen finns SB II lämningar bl.a. på Tell Deir Allā, ev. tempel och i övrigt har påträffats keramik av typ collared-rim liksom på Sahab och i Gerash. J.A. Sauer har gjort en omfattande inventering av fyndplatser i Transjordanien repre-

[56] *ADAJ* 27 (1983), 165-178.

[57] R. S. Boraas—S. H. Horn, *Heshbon 1968* och *Heshbon 1971*.

[58] L. G. Herr, meddelande vid kongressen i Jordanian Archaeology i Lyon 1989.

[59] M. Ibrahim, Third Season of Excavations at Sahab, 1975, (Preliminary Report), *ADAJ* 20 (1975), 69-82; F. Braemer, *ADAJ* 31 (1987), 525-539; S. Mittmann, *Beiträge zur Siedlungs- Und Territorialgeschichte des nördlichen Ostjordanlandes*, 1970; P. E. McGovern, *The Late Bronze and Early Iron Ages of Central Jordan: The Baq'ah Valley Project, 1977-1981*, 1986.

senterande SB II och Järn I.[60] Ehuru utgrävningar har förekommit i mindre omfattning än i Cisjordanien, tyder dock dessa och ytforskningen på att situationen under dessa epoker i stort har varit densamma som i väst. Den halvnomadiska bilden börjar bli alltmera otydlig och bl.a. gravfynd visar, att det måste ha funnits bosättningar av varaktig art.

*

* *

Kulturellt måste Palestina ha gjort ett torftigt intryck. Stadsbebyggelse i större skala aktualiserades inte förrän under Salomo eller eventuellt David, ca 950 f.Kr. Perioden mellan stadskulturerna, SB II-Järn II A, var i detta fall ca 400 år och det är inom denna tid vi skall försöka placera de ''invandrande'' och sig konsoliderande israeliterna.

Men vad hände med de raserade städerna från SB? Liksom under TB-MB hade man inte kraften eller förmågan att bygga upp dem igen. Men ruinkullarna låg inte direkt öde. Redan Albright kunde vid sina utgrävningar av tell Beit Mirsim konstatera förekomsten av förrådsgropar i stratum B1.[61] Situationen var densamma i Lakish,[62] tell Zeror,[63] Sikem,[64] Hasor, där kombinerad med en mycket torftig bosättning[65] och tell Dan.[66] Bilden har säkerligen varit densamma även på andra platser.[67] Denna typ av bosättning visar att de tidigare stadssamhällena upplösts. SB II-keramik brukar ibland påträffas på ruinkullarnas akropoler, vilket kan tyda på små bosättningar kring ett kastelliknande försvar. I övrigt vet vi inte så mycket, men en framförd teori är, att befolkningen lämnade sina gamla boplatser i anslutning till städerna och slog sig ner i bergsbygden, eftersom staden och dess kung inte längre kunde garantera någon trygghet. Den frihetsälskande kanaaneiske bonden drog iväg till ett nytt område. Han blev i princip en Chabiru, en flykting utanför sin ursprungliga hemvist. Han kunde också liera sig med andra Chabiru och bilda bosättningar i bergsbygden.[68] Och därmed kunde också friskaror uppstå, om vilka Amarna-breven berättar. Liksom under TB-MB hade i Palestina uppstått en situation, då handelskaravanerna inte längre kände sig säkra och då den agrara yrkesverksamheten verifieras genom förrådsgropar på de tidigare stadsområdena och bosättningar i bergsbygden. Åter kan man

[60] *ADAJ* 263 (1986), 1-26.

[61] *AASOR*, Vol. 17, 1936-37, 68, 75, 87. Endast ett hus kunde något så när rekonstrueras, *AASOR*, Vol. 21-22 9.

[62] The Bronze Age, *Lachish IV*, 1958.

[63] *IEJ* 14 (1964), 284; *IEJ* 16 (1966), 275. K. Ohata, *Tel Zeror I-III*, 1966-70; I. Finkelstein, *The Archaeology*, 264 ff.

[64] G. E. Wright, *Shechem. The Biography of a Biblical City*, 1965.

[65] Y. Yadin, *Hazor*, 1972, 129 ff.

[66] A. Biran, *BA* 37 (1974), 36 f.

[67] T.ex. Betel, J. L. Kelso, *AASOR*, vol 39, 1968. Se R. Gonens översikt, *BASOR* 253 (1984), 61-73, till vilken jag tidigare refererat.

[68] N. P. Lemche, *Ancient Israel*, 1988, 85 ff.

ställa spörsmålet huruvida det var en bonderörelse från centrum till periferi eller en halvnomadisk rörelse (transhumance) från kulturlandets ytterområden in i bergen. Det troligaste är, att det tidigare multimorfa samhället upphörde att fungera, vilket visade sig därigenom att de i ökenområdena kringsströvande folken helt enkelt söker sig ''inåt mitten'' för att få bröd. Man kan inte utesluta en klimatförsämring med torka under SB II. Det krävdes ny åkermark — det fanns inget utrymme för ytterligare folk på slätterna och kring de förödda städernas förrådsgropar. De nya farmarna fick börja att terrassera sluttningarna i bergsbygden. Kanaanéerna blev snart klämda mellan filistéerna på medelhavskusten och bergsbygdens befolkning. Filistéerna medförde sina egna keramiktraditioner. Hur förhåller det sig då med de folkgrupper, som slagit sig ner i det inre av Palestina? I stort kan det påstås, att kontinuitet föreligger till den kanaaneiska keramikkulturen tillhörande Sen bronsålder.[69] Man kan således inte direkt säga, att dessa folkgrupper kommit utifrån. Dock finns den ovan nämnda nya typen av keramik den s.k. collared-rim, vilken såväl i norra som i södra Palestina figurerar i samband med deras bosättningar. I norr rör det sig om förrådskrukor med hög hals, medan i söder förekommer även en kruka med kort hals. Det är ovisst om det föreligger något samband mellan de två typerna. Jfr dock fynden i Medeinet al-Mu 'arradjeh.[70] Den södra typen kan knappast dateras före ca 1150 f.Kr. En höghalsad förrådskruka synes dock uppträda tidigare. Yadin påträffade den i Stratum XII, Hasor[71] och Biran i Stratum VI, Dan,[72] dvs. det äldsta järnåldersskiktet. Samma typ av förrådskärl återfinnes i de tidiga järnåldersbosättningarna i Övre Galileen.[73] Samtliga fyndplatser tillskrivs israeliterna och dateras till 1100-talet.

Yadin var helt övertygad om att det är Josuas israeliter, som intagit Hasor enligt uppgiften i Jos 11. Men då dessa kom söderifrån varför föreligger då klart olika keramiktraditioner i norr och söder? Yadin ställde inte den frågan, men den måste vara väsentlig i sammanhanget. Fyndet av collared-rim i Dan är betydelsefullt, då denna stad genom sitt läge haft nära kontakter med fenicierna, Dom 18,7. Det sannolikaste är, att denna keramiktyp har nordvästligt ursprung. Keramiktrenden i norr går nämligen i den riktningen, jfr t.ex. den under Järn II A–C s.k. Samaria ware, som nu är påträffad i Sarepta, ca 15 km söder om Sidon. R. Amiran ser den nordliga krukan närmast som en utvecklingsprodukt från SB. Den höga halsen är även då framträdande i den nordkanaaneiska keramikkulturen. Det nya är bl.a. handtagen, vilka aldrig förekommer på den kanaaneiska förrådskrukan.[74]

69 R. Amiran, *Ancient Pottery of the Holy Land*, 1970, 192. Skillnaden mellan den nordliga och sydliga förrådskrukan kan ses på Pl 77 s. 235.

70 Jag har ganska utförligt diskuterat fyndplatser och datering i *Palestinas Arkeologi*, 97 ff. Se nu A. Mazar, *IEJ* 31 (1981), 27 ff.

71 Yadin, 1972, 130 ff.

72 Biran, *BA* 37, 35.

73 Y. Aharoni, *Antiquity and Suvival* 2 (1957), 131-150 och i *Encyclopedia of Archaeological Excavations in the Holy Land*, Vol. II, 1976, 406-408.

74 R. Amiran, 1970, 143.

Den sydliga förrådskrukans korta hals, kan antingen tyda på en praktisk utveckingstendens eller att den går tillbaka på en annan krukmakartradition än den nordliga.[75] Skulle det sistnämnda vara fallet kan vi räkna med att redan under början av järnåldern förelåg kulturellt sett en nyansskillnad mellan syd och nord; men jämför åter situationen i Medeinet al-Mu'arradjeh.[76]

De under Järn I mest förekommande keramiktyperna med regionala varianter är den stora förrådskrukan med collared-rim samt kokgrytan med vertikal/kant(rim). Spridningen av den särpräglade förrådskrukan sträcker sig från Sahab vid Amman i öster[77] till Medelhavet i väster Tell Nami och Apheta[78] och från Nedre Galiléen, ja, den förekommer även i Dan och i Golan, öster om Gennesarets sjö[79] i norr till Hebron och Moab[80] i söder. Denna spridning måste tyda på en speciell funktion. I dessa krukor förvarades olivolja, vin och vatten. Den tätaste förekomsten av förrådskrukan är i de av israeliterna bebodda områdena väster om Jordan. Av den anledningen har denna keramiktyp gjorts etniskt betingad. Den liknar mycket den stora förrådskrukan från MB IIC, som har grävts fram i Silo,[81] och en teori är, att israeliterna helt enkelt återupptagit modellen. Det kanske var den mest passande förrådskrukan för en bergsbefolkning, som ej (förmodligen) drev någon handel i större omfattning. Den kanaaneiska krukan var lätt att handskas med och användes som exportkärl. Förrådskrukan av typ collared-rim var ca 110 cm hög och därför stationär. Den upphörde ca 950 f.Kr. Den definitiva frågan om dess ursprung kan inte besvaras.

Vilka var då de folkgrupper, som lämnat de ovan uppräknade spåren efter sig? Man har två att välja på, antingen kanaanéer (i den termen inbegriper jag Chabiru) eller israeliter. Det är i stort de enda, som vi känner till dels från de gammaltestamentliga traditionerna och dels från andra texter. Det var dessa folk, som bodde här. Och när t.ex. Finkelstein använder termen ''Israelite'', så är det enligt hans egen uppgift ingenting annat än ''terminus technicus'' för ''hill country people in a process of settling down''.[82] I det följande rör han sig dock med cirkelbevis genom att då och då referera till bibliska uppgifter. Det han egentligen skulle bevisa genom sin analys har han redan tagit som sin utgångs-

[75] Fragment av förrådskrukor, typ sydlig, rapporteras ha påträffats även i Hasor, stratum XII och i Övre Galiléen, ytfynd. Se R. Amiran, 1970, 232; Pl 77:2, Yadin omnämner inte speciellt den sydliga typen, men har publicerat en sådan förrådskruka i *Hazor III-IV*, Area A, Pl CLXXIX:5. Det stora flertalet utgöres dock av krukor med hög hals. Pl CLXVIII. I Hasor, stratum X B synes den ''sydliga typen'' vara den enda använda. Se Hazor III-IV Pl CLXXII. Aharoni nämner inte i något av sina arbeten, se not 73, någon förrådskruka av sydlig typ.

[76] E. Olávarri, *ADAJ* 27 (1983), 174 ff.

[77] M. M. Ibrahim, The Collared Rim Jar of the Early Iron Age, *Archaeology in the Levant*, 1978, 116-126; *Idem*, *ZDPV* 99 (1983), 43-53; F. Braemer, *ADAJ* 31 (1987), 527 har även påträffat den i Gerash.

[78] P. Beck—M Kochavi, *Tel Aviv* 12 (1985), 29-42.

[79] M. Kochavi, *IEJ* 39 (1989), 15.

[80] E. Olávarri, *ADAJ* 27 (1983), 174 ff.

[81] I. Finkelstein, *Archaeology*, 283.

[82] I. Finkelstein, *op.cit.*, 28.

punkt. Men det spelar praktiskt taget ingen roll, ty alla är vi införstådda med att de första ''israeliterna'' byggde upp sin existens från dessa trakter och Merneptahs stele uppträder som det bästa av vittnen. Sedan är det mera en strid om påvens skägg, vilka de ursprungligen var och varifrån de kom. Det är först i Palestina som de är gripbara. Skillnaden mellan kanaané och israelit kan kulturellt inte ha varit så stor.[83] Om den senare var nykomling och kanske tillhört en kringströvande grupp, som så småningom blivit bofast, måste han snart ställa om sig till sin nya miljö. Därmed fastnade han direkt i kanaanéernas ''klor'', ty de israeliska arkeologerna har redan funnit ''primitiva'' israelitiska kultplatser med kanaaneiska förtecken. Vad är det då för skillnad mellan kanaané och israelit? Den äldsta formen av YHWH-dyrkan i det palestinensiska kärnlandet har vi ännu inga bevis för. Finkelstein endast anar YHWH-templet i Silo, men han har inte funnit det. Förmodligen var det ett ordinärt hus, vars helighet avtog med kultsymbolernas avlägsnande.

De flesta forskare anser säkerligen, att upphovet till israeliterna(hebréerna) delvis finns i begreppet Chabiru. Och det vore märkligt, om inte israeliterna haft någon lokal kontakt med dessa socialt blandade grupper av folk, vilka återfinns praktiskt taget överallt. Begreppet Chabiru kan även knytas till det av israeliska arkeologer så väl undersökta ''urhemmet'' Efraims och Manasses bergsbygd. Men I Finkelstein diskuterar inte ens problemet utan refererar till begreppet Shasu,[84] folk, vars omnämnande i egyptiska texter kan sättas i samband med Israels uppehåll på Sinaihalvön. Och D.B. Redford framställer en teori utifrån de egyptiska relieferna i Karnak, att den etniska gruppen kallad ''Shasu'' av Seti I:s och Raamses II:s skrivare, var av poeten till Merneptah's stele, känd såsom ''Israel''.[85] Men Seti I bekämpade också Chabiru i området kring Beth-shan. Även om Chabiru ursprungligen är att karaktärisera såsom ''flyktingar'' från sin ursprungliga miljö av en eller annan anledning och tillika kan ges individuell tolkning, t.ex. Ex 21,2,[86] så har de under SB II utmanat det som är kvar av stadsstatssystemet, och egyptierna tar särskilt upp temat Chabiru på sina krigståg i Palestina. Chabiru har bl.a. attackerat Jerusalem och Hebron och kungen i Sikem, Labaja, har lierat sig med dem. De behöver inte vara och har säkerligen inte varit halvnomader utan är snarare socialt missanpassade kanaaneiska bönder. De tillhör den grupp av folk, som omtalas i källorna, när stadskulturen svik-

[83] Detta problem uppmärksammas inte minst i fråga om de ännu fåtaliga inskrifter från ''invandringstiden'', vilka gjorts. M. Kochavi och A. Demsky, *Tel Aviv* 4 (1977), 13 och 20 f., anser, att det ostracon, 87 bokstäver, som påträffats i 'Izbet Sartah, representerar en tidig ''hebreisk'' eller ''israelitisk'' skrift. F. M. Cross, *BASOR* 238 (1980), 12 f., föredrar ''Old-Canaanite'' även om det mycket väl kan ha varit en ''israelit'', som skrivit det. J. Naveh, *IEJ* 28 (1978), 31-35 kallar skriften ''Proto-Canaanite'' så också I. Finkelstein, 1988, 77 ff.

[84] I. Finkelstein, 1988, 345, med ref.

[85] *IEJ* 36 (1986), 199 f.

[86] För en genuin idéhistorisk översikt av problemet Chabiru och dess relation till ''Israel'', se O. Loretz, *Habiru-Hebräer*, 1984. Jfr nu N. P. Lemche, *Ancient Israel*, 1988, 85 ff. och N. Na'aman, *JNES* 45 (1986), 271-288.

tar. Namnet ''Israel'' är i varje fall knutet till ett av Chabiru-gruppernas kända områden. (Se nedan.)

''Det är ingenting nytt under solen''. Som en jämförelse med händelserna i Palestina under SB II-Järn I, har vi ovan påvisat den 1000 år tidigare, under TB-MB i Palestina förekommande deurbaniseringen, bevisad genom bosättningsluckor på tellarna. Trots att ''amoriter-hypotesen'' numera är avskriven, så har säkerligen även då folk kommit i rörelse genom att samhällsfunktionerna upphört att fungera. Det är möjligt att utifrån de forskningsresultat, som föreligger på flera områden, göra en sammanställning av orsakerna till de båda stadskulturernas fall. Därvid vill jag om tiden SB II-Järn I introducera termen *Interregnum*.

TB:s stadskultur ca 2900–2400 f.Kr.	*SB:s stadskultur* ca 1550–1300 f.Kr.
TB-MB[87] ca 2400–1900 f.Kr.	*SB II-Järn I* ca 1300–950 f.Kr.

klimatförändring
torka, reducerat regnfall
naturen i obalans
ekonomin mattas, handeln med Egypten upphör
städerna överges under längre tid
egyptiskt inflytande avtar
intern palestinensisk förändring
kontinuitet i keramiktraditionen

kontinuitet inom arkitekturen	''pillared buildings''
''calici-form'' belagd i Ebla IIA-B	collared-rim jar
''sand dwellers'' (people on the move)	Shasu och Chabiru

pastoralismen ökar, när städerna avfolkas
jordbruk och boskapsskötsel i bergsbygden

MB II:s stadskultur ca 1700 f. Kr. Järn IIA:s stadskultur ca 950 f. Kr.

*
* *

Amoriterna är nämnda på en tavla från Farah 2552 f.Kr. och skärmytslingar mellan dem, MAR.TU, och Shar-kali-Sharri i Basar omtalas ca 2250. Men texterna nämner inte någon infiltration i Palestina utan snarare får vi uppfattningen, att amoriterna konsoliderar sig i Mesopotamien och Syrien.

Shasu-grupperna kan knappast sättas i samband med nedgången av stadskulturen under SB II. Men de figurerar i egyptiska texter på Sinaihalvön och på Jisreelsslätten. Chabirus uppehållsplatser leder oss direkt in till det centrala Palestina. Deras uppträdande kan naturligtvis inte begränsas till en så snäv period som

[87] För en analys av perioden i Palestina och Transjordanien, se *BASOR* 237 (1980), 5-34.

vi här gjort. Men de omtalas som en allvarlig fara för det palestinensiska stadsstatssystemet i Amarna-korrespondensen under SB IIA (1400–1300) och omöjligt är inte, att deras då etablerade styrka kan bero på ''nytt blod'' utifrån. Perifera existenser finner alltid varandra. Halvnomadiska grupper t.ex. Shasu och de mera etablerade Chabiru bör ha haft ett gemensamt mål: en dräglig tillvaro i Kanaan. Det torde ha räckt för att organisatoriskt föra dem samman.[88] Någon form av stamorganisation är inte otänkbar liksom begynnande identitet av nationell karaktär. En sådan utveckling skulle kanske kunna bevisas genom egyptiska inskrifter. Seti I berömmer sig av att ha gjort en straffexpedition mot *'pr.w*-grupper i närheten av Beth-Shan.[89] Detta torde ha inträffat ca 1300 f.Kr. Chabiru-folkets exakta hemvist kan tyvärr inte utläsas på grund av att det geografiska namnet endast är fragmentariskt bevarat. Ca 100 år senare ''gjorde'' Merneptah en liknande raid bl.a. upp mot trakten av Yenoam, strax söder om Gennesaret. Inga *'pr.w* nämnes utan som enda namn med folkslagsdeterminativ förekommer Israel. Dess geografiska hemvist är oklar, men det kan ha rört sig om bosättningar liknande dem påträffade i Övre Galileen och nu i Efraim och Manasse. Förekomsten av namnet Israel tillsammans med starka stadscentra såsom Geser och Yenoam måste tyda på att det inte bara rörde sig om ett socialt stratum av Chabiru utan om en klart utkristalliserad folkgrupp i det inre av Kanaan,[90] som ca 200 år senare var i stånd att åstadkomma en riksbildning med hög stadskultur. På sätt och vis tecknar Merneptah's stele övergången från SB:s stadsstatssystem med sviktande egyptisk hegemoni till järnålderns stam- och folkorganisation. Det handlar således om ett ''Interregnum'' såväl politiskt som kulturellt. Likheten med utvecklingen under TB-MB och den senare framväxande stadskulturen under MB II A finner jag ganska slående. Att övergångstiden blev så väsentligt kortare under SB II-Järn I får tillskrivas den etniska sammanhållningen och en tidig centraldirigering genom Saul och David. Det yttre trycket var också minimalt, då Sjöfolken på sin väg mot Egypten lamslagit tänkbara rivaler om det inre av Kanaan.

I kontrast till sydstammarnas effektiva krigföring enligt Josuaboken, pågick de övriga stammarnas erövring av respektive områden mera gradvis, Dom 1,27 ff. Det var inte här fråga om stora städers fall. Hasor var ett lysande undantag,

[88] Chabiru uppträder i Främre Orienten från ca 2000 f.Kr. och vissa av folkgrupperna torde sålunda ha hört till TB-MB-perioden. För en god överblick av Chabiru-problemet se M. Weippert, 1971, 6 ff. Dokument rörande Shasu-gruppernas närvaro i norra Palestina visar, att dessa även uppträdde på östra delen av Jisreelslätten bl.a. i Beth-Shan, se R. Giveon, *Les Bédouins Shasou des documents Egyptiens*, 1971, 236 f. Jfr nu N. Gottwald, *The Tribes*.

[89] Den stele som här åsyftas påträffades i Beth-Shan, Lower V, men torde ha varit ''reused'' och ursprungligen härrört från nivåerna VII och VI. Level VII var det sista SB II-skiktet i Beth-Shan och samtida med Seti I. Ang data och text se K. Galling, *Textbuch zur Geschichte Israels*, 1979, 30 (nr 14 B).

[90] Papyrus Anastasi I ger en ganska klar bild av den politiska situationen i Palestina vid 1200-talets slut, se *ANET*, 475 ff. Se not 1. För en tänkbar situationstolkning, se G. W. Ahlström, *Who Were the Israelites?*, 1986.

Jos 11 men jfr Dom 4,23, där Jabin så småningom dukade under för folktrycket. Det var i norr fråga om strider mot rivaliserande folkgrupper, vilka hade städer eller snarare citadell som sina replipunkter. Men mestadels fördrev Israel inte ens befolkningen, även om man lyckats överta makten i området. Enligt deuteronomistisk syn blev detta naturligt orsaken till det växande avfallet bland folket, Dom 2,27 ff.[91] Mycket talar för att skildringen av det gradvisa övertagandet av hegemonien är historiskt riktig. Arkeologiskt är det oerhört svårt att av övergångsskikten i de stora städerna, mellan SB-Järn I, utläsa det historiska skeendet.

Förstörelseskikten finns dock alltid. Beth-Shan kan anföras som exempel. Staden intogs ej enligt Dom 1,27, men så småningom figurerar den som israelitisk (1 Kon 4,12) i samband med Salomos distriktsindelning. Level VI är det tidigaste järnåldersskiktet. Åtminstone dess tempel var en nästan exakt kopia av det som fanns i level VII. Level VI förstördes våldsamt ca 1100 f.Kr., och byggdes snabbt upp igen, men även i Lower V tyder allt på att egyptierna fanns kvar, även om stadens planering såg annorlunda ut än i level VI. Såväl Ramses III:s staty som Seti I:s och Ramses II:s stelar stod vid den gård, som var gemensam för tempel och palats. Inte ens några speciella lämningar, som kan tyda på filisteisk närvaro i staden påträffades; endast en enda skärva av typisk filistéerkeramik! Jfr 1 Sam 31.[92] Inte någon av den för bosättningarna i Dan, Hasor och Galiléen så typiska keramiken, dvs. förrådskrukan av typ collared-rim påträffades.

Inom nordstammarnas område råder klar kontinuitet emellan keramikkulturen från SB och den under järnåldern. Men skillnaden i fråga om tillverkningssätt såsom drejning och bränning framträder tydligt efter hand. Materiellt är skillnaderna påtagliga mellan t.ex. en stad som Beth-Shan och boplatserna i Övre Galiléen. I det förra fallet hade den gamla stadsbefolkningen inte några svårigheter att hålla sig kvar efter det att staden förstörts. I fråga om Hasor förmådde inte befolkningen bygga upp staden igen och de enkla installationerna på tellen, kronologiskt mellan SB II och Salomos tid, kan sägas vara typiska för en övergångstid. Det är möjligt att vi här har tidiga lämningar av israeliter, men inte av sådana som kommit söder ifrån, Jos 11 — förekomsten av det höghalsade förrådskärlet talar däremot — utan snarare av sådana, som tidigare inte bott avlägset från den nordliga SB II-kulturens Palestina. Riktigare är kanske att säga den nordvästliga SB II-kulturen. Den höghalsade förrådskrukan med kragkant och handtag är ännu så länge mest belagd i de nordligaste delarna av Galiléen. I Megiddo t.ex. förekommer endast den sydliga typen i Stratum VI. Vi måste på så sätt räkna med regionala krukmakartraditioner. Ett exempel härpå utgör kera-

[91] Jfr M. Weinfeld, *VT* 17 (1967), 93 ff., spec 101.

[92] Se nu F. W. James, *The Iron Age at Beth Shan*, 1966. De antropoida sarkofagerna kan emellertid ha tillhört filistéer i egyptisk tjänst under Level VI, dvs. presaulidisk tid; M. Ottosson, *Temples and Cult Places in Palestine*, 1980, 43 ff; 63 ff.

mikfynden på tell Deir ‘Allā strax öster om floden Jordan och norr om Jabbok. Den tidigaste järnålderskeramiken är nedärvd från SB men visar ändock inte en direkt forsättning på bronsålderns former och framställning. H. J. Franken antar, att den ursprungliga hemorten för denna keramik varit de transjordanska bergstrakterna. Den spreds även in i Palestina.[93]

Keramiskt föreligger såväl nedärvd tradition som nyheter. Detta indicium kombinerat med de pauvra bosättningarna demonstrerade i Hasor och Galiléen tyder på förekomsten av folkgrupper, som haft kontakt med SB II-kulturen, men ursprungligen levt i dess periferi.

Situationen i det palestinensiska höglandets städer är svår att teckna. Tell el-Far‘a (N) ligger ca 11 km nordöst om Sikem. Platsen identifieras allmänt med Tirsa, som en kort tid utgjorde kungasäte i Nordisrael, 1 Kon 16,15–18. Staden låg mycket strategiskt med ett stort spaningsområde åt sydost utmed infartsvägen till det centrala Palestina, nämligen vid wadi el-Far‘a. Ehuru mycket starkt befäst under MB IIA deklinerade staden under SB. Bosättningen kan ha funnits ända till 1200-talet f.Kr. Den äldsta järnåldersstaden var byggd in i bronsålders-skikten, vars murar och stadsport repareras och användes. SB II-bosättningens höga standard utmärks genom förekomsten av ett s.k. Fyrarumshus, detta tolkades som ett tempel.[94] Staden var säkerligen obebodd under den tid jag betraktar som ett *Interregnum*. Situationen i Sikem, Tell Balata, var tydligen densamma som i Tell el-Far‘a. G. E. Wright tror sig ha funnit spår efter Abimeleks förstörelse av staden på 1100-talet. Cisterner var de enda strukturerna därefter. Det kan emellertid vara en typisk Interregnum-företeelse. Ett förrådshus av Fyrarumshusmodell hade därefter byggts in i tempellämningarna från MB II-SB.[95] Ingen keramik från *Interregnum* redovisas. Den arkeologiska bilden överensstämmer i övrigt med den som ges av de under Järn I tillkommande bosättningarna.

Situationen i Ta‘anach överensstämmer i stort med den i Sikem och även i Megiddo.[96] Såväl Megiddo som Ta‘anach förstördes samtidigt på 1120-talet,[97] men Ta‘anach låg öde till ca 1000 f.Kr.

Men hur var då situationen i söder och där erövringen enligt uppgifterna i såväl Dom 1,1–26 (med undantag av v. 21) och Jos 10,42 var snabb och i det närmaste total? Endast fördragen med Rahab, Jos 2, och med gibeoniterna, Jos 9, tydde på att några av landets invånare lämnades kvar i det område, som omfattade Benjamin och Juda, dvs. Sydriket. I Josuabokens erövringsskildringar har inte folken, förutom anakiterna någon dominerande roll utan endast de stora städerna och kungarna.

[93] H. J. Franken, *Excavations at Tell Deir ‘Allā I*, 1969, 19 ff.; 92 ff.; 97 ff. Jfr också nu keramiken i Ch Medeinet al-Mu‘arradjeh, E. Olávarri, *ADAJ* 27 (1983), 165-178.

[94] Se R. de Vaux, *Encyclopedia of Archaeological Excavations in the Holy Land*, Vol. II, 1976, 400 ff. med litt.

[95] G. E. Wright, *Shechem. The Biography of a Biblical City*, 1965, 144 f. Fig 73; 101 ff.

[96] Ingen erövringstradition av dessa städer föreligger i GT.

[97] P. Lapp, *BA* 30 (1967), 2-27. *Idem.*, *BASOR* 195 (1969), 2-49.

Beträffande städerna intar Jeriko och Ai en särställning, då de måste ha legat öde redan vid tiden för erövringen; Ai sedan ca 2400 f.Kr., och Jeriko åtminstone sedan 1300 f.Kr. Vadan då dessa detaljerade skildringar? Det är tydligt, att dessa tellar, väl synliga i landskapet och belägna utefter viktiga vägar, tidigt blivit föremål för sägenbildningar, vilka så småningom vävts in i landnamasammanhanget.[98] Ai har tydligen med all rätt betraktats som en så imponerande stad, att det första erövringsförsöket misslyckades, Jos 7. Den skildringen är klart predeuteronomistisk. I samma kategori av erövrade städer torde även Arad placeras, Nu 21,1–3, och enligt min mening även Hasor, närmast den Nedre staden, som med sitt väldiga omfång 700x1000 m, legat öde redan i slutet av SB II.[99] Josua och hans "sydtrupper" har inte haft någonting att skaffa med Hasors erövring. Hans medverkan däri dokumenteras i en klart deuteronomistisk traditionsenhet och orsaken härtill är säkerligen förekomsten av det enorma ruinområdet. Hasor torde ha erövrats av nordliga folkgrupper, mycket sannolikt av israeliter.

Även Gibeon räknas till de stora städerna, Jos 10,2, i samband med landnama, men även den uppgiften måste ställas under debatt utifrån resultaten av de arkeologiska fältarbetena på platsen. Ehuru identifikationen el-Jib/Gibeon torde vara helt klar[100] existerar det inga lämningar av någon stad under Sen bronsålder. Endast fynd av sju gravar med SB II-keramik talar för en bosättning i området.[101] Det är först på 1000-talet som där legat en befäst stad.

Det finns dock i söder bevis för ett *Interregnum* mellan SB II och Järn I, men det råder knappast någon kronologisk consensus mellan utgrävarna. Den förste, som anförde arkeologiska bevis för israeliternas existens i söder var Albright, nämligen i Tell Beit Mirsim, Stratum *B 1*.[102] Han identifierade platsen som Debir, Jos 10,38 f. Stratum *B 1* fixerades genom förekomsten av förrådsgropar. Dessa var nergrävda i det förstörda SB II-skiktet C, vilket på samma sätt som i Hasor innehöll Mykene III B-keramik, alltså daterat till ca 1200 f.Kr. Stratum *B 2* kunde dateras till slutet av 1100-talet genom fynd av filisteisk keramik samtida med bl.a. Tell-el Qasîleh, Stratum XII–XI. Stratum *B 3* har kasemattmur och kan dateras till 900-talet.

Ehuru SB II-skikten är sparsamt dokumenterade i Lakish, har även där påträffats cisterner, som liksom i Tell Beit Mirsim är tecken på ett typiskt *Interregnum*.

Sådana indicier föreligger även i Geser och Beitîn/Betel. Enligt Jos 10,33 var Josua i strid med Gesers kung, jfr Dom 1,29, utan att dock inta staden. De senaste utgrävningarna på Tell el-Jazari visar, att Geser haft en nedgångsperiod i

[98] Jfr dock nu J. A. Callaway, 1985.

[99] Exakt datum torde vara omkring 1200/1190, eftersom import av Mykene IIIB-keramik upphört i och med stratum XIII. Se B. Hrouda i *Vorderasiastische Archäologie*, 1964, 126–135.

[100] Fynd av 27 krukhandtag med inskrifter *gb'n* gjordes i sena järnåldersskikt, J. B. Pritchard, *Hebrew Inscriptions and Stamps from Gibeon*, 1959, 1–17.

[101] J. B. Pritchard, *The Bronze Age Cemetery at Gibeon*, 1963, 72.

[102] *AASOR. Vol 17* 68, 75 och 87 och *AASOR. Vols 21–22*, 1943, 9.

slutet av Amarna-perioden. Den filisteiska ockupationen av platsen på 1100-talet torde ha skett utan större arsenal och det är först under Salomos tid som staden blir israelitisk.[103] Betel hade likaså en nedgångsperiod under slutet av SB II,[104] som slutade i en total förstörelse, som sätts i samband med en israelitisk erövring, Dom 1,22–25. Staden byggdes upp under Järn I men tidpunkten härför skall diskuteras.

Rapporten över utgrävningarna i Betel är helt baserad på Albrights tolkningar, och keramikdateringen utgår från materialet funnet på Tell Beit Mirsim. Järn I-perioden representerades i Betel av fyra faser med ett övergångsstadium i den första präglat av ytterst dåligt tillverkad keramik. Men samtidigt uppträdde förrådskrukan av typ collared rim med kort hals.[105] Bevisen för sin kronologi, 1200–1050, hämtade Albright i tidigare egna skrifter.[106] De sydliga kragkantskärlen har emellertid noggrant analyserats av R. W.Funk utifrån materialet i Beth Zur, Stratum III.[107] I Beth Zur uppträdde dessa förrådskärl tidigast ca 1050 och förekom åtminstone in på 900-talet. Även J. Wampler hade daterat dem till samma tid på Tell en-Nasbeh.[108]

Sinclair, som publicerade de senaste rapporterna över utgrävningarna på Tell el-Ful/Sauls Gibea, kunde inte finna någon möjlighet att placera det äldsta skedet där tidigare än ca 1020–1000 f.Kr. trots förekomst av kragkantskärl.[109] Och han hade enligt egen uppgift såväl Albrights som G. van Beeks välsignelse, när han daterade Stratum VI i Megiddo till ca 1050, det tidigaste skikt, som innehåller samma keramik.[110] Dansken H. Kjaer rapporterade förekomsten av denna keramiktyp i Silo.[111] J. A. Callaway har tydligen endast följt de kronologiska uppgifterna från rapporten över Betel. Han låter järnåldersbosättningen där dö ut först ca 1050.[112] Men sannolikast är att den då tog sin början. ''Städernas'' collared rim keramik bör nog dateras något senare än den som finns i bosättningarna.

Det är mycket möjligt att denna typ av keramik, då den synes uppträda i slutet av *Interregnum*, sammanfaller med en fastare bosättningsepok. De med murpelare försedda husen i Betel, Fyrarumshus, liksom arkitekturen i Ai är av sådan beskaffenhet, att den inte kan förenas med övergångstidens pauvra bosättning

[103] Se W. G. Dever i *Encyclopedia of Archaeological Excavations in the Holy Land*, Vol. II, 439 ff. *Idem*, *Gezer I-II*.

[104] J. L. Kelso, *AASOR* 39, 1968, 30 f.

[105] *AASOR* 39, 63.

[106] *Archaeology of Palestine*, 118.

[107] *AASOR* 38, 1968.

[108] J. Wampler, *Tell en-Naṣbeh II. The Pottery* 1947, 9.

[109] *AASOR* 34, 1960; *BA* (1964), 52-64. Se även H. J. Franken, *A Primer of Old Testament Archaeology*, 81-85.

[110] *AASOR* 34, 17 not 3.

[111] *JPOS* 10 (1930), 87-114, spec. 96 ff. Se nu M. L. Buhl — S. Holm-Nielsen i *Publications of the National Museum of Denmark, Archaeological-Historical Series I, Vol. 12*, 1969.

[112] J. A. Callaway i *Encyclopedia of Archaeological Excavations in the Holy Land, Vol. I*, 52 m. litt. hänv.

på tell Beit Mirsim. Stratum VI i Megiddo började som en mycket fattig bosättning ca 1100, och först i dess andra fas, ca 50 år senare kom ett kulturellt uppsving. Det enda logiska är att sammanlänka förrådskrukan av collared rim — typ med det materiella uppsvinget. Albright noterar, att kragkantskärlet, var sällsynt bl.a. Tell Beit Mirsim,[113] där vi i Stratum *B 1* återfinner det bästa beviset i söder för ett *Interregnum*.

Israeliternas bosättning i söder torde ha försiggått på samma sätt som i norr. Detta område låg emellertid något vid sidan av de stora vägarna. Det är endast Geser[114] och Lakish,[115] som figurerar i egyptiska källor från tiden för ett *Interregnum*. Jerusalem var en betydelsefull stad under Amarnatiden och sex brev sände dess kung, Aradhipa till Egypten med bön om militär hjälp mot chabirugrupper under ledning av Labaja och hans söner från Sikem. Keramikfynd visar till fullo Jerusalems framträdande status på 1300-talet. Sannolikt började därefter en nedgångsperiod precis som i alla andra städer. Jerusalem erövrades av Juda enligt Dom 1,8 men jebusiterna bodde kvar i staden enligt Dom 1,21. Ehuru det givetvis inte är möjligt att bevisa kan sådana uppgifter vila på historiska fakta. Staden förstördes men dess invånare lyckades bygga upp den igen. En sådan utveckling förelåg i Beth-Shan mellan level VII och VI.

De israelitiska bosättningarna i norr och söder torde ha försiggått oberoende av varandra. Den kulturella utvecklingen, vilken kan demonstreras genom keramik visar skillnader redan på ett tidigt stadium. Det etniska sambandet mellan nord och syd måste emellertid ha varit en förutsättning för riksbildningen. Sikem torde därvidlag tidigt ha spelat en stor roll genom dess centrala läge. Riksdelningen var nog ändock det naturligaste tillståndet och kanske också det lyckligaste. Juda expanderade därvid söderut mot Negeb, Kadesh Barnea och Aqababukten, Nordisrael österut med fenicierna som handelspartner i nordväst. Nordliga kulturinfluenser inom t.ex. arkitektur nådde Juda väsentligt senare än Nordisrael. Den i viss mån topografiskt betingade isolering, som Juda område i alla tider varit utsatt för, genom att de stora handelslederna gick på båda sidor därom, var en förutsättning för att religionen mer eller mindre kunde hållas fri från yttre tryck. Kultreformationer genomförda med jämna mellanrum visar på religionens starka förankring i ledande kretsar. Det gav Sydriket en självklar känsla av prioritet gentemot de övriga stamfränderna och ingenting talar emot att den deuteronomistiska kompositionen av erövringen i Josuaboken ger uttryck för en ideologisk självständighet, som kanske ytterst vilar på isolationsbetingelser redan vid bosättningen. Jfr R. de Vaux, 1970.

Den arkeologiska situationen i Transjordanien har ändrats kapitalt, sedan Nelson Gluecks tid.[116] Denne får sägas vara banbrytaren till den arkeologiska akti-

[113] *AASOR* 39, 63.
[114] J. Ross, *BA* 30 (1967), 62-70.
[115] J. Černý, *Lachish IV*, 1958, 133.
[116] Se M. Ottosson, *Gilead*, 181 ff.; D. Homès-Fredericq-J. B. Hennessy, eds. *Archaeology of Jordan*, 1989.

viteten i randområdena till det mera lättillgängliga Cisjordanien. Nelson Gluecks utforskning i Transjordanien gav upphov till teorien, att det var ett kulturgap mellan ca 1900–1300 f.Kr. framför allt i södra delen dvs. söder om *w. ez-zerka*. Utan att behöva förebrå Nelson Glueck — precisionen i bestämning av keramik är numera en helt annan än på hans tid — var säkerligen hans teori mycket olycklig, emedan arkeologerna kanske fann Transjordanien föga intressant. Det dröjde också länge, innan några större expeditioner startades. Men redan pilotprojekten visade på överraskande resultat, och nu framstår Transjordanien mer och mer såsom ett högt utvecklat kulturområde såväl under brons- som järnålder. Under den senare delen av den Mellersta bronsåldern uppstod stadsbildningar väl befästa, säkerligen i anslutning till vägnätet och även Sen bronsålder börjar alltmer att få profil. Transjordanien kan komma att bli ett mycket betydelsefullt fält för den arkeologiska forskningen, emedan man, med de stora vetenskapliga resurser, som nu finns, ej behöver vara beroende av tidigare grävningars resultat, utan kan åstadkomma en stratigrafi fri från gissningar och bibliska anknytningar. Det är svårt att ännu skriva något översiktligt, eftersom de senaste resultaten endast är presenterade på kongresser eller i preliminär form.[117] Men aktiviteten är stor, från Yarmuk ända ned till Aqababukten.

Det intressanta för vårt vidkommande är, hur övergången mellan bronsålder och järnålder kommer att bedömas. Det verkar som om vi även i Transjordanien kan räkna med ett Interregnum, från vilken tid senbronsåldersgravar har alldeles nyligen grävts ut i *w. ez-zerka*-området och i trakten kring *es-salt*.[118] Jfr situationen i *tell es-sa'idiyeh* på *el-ğōr* och i Gibeon i Cisjordanien. Några strukturer från den senare delen av Sen bronsålder har inte rapporterats från någon del av Transjordanien. Däremot kan man skönja konturerna av den ''avtagande'' Mellersta bronsålderskulturen genom templet på tell Kittan och befästningarna på tell *es-Safut*.[119] ''Templet'' i Amman från 1300-talet f.Kr. är en ''outstanding structure'' från Sen bronsålder i Transjordanien.[120] Men en liknande byggnad rapporteras från Rujm al-Henu (P. McGovern (1986) 11 ff.) och den skandinaviska expeditionens första säsong på Tell el-Fukhar, maj 1990, uppenbarade bl.a. en stark befästningsmur från SB II samt intressanta lämningar, SB II–Järn I (M. Ottosson, opubl. rapport). Om lämningar är sparsamt belagda, beror det helt enkelt på de fåtaliga utgrävningar som gjorts. Kulturskikten från Sen bronsålder är hittills sporadiska.[121] Några stadsliknande bosättningar från den tiden har dock grävts ut.[122]

Järn I är så långt en sparsamt belagd period. På *el-ğōr* är lämningar påträffade t.ex. *tell deir 'allā* och man kan ha en misstanke, att denna del av järnålderskul-

[117] A. Hadidi, Ed. *Studies in the History and Archaeology of Jordan I-II*.
[118] Muntlig kommunikation. Se nu också rapport av A. Hadidi, *op. cit.*, 6 f.
[119] E. Eisenberg, *BA* 40 (1977), 77-81; *ADAJ* 4/5 (1960), 115.
[120] M. Ottosson, *Temples and Cult Places in Palestine*, 1980, 101 ff.
[121] Th. L. Thompson, *The Settlement of Palestine in the Bronze Age*, 1979, 13 ff.
[122] T.ex. Irbid och Sahab, se M. Ibrahim, *ADAJ* 20 (1975), 69-82.

turen är väl företrädd längre norrut och i Hauran. Men i Transjordaniens södra område är skikten tunna och oftast obefintliga. Mrs Bennetts grävningar i Buseira har inte givit äldre lämningar än från Järn II, men nyligen företagna surveyforskningar söder om Arnon har på flera platser lämnat Järn I-keramik. Det visar, att det kan ha varit en bebyggelse här, även om den inte ännu kan analyseras utifrån påträffade strukturer.[123]

Det torde bli svårt att i Transjordaniens jord hitta bevis för den mosaiska marschrouten fram till Moabs hedar. Om grupper av israeliter kommit denna väg, såsom Gamla testamentet gör gällande, och vid denna tid, såsom alla exegeter antar så ger de sparsamma ytfynden föga bevis för ett sådant historiskt skeende. Idén om ett Interregnum, under vilket den transjordanska järnålderskulturen börjar ta form, kan ha ett visst fog för sig. Men de amoritiska kungarna Sihon och Og får sägas tillhöra det legendariska stoffet på samma sätt som de stora och mäktiga kungastäderna omnämnda i Cisjordanien. Den enda uppgift, som har historiskt underlag är Mesha-stenens omnämnande av ''gaditiska män'' strax norr om Arnon. Men då är vi redan inne i den järnåldersepok, som är klart belagd på varje ruinkulle. Men detta omnämnande ger ändock ett memento, att de gammaltestamentliga tradenterna redovisar en israelitisk bosättningstradition som kan vara tidig. Men den kronologiska frågan kan vi inte ställa till GT. Det intressanta är, att vi även genom inskrifter från *tell Deir ʻAllā* — även om deras datering kommer att bli omstridd — får uppgifter, som refererar till GT. Det gäller siaren Bileam, omnämnd i Nu 22–24 och 31 samt i Josuaboken. Vi har en känsla av att de gammaltestamentliga tradenterna retrojicerat kungatidens episoder till en begynnelsetid för ''Davidsrikets restauration''. På så sätt växer detta rike fram ur forntidens skuggor och det vid en tidpunkt, när mot YHWH och hans folk stridande makter tänktes ha stått hindrande i vägen. Ett sådant grepp hör dock till den ideologiska historieskrivningens rekvisita. Därom vittnar inte minst skildringarna hur dessa motståndare besegras.

Sammanfattningarna över israeliternas erövring och bosättning i Palestina kan variera alltefter författarnas intentioner med sina arbeten. Men gäller det att genom arkeologiska resultat söka belysa den gammaltestamentliga historieskrivningen, noterar man snart två riktningar. En tendens blir att helt frånkänna den bibliska texten något som helst historiskt värde. Detsamma kan sägas om de exegeter, som tillhör eller metodologiskt närmat sig de socialantropologiska skolorna. Ibland märker man en delad negativ attityd, dvs. man underkänner såväl bibeltextens historieversion som arkeologernas tolkning av grävningsresultaten. Det är en ganska intressant psykologisk situation, som vi alla befinner oss i. Var och en av oss utgår från bibeltexten, ty den står alltid fast, hur vi än tolkar den, medan arkeologins resultat i all deras konkretion ändras och omvärderas i takt med att metoder och analyser finjusteras. Texten som sådan kan vi inte göra nå-

[123] Jfr dock situationen i Ch Medeinet al-Muʻarradjeh söder om *w.Mujib*, *ADAJ* 27 (1983), 165–178.

gonting åt. Därmed är det inte sagt, att den är historiskt riktig enligt vårt sätt att tolka begreppet historia. Många för att inte säga de flesta arkeologiska resultat har av utgrävaren preliminärt applicerats på en gammaltestamentlig historiesituation. För exegeten eller historikern blir en sådan tolkning ganska ofta använd som historiskt bevis. Det finns en tendens att skriva ''historia'' utifrån bibeltexten. Sålunda kan Z. Kallai skriva: ''It has been my contention, however, that the descriptions of settlement reflect historical situations''.[124] Y. Yadin kunde åtminstone i intervjuer, försvara historiciteten av det mesta som återfinnes i Josuaboken, och detsamma kan sägas om A. Malamat.[125] M. Weinfeld kan i en artikel benämnd ''Historical Facts Behind the Israelite Settlement Pattern'' genom referens till arkeologers subjektiva tolkning av sina resultat (t.ex. ''idén'' om förekomsten av ett tempel i Silo eller av ett altare på Ebal) ge historicitet till en skildring, som litterärt är formad på samma sätt som grekisk bosättningshistoria.[126] Vi utnyttjar alla ett slags växelverkan mellan text och arkeologiska resultat ibland för att understryka textens trovärdighet eller också för att bevisa motsatsen. Mycket ofta görs de bibliska texternas subjekt till arkeologiska objekt. Associationen till bibliska namn och platser gränsar till cirkelbevisets formuleringar. Ehuru de gammaltestamentliga tradenterna oftast synas vara mer förtrogna med geografin än med historien, är förekomsten av ett namn inom ett område inte detsamma som dess historia, tolkad utifrån arkeologisk eiseges.[127] Om man arkeologiskt tror sig kunna bevisa, att man är på en biblisk plats och där i ett stratum, som representerar en biblisk epok, bör man vara försiktig att använda bibliskt språk eller namnbruk om det arkeologiska materialet, ty det händer nästan alltid, att kommande arkeologgenerationer med bättre metoder (och kanske omdöme) lätt kan motbevisa förhastade slutsatser. Det fanns en tid, då man kallade och därmed daterade arkeologiska skikt, t.ex. i Beth-Shan efter den ''samtida'' egyptiske faraonen. Men då dateringen av skiktet snart visade sig vara fel, var det också fel farao.[128]

Utforskningen av det historiska händelseförloppet kring ''erövring'' och ''bosättning'' domineras eftertryckligt av israeliska arkeologer och rapporteringen av resultaten görs oftast på ett sådant sätt, att det råder ingen tvekan om att den gammaltestamentliga historiebilden till största delen håller. Husgrunderna, som påträffas är ''israelitiska'', arkitekturen är ''israelitisk'', keramiken är ''israelitisk'', kultplatsen är ''israelitisk'', inskriften är ''israelitisk'' osv. Därefter kommer övriga, till större delen icke-judiska forskare, med motargument och menar, att fynden lika gärna kan representera kanaaneisk kultur. På sätt och vis har den

124 *ZDPV* 99 (1983), 119-129 belyser svårigheterna.

125 Y. Yadin, *BAR* 8 (1982), pp. 16-23 och A. Malamat, Israelite Conduct of War in the Conquest of Canaan, 1979, 35-36.

126 *VT* 38 (1988), 324-332 och *VTS* 40 (1988), 270-283.

127 B. S. J. Isserlin, *PEQ* 89 (1957), 133-144; H. J. Franken, *PEQ* 108 (1976), 3-11; J. M. Miller *ZDPV* 99 (1983), 119-129 belyser svårigheterna.

128 T.ex. A. Rowe, *The Four Canaanite Temples of Beth Shan*, 1940 och jämför nu Y. Yadin och S. Geva, *Investigations at Beth Shean*.

vetenskapliga diskussionen hamnat i den ideologiska maktkampen mellan kanaanéer och israeliter, vilken Gamla testamentet gör sig till tolk för.

Det har emellertid tillkommit nya argument i debatten om israeliternas eventuella invandring och dessa har nästan gjort den senare till ett sidoproblem. Den stora frågan är vad som egentligen orsakade bronsålderskulturens förfall och en flerhundraårig nedgångsperiod. Här kan varken exegetisk eller arkeologisk forskning ge något svar utan i stället har metereologer och klimatforskare bl.a. kommit med häpnadsväckande resultat. Vi har ovan talat om att naturen kom i obalans och det har varit en kontinuerlig process, som pågått i flera hundra år.[129] Enligt metereologerna beror detta på att sommarregnen försvagas och vinterregnen ökar med kalla vintrar som följd. Denna förändring har på mycket lång sikt slagit ut vissa typer av odling och lett till att s.k. dry-farming har ökat. Detta synes vara den största bidragande orsaken till att städerna överges och man söker anpassa sig efter de ändrade förhållandena. Palestina har aldrig haft naturliga förutsättningar för konstbevattning. Det uppstår samma situation som under TB-MB.

I de senaste sammanfattningarna av den epok, som jag generellt vill kalla ett Interregnum, betonar man inte så mycket de etniska inslagen men väl samhällsstrukturen. Det torde förmodligen inte ha varit så stor skillnad materiellt sett mellan låglandsinvånarna, enligt Gamla testamentet, kanaanéerna och bergsbygdsbefolkningen, israeliter, hetiter, hivéer och jebusiter. Naturligtvis kunde det uppstå skillnader i fråga om livsstil mellan bergsbygdens och slättlandets folk, men det hade ingen etnisk orsak.[130] Arkeologiskt går det inte att bevisa, om bergsbygdens folk kom utifrån. B. S. J. Isserlin analyserar detta problem utifrån kända invasioner i långt senare tid. Alla förändringarna, om det nu blev så många, tog mycket lång tid.[131] Såväl områdets språk (i detta fall besläktat med de eventuella invandrarnas), namn på städer och orter bibehölls och Isserlin kan liksom V. Fritz tänka sig en symbios-situation mellan kanaanéer och israeliter, där israeliterna snarare varit *foederati* än nybyggare.[132] B. Halpern tänker sig Transjordanien med Kungsvägen som en ''springboard'' för israeliterna in i Cisjordanien och menar i princip , att A. Alt år 1925 kom med den riktiga förklaringen till det israelitiska folkets bosättning.[133] Det finns emellertid inga som helst bevis för en israelitisk invasion av det slag, som återges i Jos 1–12.[134] Men

[129] Detta skedde såväl omkring 2000 f.Kr. som omkring 1000 f.Kr. Se t.ex. E. Olausson, Tephrochronology and the Late Pleistorcene of the Aegean Sea, *Opera Botanica* 30 (1971), 29-39; H. Flohn, Abrupt events in climatic history, 1976; R. Gillespie *et. al.*, *Nature* 306 (1983), 680 f.

[130] Jfr L. Marfoe, *BASOR* 234 (1979), 1.42; L. Hopkins, *The Highlands of Canaan*, 1985; G. London, *BASOR* 273 (1989), 37-55.

[131] Invasions and Cultural Change, *Proceedings of the Leeds Philosophical Literary Society* 18 (1982), 9-24; *Idem*, *PEQ* 115 (1983), 85-94, jfr F. Rainey, *BASOR* 273 (1989), 87-96.

[132] *BASOR* 241 (1981), 61-85. Jfr redan I. Engnell, art Silo, *Svenskt Bibliskt Uppslagsverk*, Vol. II, Sp. 933 f., 1964.

[133] *The Emergence of Israel in Canaan*, 1983 och A. Alt, Die Landnahme der Israeliten in Palästina, *KS* 1 (1925), 89-125.

[134] G. E. Mendenhall, *BA* 39 (1976), 152-157; J. M. Miller, *PEQ* 109 (1977), 87

de ofta förekommande skildringarna av landets övergång till öken och vilka sätts i samband med folkets olydnad gentemot dess gud, bör ha en verklighetsbakgrund i generationers upplevelser av klimatförsämring. Denna kan inte spårlöst ha gått förbi. Men därmed blir historieskrivningen ideologisk och Josuabokens erövringsskildring programmatisk. Jag tycker mig däri kunna utläsa Davids krig med Josuas person, som den perfekte kungen och skaparen av ett idealt Israel.

Summary

The Book of Joshua
— A Deuteronomistic Program for the Restoration of the Davidic Kingdom

This study will try to show that the Book of Joshua was intended to be a deuteronomistic program for the restoration of the Davidic Kingdom.

It is not my main intention to broach the historical problems connected with the message of the Book of Joshua but just the title of this summary will anyhow give the reader the impression that, according to my opinion, the deuteronomistic redactor has worked mostly ideologically, and deliberately has used both "historical" and geographical material to sketch his program. My only premise is that the deuteronomistic redactor has formed his book according to certain intentions. Most scholars agree that he has written the first chapter and also the 23rd chapter, and then it seems probable that he also has reworked some other material. This material can be described as old local stories, sometimes coloured by a priestly style, e.g. the treaty with Rahab, Jos 2 and the theft of Achan, Jos 7. Especially the second section of the Book contains a lot of geographical material, the origin of which is definitely *non*-deuteronomistic. It is my impression that only a redactio-historical analysis which takes into consideration all the text material and therein tries to find the ideological themes of the composition can give justice to the Book of Joshua. Thereby it is possible to state as a fact that the book mainly is built up according to one principle which also will explain the occurence of the compressed sections of geographical names, namely the Davidic Israel under the direction of one leader who is perfect all his life and obedient to the Law, namely Joshua. But it is also evident from the text that Dtr, the redactor of the Book, lives in the situation of the Divided Kingdom or has witnessed it.

The priestly material—here named P

According to the literary critical scholars, the parts of the Book marked by priestly language, are late and secondary. This means that they are thought to have been inserted after the deuteronomistic redaction of the book. In the commentary written by the late Professor Martin Noth it is clearly stated what is primary and what is secondary. But then it will be very difficult to explain why phrases of P have been afterwards inserted into texts in the Book of Joshua, texts which are so strongly coloured by the deuteronomistic ideology. Should such a

P-reworker have left Chapter 1 as it now looks. Especially in Chapters 3-4 where it is definitely possible to discern the P-language, I find it impossible to explain how a P-redactor or a P-tradent could have gone to work in order to insert his own language, expressions and phrases but at the same time tried to keep Dtr's disposition. In carefully reading the Book of Joshua and at the same time using the concordance in order to group the different types of phrases, you will soon apprehend that the P-language has been used by Dtr. Also the motifs used in the description of the crossing of the River Jordan give associations with the Reed Sea episode.

Consider for example, the catechetical explanation in 4,23 "For Yahweh your God dried up the Jordan's water before you until you had crossed, as Yahweh your God did to the Reed Sea, which he dried up before them until they had crossed". Just referring to words and short expressions it is interesting to find typical P-words alluding to the deeds of Yahweh in Egypt. *nip̄lā'ōṯ* in 3,5 alludes always to the happenings in Egypt and occurs only one other time in a deuteronomistic context: Judg 6,13. It is very common in P-phraseology and in liturgical texts. With the help of a concordance it is also possible to find a background to the idea in 3,4 that there must be a distant of "around two thousand cubits" between the Ark and the people. It is conceivable that this instruction is related to the measurement of the extent of the uplands of the Levitical cities in Num 35,5. This figure was associated with the Levites and combined with their role as bearers of the Ark of the Covenant. The motifs present in Jos 4 have much in common with P-material and the crossing of the Jordan is dated according to the dating scheme of P, 4,19. The crossing of the East Jordanian tribes over the Jordan "before Yahweh" is here recorded in the same fashion as in Num 32,27. Cf. Deut 3,18 and Jos 1,14 which have the expression "before your brethren".

Without saying that Jos 6 contains P-material we have to underline the role of the Ark of Covenant at the conquest of Jericho; and we can definitely say that the *ḥeraem* regulations of the chapter are not deuteronomistic but have much in common with those mentioned in 1 Sam 15,3 and with the regulations mentioned in the Mesha inscription. The non-deuteronomistic character of Jos 7 is also clear and if anything will be said about the affinity of the language in the chapter there are a number of expressions which are reminiscent of P's style, especially in the verses 2–9. The late Martin Noth assigned the chapter to the Gilgal material, and characterized Jos 7 as one of the oldest texts in the Book of Joshua. For the composition of Josh 3–8 and a comparison with Ex 12–17, see M. Ottosson, Tradition and History with Emphasis on the Composition of the Book of Joshua, *The Productions of Time: Tradition History in Old Testament Scholarship, Ed.* K. Jeppesen & B. Otzen, 1984, pp. 81–143.

An easily discernable section with P-style is Jos 9,15–21. The language is in contrast to the deuteronomistic framework of the chapter. Some words and phrases have been regarded as late, as they belong to P; especially the discussion has centred around the expressions *'ēḏā, hannĕśī'īm* and *nĕśī'ê hā'ēḏā*. Classical is Martin Noth's delicate dissection that *hannĕśīʼīm* is a premonarchial word but the expression *nĕśīʼê hāʻēḏā* is very late and belongs to P. To solve this problem I want to refer to Professor Hurvitz' thorough investigations of the word *ʻēḏā* and its time. Hurwitz has shown that the word *ʻēḏā* is untypical in late Hebrew. The so called P-section mentions the Gibeonites as wood-cutters and water carriers using a terminology which then in vv. 26–27 is reused by Dtr in order to formulate his etiology of the "congregation" and of the altar of Yahweh. It must have been Dtr who had used the story told in the P-section. A reversed situation seems to me impossible to explain.

The second part of the Book of Joshua, especially Chapters 14–22, keeps many expressions of P-character; and the geographical texts originally describe conditions of administration which could be early and Dtr has used them in order to form a picture of the Davidic kingdom. A badly treated text is also Jos 22. Mostly this chapter is regarded as very late but like Jos 9 there is a Dtr framework around a story in archaic P-style which told of the circumstances of a treaty between the eastern and western tribes, a treaty which will be of great importance for the program of Dtr.

My premises are that Dtr has used P-material and stories collected and transmitted by P-circles. He then reworked this material and made his own additions in order to create a consciously ideological composition, the geography of which forms the Davidic kingdom with Joshua as the prototype of the ideal king. The P-material is mostly concentrated in texts which treat the happenings in and around at least three cult centres, Gilgal, Gibeon and Shilo. Maybe also Shechem was an important cult centre, but this place is regarded as the final pivot in the composition. Shechem is the place where the first promise of land was given in Gen 12; and Joshua 24, the last chapter of the book, tells just the way to keep the kingdom together by promulgating a treaty between Joshua and the people. Let us say that it would have been very useful for both King Solomon and for King Rehoboam to prevent the loss of the loyalty of the ten northern tribes according to 1 Kings 12.

Dtr, who, according to my opinion, is from Jerusalem, has thus used old material but has also written introductions and frameworks in order to create an ideological trend in his book. Its characteristic formulation could be read in the first nine verses of Chapter 1. "And it happened after the death of Moses, the Servant of Yahweh, that Yahweh said to Joshua ben Nun, Moses' servant/ *mĕshāreṯ*. My servant Moses is dead. And now, proceed to cross this Jordan—you and all this people—to the land that I am giving to them, to the Israelites. Every place on which you will set the soles of your feet I have given to you as I said to Moses. From the wilderness and this Lebanon and to the great river, the river Euphrates, all the land of the Hittites, and to the Great Sea where the sun sets shall be your territory. Nobody shall stand upright in front of you as long as you live. As I was with Moses, so I will be with you. I will not make you nerveless I will not abandon you. Be strong and courageous for you will allot to this people the land I have promised on oath to their ancestors to give them. Only be very strong and courageous to keep, to act according to all the Law which Moses my Servant commanded you. Do not in any way deviate from it, to the right or to the left, that you may succeed wherever you go. This Book of Torah will never be missing from your lips, and you shall recite it day and night that you may be sure to do all that is recorded in it. For then shall you profit on your way and have success. Have I not commanded you? Be strong and courageous. Be not frightened or dismayed. Yahweh your god is with you wherever you go''.

The Moses figure in the Book of Joshua

Above I tried to underline that several texts in the Book of Joshua clearly remind one of, or in case of phrases are identical with the material found in Exodus and Numbers. Often it is interwoven into the Dtr-composition. This accentuation of the P-material has been of the greatest importance for Dtr. We definitely find this trend in the clear Dtr text from Jos 1,1–9 quoted above. The name Moses is mentioned five times and in all the Book of Joshua the name Moses is mentioned not less than 52 times. In most cases the references are an explanation or a justification of how to act in a special way. Joshua or the people behaved in the way Moses had told or had done or as Yahweh had ordered Moses. The P-material in the Book of Joshua sometimes is concentrated on Moses. There are naturally links to Deuteronomy but they are in reality very few: e.g. Jos 8,30–35/Dt 27; Jos 9/Dt 20,15. Also in Jos 1 there are textual phrases corresponding to Deuteronomy, i.e. the description of land in Jos 1,4 and of the eastern tribes in 1,12 ff. But in this connection Dtr has also used some phraseology which is found in Numbers 32. The references to the figure of Moses are made a central idea in the composition. Joshua's action mirrors the deeds of Moses. Joshua sent out spies or messengers, Jos 2,1; 6,17 like Moses, Nu 21. Joshua raised twelve stones at Gilgal, 4,4 ff. v. 20 like Moses at the foot of Mount Sinai, Ex 24,4. Joshua circumcised the people, 5,2 ff. like Moses, Ex 12,44. Joshua got the order to take off his sandals, 5,15 like Moses at the burning bush, Ex 3,5. These examples are just references to P. Dtr has also his own more elaborated expressions, 11,15 ''As Yahweh commanded his Servant Moses, thus Moses commanded Joshua; and thus Joshua did. He left nothing undone of all that Yahweh had commanded Moses.''

The guiding principles given to Joshua are found in Jos 1,7 ff. and they can be regarded as a paraphrase of the first psalm in the Book of Psalms. The representatives of our old ''Uppsala School'', which has definitely not passed away, judged the terminology of Jos 1,7 ff. as belonging to the vocabulary of the Sacral Kingship. The king was obliged to keep the Law and to guarantee that the people did the same. Without questioning the righteousness in this suggestion I want to stress that Dtr describes Joshua as the prototype of the perfect leader and king in Israel. Only such a king can guarantee the size of the Promised land, Jos 1,4, and the security of the people.

The conceptions of land in the Book of Joshua

Without presenting a comparison between Joshua's obedience to the Law and that of the following Israelite kings, I want to stress one important phenomenon which played an essential role in Dtr's history writing, namely the role of women, especially those of foreign nations. According to 1 Kings Chapter 11,1 ff. king Solomon's harem seduced the king into the sin of worshipping other gods. This is, according to Dtr, the reason why the kingdom was divided into a northern and a southern part, 1 Kings 12. But Joshua is the perfect bachelor. He is never found looking for any woman. And in this case we can say that he is more perfect than Moses. Only late Jewish traditions make Joshua and Rahab a couple. It is important to mention the theme of the foreign women in connection with the idea of Land as we find it underlined in other texts. Besides 1 Kings 11,1; Neh 13,23 ff., Eve and her action in Gen 3 belongs to this pattern. And also Rahab, Jos 2, plays in one way such a fatalistic role. Although she is confessing Yahweh, she is a foreign woman and the spies enter into a treaty with her, an act which is forbidden according to the Law, Ex 23,32; Dt 7,2. As the women could be so effective in keeping the borders intact, it will then be of interest to find out how Joshua alone managed the situation.

The area which we usually connect with the geography in the Book of Joshua is Canaan, the land west of the River Jordan. Possibly it can be seen as rather strange but this conception of Land does not dominate in the Book. Naturally we find the expressions as "the land which I have promised your fathers" or "the land flowing with milk and honey" but the term Canaan appears in passing in the phrase "they ate from the crops of the land of Canaan that year", 5,12 and then it is mentioned in Ch. 14. One can suspect that the occurence of the name depends on P-influence. Shiloh is located there and the patriarchs walked around there, Jos 24,3. The oldest demarcation of Canaan is found in Gen 10,19 and the River Jordan is the eastern frontier. Cf. Ez 48. The borders in the north and in the south coincide on the whole with those of the Davidic Empire. Canaan as a conception of land has no meaning for Dtr. Surely most of the happenings are concentrated in that area but Dtr's concept of land completely follows other principles. According to Dtr, the Israelites will get an enormous area, namely, "the land between the River Euphrates and the Brook of Egypt"—this is the formulation in Gen 15,18 but it corresponds to the one mentioned in Jos 1,4. Cf. Dt 1,7. The emphasis on the area between the River Euphrates and Egypt rests ideologically on the promise to Abraham. Further, it is beside the point to mention this area in Jos 1,4 when the people are standing east of the River Jordan, not east of the River Euphrates. Jos 1,4 could be easily connected with the situation of the Babylonian exiles, but there I have my doubts. The border function of the River Euphrates can be associated with an idea of land which occurs already in Gen 2,10–14, where the rivers of the Paradise are thought to surround the area of creation. With some question marks for the geographical localization of the western rivers, Gihon and Pishon, this area will coincide with the land of

Promise. It appears in some ideological texts, see M. Ottosson, *VTS* 40 (1988), 177–188, and what we generally can stress here without entering into any details, namely, that occupation of such a vast area always in the OT is combined with absolute observation of the Law, e.g. Dt 11,22 ff. But as a description of this area, amongst other things, belongs to the introductions of Deut, 1,7 and of the Book of Joshua, 1,4, it means that the redactor wants to judge the course of the conquest and allotment in the light of this geographical information. We get the impression that the area thought of in Jos 24 coincides with the borders of the Davidic Empire. It is exactly the same area viewed by Moses from the Mount of Nebo in Dt 34. The contours of history drawn between the first and the last chapters in Deut and the Book of Joshua will then tell us why the promise was not fulfilled. We can say: nobody can keep the Law to 100 per cent. In the traditions concerning King Solomon we are given the impression that he succeeded in reaching the happiness of a restoration of the Paradise, according to the geographical borders of 1 Kings 5,1. This area is called "the Land of Yahweh" in Hos 9,3 which means that this prophet was aware of such an idea. Cf. Is 19,25. Also in the Book of Psalms there are texts which describe the ideological situation, Ps 72,8 and 80,9 ff. in the same categories.

But in the Book of Joshua Dtr mentions a reservation, "Every place on which you will set the soles of your feet I have given to you exactly as I Promised Moses", 1,3. This expression must be combined with the following story of conquest and it appears once more in Jos 14,3, then referring to Caleb and the area around Hebron, the land of the tribe of Judah. The other tribes were sometimes very lazy in conquering their plots of inheritance, 18,3. They could not drive away the Canaanites, Jos 16,10. Maybe here is an explanation why the inheritance of the ideal area could not be realized. Cf. Gen 12,6. As mentioned above, for such a realization a strict observance of the law as it was given to Joshua is demanded. Cf. Dt 11,18–25.

In the light of these circumstances, Dtr is forming his own geography, naturally using old material, and the main pattern of land, the Davidic Kingdom, is clearly discernible in his composition of the conquest and it is, expressed but in other formulae, the same as the land of allotment which will be established in the covenant at Shechem, Jos 24. The Book of Joshua is generally divided into two parts, Chapters 1–12 and 13–24. But it is hardly possible to find any sense in the composition—from the aspect of the geography—if not the point that the division is between Chapters 13 and 14. Although the Book of Joshua only seems to describe the conquest of Cisjordan, the duty of the Transjordanian tribes to participate in the wars is repeated in 1,12 ff., and in Jos 13,7 ff. we get a recapitulation of the Mosaic allotment of inheritances to the tribes of Reuben, Gad and Half Manasse. They receive the kingdoms of Sihon and Og which were conquered by Moses, Jos 12,1–6. Joshua is the leader of "all Israel" organized in 12 tribes who will get land and priestly tribe Levi who will get other duties. The geographical pieces of the puzzle are very easy to find if one follows Joshua's route of conquest. The attack from Gilgal-Jericho-Ai and Gibeon in the western direction divides Canaan into two parts. After that follows a southern route of conquest, Jos 10, and then a summary in 10,40–43. This is the first and most important phase in the conquest. The geography coincides with the Kingdom of Great Judah. It is a very effective war: everything which has some kind of spirit is consecrated to destruction, *ḥeraem*. Only Rahab, the Gibeonites and the Jebusites in Jerusalem are saved for different reasons. Also in the north Joshua conducted the same kind of war and he will there pursue the enemies to the northern ideological border line, "the Great Sidon", Jos 11,8. From the area between these two routes of conquest, the reports of war are more or less missing, cf. Jos 17,14 ff. In Jos 11,16–23 we get a summary of the conquest and the area is now divided into the mountains of Israel and the mountains of Judah. How old these designations are may be discussed but in the composition they cover the areas, in the OT called the Kingdom of Israel and the Kingdom of Judah as they appear after the death of King Saul, 2 Sam 2,9. We may note that the tribe of Benjamin plays a minor role in the Book of Joshua. Most of the wars are conducted in the area of this tribe but Joshua was an Ephraimite. This relationship was not so conveniant for Dtr. It was indeed impossible to make Joshua, this perfect servant of Moses, responsible for the situation in the area of Ephraim, it means to allow the Canaanites to live there. Jos 13,1–6 describes the demarcation line in relation to the Philistines and the Sidonians. Although Joshua is said to have reached the age of gray hair and has no power to conquer this part of the land, Yahweh himself promises to do it. But cf. Judg 3,1. All the area described in Jos 1–13 is practically identical with the Davidic Kingdom.

The text telling us the story of conquest is then a composition done by Dtr and he has drawn the borders of the Davidic Kingdom but in such a way that we feel that he is aware of the Divided Kingdom. Geographically the composition of the conquest is done in such a way that it fits the section of the allotment in Jos 14,1–19,51. Here the 9 1/2 Cisjordanian tribes will get their inheritances and as in Jos 11,16–23 Canaan is divided into a northern and southern area. Nothing says that this is a late division. Already in the Bronze Age we are told about some kind of antagonism between north and south. I am thinking of Labaya in Shechem and his skirmishes with Arad-Hipa in *mat Urusalim*, the land of Jerusalem, and King Shuwardata on the coast. The northern border of the land of Jerusalem was then certainly Joshua's east-west route: Jericho-Ai-Gibeon-Beit Horon. This route will also give us the site where Abram and Lot had their settlement, Gen 13, where Abram became the Cisjordanian and Lot the Transjordanian with the River Jordan between them. But with the incidents described in Gen 14 Abram "conquers" this area for himself and then in Gen 15,18 he will have the borders of the land of Promise told to him for the first time in Shechem. The ideological movement of land in the Book of Joshua is depicted in the opposite way. It starts with the land of Promise and ends in Shechem naturally.

The allotment

The conquest is achieved by a united Israel. No separate Cisjordanian tribes are especially mentioned. But in the description of the allotment the individual tribes play the main role. The place for the allotment "the land Canaan" is mentioned in 14,1 and Shiloh in Jos 19,51. Without entering into the problem my guess is that the text material about the allotment originally belonged to Shiloh and has there been preserved and transmitted by priestly circles. It would have been very simple if Dtr now had displayed names and borders or the inheritances belonging to the tribes and city lists according to the genealogy of the tribes. But Dtr uses the same systematization as in Jos 13. There he recapitulated borders and cities of the 2 1/2 Transjordanian tribes and now he does the same in Jos 14. There we are told about an allotment to 2 1/2 Cisjordanian tribes, Judah, Ephraim and 1/2 Manasse. This allotment takes part in Gilgal, 14,6. Here is also a general division of the area into a northern and a southern part. The position of Judah in the South is accentuated and it will get the first share, Jos 15. But it is interesting that Caleb first now enters the scene. Like Joshua, he also survived the wandering in the desert. As Joshua originally belonged to Ephraim and Caleb to Judah, they are in one way the representatives of the north and south. Caleb will get his share, promised to him by Moses, 14,9 and he conquers the town of Hebron. This tradition is repeated again in Jos 15,13, Judg 1,10 ff. Without anticipating the end of the Book of Joshua, we know that all of the leaders die except Caleb. In Jos 14,10 he says that he is 85 years old but still has a martial instinct. From an ideological point of view it is temptating to find in the character of Caleb a hint of the Davidic dynasty and its claim to power, just in Hebron. Cf. 1 Chron 2,50 ff. and among others 2 Sam 3,8 where we with Hugo Winckler (1895) want to read *rō'š kālēḇ* instead of *rō'š kaelaeḇ*.

When the remaining seven tribes get their inheritances in Shiloh, the sons of Judah and Joseph are standing on their shares, Jos 18,5. The Levites are treated separately, Jos 20–21. Maybe the tribe of Benjamin should be mentioned. It will surprisingly gets its share together with the seven northern tribes, although it was traditionally in alliance with the tribe of Judah. Most of Joshua's conquest takes part in Benjamin's area. Benjamin's position in Jos 18,23–27 may indicate that in the Shiloh material we get some knowledge about the area of Saul's kingdom. Its borders are drawn in 2 Sam 2,9. Jos 18–19 is a section coloured by Dtr but there is old priestly material which is not possible to delineate in detail. Jos 18,1 is anyhow a typical P-notice. The principles of allotment seem to be based on the material in Numbers and these principles have attained the position of the Law, and are written down *'al sefaer*. The land of the seven tribes fits well into the districts of Solomon's Cisjordanian administration, 1 Kings 4. Through the allotment and inclusion of the Levitic cities, Jos 14–21, Dtr has reconstructed the Davidic kingdom and consequently based every piece of his puzzle on Mosaic principles. It is clear in Dtr's concluding verses in Jos 21,43 ff. Through the obedience to their God he has given the tribes rest from all their enemies. Not a word of every good word which Yahweh had spoken to the house of Israel fell to the ground. It all happened. The people including the Transjordanian tribes, 22,4, now had rest, *mĕnūḥā*, from all their enemies.

The Book of Joshua could here have come to an ideologically happy end of conquest and following allotment. But in the three remaining chapters, the redactors will create the only correct guaranties for the existence and unity of the kingdom. These chapters contain texts which could be characterized more or less as treaties. Jos 22, like Jos 24, retell treaties which have been entered into between different parts of the kingdom in a schematic geographical aspect. Jos 22 will guarantee the unity between the eastern and western tribes. Jos 23, which is completely deuteronomistic, is divided into two sections, vv. 1–13 and vv. 14–16. The chapter is Joshua's farewell speech and it also contains admonitions and warnings given to the people to dissociate themselves from gods belonging to the peoples who remain. Joshua could not defeat all of them, but this task is formulated in Joshua's last will, where the observance of the Law is the pre-requisite of the people's living in security. The speech of Joshua depicts the situation according to Jos 24, the last chapter. The unity between Yahweh, his Law and the people is then confirmed, foreign gods are removed and the harmony of the kingdom is established. Allotment of the land was the primary task for Joshua, Dt 31,7; Jos 1,6. The task of conquest is hazily mentioned in an introductory divine command. Yahweh himself has the intention to give the land to his people as he had promised. Yahweh himself is fighting for Israel. We could also refer to 1 Sam 12,8 where Samuel gives a resumé of the hitherto history of salvation, but Joshua is not even mentioned. When Joshua is fighting he is using the tactics of ambush, Jos 8 or the enemy will be struck by panic or he could drive them out of the country especially in the north. From the experience of the history the Deuteronomist knew that the apostasy of the Northern kingdom from Jerusalem had resulted in an unacceptable cult; in the Book of Joshua there was no war of *ḥeraem* in this area but the Canaanites were allowed to stay. We are not told about any conquest in the central part of Palestine. The redactor did not want to dishonour Joshua and connect him with an unsuccessful conquest.

Shechem

If the hypothesis is correct that the Book of Joshua is a consciously created composition by the hand of Dtr, we must naturally ask the question why its last chapter ends in Shechem. Further centers in the Book are otherwise Gilgal and Shiloh. Shechem is previously mentioned in Jos 17,17; 20,7 and 21,21. In the last mentioned texts Shechem is a city of asylum and a place where Levites live. It has thus a cultic character of which we also are told of in the Book of Genesis. The reason why the Book of Joshua ends at Shechem could be that Joshua is then brought to his own inheritance, 1 Chron 7,27 f., in order to die and be buried in the mountain of Ephraim, Jos 24,30. But the all overshadowing reason is naturally ideological. In Shechem the first promise of land was given to Abram,

Gen 12,6 and this promise is also underlined in the Book of Joshua. But also a tragic episode happened here, an episode resulting in the division of the Davidic kingdom, 1 Kings 12. At Shechem was a holy precinct which played a central role in the history of the Patriarchs. In Gen 12,6 it is named *mĕḳōm šĕḳaem* but in Jos 24,26 *miḳdàš Yahweh*. That the word *māḳōm* is not used by Dtr depends certainly on the reason that it is used mostly about Jerusalem, the place chosen by Yahweh. Anyway, here at Shechem in the holy precinct both Abram, Gen 12,7, and Jacob, Gen 33,20, built an altar. But the most noted installation was that of a terebinth. It is named *'elōn mōrāe*, Gen 12,6, *hā'ēlā* in Gen 35,4, *'elōn muṣṣāḇ*, Judg 9,6 and *hā'allā* in Jos 24,26. All texts refer certainly to the same tree. Below that tree Jacob buried the foreign gods, Gen 35,4, and there Joshua raised a large stone, Jos 24,26. Whatever the tree could have been, it is not by pure chance that the activities of the patriarchs and of Joshua are directed to the same place. Dtr will see a clear ideological connection in the promise of land (Abram), the burial of the foreign gods (Jacob) and the threefold declaration by the tribes just to serve Yahweh, always brought to remembrance through the stone (Joshua). The stone raised below the terebinth at Shechem marks the people's devoted gathering in front of their God and also in that moment the definitive accomplishment of the promise to Abram on the same spot as it once was given.

The traditions of Abram, especially Gen 14, are regarded as having been of some importance for the claim of Jerusalem as an Israelite center from the days of David, 2 Sam 5,6 ff. The city became also the living place of Yahweh at the side of the royal palace. But Shechem's ideological and also political importance was so great that Rehoboam, Solomon's son, was obliged to go there in order to be acknowledged as king over all Israel. He was the first and the only one of the Davidic kings who went there or had the intention to do so. It could have been regarded as a kind of noble gesture to the northern tribes. Their representatives had once come to Hebron in order to make David their king, 2 Sam 5,1 ff. But to answer the question why the Book of Joshua ends at Shechem and why Rehoboam went there, we have to regard the problem from an ideological point of view. In the Book of Joshua the main point is to actualize the promise of land to Abram and in this light we have to regard the assembly of the people in front of Yahweh.

History in the Book of Joshua

I will definitely underline the impossibility of judging the Book of Joshua a history-book in a way it should describe a conquest and an allotment which should be dated to a transition period between Late Bronze Age and Iron Age. Anyway, there is so far not the slightest proof in extra-Biblical sources of an invasion of peoples in the categories told in the Book of Joshua. Archaeology despite using the most refined methods, has failed to bring supporting information which could be in line with such a biblical message, see the Chapter The

Conquest and the Archaeology. If we accept the idea that the Book of Joshua gives a program of restoration starting with the borders of the Land of Promise, continuing with the borders of the Divided Kingdom which is conquered, and restored to the borders of the Davidic Kingdom, then we could judge the stories in the Book as selected local legends, maybe old but from different times which are used to give substance to the program. The cities of Jericho, Ai, Gibeon and Beit Horon are situated on the old border line between the Southern and Northern Kingdoms. The cities are situated in the area of the tribe of Benjamin, there the greatest victories are won and the rules of *ḥeraem*, the ban, are formulated. The *ḥeraem* regulations in Jos 6 are unimaginably rigorous: all life is to be eradicated, and all booty is accorded to Yahweh, Jos 6,17. Jos 7 also deals with the same type of ban and its draconic form was attached to the sanctuary at Gilgal. It is this stringency that leads to the harsh judgement on Achan. This type of ban we found in the Mesha inscription outside the Old Testament, but also in 1 Sam 15, a type of *ḥeraem* which will definitely judge the unhappy king Saul. This is not a Deuteronomistic *ḥeraem*, which is more lenient. Human life is naturally wiped out, Jos 8,24, cf. 6,21, but the Israelites are allowed to take both goods and livestock, 8,2, as booty. The catalogue of plunder in Jos 24,3 includes towns, vineyards, and olive groves. But why the use of the rigid *ḥeraem* which will in Jos 7 hit Achan from the tribe of Judah? It is connected with Gilgal, circumstances which are confirmed via 1 Sam 15,3. Here Saul is ordered by Samuel "go and smite Amalek, and utterly destroy all that they have, do not spare them, but kill both man and woman, infant, suckling, ox and sheep, camel and ass". Cf. Jos 6,21.

King Saul is condemned by Samuel in Gilgal. Achan's treachery in Jos 7 is virtually identical to Saul's in 1 Sam 15. There are more striking similarities in Jos 6 and 1 Sam 14–15, e.g. the mercy shown to the Kenites in 1 Sam 15,6 and to Rahab in Jos 6,17, and further connections between the traditions about Saul in 1 Sam 14 and Jos 7. Jonathan is guilty of breaking the oath and should then be regarded as the man who had brought trouble over Israel, *'ākar*, but it is Saul who has to carry the responsibility, 1 Sam 14,29. The divine decision will be given through casting the lots. The procedure is described with the verb *lākad* only used in 1 Sam and in Jos 7,14 ff.

Scholars such as Martin Noth and others, have noticed that the traditions in the first part of the Book of Joshua are mainly of Benjaminite origin, but no-one has noticed that in these traditions are interwoven the motifs of the settlement between Saul and David. The tribe of Benjamin has to be humiliated in all situations and this humiliation will always favour David. In order to see how "the Saul motif" also works in Jos 8 in connection with Judg 19–20 I will give a brief outline.

Jos 8–Judg 20

Jos 8,1–29 also contain links of association with Benjaminite traditions. In Jos 6–7 there were allusions to the idea of *ḥeraem* which was used in 1 Sam 14–15. Jos 8 can on its side be connected with Judg 20 which describes the raid of the Israelite tribes against Benjamin and Gibea. Judg 20 and Jos 8 correspond to each other regarding the use of tactics and military terminology. The diverging differences are that the oracle in Bethel plays such a great role, Judg 20,18,23,27, and then there are two unsuccessful attacks against Gibea. When Israel got a positive oracle they placed an ambush round Gibea, 20,29. The relationship between Judg 20 and Jos 8 has been discussed by several learned men. J. Wellhausen suggested that Judg 20 was a copy of Jos 8 but the traditions in Hos 9,1–9: 10,9 give support to the hypothesis that Judg 20 may represent an old text. Cf. de Vaux. If we follow R. de Vaux the victory at Ai in Jos 8 should give the tribe of Benjamin a kind of rehabilitation for the raid against Gibea. But before the relationship between Judg 20 and Jos 8 can be understood, we have to refer to and take into account the traditions concerning Saul's tragic mistakes, as described in 1 Sam 14–15. Saul was judged according to the rules of Gilgal *ḥeraem* and his oath is abrogated by the people when they defend Jonathan. The same rigorous principles of *ḥeraem* are intimated in Judg 20,48. A practically identical oath is sworn by the Israelites according to Judg 21,1ff.; the tribe of Benjamin will become extinct, and if not the oath-takers themselves be annihilated. The Israelites had sworn not to marry their daughters to the Benjaminites surviving the war. The problem was solved by a ruthless war of *ḥeraem* against Jabesh Gilead. Only 400 virgins were saved. The inhabitants of Jabesh Gilead had not joined the assembly at Mispa and they were thus free from the oath. Jabesh Gilead was the place which Saul saved from Ammonite *ḥeraem*, 1 Sam 11, and it was there he proved his and Israels greatness. Now the city is subjected to Israelite *ḥeraem* just to save the existence of the tribe Benjamin. The summons to arms use the same practice. Saul had cut his oxes into 12 pieces and sent them to all the tribes, 1 Sam 11,7. We could compare this action with Judg 19, 29 f.

In the Book of Judges we find an editorial attitude that is consciously negative toward Benjamin, 1,21 and 19,1 ff. Cf. Judg 5,14. This negative attitude towards the Benjaminites seems to be hereditarily transmitted. The war against Benjamin is started for the reason that the members of the tribe do not use the case law in accordance with which Achan was judged. They will not deliver the criminals from Gibea, Judg 20,12 f. "The king Saul motif" is thus strongly underlined. As already the prophet Hoshea mentions "the days of Gibea" as the beginning of Israel's sin, Hos 10,9, and as a kind of a period of apostasy, Hos 9,9, is it easy to associate the time when Benjamin kept the hegemony in Israel and especially the time of King Saul. The reason why Saul will be rejected is a riddle. He is known for "his zeal for the people of Israel and Judah", 2 Sam 21,2. But everything Saul does is turned against him and is regarded as apostasy. Such a writing of history must be characterized as programmatic. The simplest explanation why Saul is condemned would be that he did not succeed in realizing "the ideal Israel". Saul has anyhow great ambitions without success. With David a new epoch will be introduced. Then the obedience of the law is worded to guarantee the borders of *his* kingdom, cf. 2 Sam 24.

In the Book of Joshua it is very easy to find reasons for the *non*-realization of the so called Euphratian Israel, 1,4. Already the treaty with Rahab is a treachery. Then follows Achan's transgression and the apostasy continues with the treaty with the Gibeonites, Jos 9. According to Dtr's program of conquest these deeds have been legitimate. Rahab has been made to be a YHWH worshipper 2,9–11, Achan's crime belongs to "another time" when Gilgal *ḥeraem* was practiced, and the treaty with the Gibeonites, although it was a mistake, 9,14 f. will be turned against Saul, 2 Sam 21,1 ff. According to Jos 8,2,27, it is suddenly allowed to capture booty of the enemies and that on YHWH's own order, 8,2. The Land of Promise will in that connection be a hybrid idea. Achan belonging to the tribe of Judah will then be a sacrifice of an observance of the law which belonged to an earlier time.

The Deuteronomistic program in the Book of Joshua is, according to these premises, founded on the stories of David's rise to prominence. And I think that the following description of Joshua's wars originally contains David's wars in Cis-Jordan, wars which are nowhere else described. If we compare the crucial Chapter 12, containing a summary of the conquest of 31 kings and their cities, it is stylistically composed exactly as 1 Sam 30,27 ff., where we are told how David plundered several cities and took booty.

If we then turn to the second part of the Book of Joshua, we still find this settlement between Judah and the tribe of Benjamin.According to Jos 18, this tribe will get its share together with the northern tribes in Shiloh and we proposed that the outlines of Saul's kingdom, 2 Sam 2,9, were in the author's mind. But the main question concerning the second part of the Book of Joshua from a historical point of view, and we could also say a geographical point of view, is why there are so many city names numbered in relation to the description of the areas of the different tribes. What purpose do these cities have? From the days of Albrecht Alt and Martin Noth we have called the text "Grenzfixpunktreihen" and city lists. Could we find the original "Sitz im Leben" of these cities? Most of them can no longer be localized. If you examine the concordance to the Old Testament, you will soon be aware of the multitude of geographical names in the Book of Joshua. If we concentrate only on city names there are 358 cities mentioned in this book. The total number in the OT is 746. It means that nearly 50 per cent of all city names are to be found in the Book of Joshua. Statistically, we can also get another interesting number. Of the cities mentioned in the Book of Joshua 198 names are *hapax legomena* or only mentioned in this book. Of all the cities mentioned in the book 160 are common with names in the rest of the OT. There are thus more *hapax legomena* than names which can be followed up in the rest of the OT. Most of the city names which appear both in- and outside the Book of Joshua belong to Judah. *Outside* the Book of Joshua there are further 388 cities or places mentioned, 243 names are *hapax legomena*, 145 are mentioned several times. Without broaching further mathematics we will generally state that the concentration of city names in the Book of Joshua is due to the fact that "city" represents power. Every city was governed by a king under the conquest. The cities and their kings were the most spectacular objects of war. In the allotment there seems to be a similar idea as the number of the counted cities stands in proportion to the "orthodoxy" of the tribes and thus to the ability to become lords of the cities. The tribe Judah has got 144 cities, of those 85 are *hapax legomena*. Benjamin, the tribe next to Judah, has got 38 cities, of those are 13 *hapax legomena*. The other tribes have got between 22–5 cities each and for the tribes Ephraim and half tribe of Manasse there are no city lists at all. This is very schematically done and the numbers just give you a hint, not an exact determination—it is impossible to reach in the OT. Two chapters The Geography of the Conquest (VI) and The Geography of the Allotment (XII) are devoted to the city names in the Book of Joshua with comparisons with city lists found in the Old Testament and outside it. Tables are included. It is natural that Judah dominates the scene. The area of this tribe will be the orthodox platform from where the split kingdom has to be united and built up again. But how do we find the Sitz im leben of the lists of all these cities? I have gone through all kind of city lists both inside and outside the OT and there seems to be a common denominator. Most of the cities are to be localized in relation to roads, they are in other words road stations or administrative centers at different times. Comparing the lists of the Book of Joshua with the Assyrian lists, e.g. Sennacherib's 3rd campaign, there are many cities common to both lists. And thus we have a fairly exact date, around 700 B.C. This date fits well with similar lists in Micha 1,10 ff. and Is 10,28 ff. But we can come further back in time if we read the Mesha inscription from around 800 B.C. where 17 cities are mentioned and most of these appear in Is 15-16, Jer 48 and also in Jos 13,16–21 and Nu 32. We have other administrative texts, ostraca , which count some of the places mentioned in the Book of Joshua but all of them are from around 750–600 and will not help to get an earlier date than what the Mesha inscription could offer. It is not realistic to suppose that the city lists in the Book of Joshua are older than the time of the Divided Kingdom. But we may say that there is an old oriental tradition in naming cities in that way both in Egypt and in Akkad. But according to the names here I will say that very few can be proved to have existed in the Late Bronze Age and early Iron Age. These are just the centers, such as Megiddo, Taanach, Beth-shean, Hazor, Ashdod, Jerusalem, etc. It is also difficult to explain the great number of *hapax legomena*. As Judah has got the greatest number, there could be an ideological trend, such as in the late Samaritan Book of Joshua. But also in other lists both inside and outside the OT there seems to be a great density of cities just in the South. Some *hapax legomena* in the Book of Joshua also appear in the Assyrian lists. But from a historical point of view I want to say that the Deuteronomist has given us a glimpse of the administration of especially the Southern kingdom in mentioning all these cities. The names in the north are very few but we know that there were also many cities which could have been remembered but "forgotten" for ideological reasons.

To try to summarize what my intentions are with this book I will emphasize the role which the borders of the Davidic Kingdom plays in the Book of Joshua. In the first part the different descriptions of the phases of the conquest result in the restoration of the kingdom and in the same way we can look upon the allotment of land which may be based on the Solomonic division of his districts. Jos 22–24 with the descriptions of the treaties, confirm the unity of the Davidic Kingdom in the four directions of the compass. In reaching this suggestion we will be allowed to compare Jos 24 with the description of the break up of the United Kingdom in 1 Kings, Chapters 11–12. The division of this kingdom is explained through the Solomonic apostasy to foreign gods, 1 Kings 11, 1ff., the gods whom the people condemned in Jos 24. Solomon's harem turned his heart to foreign gods, 1 Kings 11,3 f. Cf. 24,23 and these circumstances explain why Solomon's imperium cannot stand intact. The definite catastrophe will come when Rehoboam is listening to wrong advisers, 1 Kings 12,12 ff. Only two tribes stay loyal to the Davidic dynasty, namely Judah and Benjamin, 1 Kings 12,20 f. It is also in the areas of these tribes where the war of *ḥeraem* is conducted by Joshua. And the Book of Joshua will tell us that only from this orthodox base-area can the Davidic kingdom be restored since Benjamin has been humiliated. In one aspect the war of conquest is not only conducted in the area of the tribe Benjamin but also "*against*" this tribe. The Calebite Judah will govern the scene from Hebron, Jos 14,6 ff. This depicts the following antagonism between Saul and David. But the restoration cannot be carried out until king and people have repented of their apostasy. This moment has come in connection with King Joshia's reformation, 2 Kings 22–24. For a short time the Davidic Kingdom was actually realized in the history of Israel. King Joshia's systematic eradication of cult places where foreign gods were worshipped was, according to the deuteronomistic redactor, the prerequisite of a new Davidic era. The Book of Joshua is composed and written in this wave of restoration. Jos 24 simply gives the regulations which must be followed to guarantee the harmony and the maintenance of the kingdom. The harmony in the kingdom which Dtr colours is complete through to the final verse of the Book of Joshua. There we are told about the death of Eleazar, the leading priest in the Book. The information about the death of the high priest in Jos 20,5 will herewith be realized. All accidental killers could now escape the blood-revenger and return from the city of refuge to their home city. All the members of Israel are to be found in their inheritances at the end of the Book of Joshua. There is peace and harmony but we just need to turn the page in our Bibles to find the reality in the Book of Judges.

Förkortningar

AASOR	The Annual of the American Schools of Oriental Research
ADAJ	The Annual of the Department of Antiquities of Jordan
ANET	Ancient Near Eastern Texts Relating to the Old Testament
AROR	Archiv Orientálni, Praha
ATANT	Abhandlungen zur Theologie des Alten und Neuen Testaments
ATD	Das Alte Testament Deutsch
BA	The Biblical Archaeologist
BAR	Biblical Archaeological Review, Washington
BASOR	Bulletin of the American Schools of Oriental Research
BBB	Bonner Biblische Beiträge, Köln
BBLA	Beiträge zur Biblischen Landes- und Altertumskunde
Bi	Biblica
BIES	Bulletin of the Israel Exploration Society
BN	Biblische Notizen, München. Ed. M. Görg
BWANT	Beiträge zur Wisseschaft vom Alten und Neuen Testament
BZ	Biblische Zeitschrift
BZAW	Beihefte zur Zeitschrift für die alttestamentliche Wissenschaft
BZNF	Biblische Zeitschrift, Neue Folge
CBQ	The Catholic Biblical Quarterly
EI	Eretz-Israel
HUCA	Hebrew Union College Annual
IDB	The Interpreter's Dictionary of the Bible
IEJ	Israel Exploration Journal
JAOS	Journal of the American Oriental Society
JBL	Journal of Biblical Literature
JCS	Journal of Cuneiform Studies
JNES	Journal of Near Eastern Studies
JPOS	The Journal of the Palestine Oriental Society
JSOT	Journal for the Study of the Old Testament
JSS	Journal of Semitic Studies
KAI	Kanaanäische und Aramäische Inschriften, ed. H. Donner — W. Röllig
KS	A. Alt, Kleine Schriften zur Geschichte des Volkes Israel
MUSJ	Mélanges de l'Université Saint-Joseph, Beyrouth
OLZ	Orientalische Literaturzeitung, Leipzig
OTS	Oudtestamentische Studien

PEQ	Palestine Exploration Quarterly
PJ	Palästinajahrbuch
RB	Revue Biblique
RoB	Religion och Bibel, Nathan Söderblom-Sällskapets Årsbok, Uppsala
SBL	Society of Biblical Literature
SEÅ	Svensk Exegetisk Årsbok
SJOT	Scandinavian Journal of the Old Testament
TLZ	Theologische Literaturzeitung
ThAT	Theologisches Handwörterbuch zum Alten Testament, München
ThWAT	Theologisches Wörterbuch zum Alten Testament, Stuttgart
UF	Ugarit-Forschungen
WMANT	Wissenschaftliche Monographien zum Alten und Neuen Testament
VT	Vetus Testamentum
VTS	Supplement to Vetus Testamentum
ZAW	Zeitschrift für die Alttestamentliche Wissenschaft
ZDPV	Zeitschrift des Deutschen Palästina-Vereins

Bibliografi

Aharoni, Y., The Settlement of the Hebrew Tribes in Northern Galilee, *Antiquity and Survival* 2 (1957), pp. 131–150
— The Northern Border of Judah (Jos 15,10), *PEQ* 90 (1958), pp. 27–31
— Forerunners of the Limes: Iron Age Fortress at Kadesh-Barnea, *IEJ* 17 (1967), pp. 1–17
— *The Land of the Bible*. London ^{2}1968, (rev. ed. 1979)
— The Stratification of Israelite Megiddo, *JNES* 31 (1972), 302–311
— *Arad Inscriptions*. Jerusalem 1975. (In Hebrew.)
— Nothing Early and Nothing Late. Re-Writing Israel's Conquest, *BA* 39 (1976), pp. 55–76
— Galilee, Upper, *Encyclopedia of Archaeological Excavations in the Holy Land. Vol. II*. London 1976, pp. 406–408
Aḥituv, Shmuel, *Caanite Toponyms in Ancient Egyptian Documents*. Jerusalem 1984
Ahlström, G. W., Another Moses Tradition, *JNES* 39 (1980), pp. 65–69
— Where Did the Israelites Live?, *JNES* 41 (1982), pp. 133-138
— *Royal Administration and National Religion in Ancient Palestine*. (Studies in the History of the Ancient Near East. Vol. I. *Ed.* M. H. E. Weippert.) Leiden 1982
— Giloh: A Judahite or Canaanite Settlement?, *IEJ* 34 (1984), pp. 170–172
— The Early Iron Age Settlers at Ḫirbet el-Mšāš (Tēl Māśōś), *ZDPV* 100 (1984), pp. 35–52
— An Archaeological Picture of Iron Age Religions in Ancient Palestine, *Studia Orientalia*. Ed. by the Finnish Oriental Society 55:3. Helsinki 1984
— Merneptah's Israel, *JNES* 44 (1985), pp. 59–61
— *Who Were the Israelites?* Winona Lake 1986
— Diffusion in Iron Age Palestine: Some Aspects, *SJOT* 1 (1990), pp. 81–105
Albright, W. F., The Excavation of Tell Beit Mirsim. Vol. II. The Bronze Age. *AASOR*, Vol. 17. New Haven 1936–37
— The Israelite Conquest of Canaan in the Light of Archaeology, *BASOR* 74 (1939), pp. 11–23
— The Excavation of Tell Beit Mirsim, III: The Iron age, *AASOR*. Vol. 21–22. New Haven 1943
— Two Little Understood Amarna Letters from the Middle Jordan Valley, *BASOR* 89 (1943), pp. 7–17
— The List of Levitic Cities, *Louis Ginzberg Jubilee Volume. Engl. section*, pp. 49–73. New York 1945
— *The Archaeology of Palestine*. London 1954^{5}
— *The Bible and the Ancient Near East*. Essays in Honor of William Foxwell Albright. *Ed.* G. E. Wright. London 1961
Alfrink, B. J., Die Achan-Erzählung (Jos 7). Miscellanea Biblica et Orientalia. Festschrift Miller, *Studia Anselmiana* 27/28 (1951), 114–129
Alt, A., Judas Gaue unter Josia, *PJ* 21 (1925), pp. 100–117
— *Die Landnahme der Israeliten in Palästina*, (= *KS* 1, pp. 89–125). Leipzig 1925
— Eine galiläische Ortsliste in Jos 19, *ZAW* 45 (1927), pp. 59–81
— Das System der Stammesgrenzen im Buche Josua, *Sellin—Festschrift*, pp. 13–24. Leipzig 1927. (= *KS* 1, pp. 193–202.)

— Josua, *KS I*, 1959, pp. 176-192. (*BZAW* 66 (1936), pp. 13-19)
— Bemerkungen zu einigen judäischen Ortslisten des Alten Testaments, *KS* II, 1953, pp. 289-305
— Festungen und Levitenorte im Lande Juda, *KS* II, 1953, pp. 306-315
Alter, R., *The Art of Biblical Narrative*. New York 1981
Amiran, R., The Pottery of the Middle Bronze Age I in Palestine, *IEJ* 10 (1960), pp. 204-225
— *Ancient Pottery of the Holy Land*. London 1970
— *et al.* The Interrelationship Between Arad and Sites in Southern Sinai in the Early Bronze Age II, *IEJ* 23 (1973), pp. 193-197
André, G., *Determining the Destiny. PQD in the Old Testament. (Diss.)* (Coniectanea Biblica. Old Testament Series 16.) Uppsala 1980.
Ascaso, J. A., *Las Guerras de Josué. Estudio de Semiótica narrativa*. (Institución San Jerónimo). Valencia 1982
Asmussen, J. P., Bemerkungen zur sakralen Prostitution im Alten Testament, *Studia Theologica*, 11 (1958), pp. 167-192
Astour, M. C., Place-Names from the Kingdom of Alalaḫ in the North Syrian List of Thutmose III: A Study in Historical Topography, *JNES* 22 (1963), pp. 220-241
Auld, A. G., Judges I and History: A Reconsideration, *VT* 25 (1975), pp. 261-285
— A Judean Sanctuary of ʻAnat (Josh 15:59), *Tel Aviv* 4 (1977), pp. 85-86
— Textual and Literary Studies in the Book of Joshua [13-17], *ZAW* 90 (1978), pp. 412-417
— Cities of Refuge in Israelite Tradition, *JSOT* 10 (1978), pp. 26-40
— The Levitical Cities: Texts and History, *ZAW* 91 (1979), pp. 194-206
— Joshua, the Hebrew and Greek Texts, *VTS* 30 (1979), pp. 1-14
— Joshua, *Moses and the Land. Tetrateuch-Pentateuch-Hexateuch in a Generation since 1938*. Edinburgh 1980
Aurelius, E., *Der Fürbitter Israels. Eine Studie zum Mosebild im Alten Testament*. (Diss.) (Coniectanea Biblica. Old Testament Series 27.) Lund 1988
Axelsson, L. E., *The Lord Rose up from Seir. Studies in the History and Traditions of the Negev and Southern Judah*. (*Diss.*) (Coniectanea Biblica. Old Testament Series 25.) Lund 1987

Bächli, O., Zur Lage des alten Gilgal, *ZDPV* 83 (1967), pp. 64-71
— Zur Aufnahme von Fremden in die altisraelitische Kultgemeinde. Festschrift W. Eichrodt, *ATANT* 59 (1970), pp. 21-26
— Von der Liste zur Beschreibung. Beobachtungen und Erwägungen zu Jos 13-19, *ZDPV* 89 (1973), pp. 1-14
Baltzer, K., *Das Bundesformular*, (WMANT 4). Neukirchen 1964
Banning, E. B.—Fawcett, C., Main-Land Relationships in the Ancient Wadi Ziqlab: Report of the 1981 Survey, *ADAJ* 27 (1983), pp. 291-307
— ,—Köhler—Rollefson, I., Ethnoarchaeological Survey in the Beidha Area, Southern Jordan, *ADAJ* 27 (1983), pp. 375-383
Baron, A. G., Adoptive Strategies in the Archaeology of the Negev, *BASOR* 242 (1981), pp. 51-81
Barrick, W. B., What do we really know about high-places?, *SEÅ* 45 (1980), pp. 50-57
Barstad, H. M., *The Religious Polemics of Amos. Diss.* Oslo 1984. (VTS 34. Leiden 1984)
— The Old Testament Personal Name *rāhāb*. An Onomastic Note, *SEÅ* 54 (1989), pp. 43-49
Beck, P.—Kochavi, M., A Dated Assemblage of the Late 13th Century B.C.E. from the Egyptian Recidency at Aphek, *Tel Aviv* 12 (1985), pp. 29-42
Beebe, H. K., Ancient Palestinian Dwellings, *BA* 31 (1968), pp. 38-58

Beek, M. A., Josua und Retterideal, *Near Eastern Studies in Honor of William Foxwell Albright*. Ed. H. Goedicke. Baltimore 1971, pp. 35–42
Beit-Arieh, I., A Pattern of Settlement in Southern Sinai and Southern Canaan in the Third Millennium B.C., *BASOR* 243 (1981), pp. 31–55
— The Ostracon of Ahiqam from Horvat ‘Uza, *Tel Aviv*, 13–14 (1986–87), pp. 32–37
Bennet, M., The Search for Israelite Gilgal, *PEQ* 104 (1972), pp. 111–122
Bennett, C. M., Buseirah (Transjordanie) *RB* 83 (1976), pp. 63–67
Ben-Tor, A., The First Season of Excavations at Tell-Yarmuth 1970, *Qedem* 1 (1975), pp. 55–87
Berg, W., Israels Land der Garten Gottes. Der Garten als Bild des Heiles im Alten Testament, *BZ* 32 (1988), pp. 35–51
Berge, K., *Jahvistens tid. Til dateringen av noen jahvistiska fedretekster.* (*Diss.*) Oslo 1985
— *Die Zeit des Jahwisten. Ein Beitrag zur Datierung jahwistischen Vätertexte.* (BZAW 186). Berlin 1990
Biran, A., Tel Dan, *BA* 37 (1974), pp. 26–51
Blenkinsopp, J., Are There Traces of the Gibeonite Covenant in Deuteronomy?, *CBQ* 28 (1966), pp. 207–219
— *Gibeon and Israel.* Cambridge Univ. Press 1972
Boecker, H. J., *Redeformen des Rechtlebens im Alten Testament.* (WMANT 14) Neukirchen-Vluyn 1964
de Boer, P. A. H., *De voorbede in het Oude Testament*, Oudtestamentische Studiën Deel III. Leiden 1943
Boling, R. G., *Joshua. A New Translation with Notes and Commentary*. Introduction by G. E. Wright. [The Anchor Bible, Vol. 6.] New York 1982
Boraas, R. S.—Horn, S. H., *Heshbon 1968*. The First Campaign at Tell Hesbân. A Preliminary Report (Andrews University Monographs. Vol. III.). Michigan 1969
— *Heshbon 1971*. The Second Campaign at Tell Hesbân. A Preliminary Report. (Andrews University Monographs. Vol. VI. Michigan 1973
Borée, W., *Die alten Ortsnamen Palästinas*. Leipzig 1930
Bræmer, F., *L’architecture domestique du Levant à l’age du fer*. Paris 1982
— Prospections Archéologiques dans le Hawrān (Syrie), *Syria* 61 (1984), pp. 219–250
— Two Campaigns of Excavations on the Ancient Tell of Jarash, *ADAJ* 31 (1987), pp. 525–530
— Prospections Archéologiques dans le Hawrān. II. Les réseaux de l’eau, *Syria* 65 (1988), pp. 99–137
Brekelmans, C. H. W., *De Ḥerem in het Oude Testament*. Nijmegen 1959
— *ḥeraem* Bann, *ThAT* I, sp. 635–639. München 1971
Bright, J., *Early Israel in Recent History Writing*. London 1956
Brown, R. E., Rachab in Mt 1,5 Probably is Rahab of Jericho, *Bi* 63 (1982), pp. 79–80
Buhl, M. L.,—Holm-Nielsen, S., *Shiloh. The Danish Excavations at Tell Sailûn, Palestine, in 1926, 1929, 1932 and 1963. The Pre-Hellenistic Remains*. Publications of the National Museum of Denmark, Archaeological-Historical Series I, Vol. 12. Copenhagen 1969
Buis, P., Les Formulaires d’Alliance, *VT* 16 (1966), pp. 396–411
Burrows, M., *The Literary Relations of Ezekiel*. (*Diss.*) Philadelphia 1925
Butler, T. C., *Joshua* (World Biblical Commentary, Vol. 7.) Waco, Texas 1982

Calderone, P. J. S. J., *Dynastic Oracle and Suzerainty Treaty*, Logos I. Manila 1966
Callaway, J. A., Ai, *Encyclopedia of Archaeological Excavations in the Holy Land, Vol. I*, pp. 36–52. London 1975
— A New Perspective on the Hill Country Settlement of Canaan in Iron Age I, *Palestine*

in the Bronze and Iron Ages. Papers in Honour of Olga Tufnell. Ed. J. N. Tubb, pp. 31–49. London 1985
Campbell. E. F., *The Ark Narrative (1 Sam 4–6; 2 Sam 6). A Form-Critical and Traditio-Historical Study. Diss.* Claremont 1975
Campbell, K. M., Rahab's Covenant. A short note on Joshua II, 9–21, *VT* 22 (1972), pp. 243–244
Caquot, A., d^{c}*baš*, *ThWAT. Bd II*, 1977, Sp. 135–139
Carlson, R. A., *David, the chosen King. A Traditio-historical Approach to the Second Book of Samuel. Diss.* Uppsala 1964
— Profeten Amos och Davidsriket, *RoB* 25 (1966), pp. 57–78
Cazelles, H., David's Monarchy and the Gibeonite Claim, (II Sam XXI, 1–14), *PEQ* 87 (1955), pp. 165–175
Ĉerný, J., *Lachish IV (Tell ed-Duweir). The Bronze Age. Text-Plates.* (The Wellcome—Marston Archaeological Research Expedition to the Near East. Vol. IV.) London 1958
Clifford, R. J., The Tent of El and the Israelite Tent of Meeting, *CBQ* 33 (1971), pp. 221–227
Childs, B. S., A Study of the Formula Until This Day, *JBL* 82 (1963), pp. 279–292
Cody, A., *A History of Old Testament Priesthood.* (Analecta Biblica 35.) Romae 1969
Cohen, A., Tiqwaṯ *ḥûṭ haššānî (Josh 2:18), Beth Mikra* 26 (1981), p. 278
Cohen, M. A., The Role of the Shilonite Priesthood in the United Monarchy of Ancient Israel, *HUCA* 36 (1965), pp. 58–89
Cohen, R., Kadesh-Barnea 1976, *IEJ* 26 (1976), pp. 201–202
— The Iron Age Fortresses in the Central Negev, *BASOR* 236 (1979), pp. 61–79
— ,—Schmitt, G., *Drei Studien zur Archäologie und Topographie Altisraels.* (Beihefte zum Tübingen Atlas des Vorderen Orients. Reihe B. [Geisteswissenschaften] Nr 44.) Wiesbaden 1980
— Excavations at Kadesh Barnea 1976–1978, *BA* 44 (1981), pp. 93–107
— *Kadesh-barnea. A Fortress from the Time of the Judaean Kingdom.* (Israel Museum Catalogue 233). Jerusalem 1983
Coogan, M. D., Of Cults and Cultures: Reflections on the Interpretation of Archaeological Evidence, *PEQ* 119 (1987), pp. 1–8
Coote, R.,—Whitelam, K., *The Emergence of Early Israel in Historical Perspective.* Sheffield 1987
Craigie, P. C., The Conquest and Early Poetry, *Tyndale Bulletin* 20 (1969), 76–94
Cross, F. M. Jr,—Wright, G. E., The Boundary and Province Lists of the Kingdom of Judah (Jos 13–19), *JBL* 75 (1956), pp. 202–226
— The Divine Warrior in Israel's Early Cult, ed. A. Altmann, *Biblical Motifs*, pp. 11–30. Cambridge (Mass.) 1966.
Cross, F. M., Newly Found Inscriptions in Old Canaanite and Early Phoenician Scripts, *BASOR* 238 (1980), pp. 1–20
Crown, A. D., The Date and Authenticity of the Samaritan Book of Joshua as seen in its Territorial Allotments, *PEQ* 96 (1964), pp. 79–100
Currid, J. D.,—Navon, A., Iron Age Pits and the Lahav (Tell Halif) Grain Storage Project, *BASOR* 273 (1989), pp. 67–78

Dalman, G., Die Nordstrasse Jerusalems, *PJ* 21 (1925), pp. 58–89
Danelius, E., The Boundary of Ephraim and Manasseh in the Western Plain, *PEQ* 90 (1958), pp. 32–43; 122–144
David, M., Die Bestimmungen über die Asylstädte in Josua XX. Ein Beitrag zur Geschichte des Biblischen Asylrechts, *OTS* 9 (1951), pp. 30–48
Demsky, A., A Proto-Canaanite ABECEDARY Dating from the Period of the Judges and its Implications for the History of the Alphabet, *Tel Aviv* 4 (1977), pp. 14–27

— The Clans of Ephrath: Their Territory and History, *Tel Aviv* 13–14 (1986–1987), pp. 46–59
Dever, W. G., *et al. Gezer I–II*. Jerusalem 1970–1974
— Gezer, *Encyclopedia of Archaeological Excavations in the Holy Land*. Vol. II, pp. 428–443. London 1976
— New Vistas on the EB IV (MB I) Horizon in Syria—Palestine, *BASOR* 237 (1980), pp. 35–64
— From the End of the Early Bronze Age to the Beginning of the Middle Bronze, *Biblical Archaeology Today*, pp. 113–135. Jerusalem 1985
Dion, H. M., The fear not formula and Holy War, *CBQ* 32 (1970), pp. 565–570
Diepold, P., *Israels Land* [Die territorialen u. theol. Vorstellungen in Dt, Jer, Dtr. Geschichtswerk, dtr. Partieen Jer:s], (BWANT 95). Stuttgart 1972
D'Oherty, E., The Literary Problem of Judges I,1–III,6, *CBQ* 18 (1956), pp. 1–7
Donner, H.—Röllig, W., *Kanaanäische und Aramäische Inschriften* I–III. Wiesbaden 1966–1969[2]
— *Geschichte des Volkes Israel und seiner Nachbaren in Grundzügen*. (Grundrisse zum Alten Testament. Das Alte Testament Deutsch. Ergängzungsreihe. Bd 4/1. Teil 1. Göttingen 1984
Donnershausen, W., *gōrāl. ThWAT* I, sp. 991–998. Stuttgart 1973
Dornemann, R. H., *The Archaeology of the Transjordan in the Bronze and Iron Ages*. Milwaukee 1983
Dothan, M., The Fortress at Kadesh-Barnea, *IEJ* 15 (1965), pp.134–151
— Kadesh-Barnea, *Encyclopedia of Archaeological Excavations in the Holy Land. Vol. III*, pp. 697–698. Jerusalem 1977
— 9th Season 1983, *IEJ* 34 (1984), p. 189f
Dus, J., Die Analyse zweier Ladeerzählungen des Josuabuches (Jos 3–4 und 6), *ZAW* 72 (1960), pp. 107–134
— Gibeon—eine Kultstätte des šmš und die Stadt des benjaminitischen Schicksals, *VT* 10 (1960), 353–374
— Die Lösung des Rätsels von Jos. 22. (Ein Beitrag zur Geschichte Altisraels.) *Archiv Orientálni* 32 (1964), pp. 529–546

Eisenberg, E., The Temples at Kittan, *BA* 40 (1977), 77–81.
Eissfeldt, O., *Hexateuch-synopse*. Darmstadt 1962
— Gilgal or Shechem?, *Proclamation and Presence*. Old Testament Essays in Honour of Gwynne Henton Davies. Ed. by J. L. Durham & J. R. Porter. London 1970, pp. 90–101
— Monopolansprüche des Heiligtums von Silo, *OLZ* 68 (1973), 327–333
Elliger, K., Die Grenze zwischen Ephraim und Manasse, *ZDPV* 53 (1930), pp. 265–309
— Josua in Judäa, *PJ* 30 (1934), pp. 47–71
— Die Heimat des Propheten Micha, *ZDPV* 57 (1934), pp. 81–152
— Die Nordgrenze des Reiches Davids, *PJ* 32 (1936), pp. 34–73
Engnell, I., Planted by the Streams of Water. Some Remarks on the Problem of the Interpretation of the Psalms as Illustrated by a Detail in Ps 1, *Studia Orientalia Joanni Pedersen*, 1953, 85–96
— Silo, *Svenskt Bibliskt Uppslagsverk*. Vol. II, Sp. 933–934. *Ed*. I. Engnell. Stockholm 1962

Fensham, F. C., Clauses of Protection in Hittite Vassal-Treaties and the Old Testament, *VT* 13 (1963). pp. 133–143
Finkelstein, I., The Shephelah of Israel, *Tel Aviv* 8 (1981), pp. 84–94
— The Iron Age Fortresses of the Negev Highlands: Sendentarization of the Nomads, *Tel Aviv* 11 (1984), pp. 189–209

— Excavations at Shiloh 1981–1984: Preliminary Report, *Tel Aviv* 12 (1985), pp. 123–177
— Kh. ed-Dawwar, 1985–1986, *IEJ* 38 (1988), 79–80
— *The Archaeology of the Israelite Settlement*. Jerusalem 1988
— Further Observations on the Socio-Demographic Structure of the Intermediate Bronze Age, *Levant* 21 (1989), pp. 129–140
Flohn, H., Abrupt Events in Climatic History, *A. B. Pittock, Climatic Change and Variability. A Southern Perspective*. Cambridge 1978, pp. 124–134
Floss, J. P., Kunden oder Kundschafter? *Arbeiten zu Text und Sprache im Alten Testament* 16. St. Ottilien 1982
Franken, H. J.—Franken-Battershill, G. A., *A Primer of Old Testament Archaeology*. Leiden 1963
— Tell es-Sultan and Old Testament Jericho, *OTS* 14 (1965), 189–200
— *Excavation at Tell Deir 'Allā. Vol. I*. Leiden 1969
— The Problem of Identification in Biblical Archaeology, *PEQ* 108 (1976), pp. 3–11
Fritz, V., Arad in der biblischen Überlieferung und in der Liste Schoschenks I, *ZDPV* 82 (1966), p. 331–342
— Die sogenannte Liste der besiegten Könige in Josua 12, *ZDPV* 85 (1969), pp. 136–161
— *Israel in der Wüste. Traditionsgeschichtliche Untersuchungen der Wüstenüberlieferung des Jahwisten* (Karburger Theologischen Studien, 7.) Karburg 1970
— Das Ende der spätbronzezeitlichen Stadt Hazor Stratum XIII und die biblische Überlieferung in Josua 11 und Richter 4, *UF* 5 (1973), pp. 123–139
— The 'List of Rehoboam's Fortresses' in 2 Chr. 11:5–12—A Document From The Time of Josiah, *Eretz-Israel* 15 (1981), pp. 46–53
— The Israelite 'Conquest' in the Light of Recent Excavataions at Khirbet el-Meshâsh *BASOR* 241 (1981), pp. 61–73
— Conquest or Settlement? The Early Iron Age in Palestine, *BA* 50 (1987), pp. 84–100

Gal, Z., An Early Iron Age Site Near Tel Menorah in the Beth-Shan Valley, *Tel Aviv* 6 (1979), pp. 138–145
— The Settlement of Issachar: Some New Observations, *Tel Aviv* 9 (1982), pp. 79–86
Galling, K., Goliath und seine Rüstung, *VTS* 15 (1965), 150–169
— *Textbuch zur Geschichte Israels*. Mohr 1979[3]
Garsiel, M.—Finkelstein, I., The Westward Expansion of the House of Joseph in the Light of the 'Izbet Ṣarṭah Excavations, *Tel Aviv* 5 (1978), pp. 192–198
de Geus, C. H. J., *The Tribes of Israel*. Amsterdam 1976
Geva, Sh., See Yadin, Y. 1986
Giblin, C. H., Structural Patterns in Joshua 24:1–25, *CBQ* 26 (1964), pp. 50–69
Giesen, G., *Die Wurzel šb[c] schwören Eine semasiologische Studie zum Eid im Alten Testament*. (BBB, Bd. 56). Bonn 1981
Gillespie, R., *et al.* Post-glacial arid episodes in Ethiopia have implications for climate prediction, *Nature* 306 (1983), pp. 680–81
Gilmer, H. W., *The If-You Form in Israelite Law*. Missoula, Mont. 1975
Giveon, R., *Les Bédouins Shosou des Documents Égyptiens* (Documenta et Monumenta Orientis Antiqui. Vol. 22.) Leiden 1971
Gonen, R., Urban Canaan in the Late Bronze Period, *BASOR* 253 (1984), pp. 61–73
— Megiddo in the Late Bronze Age—Another Reassessment, *Levant* 19 (1987), pp. 83–100
Gordon, R. L.— Villiers, L. E., Telul Edh Dhahab and Its Environs Surveys of 1980 and 1982. A Preliminary Report, *ADAJ* 27 (1983), pp. 275–289
Görg, M., *Das Zelt der Begegnung: Untersuchung zur Gestalt der Sakralen Zelttraditionen Altisraels*. (BBB 27). Bonn 1967
Gottwald, N., *The Tribes of Yahweh*. Maryknoll, NY 1979

Gradwohl, R., Der Hügel der Vorhäute (Jos V 3), *VT* 26 (1976), pp. 235–240
Gray, G. B., *A Critical and Exegetical Commentary on Numbers* (ICC). Edinburgh 1903
Gray, J., *Joshua, Judges and Ruth* (The Century Bible, New Edition), London 1967
Greenberg, M., The Biblical Conception of Asylum, *JBL* 78 (1959), pp. 125–132
— City of Refuge, *IDB*, pp. 638–639. Nashville 1962
Greenberg, R., New Light on the Early Iron Age at Tell Beit Mirsim, *BASOR* 265 (1987), pp. 55–80
Greenfield, J. C., A Touch of Eden. Hommages et Opera Minora, Vol. IX. *Orientalia J. Duchesne-Guillemin Emerito Oblata*. Leiden 1984, pp. 219–224
Greenspahn, F. E., *Hapax Legomena in Biblical Hebrew*. A Study of the Phenomenon and Its Treatment Since Antiquity with Special Reference to Verbal Forms. Chicago 1984
Greenspoon, L. J., *Textual Studies in the Book of Joshua*. (Harvard Semitic Monographs 28), Scholars Press 1983
Grintz, J. M., The Treaty of Joshua with the Gibeonites, *JAOS* 86 (1960), pp. 113–126
Gross, H., *lāḵaḏ*, *ThWAT*. Bd IV, 1983, Sp. 573–576
Gruber, M. J., Ten Dance-Derived Expressions in the Hebrew Bible, *Bi* 62 (1981), pp. 328–346
Gruenthamer,M. J., Two Sun Miracles of the Old Testament. (Jos 10,12–15; 2 Kön 20,1–11), *CBQ* 10 (1948), pp. 271–290
Gunkel, H., *Die Psalmen*, Nowack-Göttinger. Handkommentar zum Alten Testament II, 1, Göttingen 1926[2]

Hadidi, A., *ed. Studies in the History and Archaeology of Jordan*. I–III. Amman 1982–85
Haglund, E., *Historical Motifs in the Psalms. Diss.* Lund 1984.
Halbe, J., Gibeon und Israel, Art. Veranlassung und Ort des Deutung ihres Verhältnisses in Jos. IX, *VT* 25 (1975), pp. 613–641
Halpern, B., Gibeon: Israelite Diplomacy in the Conquest Era, *CBQ* 37 (1975), pp. 303–316
— *The Emergence of Israel in Canaan*. (SBL Monograph Series. Number 29. *Ed.* J. L. Crenshaw, 1983
Hamlin, E. J., *Inheriting the Land. A Commentary on the Book of Joshua*. Edinburgh 1983
Haran, M., The Gibeonites, the Nethinim and the Sons of Solomon's Servants, *VT* 11 (1961), pp. 159–169
— Studies in the Account of the Levitical Cities, *JBL* 80 (1961), pp. 45–54, 156–165
— Shiloh and Jerusalem: The Origin of the Priestly Tradition in the Pentateuch, *JBL* 81 (1962), pp. 14–24
— *Temples and Temple-Service in Ancient Israel*. An Inquiry into the Character of Cult Phenomena and the Historical Setting of the Priestly School. Oxford 1978
— The Law-Code of Ezekiel XL–XLVIII and its Relation to the Priestly School, *HUCA* 50 (1979), pp. 45–71
Hayes, J. H.—Irvine, S. A., *Isaiah. The Eight-Century Prophet. His Times & Preaching*. Nashville 1987
— ,—Miller, J. M. (ed.) *Israelite and Judaean History*. London–Philadelphia 1977
Heintz, J. G., Oracles prophétiques et Guerre Sainte selon les Archives Royales de Mari et l'Ancien Testament, *VTS*, 17 (1969), pp. 112–138
Helms, S. W., The EB IV (EB-MB) Cemetery at Tiwal Esh-Sharqi in the Jordan Valley, 1983, *ADAJ* 27 (1983), pp. 55–85
— An EB IV Pottery Repertoire at Amman, Jordan, *BASOR* 273 (1989), pp. 17–36
Hertzberg, H. W., *Die Bücher Josua, Richter, Ruth* (ATD 9), Göttingen 1953
Herzog, Z., Enclosed Settlements in the Negeb and the Wilderness of Beer-sheba, *BASOR* 250 (1983), pp. 41–49

— The Stratigraphy of Israelite Arad: A Rejoinder, *BASOR* 267 (1987), pp. 77–79
Hesse, F., *Die Fürbitte im Alten Testament. Diss.* Erlangen, Hamburg 1951
Hoftijzer, J.—van der Kooij, G., *Aramaic Texts from Deir 'Alla.* (Documenta et Monumenta Orientis Antiqui 19). Leiden 1976
Holladay, J. S. Jr., The Day(s) the Moon Stood Still, *JBL* 87 (1968), pp. 166–178
Holm-Nielsen, S., Silo—endnu en gang, *SEÅ* 54 (1989), pp. 80–89
Hölscher, G., Zum Ursprung der Rahab Sage, *ZAW* 38 (1919/20), pp. 54–57
Holzinger, H., *Das Buch Josua* (Kurzer Hand-Commentar zum Alten Testament 6). Tübingen and Leipzig 1901
Homès-Fredericq, D.,—Hennessy, J. B., eds. *Archaeology of Jordan.* Leuven 1989
Hopkins, D. C., *The Highlands of Canaan Agricultural Life in the Early Iron Age.* Missoula 1985
Horn, P. H., Josua 2,1-24 im Milieu einer dimorphic society, *BZ* 31 (1987), pp. 264–70
Hrouda, B., Die Einwanderung der Philister in Palästina. Eine Studie zur Seevölkerbewegung des 12. Jahrhunderts, [Moortgat, A.,] *Studien und Vorderasiatische Archäologie.* Aufsätze zum fünfundsechzigsten Geburtstag gewidmet von Kollegen, Freunden und Schülern. Hrsg. v. K. Bittel, E. Heinrich, B. Hrouda, W. Nagel, pp. 126–135. Berlin 1964
Humbert, P., *La Terou'a. Analyse d'un rite biblique.* Neuchâtel 1946
Hurvitz, A., Linguistic Observations on the Priestly Term 'EDAH and the Language of P, *Tarbitz* 40 (1971), pp. 261-267. (*Hebrew.*)
— English Summary of *Tarbitz* 40 (1971), pp. 261–267, *Immanuel* 1 (1972), pp. 21–23
— The Evidence of Language in Dating the Priestly Code, *RB* 81 (1974), pp. 24–56
— *A Linguistic Study of the Relationship Between the Priestly Source and the Book of Ezekiel.* A New Approach to an Old Problem. (Cahiers de la Revue Biblique. 20). Paris 1982

Ibrahim, M., Third Season of Excavations at Sahab, 1975. (Preliminary Report), *ADAJ* 20 (1975), pp. 69–82
— The Collared Rim Jar of the Early Iron Age, *Archaeology in the Levant: Essays for Kathleen Kenyon*, pp. 116–126. Eds. R. Moorey—P. Parr. Harmondsworth 1978
— Siegel und Siegelabdrücke aus Saḥāb, *ZDPV* 99 (1983), pp. 43–53
Irwin, W. H., Le sanctuaire central israélite avant l'établissement de la monarchie, *RB* 72 (1965), pp. 161–184
Irvine, S. A., see Hayes, J. H.
Isaksson, B., *Studies in the Language of Qoheleth.* With Special Emphasis on the Verbal System. (Acta Universitatis Upsaliensis. Studia Semitica Upsaliensia. 10.) *Diss.* Uppsala 1987
Ishida, T., The Structure and Historical Implications of the Lists of the Pre-Israelite Nations, *Bi* 60 (1979), pp. 461–490
Isserlin, B. S. J., Israelite and Pre-Israelite Place Names in Palestine, *PEQ* 89 (1957), pp. 133–144
— Invasions and Cultural Change. A Comparative Study of Four Test Cases, *Proceedings of the Leeds Philosophical Literary Society* 18 (1982), pp. 9–24
— The Israelite Conquest of Canaan: A Comparative Review of the Arguments Applicable, *PEQ* 115 (1983), pp. 85–94

Jacobs, L. K., Survey of the South Ridge of the Wadi 'Isal, 1981, *ADAJ* 27 (1983), pp. 245–273
James, F. W., *The Iron Age at Beth Shan.* Philadelphia 1966
Japhet, S., Conquest and Settlement in Chronicles, *JBL* 98 (1979), pp. 205–218
Jaroš, K., Sichem: *Eine archäologische und religionsgeschichtliche Studie mit besonderer Berücksichtigung von Jos 24.* (Orbis biblicus et orientalis 11.) Freiburg 1976

Jenni, E., Historisch-topographische Untersuchungen zur Grenze zwischen Ephraim und Manasse, *ZDPV* 74 (1958), pp. 35–40
Jeppesen, K., *Græder alle saa saare: Studier i Mikabogens sigte, Diss*, Århus 1987
Jeremias, A., *Das Alte Testament im Lichte des Alten Orients*. 1916[3]
Johnson, B., *Hebräisches Perfekt und Imperfekt mit vorangehenden w^e*. (CB 13). Lund 1979
Jones, G. H., Holy War or Yahweh War? *VT* 25 (1975), pp. 642–658
Jüngling, H.-W., *Richter 19—Ein Plädoyer für das Königtum. Stilistische Analyse der Tendenzerzählung Ri 19,1–30a; 21,25*. (Analecta Biblica 84). Rome 1981

Kallai, Z., The Town Lists of Judah, Simeon, Benjamin and Dan, *VT* 8 (1958), pp. 134–160
— *The Northern Boundaries of Judah*. (Hebrew.) Jerusalem 1960
— Note on the Town Lists of Judah, Simeon, Benjamin and Dan, *VT* 11 (1961), pp. 223–227
— The Boundaries of Canaan and the Land of Israel in the Bible, *EI* 12 (1975), pp. 27–34
— Tribes, Territories of, *The Dictionary of Interpreters' Bible*, Supplementary Volume, 920 ff. Nashville 1976
— The United Monarchy of Israel—A Focal Point in Israelite Historiography, *IEJ* 27 (1977), pp. 103–109
— Judah and Israel—A Study in Israelite Historiography, *IEJ* 28 (1978), pp. 251–261
— The System of Levitic Cities, *Zion* 45 (1980), pp. 13–34
— Territorial Patterns, Biblical Historiography and Scribal Tradition—A Programmatic Survey, *ZAW* 93 (1981), pp. 427–432
— Conquest and Settlement of Trans-Jordan. A Historiographical Study, *ZDPV* 99 (1983), pp. 110—118
— *Historical Geography of the Bible. The Tribal Territories of Israel*. Jerusalem 1986
— The Settlement Traditions of Ephraim, *ZDPV* 102 (1986), pp. 68–74
— The Southern Border of the Land of Israel—Pattern and Application, *VT* 37 (1987), pp. 438–445
Kallai-Kleinmann, Z., *The Tribes of Israel. A Study in the Historical Geography of the Bible*. Jerusalem 1967, (in Hebrew).
Kapelrud, A. S., King David and the Sons of Saul, *La Regalità Sacra. Studies in the History of Religions* 4 (1959), pp. 294–301
— *The Message of the Prophet Zephaniah. Morphology and Ideas*. Oslo 1975
Kartveit, M., *Israels Land in I Chronik 1–9*. (Diss.) Uppsala 1987
— *Motive und Schichten der Landtheologie in I Chronik 1–9*. (Coniectanea Biblica. Old Testament Series 28). Stockholm 1989
Kaufmann, Y., *The Biblical Account of the Conquest of Palestine*. Jerusalem 1953
Kearny, P., The Role of the Gibeonites in the Deuteronomic History, *CBQ* 35 (1973), pp. 1–19
Keel, O., Das Vergraben der fremden Götter in Gen. XXXV 4 b, *VT* 23 (1973), pp. 305–336
— *Wirkmächtige Siegeszeichen im Alten Testament*. (Orbis Biblicus et Orientalis 5). Göttingen 1974
Keller, C. A., Über einige alttestamentliche Heiligtumslegenden II, *ZAW* 68 (1956), pp. 85–97
Kelm, G. L.—Mazar, A., Three Seasons of Excavations at Tel Batash—Biblical Timnah, *BASOR* 248 (1982), pp. 1–36
Kelso, J. L., The Excavation of Bethel. *AASOR*, Vol. 39. Cambridge 1968
Kempinski, A., Joshua's Altar—An Iron Age I Watchtower, *BAR* 12 (1986), pp. 42, 44–49
Kenyon, K. M., *Digging up Jericho*. London 1957

— *Excavations at Jericho, Vol. 1*: The Tombs Excavated in 1952–54. London 1960
— *Excavations at Jericho, Vol. 2*: The Tombs Excavated in 1954–58. London 1965
— *Amorites and Canaanites* (The Schweich Lectures 1963). London 1966
Kimura, H., *Is 6:1–9:6. A Theatrical Section of the Book of Isaiah*, (typewritten diss.). Uppsala 1981
Kitchen, K. A., Rec. of S. Aḥituv, Canaanite Toponyms in Ancient Egyptian Documents, *Chronique d'Égypte*, 63 (1988), pp. 102–111
Kjaer, H., The Excavation of Shiloh 1929. Preliminary Report, *JPOS* 10 (1930), 87–114
Kloppenborg, J. S., Joshua 22: The Priestly Editing of an Ancient Tradition, *Bi* 62 (1981), 347–371
Knudtzon, J. A., *Die El-Amarna-Tafeln*. (Vorderasiatische Bibliothek 2:1–2). Leipzig 1915
Koch, K., Der Spruch Sein Blut bleibe auf seinem Haupt und die israelitische Auffassung vom Vergossenen Blut, *VT* 12 (1962), pp. 396–416
— Das Verhältnis von Exegese und Verkündigung anhand eines Chroniktextes [1 Chr 10], *TLZ* 90 (1965), *cols* 659–670
Kochavi, M., The Excavations of Har Yeroham, Preliminary Communication, *BIES* 27 (1964), pp. 284–292 (Hebrew).
— *The Settlement of the Negev in the Middle Bronze I Age*. (*Diss.*) Jerusalem 1967
— *Ed. Judaea, Samaria and the Golan. Archaeological Survey 1967–1968*. Jerusalem 1972
— An Ostracon of the Period of the Judges from 'Isbet Ṣarṭah, *Tel Aviv* 4 (1977), pp. 1–13
— The Land of Geshur Project: Regional Archaeology of the Southern Golan (1987–1988 Seasons), *IEJ* 39 (1989), pp. 1–17
Köhler, L., *haṣṣir'ah*, *ZAW* 54 (1936), p. 291
König, Fr. E., *Historisch-Kritisches Lehrgebäude der Hebräischen Sprache I–II*. Leipzig 1881–1897
Kooij, van der, G., See Hoftijzer, J.
— The Identity of Trans-Jordanian Alphabetic Writing in the Iron Age, *Studies in the History and Archaeology of Jordan III*, pp. 107–121. *Ed.* A. Hadidi. Amman 1987
Kraus, H. -J., Gilgal, Ein Beitrag zur Kultusgeschichte Israels, *VT* 1 (1951), pp. 181–199
Kreuzer, S., *Die Frühgeschichte Israels in Bekenntnis und Verkündigung des Alten Testaments*, (BZAW 178). Berlin 1989

Labuschagne, J., The Emphasizing Particle *gam* and its Connotations. *Studia Biblica et Semitica. The C. Vriezen Dedicata*. Wageningen 1966, pp. 193–203
Labuschagne, C. J., The Tribes in the Blessing of Moses, *OTS* XIX (1974), pp. 97–112
Langlamet, F., Gilgal et les récits de la traversée du Jourdain (Jos. III–IV), *Cahiers de la RB* 1969 and *RB* 79 (1972), pp. 7–38
Lapp, P., Taanach by the Waters of Megiddo, *BA* 30 (1967), pp. 2–27
— The 1968 Excavations at Tell Ta'annak, *BASOR* 195 (1969), pp. 2–49
Layton, S. C., Old Aramaic Inscriptions, *BA* 51 (1988), pp. 172–189
Lemaire, A., Asriel, šrl, Israel et l'origine de la conféderation israélite, *VT* 23 (1973), pp. 239–243
— Notes d'épigraphie Nord-Ouest Sémitique, *Syria* 64 (1987), pp. 205–216
Lemche, N. P., *Det Gamle Israel*. Det israelitiske samfund fra sammenbruddet af bronzealderkulturen til hellenistisk tid. Århus 1984
— *Early Israel. Anthropological and Historical Studies on the Israelite Society Before the Monarchy*, (*VTS*, Vol. 37). (*Diss.*) Leiden 1985
— *Ancient Israel. A New History of Israelite Society*. Sheffield 1988
— Mysteriet om det forsvundne tempel, *SEÅ* 54 (1989), pp. 118–126

Le Patourel, H. E. J., Pottery Evidence for Social and Economic Change, *Medieval Settlement: Continuity and Change*. Sawyer, P. H. (ed.), pp. 169–179. London 1976
L'Hour, J., L'alliance de Sichem, *RB* 69 (1962), pp. 5–36, 161–184, 350–368
Liver, J., The Literary History of Joshua IX, *JSS* 8 (1963), pp. 227–243
Lohfink, N., Die deuteronomistische Darstellung des Übergangs der Führung Israels von Moses auf Josua, *Scholastik* 37 (1962), pp. 32–44
— *Das Hauptgebot*, (Analecta Biblica 20). Rom 1963
— Die Bedeutung von hebr. jrš qal und hif, *BZNF* 27 (1983), pp. 14–33
— ḥāram, ḥeraem, *ThWAT*. Bd. III, Sp. 192–213. Stuttgart 1978
— Kerygmata des Deuteronomistischen Geschichtswerks, Jeremias, J.,–Perlitt, L. (Hgg.), *Die Botschaft und die Boten Festschrift für H. W. Wolff zum 70. Geburtstag*. Neukirchen 1981, pp. 87–100
London, G., A Comparison of Two Contemporaneous Lifestyles of the Late Second Millennium B.C., *BASOR* 273 (1989), pp. 37–55
Long, B. O., The Problem of Etiological Narrative in the Old Testament, *BZAW* 108. Berlin 1968
Loretz, O., *Habiru—Hebräer Eine sozio-linguistische Studie über die Herkunft des Gentiliziums 'ibrî vom Appelativum ḫabirū*. (BZAW. Bd. 160.) Berlin 1984
Luckenbill, D. D., *The Annals of Sennacherib*. (The University of Chicago Oriental Institute Publications. Vol. 2.) Chigaco 1924

Maag, V., Sichembund und Vätergötter, *VTS* 16 (1967), pp. 205–218
McCarthy, D. J., *Treaty and Covenant*. A Study in Form in the Ancient Oriental Documents and in the Old Testament. (Analecta Biblica 21). Rome 1963
— The Theology of Leadership in Joshua 1–9, *Bi* 52 (1971), pp. 165–175
— Some Holy War Vocabulary in Joshua 2, *CBQ* 33 (1971), pp. 228–230
MacDonald, B., The Wâdī el-Ḥasā *Survey 1979 and Previous Archaeological Work in Southern Jordan, BASOR* 245 (1982), pp. 35–52
— The Wadi El Ḥasa. Archaeological Survey 1982: A Preliminary Report, *ADAJ* 27 (1983), pp. 311–323
— The Late Bronze and Iron Age Sites of the Wadi el Ḥasā *Survey 1979, Midian, Moab and Edom*. The History and Archaeology of Late Bronze and Iron Age Jordan and North-West Arabia. *Ed.* J. F. A. Sawyer and D. J. A. Clines. Sheffield 1983, pp. 18–28
McEvenue, S., *The Narrative Style of the Priestly Writer*. (Analecta Biblica 50). Rome 1971
McGovern, P. E., Explorations in the Umm ad Danānir Region of the Baq'ah Valley, 1977–1978, *ADAJ* 24 (1980), pp. 55–67
— Test Soundings of Archaeological and Resistivity Survey Results at Rujm al-Henū, *ADAJ* 27 (1985), pp. 105–141
— *The Late Bronze and Early Iron Ages of Central Transjordan: The Baq'ah Valley Project 1977–1981*, (University Museum Monograph 65). Philadelphia 1986
— The Foreign Relations of Central Transjordan in the Late Bronze and Early Iron Ages: An Alternative Hypothesis of Socio-Economic and Transformation and Collapse. *Studies in the History and Archaeology of Jordan III. Ed. A. Hadidi*. Amman 1987, pp. 267–273
McKenzie, J. L., *The World of the Judges*. Prentice-Hall 1966
Madl, H., Die gottesbefragung mit dem *šā'al*, *BBB* 50 (1977), pp. 37–70
Maier, J., Das altisraelitische Ladeheiligtum, *BZAW* 93, Berlin 1965
Malamat, A., Doctrines of Causality in Hittite and Biblical Historiography: A Parallel, *VT* 5 (1955), pp. 1–12
— Hazor The Head of All Those Kingdoms, *JBL* 79 (1960), pp. 12–19

— Aspects of the Foreign Policies of David and Solomon, *JNES* 22 (1963), pp. 1-17
— Israelite Conduct of War in the Conquest of Canaan, *Symposia Celebrating the Seventy-Fifth Anniversary of the Founding of the American Schools of Research* (1900–1975). *Ed.* F. M. Cross, pp. 35-36. Cambridge, MA., 1979
— Die Wanderung der Daniten und die Panisraelitische Exodus-Landnahme: Ein biblisches Erzählmuster, *Meqor Ḥajjim. Festschrift für Georg Molin zum 75. Geburtstag*, pp. 249-265. Graz/Austria 1983
Marfoe, L., The Integrative Transformation: Patterns of Socio-political Organization in Southern Syria, *BASOR* 234 (1979), pp. 1–42
Martin, W. J., Dischronologized Narrative in the Old Testament, *VTS* 17 (1969), pp. 179–186
Mazar, A., Giloh: An Early Israelite Settlement Site near Jerualem, *IEJ* 31 (1981), pp. 1–36
— The Bull Site—An Iron Age I Open Cult Place, *BASOR* 247 (1982), pp. 27–42
— Bronze Bull found in Israelite High Place from the Time of the Judges, *BAR* 9:5 (1983), pp. 34–40
Mazar, B., The Cities of the Priests and the Levites, *VTS* 7 (1959), pp. 193–205. Leiden 1960
— Geshur and Maacah, *JBL* 80 (1961), pp. 16–28
— The Cities of the Territory of Dan, *IEJ* 10 (1960), pp. 65–77
— The Place of Shechem—An Israelite Sacred Area. *Eretz Shomron*. The Thirtieth Archaeological Convention September 1972. Jerusalem 1973
— The Early Israelite Settlement in the Hill Country, *BASOR* 241 (1981), pp. 75–85
— Biblical Archaeology Today—The Historical Aspect, *Biblical Archaeology Today*, pp. 16–20. Jerusalem 1985
— Lebo-hamath and the Northern Border of Canaan. *The Early Biblical Period, Historical Studies*, pp. 189–202. Jerusalem 1986
Mendenhall, G. E., The Hebrew Conquest of Palestine, *BA* 25 (1962), pp. 66–87
— Change and Decay in All Around I See: Conquest, Covenant, and the Tenth Generation, *BA* 39 (1976), pp. 152–157
Menéndez, M., The Iron I Structures in the Area Surrounding Medeineh al Ma'arradjeh (Smakieh), *ADAJ* 27 (1983), pp. 179–183
Menes, A., Tempel und Synagoge, *ZAW* 50 (1932), pp. 268–276
Mettinger, T. N. D., *King and Messiah. The Civil and Sacral Legitimation of the Israelite Kings*. (Coniectanea Biblica 8.) Lund 1976
— *The Dethronement of Sabaoth. Studies in the Shem and Kabod Theologies*. (Coniectanea Biblica 18). Lund 1982
Meyers, C., Kadesh-barnea: Judah's Last Outpost, *BA* 39 (1976), pp. 148–151
Millard, A. R., The Etymology of Eden, *VT* 34 (1984), pp. 103–106
Miller, J. M., The Moabite Stone as a Memorial Stela, *PEQ* 106 (1974), pp. 9–18
— Archaeology and the Israelite Conquest of Canaan: Some Methodological Observations, *PEQ* 109 (1977), pp. 87–93
— Archaeological Survey South of the Wâdī Mûjib: Glueck's Sites Revisited, *ADAJ* 23 (1979), pp. 79–92
— Archaeological Survey of Central Moab: 1978, *BASOR* 234 (1979), pp. 434–52
— Site Identification: A Problem Area in Contemporary Biblical Scholarship, *ZDPV* 99 (1983), pp. 119–129
Miller, P. D. Jr., The Divine Warrior in Early Israel. Harvard 1973
Mitchell, G., *The Nations in the Book of Joshua. Diss.* Heidelberg 1990
Mittmann, S., *Beiträge zur Siedlungs- und Territorialgeschichte des nördlichen Ostjordanlandes*. (Abhandlungen des Deutschen Palästinavereins. *Ed.* A. Kuschke. Wiesbaden 1970

Möhlenbrink, K., Die Landnahmesagen des Buches Josua, *ZAW* 56 (1938), pp. 238–268
— Josua in Pentateuch, *ZAW* 59 (1942/43), pp. 14–58
Mölle, H., *Der sogenannte Landtag zu Sichem*. Forschung zur Bibel 42. Würzburg 1980
Montgomery, J. A., Notes on the Mythological Epic Texts from Ras Shamra, *JAOS* 53 (1933), p. 121
Moran, W. L., The Repose of Rahab's Israelite Guests, *Studi sull'Oriente e la Bibbia* (*Rinaldi Festschrift*), pp. 273–284. Genua 1967
Mowinckel, S., *Tetrateuch—Pentateuch—Hexateuch*, BZAW 90 (1964)
— *Offersang og Sangoffer*. Oslo 1980
Muilenburg, J., The Form and Structure of the Covenantal Formulations, *VT* 9 (1959), pp. 347–365
Müller, H. -P., Einige alttestamentliche Probleme zur aramäischen Inschrift von Dēr 'Allā, *ZDPV* 94 (1978), pp. 56–67

Na'aman, N., Sennacherib's Campaign to Judah and the Date of the *lmlk* Stamps, *VT* 29 (1979), pp. 61–86
— The Brook of Egypt and Assyrian Policy on the Border of Egypt, *Tel Aviv* 6 (1979), pp. 68–90
— The Shihor of Egypt and Shur that is before Egypt, *Tel Aviv* 7 (1980), pp. 95–109
— The Inheritances of the Sons of Simeon, *ZDPV* 96 (1980), pp. 136–172
— The Inheritanes of the Cis-Jordanian Tribes of Israel and the 'Land that yet remaineth', *EI* 16 (1982), pp. 152–158, 257
— Habiru and Hebrews: The Transfer of a Social Term to the Literary Sphere, *JNES* 45 (1986), pp. 271–288
— Hezekiah's Fortified Cities and the LMLK Stamp, *BASOR* 261 (1986), pp. 3–21
— *Borders & Districts in Biblical Historiography*. Jerusalem 1986
— Beth-aven, Bethel and Early Israelite Sanctuaries, *ZDPV* 103 (1987), pp. 13–21
— ,—Zadok, R., Sargon II's Deportations to Israel and Philistia (716–708 B.C.), *JCS* 40 (1988), pp. 36–46
Naveh, J., Some Considerations on the Ostracon from 'Izbeth Ṣarṭah, *IEJ* 28 (1978), pp. 31–35
Neef, H.-D., Die Ebene Achor—das Tor der Hoffnung. Ein exegetisch-topografischer Versuch, *ZDPV* 100 (1984), pp. 91–107
Nelson, R. D., Josiah in the Book of Joshua, *JBL* 100 (1981), pp. 531–540
Nicolsky, N. H., Das Asylrecht in Israel, *ZAW* 48 (1930), pp. 146–175
Niehaus, J., pa'am 'ehāt and the Israelite Conquest, *VT* 30 (1980), pp. 236–239
Nielsen, E., *Shechem. A Traditio-Historical Investigation. Diss.* Copenhagen 1955
— Some Reflections on the History of the Ark, *VTS* 7 (1960), pp. 61–74
— The Burial of the Foreign Gods, *Studia Theologica* 8 (1955), pp. 103–122
Nieman, H. M., *Die Daniten. Studien zur Geschichte eines altisraelitischen Stammes*. Göttingen 1985
Noort, E., Zwischen Mythos und Rationalität. Das Kriegshandeln Yhwhs in Josua 10,1–11, N. N. Schmidt (*Hg*), *Mythos und Rationalität* 1988, pp. 149–161
Norin, S., *Er spaltete das Meer. Die Auszugsüberlieferung in Psalmen und Kult de alten Israels*, (*Diss.*). (Coniectanea Biblica, Old Testament Series 9). Lund 1977
North, R., The Religious Aspects of Hebrew Kingship, *ZAW* 50 (1932), pp. 8–38
— Three Judaean Hills in Jos 19,5 f., *Bi* 37 (1956), pp. 209–216
— Phoenicia-Canaan Frontier Lᵉbô of Ḥama, *MUSJ* 46 (1970–71), pp. 69–103
— *A History of Biblical Map Making*. Rome 1979
Noth, M., Eine siedlungsgeographische Liste im 1 Chr. 2 und 4, *ZDPV* 55 (1932), pp. 97–124
— Die fünf Könige in der Höhle von Makkeda, *PJ* 33 (1937), pp. 22–36

— Die Wege der Pharaonenheere in Palästina und Syrien, 4. Die Schoschenkliste, *ZDPV* 61 (1938), pp. 277–304
— Der Wallfahrtweg zum Sinai (4 Mos 33), *PJ* 36 (1940), pp. 5–28
— Num. 21 als Glied der Hexateuch-Erzählung, *ZAW* 58 (1940/41), pp. 161–189
— Beiträge zur Geschichte des Ostjordanlandes. 1. Das Land Gilead als Siedlungsgebiet israelitischer Sippen, *PJ* 37 (1941), pp. 50–101
— *Überlieferungsgeschichtliche Studien 1* (Schriften d. Königsberger Gel. Ges., Geisteswiss. Kl. 18:2). Halle (Saale) 1943
— *Überlieferungsgeschichte des Pentateuch*. Stuttgart 1948
— Überlieferungsgeschichte zur 2. Hälfte des Josuabuches, *Alttestamentliche Studien F. Nötscher zum 60. Geburtstag*, pp. 152–167, 1950
— Beiträge z. Gesch. d. Ost-Jordanlandes III, *BBLA*. Stuttgart 1951
— Der Jordan in der alten Geschichte Palästinas, *ZDPV* 72 (1956), pp. 123–148
— *Die Geschichte Israels*. Göttingen 1959[4]
— Der Beitrag der Archäologie zur Geschichte Israels, *VTS* 7 (1960), pp.262–282
— Jerusalem und die israelitische tradition. *Gesammelte Studien zum Alten Testament*. München 1960[2]
— *Das vierte Buch Mose* (ATD 7). Göttingen 1966
— *Das Buch Josua*, (Handbuch zum alten Testament. Erste Reihe 7). Tübingen 1971[3]
— Bethel und Ai, *PJ* 31 (1935), pp. 7–29. (= Aufsätze zur biblischen Landes- und Altertumskunde. Band 1, hrsg. von H. W. Wolff. Neukirchen-Vluyn 1971, pp. 210–228

Ohata, K., Tel Zeror, *IEJ* 14 (1964), p. 284
— Tel Zeror, *IEJ* 16 (1966), pp. 274–276
— *Tel Zeror I–III*. First Season 1964. Second Season 1965. Third Season 1966. Tokyo 1966–1970
Olausson, E., Topochronology and the Late Pleistocene of the Aegean Sea, *A . Strid (ed.) Evolution in the Aegean, Opera Botanica* 30 (1971), pp. 29–39
Olávarri, E., Sondeo Arqueologico en Khirbet Medeineh junto a Smakieh (Jordania), *ADAJ* 22 (1977–78), pp. 136–149
— La campagne de fouilles 1982 à Khirbet Medeinet al-Mu‘arradjeh près de Smakieh (Kerak), *ADAJ* 27 (1983), pp. 165–178
Olofsson, S., The Translation of Jer 2,18 in The Septuagint 2,18. Methodical, Linguistic and Theological Aspects, *SJOT* 2 (1988), pp. 169–200
Oren, E. D., The Overland Route Between Egypt and Canaan, *IEJ* 23 (1973), pp. 198–205
Ortner, D. J.—Frohlich, B., Human Biological History at the Early Bronze Age Site of Bab Edh-Dhra, *ADAJ* 27 (1983), pp. 643–644
Otto, E., Das Mazzotfest in Gilgal, *BWANT* 107. Berlin 1975
Ottosson, M., *Gilead. Tradition and History. (Diss.)* (Coniectanea Biblica, Old Testament Series 3.) Lund 1969
— *'aeraeṣ*, *ThWAT*. Bd. I, 1970. Sp. 418–436
— Art. *g^{e}ḇūl*, ThWAT. Bd. I. Hrsg. von G. J. Botterweck und H. Ringgren. Sp. 896–901. Stuttgart 1973
— *Palestinas arkeologi. Bronsålder och Järnålder*. Uppsala 1974–76. (Type-written)
— *Temples and Cult Places in Palestine*. (Acta Universitatis Upsaliensis. *Boreas* 12. Uppsala Studies in Ancient Mediterranean and Near Eastern Civilizations). Uppsala 1980
— Josuaboken—en deuteronomistisk programskrift, *RoB* 40 (1981), pp. 3–13
— Tradition and History, with Emphasis on the Composition of the Book of Joshua, *The Productions of Time: Tradition History in Old Testament Scholarship*. Ed. by K. Jeppesen & B. Otzen. The Almond Press, 1984, pp. 81–143
— The Prophet Elijah's Visit to Zarephath, *In the Shelter of Elyon. Essays on Ancient Palestinian Life and Literature in Honor of G. W. Ahlström. Ed.* by W. Boyd Barrick and J. R. Spencer. Sheffield 1984, pp. 185–198. (JSOT Suppl Series 31)

— *jam sūf*. *ThWAT* Band 5, sp. 794–800. Stuttgart 1986
— Eden and the Land of Promise, *VTS* 40 (1988), pp. 177–188
— Rahab and the Spies, *DUMU-E$_2$-DUB-BA-A. Studies in Honor of Åke W. Sjöberg*. Ed. H. Behrens *et al.* Philadelphia 1989, pp. 419–427
Otzen, B., *'āḇaḏ. ThWAT. Bd. 1*, 1973. Sp. 20–24

Palumbo, G., Egalitarian or Stratified Society? Some Notes on Mortuary Practices and Social Structure at Jericho in the EB IV, *BASOR* 267 (1987), pp. 43–59
Parpola, S., *Neo-Assyrian Toponyms*. (Alter Orient und Altes Testament. Bd. 6. Ed. K. Bergerhof—M. Dietrich—O. Loretz). Neukirchen-Vluyn 1970
Perlitt, L., *Bundestheologie im Alten Testament*, (WMANT 36), Neukirchen-Vluyn 1969
Peterson, J. L., *A Topographical Survey of the Levitical Cities of Joshua 21 and 1 Chronicles 6: Studies in Israelite Life and Religion*. (Unpubl. Th.D. diss., Seabury Western Theol. Seminary). Evanston. Ill. 1979
Phillips, A., Nebelah, a Term for Serious Disorderly and Unruly Conduct, *VT* 25 (1975), pp. 237–241
Polzin, R., *Moses and the Deuteronomist*. A Literary Study of the Deuteronomic History. Part One Deuteronomy Joshua Judges. New York 1980
Porter, J. R., The Succession of Joshua, *Proclamation and Presence*, eds. J. L. Durham and J. R. Porter. London 1970, pp. 102–132
— The Background of Jos 3–5, *SEÅ* 36 (1971), pp. 5–23
Posener, G., *Princes et Pays d'Asie et de Nubie*. Textes Hiératiques sur des Firgurines d'Envoûtement du Moyen Empire. Bruxelles 1940
Prag, K., The Intermediate Early Bronze—Middle Bronze Age: An Interpretation of the Evidence from Transjordan, Syria and Lebanon, *Levant* 6 (1974), pp. 69–116
Pritchard, J. B. (ed.), *The Ancient Near Eastern Texts (ANET)^2*. Princeton, N. J. 1955
— Gibeon's History in the Light of Excavation, *VTS* 7 (1959), pp. 1–12
— *Hebrew Inscriptions and Stamps from Gibeon*. Philadelphia 1959
— *The Water System of Gibeon*. Museum Monographs. Philadelphia 1961
— *Gibeon Where the Sun Stood Still*. Princeton 1962
— *The Bronze Age Cemetery at Gibeon*. Philadelphia 1963
— *Winery, Defenses and Soundings at Gibeon*. Philadelphia 1965

Rabinowitz, I., *'āz* followed by imperfect verb-form in preterite contexts: a redactional device in Biblical Hebrew, *VT* 34 (1984), pp. 53–62
Rad, G. von, *Die Priesterschrift im Hexateuch*. (BWANT 4. F., H. 13). Stuttgart 1934
— *Theologie des Alten Testaments,*. Band I, München 1957
— *Das erste Buch Mose. Genesis* (ATD 2/4). Berlin 1974
Rainey, A. F., Toponymic Problems, *Tel Aviv* 2 (1976), pp. 57–69; 9 (1982), p. 131f.
— The Biblical Shephelah of Judah, *BASOR* 251 (1983), pp. 1–22
— Biblical Archaeology Yesterday (and Today). Review Article, *BASOR* 273 (1989), pp. 87–96
Ramlot, L., Le devoir d'intercession prophétique, *Dictionnaire de la Bible. Suppl.* Tome Huitième. *Ed.* H. Cazelles et A. Feuillet, Sp. 1162ff. Paris 1972
Redford, D. B., The Ashkelon Relief at Karnak and the Israel Stela, *IEJ* 36 (1986), pp. 188–200
Rendtorff, R., Das überlieferungsgeschichtliche problem des Pentateuch, *BZAW* 147. 1977
Revell, E. J., The Battle with Benjamin (Judges XX 29–48) and Hebrew Narrative Techniques, *VT* 35 (1985), pp. 417–433
Reventlow, H. Graf, Sein Blut komme über sein Haupt, *VT* 10 (1960), pp. 311–327
Richard, S., Toward a Consensus of Opinion on the End of the Early Bronze Age in Palestine-Transjordan, *BASOR* 237 (1980), pp. 5–34

— Report on The 1982 Season of Excavations At Khirbet Iskander, *ADAJ* 27 (1983), pp. 45–53
— Excavations at Khirbet Iskander, Jordan, *Expedition* 28 (1986), pp. 3–12
Richter, W., *Traditionsgeschichtliche Untersuchungen zum Richterbuch*, (BBB, 18). Bonn ^{2}1966
Ringgren, H., Art. Överstepräst, *Svenskt Bibliskt Uppslagsverk. Band II*. Sp. 1513–1515. *Ed.*, I. Engnell. Stockholm 1963
— *bāzaz*, *ThWAT*. Bd 1. Sp. 585–588. Stuttgart 1973
— Bileam och inskriften från Deir ʻAllā, *RoB* 36 (1977), pp. 85–89
Ritter-Kaplan, H., The Impact of Drought on Third Millennium B.C. Cultures on the Basis of Excavations in the Tel Aviv Exhibition Grounds, *ZDPV* 100 (1984), pp. 2–8
Röllig, W., see Donner H.
Rösel, H. N., Studien zur Topographie der Kriege in den Josua und Richter, *ZDPV* 91 (1975), pp. 159–190
— Studien zur Topographie der Kriege in den Büchern Josua und Richter, *ZDPV* 92 (1976), pp. 10–46
— Wer kämpfte auf Kanaanäischer Seite in der Schlacht bei Gibeon, Jos. X, *VT* 26 (1976), pp. 505–508
— Erwägungen zu Tradition und Geschichte in Jos 24—ein Versuch, *BN* 22 (1983), pp. 41–46
— Anmerkungen zur Erzählung vom Bundesschluss mit den Gibeoniten, *BN* 28 (1985), pp. 30–35
Ross, J., Gezer in the Tell el-Amarna Letters, *BA* 30 (1967), pp. 62–70
Roth, W. M. W., Hinterhalt und Scheinflucht, *ZAW* 75 (1963), pp. 296–304
Rothenberg, B., *Timna. Valley of the Biblical Copper Mines*. London 1972
Rowe, A., *The Four Canaanite Temples of Beth Shan*. Philadelphia 1940

Sæbø, M., Grenzbeschreibung und Landideal im Alten Testament, *ZDPV* 90 (1974), pp. 14–37
— Vom Grossreich zum Weltreich, Erwägungen zu Pss 72,8; 89,26; Sach 9,10b, *VT* 28 (1978), pp. 83–91
Sauer, J. A., Iron I Pillared House in Moab, *BA* 42 (1979), p. 9
— Transjordan in the Bronze and Iron Ages: A Critique of Glueck's Synthesis, *BASOR* 263 (1986), pp. 1–26
Sawyer, J. F. A., Joshua 10,12–14 and the Solar Eclipse of 30 September 1131 B.C., *PEQ* 104 (1972), pp. 139–144
Saydon, P. P., The Crossing of the Jordan. Josue 3; 4, *CBQ* 12 (1950), pp. 194–207
Schäfer-Lichtenberger, C., Das gibeonitische Bündnis im Lichte deuteronomischer Kriegsgebote. Zum Verhältnis von Tradition und Interpretation in Jos 9, *BN* 34 (1986), pp. 58–81
— Josua und Elischa — eine biblische Argumentation zur Begrundung der Autorität und Legitimität des Nachfolgers, *ZAW* 101 (1989), pp. 198–222
Schmid, H., Jahwe und die Kulttraditionen von Jerusalem, *ZAW* 67 (1955), pp. 168–197
Schmitt, G., *Der Landtag von Sichem*. (Arbeiten zur Theologie 1/15.) Stuttgart 1964
— *Du sollst keinen Frieden Schliessen mit den Bewohnern des Landes*, *BWANT*. Stuttgart 1970
— Bet-Awen, *R. Cohen—G. Schmitt, Drei Studien zur Archäologie und Topographie Altisraels*, pp. 33–76. Wiesbaden 1980
Schreiner, J., 'āmaṣ, ThWAT. Bd 1. Eds. G. John Botterweck and H. Ringgren. Sp. 348–352. Stuttgart 1973
Schunck, K.-D., Bemerkungen zur Ortsliste von Benjamin (Jos 18,21–28), *ZDPV* 78 (1963), pp. 143–158

— *Benjamin, Untersuchungen zur Entstehung und Geschichte eines israelitischen Stammes*. (BZAW 86.) Berlin 1963
Seebass, H., Garizim und Ebal als Symbole von Segen und Fluch, *Bi* 63 (1982), pp. 22-31
— Das Haus Joseph in Jos. 17,14—18, *ZDPV* 98 (1982), pp. 70-76
— Zur Exegese der Grenzbeschreibungen von Jos. 16,1—17,13, *ZDPV* 100 (1984), pp. 70-83
Segert, S., Die Sprache der moabitischen Königinschrift, *Archiv Orientálni* 29 (1961), pp. 197-268
Sellin, E., *Gilgal. Ein Beitrag zur Geschichte der Einwanderung Israels in Palästina*. Leipzig 1917
Seters, J. van, Joshua 24 and the Problem of Tradition in the Old Testament, *In the Shelter of Elyon Essays on Ancient Palestinian Life and Literature in Honor of G. W. Ahlström. Ed.* by W. Boyd Barrick and John K. Spencer. (JSOT Suppl Ser 31) 1984
— The Conquest of Sihon's Kingdom: A Literary Examination, *JBL* 91 (1972), pp. 182-197
— *In Search of History. Historiography in the Ancient World and Origins of Biblical History*. New Haven and London 1983
— Joshua's Campaign and Near Eastern Historiography. *SJOT* 2 (1990), 1-12
Shay, T., Burial Customs at Jericho in the Intermediate Bronze Age: A Componential Analysis, *Tel Aviv* 10 (1983), pp. 26-37
— The Intermediate Bronze Period: A Reply to G. Palumbo, *BASOR* 273 (1989), pp. 84-86
Shiloh, Y., The Four-Room House—Its Situation and Function in the Israelite City, *IEJ* 20 (1970), pp. 180-190
— Elements in the Development of Town Planning in the Israelite City, *IEJ* 28 (1978), pp. 36-56
— The Casemate Wall, the Four Room House, and Early Planning in the Israelite City, *BASOR* 268 (1987), pp. 3-15
Simons, J., *Handbook for the Study of Egyptian Topographical Lists Relating to Western Asia*. Leiden 1937
— The Structure and Interpretation of Joshua XVI-XVII, *Orientalia Neerlandica*, pp. 190-215. Leiden 1948
— *The Geographical and Topographical Texts of the Old Testament*, (Studia Francisci Scholten Memoriae dicata. Volumen secundum). Leiden 1959
Sinclair, L. A., An Archaeological Study of Gibeah (Tell el-Fûl), *AASOR* 34-35, 1954-56, pp. 1-52. New Haven 1960
— An Archaeological Study of Gibeah (Tell el-Fûl), *BA* 27 (1964), pp. 52-64
Smend, R., Das Gesetz und die Völker: Ein Beitrag zur deuteronomistischen Redaktionsgeschichte H. W. Wolff (Hg.). *Probleme biblischer Theologie. G. von Rad zum 70. Geburtstag*, pp. 494-509. München 1971
Snaith, N. H., The Altar at Gilgal: Joshua XXII 23-29, *VT* 28 (1978), pp. 330-335
von Soden, W., Die Assyrer und der Krieg, *Iraq* 25 (1963), pp. 131-144
Soggin, J. A., Kultätiologische Sagen und Katechese im Hexateuch, *VT* 10 (1960), pp. 341-347
— Zwei umstrittene Stellen aus dem Überlieferungskreis um Schechem, *ZAW* 73 (1961), pp. 78-87
— Gilgal, Passah und Landnahme. Eine neue Untersuchung des kultischen Zusammenhanges der Kapitel III-VI des Joshuabuches, *VTS* 15 (1966), pp. 263-277
— *Judges. A Commentary*. London 1981
— The Conquest of Jericho through Battle. *EI* 16 (1982), pp. 215-217
— *Joshua. A Commentary*. London 1982[2]
Spencer, J. R., *The Levitical Cities: A Study of the Role and Function of the Levites in*

the History of Israel. (Unpubl. Ph.D. dissertation. University of Chicago). Chicago 1980

Sperling, S. D., Joshua 24 Re-examined, *HUCA* 58 (1987), pp. 119–136

Springer, B., Die Landverheissung im deuteronomistischen Geschichtswerk, *Laurentianum* 18 (1977), pp. 116–157

Stager, L. E., The Archaeology of the Family in Ancient Israel, *BASOR* 260 (1985), pp. 1–35

Steck, O. H., *Die Paradieserzählung—Eine Auslegung von Genesis 2,4b–3,24*. Neukirchen- Vluyn 1970

Steingrimsson, S., *Vom Zeichen zur Geschichte. Eine literar- und formkritische Untersuchung von Ex 6,28–11,10. (Diss.)* (Coniectanea Biblica. Old Testament Series 14). Uppsala 1979

Stephenson, F. R., Astronomical Verification and Dating of Old Testament Passages Referring to Solar Eclipses, *PEQ* 107 (1975), pp. 107–120

Steuernagel, C., *Übersetzung und Erklärung der Bücher Deuteronomium und Josua und allgemeine Einleitung in den Hexateuch*. Berlin 1923

Stiebing W. H. Jr., *Out of the Desert? Archaeology and the Exodus/Conquest Narrative*. New York 1989

Stoebe, H. J., Raub und Beute, Hebräische Wortforschung. Festschrift zum 80. Geburtstag von W. Baumgartner. (*VTS*. Vol XVI.) Leiden 1967

— *Das erste Buch Samuelis*. Gütersloh 1973

Strange, J., The Inheritance of Dan, *Studia Theologica* (Scandinavia) 20 (1966), pp. 120–139

Tengström, S., *Die Hexateucherzählung. Eine literaturgeschichtliche Studie*. (Diss.) (Coniectanea Biblica. Old Testament Series 7.) Uppsala 1976

Thiel, W., *Die soziale Entwicklung Israels in vorstaatlicher Zeit*. Berlin 1980

Thomas, D. W., KELEBH DOG: Its Origin and Some Usages of It in the Old Testament, *VT* 10 (1960), pp. 410–427

Thompson, L. L., The Jordan Crossing: *Sidqot* Yahweh and World Building, *JBL* 100 (1981), pp. 343–358

Thompson, Th. L., *The Historicity of the Patriarchal Narratives, The Quest for the Historical Abraham*, (BZAW 133). Berlin 1974

— *The Settlement of Palestine in the Bronze Age*. (Beihefte zum Tübingen Atlas des Vorderen Orients. Reihe B [Geisteswissenschaften] Nr 34). Wiesbaden 1979

Tov, E., Midrash-type Exegesis in the LXX of Joshua, *RB* 85 (1978), pp. 50–61

— The Growth of the Book of Joshua in the Light of the Evidence of the LXX Translation, *Scripta Hierosolymitana* 31 (1986), pp. 321–339

Tucker, G. M., The Rahab Saga (Joshua 2): Some Form-Critical and Traditio-Historical Observations, *Festschrift W. F. Stinespring*, pp. 66–86, Durham, N. C., 1972

Tufnell, O., *Lachish IV (Tell ed-Duweir). The Bronze Age. Text. Plates*. London 1958

Ussishkin, D., Royal Judean Storage Jars and Private Seal Impressions, *BASOR* 223 (1976), pp. 1–13

— Excavations at Tel Lachish—1973–1977, Preliminary Report, *Tel Aviv* 5 (1978), pp. 1–97

— Excavations at Tel Lachish 1978–1983. Second Preliminary Report, *Tel Aviv* 10 (1983), pp. 97–185

— The Date of the Judaean Shrine at Arad, *IEJ* 38(1988), pp. 142–157

Wächter, L., Zur Lokalisierung des sichemitischen Baumheiligtums, *ZDPV* 103 (1987), pp. 1–12

Wagner, S., Die Kundschaftergeschichten im AT. *ZAW* 76 (1964), pp. 225–269

— *bānāh*. *ThWAT*. *Bd I*. 1973, Sp. 690–706

Wampler, J., *Tell en-Naṣbeh. Excavated under the Direction of the Late W. F. Badé. II. The Pottery*. New Haven 1947
de Vaux, R., Le pays de Canaan, *JAOS* 88 (1968), pp. 23–30
— The Settlement of the Israelites in Southern Palestine and the Origins of the Tribe of Judah. *Translating and Understanding the Old Testament*. Festschrift H. G. May. pp. 108–134. Nashville 1970
— Palestine in the Early Bronze Age. *The Cambridge Ancient History*. Vol. I. Part 2. Chapter XV, pp. 208–237. Cambridge 1971[3]
— El Far'a, Tell, North, *Encyclopedia of Archaeological Excavation in the Holy Land. Vol. II*, pp. 395–404. London 1976
— *The Early History of Israel. To the Period of the Judges*. London 1978
— *The Early History of Israel. To the Exodus and Covenant of Sinai*. London 1978
Veijola, T., *Verheissung in der Krise. Studien zur Literatur und Theologie der Exilzeit anhand des 89. Psalms*. (Suomalainen Tiedeakatemian Toimituksia Annales Academiae Scientiarum Fennicae. Sarja — Ser. B Nide — Tom. 220. Helsinki 1982
Weimar, P., Die Jahwekriegserzählungen in Exodus 14, Josua 10, Richter 4 und 1 Samuel 7, *Bi* 57 (1976), pp. 38–73
Weinfeld, M., The Period of the Conquest and of the Judges as seen by the Earlier and the Later Sources, *VT* 17 (1967), pp. 93–113
— *Deuteronomy and the Deuteronomic School*. Oxford 1972
— The Extent of the Promised Land—the Status of Transjordan. *Das Land Israel in biblischer Zeit. Jerusalem-Symposium 1981. Göttingen Theologische Arbeiten. Bd. 25*, pp. 59–75. (Hrsg.) G. Strecker. Göttingen 1983
— Historical Facts Behind the Israelite Settlement Pattern, *VT* 38 (1988), pp. 324–332
— The Pattern of the Israelite Settlement in Canaan, *SVT* 40 (1988), pp. 270–283
Weippert, H., Das geographische System der Stämme Israels, *VT* 23 (1973), pp. 76–89
— *Palästina in vorhellenistischer Zeit*. (Handbuch der Archäologie. Vorderasien II/I). München 1988
Weippert, H. & M., Jericho in der Eisenzeit, *ZDPV* 92 (1976), pp. 105–148
Weippert, M., Archäologisches Jahresbericht, *ZDPV* 80 (1964), pp. 150–193
— *The Settlement of the Israelite Tribes in Palestine*. London 1971
— *The Settlement of the Israelite Tribes in Palestine*. (Studies in Biblical Theology, Second Series, No 21). Naperville, Il. 1971
— Heiliger Krieg in Assyrien und Israel, *ZAW* 84 (1972), pp. 460–493
Wellhausen, J., *Die Composition des Hexateuchs und der historischen Bücher d. A. T.* Berlin [3]1899
Welten, P., *Die Königs-stempel; Ein Beitrag zur Militärpolitik Judas unter Hiskia und Josia*. Wiesbaden 1969
Wenham, G., The Deuteronomic Theology of the Book of Joshua. *JBL* 90 (1971), pp. 141–148
Wenning, R.—Zenger, E., Ein bäuerliches Baal-Heiligtum in samarischen Gebirge aus der Zeit Anfänge Israels, *ZDPV* 102 (1986), pp. 75–86
Whitelam, K., See Coote, R.
Widengren, G., King and Covenant, *JSS* 2 (1957), pp. 1–32
Wightman, G. J., *Studies in the Stratigraphy and Chronology of Iron Age II–III in Palestine*. Vols I–II. (*Diss.*) Sydney 1985
— An EB IV Cemetery in the North Jordan Valley, *Levant* 20 (1988), pp. 139–159
Wijngaards, J. N. M., *The Dramatization of Salvific History in the Deuteronomic Schools*, OTS 16 (1969)
Wilcoxen, J. A., Narrative Structure and Cult Legend. A Study of Joshua 1–6. *Transitions in Biblical Scholarship. Essays in Divinity VI*, pp. 43–70. Chicago 1968
Winckler, H., *Geschichte Israels in Einzeldarstellungen I*. 1895

Windisch, H., Zur Rahabgeschichte. (Zwei Parallellen aus der klassischen Literatur), *ZAW* 37 (1917/18), pp. 188–198

Vink, J. G., *The Date and Origin of the Priestly Code in the Old Testament.* (*Diss.*) OTS 15 (1969), pp. 1–144

Wiseman, D. J., Rahab of Jericho. *The Tyndale Bulletin* 14 (1964), pp. 8–11

Vogt, E., Die Erzählung vom Jordanübergang Josua 3–4, *Bi* 46 (1965), pp. 125–148

Wolff, H. W., Dodekapropheton 2. Joel und Amos. Neukirchen 1969

Woude, A. S. van der, Micha 1,10–16, *FS André Dupont-Sommer*, pp. 347–353. Paris 1971

de Vries, S. J., Temporal Terms as Structural Elements in the Holy War Tradition, *VT* 25 (1975), pp. 80–105

Wright, G. E., *Shechem. The Biography of a Biblical City.* New York 1965

Wright, G. R. H., *Ancient Building in South Syria and Palestine.* Vol. 1–2. (Handbuch der Orientalistik. *Ed.* B. Spuler *et al.*). Leiden 1985

Wüst, M., *Untersuchungen zu den Siedlungsgeographischen Texten des Alten Testamente I. Ostjordanland.* Wiesbaden 1975

Yadin, Y., *et al. Hazor I–IV.* Jerusalem 1959–1964

— Ancient Judaean Weights and the Date of the Samaria Ostraca, *Scripta Hierosolymitana* 8 (1961), pp. 9–25. Jerusalem 1961

— *Hazor. The Schweich Lectures of the British Academy 1970.* London 1972

— Is The Biblical Account of the Israelite Conquest of Canaan Historically Reliable, *BAR* 8 (1982), pp. 16–23

— ,—Geva, Sh., *Investigations at Beth Shean. The Early Iron Age Strata.* (Qedem 23). Jerusalem 1986)

Yahuda, A. S., *The Language of the Pentateuch in its Relation to Egyptian. Vol. 1.* 1933

Yeivin, Z., The Mysterious Silver Hoard From Eshtemoa. *BAR* 13 (1987), pp. 38–44

Zadok, R., See Na'aman, N., 1988

Zertal, A., *The Israelite Settlement in the Hill Country of Manasseh.* (Hebrew). Tel Aviv 1986

— An Early Iron Age Cultic Site on Mount Ebal: Excavation Seasons 1982–1987, *Tel Aviv* 13–14 (1986–1987), pp. 105–165

Zevit, Z., Archaeological and Literary Stratigraphy in Joshua 7–8, *BASOR* 251 (1983), pp. 23–35

Zobel, H.-J., *'ᵃrôn*, *ThWAT* Bd. 1, sp. 391–404. Stuttgart 1973

— Beiträge zur Geschichte Gross-Judas in früh- und vordavidischer Zeit, *VTS* 28 (1975), pp. 253–277

van Zyl, A. H., *The Moabites.* Leiden 1960

Författarregister

Aharoni, Y. 18, 20, 94, 97, 100, 105, 120, 123, 141, 160, 164, 185, 205, 232, 235, 237, 239, 245f.
Aḥituv, Sh. 199, 205
Ahlström, G. W. 34, 41, 141, 229, 235f., 240, 249
Albright, W. F. 141, 146, 176, 180, 232f., 244, 252ff.
Alfrink, B. J. 68f.
Alt, A. 41, 74, 96, 120, 140f., 176, 258, 272
Alter, R. 55
Amiran, R. 230, 234, 243, 245f.
André, G. 144
Ascaso, J. A. 68
Asmussen, J. P. 50
Astour, M. C. 103
Auld, A. G. 111, 127ff., 135, 142, 168
Aurelius, E. 67
Axelsson, L. E. 197, 235

Bächli, O. 64
Baltzer, K. 144, 147f., 153
Banning, E. B. — Köhler — Rollefson, I. 235
Baron, A. G. 234
Barstad, H. M. 44f., 183
Beck, P. — Kochavi, M. 246
Beebe, H. K. 240
Beek, M. A. 39, 253
Beit-Arieh, I. 97, 234
Bennet, M. 96
Bennett, C. M. 97, 256
Ben-Tor, A. 97
Berg, W. 21
Berge, K. 52
Biran, A. 244f.
Blenkinsopp, J. 82, 84f.
Boecker, H. J. 144
de Boer, P. A. H. 67
Boling, R. G. 70f., 107, 125, 147
Boraas, R. S. — Horn, S. H. 243
Borée, W. 163
Bræmer, F. 237, 240, 243, 246
Brekelmans, C. H. W. 62
Bright, J. 56
Brown, R. E. 23
Buhl, M. L. — Holm-Nielsen, S. 253
Buis, P. 158
Burrows, M. 13
Butler, T. C. 158f.

Calderone, P. J. S. J. 152
Callaway, J. A. 252f.
Campbell, E. F. 60
Campbell, K. M. 46
Caquot, A. 64
Carlson, R. A. 16, 54, 85, 107, 152, 196
Cazelles, H. 85
Ĉerný, J. 254
Clifford, R. J. 127
Childs, B. S. 56
Clontz, J. 9
Cody, A. 54, 138f., 141
Cohen, A. 50
Cohen, M. A. 157
Cohen, R. 97, 120, 198, 235
Coogan, M. D. 240
Craigie, P. C. 87
Cross, F. M. 247
Crown, A. D. 164
Currid, J. D. — Navon, A. 232

Dalman, G. 96
Danelius, E. 125
David, M. 133
Demsky, A. 122, 247
Dever, W. G. 230, 253
Dion, H. M. 70
Diepold, P. 19, 158
Dietrich, W. 32
D'Oherty, E. 148
Donner, H. 125
Donnershausen, W. 130
Dorsey, D. A. 87
Dothan, M. 97, 120, 163
Dus, J. 12, 85, 145

Eissfeldt, O. 68, 77, 127
Eisenberg, E. 255
Elat, M. 9

Elliger, K. 87, 89, 93, 125, 175
Engnell, I. 38, 258

Fensham, F. C. 81
Finkelstein, I. 230, 235–241, 244, 246f.
Flohn, H. 258
Floss, J. P. 43
Franken, H. J. — Franken-Battershill, G. A. 253
Franken, H. J. 58, 145, 251, 257
Fritz, V. 74, 89, 91, 100f., 175, 235, 258
Funk, R. W. 253

Gal, Z. 237
Galling, K. 72, 249
de Geus, C. H. J. 115
Giblin, C. H. 158
Gillespie, R. *et al.* 258
Gilmer, H. W. 47, 152
Giveon, R. 249
Glueck, N. 242, 254f.
Gonen, R. 232, 238f., 244
Görg, M. 127
Gottwald, N. 233, 249
Gradwohl, R. 56
Gray, J. 112, 160
Greenberg, M. 141
Greenberg, R. 236
Greenfield, J. C. 20
Greenspahn, F. E. 161
Grintz, J. M. 83
Gross, H. 65
Gruber, M. J. 61
Gruenthamer, M. J. 87
Gunkel, H. 17

Hadidi, A. 255
Haglund, E. 16
Halbe, J. 82
Halpern, B. 81, 85, 258
Hamlin, E. J. 147
Haran, M. 13, 84, 127, 141
Hayes, J. H. — Irvine, S. A. 177, 180
Heintz, J. G. 70
Helms, S. W. 230f.
Herr, L. G. 243
Hertzberg, H. W. 49, 128
Herzog, Z. 235
Hesse, F. 39, 67
Hoftijzer, J. — van der Kooij, G. 151
Holladay, J. S. Jr 87
Holm-Nielsen, S. 236
Hölscher, G. 45
Holzinger, H. 108
Homès-Fredericq, D. — Hennessy, J. B. (eds) 254
Hopkins, D. C. 258
Horn, P. H. 50
Hrouda, B. 252
Humbert, P. 63
Hurwitz, A. 83, 137, 262

Ibrahim, M. 240, 243, 246, 255
Irwin, W. H. 127
Isaksson, B. 181
Ishida, T. 95
Isserlin, B. S. J. 257f.

Jacobs, L. K. 242
James, F. W. 250
Japhet, S. 17, 187
Jenni, E. 125
Jeppesen, K. 176
Jeremias, A. 45
Johnson, B. 29
Jones, G. H. 86
Jüngling, H.-W. 71

Kallai, Z. 9, 19f., 95ff., 106, 119–123, 129, 135, 141, 144, 160f., 167, 169, 172, 180, 187f., 191f., 196, 257
Kallai-Kleinmann, Z. 130
Kapelrud, A. S. 85, 196
Kartveit, M. 142, 160, 187
Kaufmann, Y. 19, 96, 124, 140
Kearny, P. 82
Keel, O. 72, 149
Keller, C. A. 12, 55
Kelm, G. L. — Mazar, A. 240
Kelso, J. L. 244, 253
Kempinski, A. 241
Kenyon, K. M. 230, 232
Kimura, H. 16, 120
Kitchen, K. A. 205
Kjær, H. 253
Kloppenborg, J. S. 145
Knudtzon, J. A. 199
Koch, K. 47, 66
Kochavi, M. 230, 238, 246f.
Köhler, L. 151
König, Fr. E. 50
Kooij, van der, G. 181
Kraus, H.-J. 55, 75
Kreuzer, S. 158

Labuschagne, C. J. 83, 114
Langlamet, F. 12
Lapp, P. 251
Layton, S. C. 151
Lemaire, A. 181, 229
Lemche, N. P. 131, 233, 238, 244, 247
L'Hour, J. 158
Liver, J. 83f.
Lohfink, N. 17, 32, 38f., 52, 56, 62, 65, 68, 73, 147
London, G. 258
Long, B. O. 55f.
Loretz, O. 247
Luckenbill, D. D. 88

Maag, V. 158
McCarthy, D. J. 43, 46, 158
Mac Donald, B. 242
McEvenue, S. 83
McGovern, P. E. 243, 255
Madl, H. 85
Maier, J. 12, 59f., 67
Malamat, A. 85, 91, 107, 130, 257
Marfoe, L. 258
Martin, W. J. 55
Mazar, A. 58, 236, 240, 245
Mazar, B. 9, 94, 141, 229, 240
Mendenhall, G. E. 233, 258
Menéndez, M. 241
Menes, A. 145
Mettinger, T. N. D. 32, 127
Millard, A. R. 21
Miller, J. M. 87, 181, 242, 257f.
Miller, P. D. Jr 57f., 60
Mitchell, G. 9, 147, 158
Mittmann, S. 243
Möhlenbrink, K. 79, 83, 89
Mölle, H. 158
Montgomery, J. A. 44
Moran, W. L. 46
Mowinkel, S. 11f., 51, 60, 100
Muilenburg, J, 47
Müller, H.-P. 151

Na'aman, N. 71, 85, 94, 106, 120, 125, 142, 160f., 172, 175, 177, 187, 192f., 197f., 247
Navon, A. 232
Naveh, J. 247
Neef, H.-D. 69
Nelson, R. D. 99
Nicolsky, N. H. 134
Niehaus, J. 82
Nielsen, E. 56ff., 60, 77, 126, 148f., 151, 153–158
Nieman, H. M. 130
Norin, S. 25, 55
North, R. 17, 94, 136
Noth, M. 11ff., 24, 27, 32, 41, 46, 52, 56f., 59, 62, 68f., 72, 77, 83, 86f., 91, 93f., 96ff., 100, 110, 112f., 115, 118f., 121, 126ff., 131, 133–137, 145, 148, 154, 156, 187, 197, 260ff., 270, 272

Ohata, K. 244
Olausson, E. 258
Olávarri, E. 243, 246, 251
Olofsson, S. 197
Oren, E. D. 234
Otto, E., 33, 56f., 59
Ottosson, M. 13, 15, 17f., 21, 23, 35f., 39, 41f., 43, 47, 58, 67, 74, 82, 87, 91ff., 98, 100, 109, 112f., 121, 124, 126, 130, 144ff., 149, 151, 157, 173, 183, 197, 229f., 232, 240, 250, 254f., 261, 265
Otzen, B. 147

Palumbo, G. 230
Parpola, S. 103, 163, 178
Perlitt, L. 158
Peterson, J. L. 141
Phillips, A. 149
Polzin, R. 79, 84
Porter, J. R. 25, 39, 55f., 59
Prag, K. 231
Pritchard, J. B. 81, 84, 185, 252

Rabinowitz, I. 78
Rad, G. von 21, 43, 132
Rainey, A. F. 97, 121, 258
Ramlot, L. 67
Redford, D. B. 247
Reissner, J. A. 187
Rendtorff, R. 13
Revell, E. J. 75
Reventlov, H. Graf 47
Richard, S. 231
Ringgren, H. 72, 136, 151
Ritter-Kaplan, H. 230
Rösel, H. N. 71, 74, 83, 87, 158
Ross, J. 254
Roth, W. M. W. 71
Rothenberg, B. 58
Rowe, A. 257

Sæbø, M. 16, 21, 93
Sauer, J. A. 243
Sawyer, J. F. A. 87
Saydon, P. P. 55
Schäfer-Lichtenberger, C. 39, 83
Schmid, H. 60
Schmitt, G. 71, 85, 142, 153, 158, 160
Schreiner, J. 39
Schunk, K.-D. 71, 75, 96f.
Seebass, H. 78, 126
Segert, S. 181
Sellin, E. 57
Seters, J, van 88, 100, 148, 154, 158, 233
Shay, T. 230
Shiloh, Y. 240
Simons, J. 106, 125, 160, 171, 174f., 187–190, 205
Sinclair, L. A. 253
Smend, R. 32
Snaith, N. H. 145
von Soden, W. 65
Soggin, J. A. 13, 46, 51, 55f., 59, 62, 67, 76f., 86, 93, 98, 100, 108, 120, 124f., 128, 133, 141, 145, 148f., 151
Spencer, J. R. 141
Sperling, S. D. 158
Springer, B. 19
Stager, L. E. 240
Steck, O. H. 21
Steingrimsson, S. 150
Stephenson, F. R. 87
Steuernagel, C. 108
Stoebe, H. J. 64f., 72
Strange, J. 130
Tengström, S. 77, 126, 134, 140, 156
Thiel, W. 233
Thomas, D. W. 122
Thompson, L. L. 58
Thompson, Th. L. 230, 255
Tov, E. 46, 55, 69
Tucker, G. M. 12, 46, 52

Ussishkin, D. 88, 185

Wächter, L. 156
Wagner, S. 43, 145
Wampler, J. 253
de Vaux, R. 17, 75, 77, 125, 230, 240, 251, 254, 271
Weber, O. 199
Veijola, T. 16, 32, 71
Weimar, P. 86
Weinfeld, M. 12f., 39, 43, 70, 87, 99, 122, 129, 148, 193, 229, 250, 257
Weippert, H. 130, 239
Weippert, M. 74, 88, 249
Wellhausen, J. 75, 271
Welten, P. 185
Wenning, R. - Zenger, E. 240
Westbrook, R. 50
Widengren, G. 38
Wightman, G. J. 176, 231
Wijngaards, J. N. M. 147
Wilcoxen, J. A. 56
Winckler, H. 122, 267
Windisch, H. 45
Vink, J. G. 145
Wiseman, D. J. 45
Vogt, E. 55
Wolff, H. W. 67
de Vries, S. J. 87
Wright, G. E. 244, 251
Wright, G. R. H. 240
Wüst, M. 40f., 93, 100, 106, 108, 110f., 113, 115f., 127, 197

Yadin, Y. 74, 91, 187, 229, 232, 237, 244ff., 257
Yadin, Y. — Geva, Sh. 173, 257
Yahuda, A. S. 21
Yeivin, Z. 172

Zadok, R. 198
Zertal, A. 238, 241
Zevit, Z. 71
van Zyl, A. H. 146, 180, 183